A Practical Guide to
Joint & Soft Tissue Injection

관절과 연부조직 주사및흡인치료

Fourth Edition

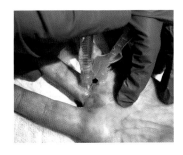
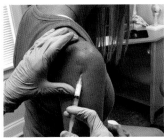
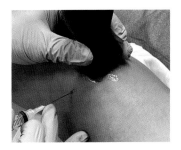

James W. McNabb
Francis G. O'Connor

옮긴이 김연동 · 김도완 · 김웅모 · 김형태

군자출판사

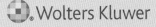
Wolters Kluwer

Philadelphia · Baltimore · New York · London
Buenos Aires · Hong Kong · Sydney · Tokyo

4판

관절과 연부조직 주사 및 흡인치료

첫째판 1쇄 인쇄 | 2023년 4월 10일
첫째판 1쇄 발행 | 2023년 4월 17일

지 은 이 James W. McNabb, Francis G. O'Connor
발 행 인 장주연
옮 긴 이 김연동, 김도완, 김웅모, 김형태
출 판 기 획 임경수
책 임 편 집 김지수
편집디자인 최정미
표지디자인 김재욱
제 작 담 당 이순호
발 행 처 군자출판사(주)
　　　　　등록 제4-139호(1991. 6. 24)
　　　　　본사 (10881) **파주출판단지** 경기도 파주시 회동길 338(서패동 474-1)
　　　　　전화 (031) 943-1888　　팩스 (031) 955-9545
　　　　　홈페이지 | www.koonja.co.kr

본서에는 약물 복용을 위한 자세한 증상, 부작용, 약물 투여량 등이 기재되어 있으나 변화될 가능성이 있습니다. 독자들은
약품제조사의 유의사항을 꼭 확인하시길 바랍니다. 저자, 편집자, 출판사, 그리고 배본사는 본서의 오류나 누락에 대한 책임을
지지 않으며, 출판의 내용과 관련하여 명시적 또는 묵시적으로 어떠한 보증도 하지 않습니다. 또한, 본서에서 발생할 수 있는
인명 및 재산상의 상해 및 손상에 대한 책임을 지지 않습니다.

* 파본은 교환하여 드립니다.
* 검인은 저자와의 합의 하에 생략합니다.

ISBN　　979-11-5955-998-3 (93510)
정가　　55,000원

DEDICATION

This book is dedicated to those who make our work possible. We especially want to thank and recognize the understanding and support given by our wives, families, colleagues, staff, and patients.

이 책에 들어가면서

일선 진료현장에서 바쁜 의사들에게 환자의 통증과 불편감을 곧바로 호전 시키는 치료 방법은 많지 않다. 몇 안되는 방법중의 하나는 바로 관절과 연부조직 주사법이다. 치료목 적의 주사법이 모든 불편감을 한꺼번에 없애 주지는 못하지만 어느 정도 경감 효과는 가 져오게 할 수 있다. 증상이 어느 정도만 호전되어도 이는 환자에게 희망으로 다가오고 의 사 환자와의 관계를 더욱 돈독하게 해주는 효과를 가져온다. 결국 이것이 의학의 기술을 실천하는 것의 전부가 아닌가?

코르티코스테로이드가 작용을 나타내는데는 얼마간의 시간이 필요하여 즉각적인 증상 호전을 보이지 않을 수 있다. 하지만 미래에는 이러한 문제도 해결할 수 있지 않을까 싶다. 지난 수년간 리도카인 마취제를 섞지 않고 스테로이드 단독만으로 관절 주사를 시행한 결 과 스테로이드 단독만으로도 즉각적인 호전을 가져올 수 있다고 확신하게 되었다. 이것은 주사바늘 자체의 효과일까 아니면 주사를 시행하고 있는 내 자신의 믿음일까? 정말로 효 과가 있는 것일까? 이는 의학의 한 부분이라고 할 수 있다. 일선 진료현장에서 관절과 연 부조직 주사를 날마다 시행하고 있는 의사들에게 중요한 주제이자 논의할 부분이다.

환자에게 즉각적인 통증경감을 주는 것은 바쁜 진료일선 현장의 의사에게는 만족감을 주는 불꽃같다고 할 수 있겠다. 이것이 바로 많은 의사들이 주사시술을 시행하는 이유중 의 하나라고도 할 수 있다. 동시에 관절과 연부조직 주사를 다른 의사들에게 교육시키고 전파하는 것도 또 다른 만족감을 주는 것이라고 할 수 있다. 동료들이 어떻게 적절하게 주 사 시술을 시행하는 여부를 지켜보는 것도 바쁜 교육 담당 의사에게 또 다른 만족감을 주 는 행위라 할 수 있겠다. 그리고 이번 4판의 저자들이 지난 50년간(어쩌면 더 많은 시간일 지도 모른다.) 지속적으로 해온 것이라고 할 수 있다. 또한 관절과 연부조직 주사는 하루 에 보는 수많은 환자들에 비하면 시행하는데 있어서 그리 많은 시간이 소요되지는 않 는다.

'관절과 연부조직 주사와 흡인치료 4판' 책은 이제 주사치료의 가장 표준이 되는 교과서 라고 할 수 있다. 주사치료에 있어서 마치 성서나 불경, 코란 같은 존재라고 할 수 있다. 임 상진료의사가 절차나 기법을 처음 사용하는지, 또는 한동안 수행하지 않았는지, 또는 특 정 절차나 기법과 관련된 최신 증거를 복습하고 싶은 경우에 이 책은 유용한 자료가 될 것이다. McNabb's 관절과 연부 조직 주사와 흡인치료는 이른바 참고자료라 할 수 있다.

이번판에서는 James McNabb은 일차 스포츠의학과 근골격계 초음파 영역의 전설이라 고 할 수 있는 Francis O'Connor와 함께 하게 되었다. 두경부의 마취와 두통 치료를 위한 신경블록법, 교차증후군의 치료, 넓적다리 힘줄과 좌골낭, 둔부통증증후군, 베이커낭종 과 중족부 관절에 대한 치료법들이 중요 추가되었다. 추가적으로 귀부분 전장침요법, 세척

요법, 힘줄 브리즈먼트, 천공술, 신경수력분리술, 피막 수력확장술/수력성혈술, 그리고 변연줄제술을 동반한 힘줄절단술등의 새로운 내용이 추가되었다. 모든 창에 걸쳐서 철저히 연구되고 가장 근거 기반이 확실한 문헌들이 조사되었다. 하지만 이런 근거들 모두 임상적 경험, 지식 그리고 상식에 기반하여 이해되어야 할 것이다. 이 책의 저자들은 모두 이러한 시술들을 시행하고 가르치는데 있어서 50년이상의 경력과 상식을 가지고 있다. 관절과 연부조작 주사에 있어서 의미 있게 중요한 기술적 발달이 근골격계 초음파, 관절용 점성보충제 그리고 정형 생물학 분야에서 소개되고 있다. 상대적으로 가격이 저렴하고 사용이 편리한 초음파 기계들이 임상에서 사용 가능하게 되었다. 스마트폰을 비롯한 다른 작은 휴대 가능한 소형 기구들이 장소가 외래 기반 사무실이든지, 병원 병동이든지 응급실이나 긴급한 응급 구조 현장, 스포츠현장, 그리고 다양한 곳에서 손쉽게 사용될 수 있는 환경으로 변화하고 있다. 이 책은 관절과 연부조직 주사를 위한 초음파 활용에 대해 자세히 기술하고 있다. 그리고 가장 최신의 관절용 점성보충제와 정형 생물학에 관련된 기구들에 대한 내용도 포함한다. 내 자신이 직접 가르치고 쓴 시술들에 대한 내용을 다루고 아직 꿈이지만 시술 자체에 대한 영상들도 포함하고 있다. 책의 내용은 실제 환자들에게 시행한 그림들을 포함하고 있다.

근골격계 질환은 일반 의사가 가장 많이 접하는 질환중의 하나이다. 전세계적인 전염병이 우리를 둘러싸고 있는 요즈음 감사의 마음을 갖는 것이 또 하나의 생존 기술이다. 그러한 시간이 우리의 행복에 기여할 거라고 믿는다. 우리 의사들은 환자의 삶에 도움이 되기 위해 가진 모든 특권을 기꺼이 바칠 수 있어야 한다. McNabb과 O'Connor's의 관절과 연부조직 주사와 흡인치료를 통해 우리 진료의 질을 높이고 환자에게 도움을 줄 수 있는 계기를 마련해 보길 바란다.

Grant C. Fowler, MD
Professor and Chair

서문

    지금 나는 아주 특별한 순간에 이글을 쓰고 있다. COVID-19 유행성 감염병은 전 미국을 충격에 빠뜨렸고 의료 영역뿐 아니라 우리 사회 전반을 무너뜨렸다. 의료 측면에서는 이제 예전에 비해 우리는 개인 보호 장비의 남아있는 재고, 아픈 환자들을 위한 주차장 방문, 그리고 원격 의료를 수용하는 것에 대해 훨씬 더 걱정하고 있다. 그러나 근골격계, 피부과 등 기타 의료 문제에 대한 충분한 환자 관리 필요성은 변함이 없다 지금의 내 시술에 대해 통찰력을 위해 내 아들 Bryce는 짧은 영화 "Plague on the Practice"를 만들었다(https://www.youtube.com/ watch?v=vavhuJ2teLE&t=3s). 방문해서 시청해보기를 추천한다. 나는 정말 감사하게도 Circle Family Medicine of Piedmont HealthCare in North Carolina에서 내 전문적인 지식을 활용할 기회를 가져왔다. 나는 내 자신을 단순한 진료 의사뿐 아니라 시간날 때 책 쓰고 가르치는 의사로도 생각해왔다.

    이 책 4판을 구상하면서 근골격계 이슈들, 근골격계 초음파, 생물학적 제재의 사용, 그리고 다른 발달된 기술이나 보조 주사치료법 분야에서 교육과 실제의 차이가 존재하고 이를 강조해야 한다는 필요성을 확실히 느꼈다. O'Connor 선생님과 함께 이 책을 집필하게 되어 무한한 영광으로 생각한다. 가정의학과 의사로서 스포츠의학 분야의 교육과 연구에 조예가 깊은 분이다. O'Connor 박사는 Uniformed Services University of the Health Sciences의 군진 의학 및 응급의학과 교수이자 전임 과장이다. American Academy of Family Physicians와 National Procedures Institute에서 우리는 수년간 상호협약에 따라 같이 근무하였다. 모든 분야에서 O'Connor 박사는 훌륭한 지식과 좋은 기술들을 가지고 교육을 수행해 왔다. 자연스럽게 우리는 각종 자료들을 모아서 이 책을 만들었고 훌륭한 이 책의 공동저자로서 그를 소개하게 되어 매우 자랑스럽다.

    근골격계와 피부질환 분야의 교육을 담당하면서 우리는 일차의료 영역의 진료를 담당하는 의사들이 전통적인 주사방법에서 나아가 새로운 시술들을 배워야 할 필요성이 있다는 것을 인식하게 되었다. 이런 이유로 우리는 전통적인 주사법에 대해 다루고 있는 교과서들에 비해 다른 방향으로 이 책을 집필하게 되었다. 그리하여 협업의 결과 이 책에서는 여러가지 의료 환경에서 간단하고 값싸게 시행할 수 있는 다양하고 효과적인 의료 시술들을 망라하게 되었다. 비록 환자가 많아 바쁜 가정의학과 의사 관점에서 집필되었지만 이 책의 술기들은 전문분야를 넘나든다. 이것은 다양한 외래 진료실이나 응급현장, 가정간호 현장, 응급실 그리고 입원병동에도 적용될 수 있다. 또한 이 책은 의과대학이나 전공의 수련과정에서 교육 목적으로 사용 가능하다.

    이 4판 책을 통해서 O'Connor 박사와 나는 척추부위 깊은 신경주사와 피부 미용분야를 제외하고 가급적 다양한 분야에서 주사 바늘을 이용한 일차 진료영역에서의 술기를 포함하도록 만들었다. 이 책은 광범위하게 연구되고 근거에 기반한 내용을 위주로 다루었고 일선 진료현장에서 배우고 바로 쓸 수 있는 술기를 원하는 의사들에게 유용하도록 제작하였다.

지난 10년은 기초과학 지식분야에서 새로운 발견들이 이루어졌다. 중요약물들의 독성, 정형생물학의 소개, 근골격계 초음파의 도입, 그리고 환자 관리를 위한 다른 기술들에 대한 문헌들이 그 내용이다. 우리 저자들은 모든 치료의사들에게 이 책을 읽고 공부하고 특히 각 장의 첫 부분들을 자세히 정독한후에 각 술기들을 적용하기를 당부한다.

이 전판의 성공을 발판으로 삼아 새로운 내용들을 추가하고 일선 진료의사들에게 확실한 도움이 되도록 노력하였다. 전 장에 걸쳐서 재구성 하였고 최신 정보와 맞이 않는 부분은 전면 수정하고 새로운 주사 술기들의 내용을 첨가하였다. O'Connor 박사는 새로운 부분에 정형생물학과 근골격계 초음파, 그리고 발전된 부가 기법들을 추가하였다. 이 새로운 장은 이번판을 다시 한번 성공적이 교재로 만들어 줄 것으로 확신한다. 수지 신경차단들 비롯한 다양한 두통 치료를 위한 신경차단법들이 피부 마취 부분에 첨가되었다. 나머지 부분도 재 구성되고 새로운 내용으로 확장되고 업데이트 되었다. 이번 4판은 모두 68개의 주사 술기주제들을 다루고 있다.

이 책의 또다른 특장점은 업데이트된 CPT와 ICD-10코드가 수록되어 있다는 점이다. 동의서 서식예와 함께 시술 후 유의사항에 대한 안내문 그리고 시술기록지에 관한 내용이 부록으로 첨부되어 있다. 모든 장에 걸쳐서 좋은 해부학 사진과 그림들로 책의 질을 높여 준 Wolters Kluwer Health에도 감사의 말을 전한다.

이 책에는 좋은 그림과 사진들이 실제 랜드마크 기반 주사와 초음파 유도하 주사시 시행하는 것이 담겨 있다. 모두 실제 진료환경에서 만나는 증례 중심의 환자들의 사진들이다. 교육 목적 활용에 대해 그들에게 모두 동의를 얻었다.

이 책을 만들고 구성하는데 도움을 준 모든 이에게 감사드리고 싶다. 이 책의 제작은 나의 개인 진료와 교육의 35년 결실이라고 할 수 있다. 먼저 사랑하는 내 아내 Liz에게 감사의 말을 전한다. 의학교육과 수련 그리고 연습, 책을 집필하는 모든 기간 동안 헌신해주었다. University of Wyoming-Casper, Scottsdale HealthCare in Arizona 와 Cabarrus Family Medicine in North Carolina의 모든 구성원들에게도 감사의 마음 전한다. 지식을 공유하고 스포츠 의학 분야에서 새로운 시술 커리큘럼과 근거중심의학의 경험을 만들어 주었다. 내 진료실 안의 모든 구성원들도 헌신적으로 내 아이디어를 지지해주고 책 제작을 위한 사진촬영에 도움을 주었다. 또한 나의 모든 환자들의 도움 없이는 이 또한 불가능했으리라. 또한 교육의 기회를 준 American Academy and North Carolina Academy of Family Physicians에게도 지난 20년의 교육기간에 대해 감사의 말을 전한다. 서로 도움을 주고 지지해주고 나의 모든 영감들에게 힘을 주었다. Drs. Grant Fowler, Roy "Chip" Watkins, Kevin Burroughs, Gerald Admussen, Stuart Forman, Francis O'Connor 이 모든 동료 의사들에게 감사의 말을 전한다. 마지막으로 Wolters Kluwer Health 출판사 특히 편집장 Thomas Celona와 Colleen Dietzler에게 감사하다. 전문적인 지식과 지원 그리고 4판의 모든 제작과정에서 아낌없는 지원을 주었다. 그 외에도 미처 거명하지 못한 모든 이들에게 감사의 마음 전한다. 항상 건강하기를!

James W. McNabb

역자 서문

    대한통증학회의 가족 같은 구성원들이 의기투합하여 2015년 3판 번역한지 벌써 8년의 시간이 훌쩍 지났습니다. 구성원 모두 큰 변화 없이 시간이 지나도 치열한 임상 현장에서 끊임없이 통증 환자와 희노애락을 같이 해오고 있지만 여러가지 생각은 많아질 것 같습니다. 이전부터 익히 알고 있듯이 통증질환에 대한 진단과 치료를 근간으로 하는 마취통증의학과의 통증치료는 그 대상 질환의 방대함과 고도의 전문성을 가지고 있음에도 불구하고 너무나도 쉽고 간단한 행위로 평가되고 가치가 인정받지 못하고 있습니다. 각종 진단방법 및 치료과정의 결정에 있어서 빛나는 가치를 가지는 신경차단법을 비롯한 주사치료법들은 정확한 진단과 치료를 위한 시작이자 핵심이라고 할 수 있습니다. 이 책은 이러한 핵심에 대해 다르고 있는 책입니다. 처음 주사치료를 접하는 초보자와 다양한 경험을 가진 전문가도 다시 볼 수 있는 유용한 정보와 사진들이 담겨 있습니다. 이 책이 통증 환자의 안정성 확보와 임상의의 진료 타당성을 뒷받침해 줄 수 있는 큰 토양이 되기를 기원합니다. 통증질환에 대한 정확한 지식과 근거중심의 치료행위 그리고 완벽한 술기 습득 이야말로 통증치료 의사가 가져야 할 필수 요건이라 할 수 있겠습니다.

    미국 미식축구 감독 롬바르디의 어록을 소개합니다. "Practice does not make perfect. Only perfect practice makes perfect!" 치열한 한국의 통증 의료 현장에서 이 책은 완벽함으로 이끄는 유용한 동반자가 될 수 있으리라 확신합니다.

    본 책의 번역을 제안해 주신 도서출판 군자출판사에 감사드리며, 또 한번 힘든 여정을 기꺼이 같이 해준 가족 같은 역자교수님들께 마음 깊이 감사드립니다. 통증치료로의 배움의 길을 열어 주신 존경하는 모든 스승님들과 동료들 그리고 치료과정 중에 내게 또다른 인생의 가르침을 주는 환자분들에게도 경의를 표합니다.

    8년전과 변함없이 가르쳐 주신 치료과정 중의 수없이 고민하던 소중한 경험들, 마음속 깊이 간직하겠습니다.

2023년 3월 마음속의 새로운 봄을 맞이하여
대표역자 김연동

역자 소개

대표역자

김연동

- 원광대학교 의과대학 마취통증의학과 교수
- 건강보험심사평가원
- 전북대학교 의과대학 졸업, 의학박사
- 마취통증의학과 전문의, 대한통증학회 고위자과정
- 세계통증학회(WIP) 국제 중재적통증치료 전문의(FIPP)
- 일본준텐도대학 부속병원 마취통증의학과, NTT 동일본병원 통증의학과 연수
- 대한통증학회 정보이사, 대한척추통증학회 간행이사
- 원광대학교 의과대학 제생의세 임상해부연구소장

역자

김도완

- 으랏차정형외과의원 원장
- 고려대학교 의과대학 졸업, 의학박사
- 마취통증의학과 전문의, 대한통증학회 고위자과정
- NTT 동일본병원 통증의학과 연수

김웅모

- 전남대학교 의과대학 마취통증의학과 교수
- 전남대학교 의과대학 졸업, 의학박사
- 마취통증의학과 전문의, 대한통증학회 고위자과정
- 미국 Wake Forest University 마취통증의학과 연수

김형태

- 울산대학교 서울아산병원 마취통증의학과 교수
- 전북대학교 의과대학 졸업, 의학박사
- 마취통증의학과 전문의, 대한통증학회 고위자과정
- 대한부위마취학회 학술이사

차례

8. 피부와 피부 구조물들Skin and Skin Structures 133

9. 머리와 몸통Head and Trunk 152

10. 상지Upper Extremities 169

11. 하지Lower Extremities 265

서론Introduction

James W. McNabb

관절과 연부조직에 대한 주사와 흡인은 1차 진료의들과 임상의들이 익힐 수 있는 매우 가치있는 술기이다. 이 같은 시술들은 환자의 통증을 완화시키고 기능을 향상시키며, 동시에 임상의들의 능력을 향상시키고 치료의 연속성을 개선하며 의료 비용을 줄이는 데 도움을 줄 수 있다. 이러한 테크닉은 피부과적 질환 및 근골격계 질환에 대한 정확한 진단 하에 정확하고 사려깊게 이용되어야 할 것이다. 이는 때로는 상당히 어려울 수 있지만 1차 진료의들이 매일 접하는 다른 많은 질병들을 진단하고 치료하는 것에 비해 결코 어렵지는 않을 것이다. 질환에 대해 정확히 진단하는 방법을 배우는 것은 이 책의 영역 밖이다.

우리의 주요 고려 사항은 환자의 안전이다. 우리는 항상 최소한의 위험으로 최상의 의료 서비스를 제공하기 위하여 노력해야만 한다. 이것은 지식 기반의 발전과 더불어 부수적으로 상호 보완적인 시술의 기술을 발전시킴으로써 달성될 수 있다. 또한 우리는 환자에게 긍정적인 경험을 제공하는 데 중점을 두어야 한다. 이는 적극적인 환자 참여와 공유된 의사 결정에서 시작된다. 그런 다음 고통 없는 절차 경험을 보장하면서 안전하고 지원적인 환경을 제공하는 것은 제공자로서 우리의 의무이다. 우수한 임상 결과와 함께 긍정적인 경험을 통한 환자의 만족이 우리의 주요 목표이다.

중요한 개념은 흡인 및 주사 치료가 그 자체로 끝이 아니라는 것이다. 이것은 단지 하나의 치료 옵션일 뿐이다. 체액의 제거 또는 치료제의 정확한 침착은 일반적으로 다른 방식에 대한 보조요법으로 사용되어야 하는 임시 조치이다. 많은 경우에서 단독으로 사용되는 코르티코스테로이드 주사 요법은 장기간의 결과에는 차이가 없이 단기에서 중기의 통증과 기능의 완화만 제공하는 것으로 입증되었다. 이러한 경우 초기 주사 치료에 다른 치료 방식들을 조합하였을 경우 환자들에게 최적의 오랜 치료결과를 제공하였다. 추가적인 치료 옵션으로는 상대적인 휴식, 압박, 부목/깁스, 냉찜질, 열, 초음파, 스트레칭, 물리치료, 지압, 기타 약물 투여 또는 수술이 포함될 수 있다. 근본적인 요인을 교정하지 않고 흡인이나 주사만 단독으로 시행한다면 보완 치료없이 사용하는 경우 재발할 가능성이 높다.

이 책에서 다음의 주된 항목들을 위주로 기술하였다.

- 각각의 술기에 대한 적응증과 금기증 기술
- 현재의 근거 중심의 의학 문헌들 검토
- 각각의 시술에 대한 적절한 장비 및 상품 선택
- 각각의 시술에 해당하는 적절한 해부학적 지표 설명
- 안전하고 효과적인 주사 기법 설명
- 시술을 적절히 코딩

기초개념Foundation Concepts

James W. McNabb

"훌륭한 의사는 질병을 치료하고, 위대한 의사는 병에 걸린 환자를 치료한다."

– 윌리엄 오슬러

사려깊은 배려

근골격계 상태의 평가 및 치료는 일차 의료의 필수적인 측면이다. 해부학, 생체역학, 병태생리학 및 최신 치료 옵션에 대한 이해가 향상되어 1차 진료 제공자는 근골격계 환자 치료에 긍정적인 기여를 할 수 있는 위치에 있다. 환자가 경구용 비스테로이드성 소염진통제(NSAID)로 치료를 받고 상태가 저절로 치유되리라는 희망을 품고 방치하던 시절은 오래 전에 지나갔다. 이 교재는 가장 흔한 근골격계 질환과 일부 피부 상태 및 신경 블록의 치료에 유용한 기술을 더 잘 이해하는 데 사용될 수 있을 것이다. 모든 의료 절차와 마찬가지로 주사 및 흡입을 수행하는 것은 임상의에게 큰 책임을 부여한다. 모든 침습적 시술은 명확한 감별 진단과 치료 계획을 염두에 두고 이루어져야 한다. 무분별하게 수행해서는 안된다.

"우선 해가되는 일은 하지 말아라(**Primum non nocere**)."는 의료의 기본 원칙 중 하나이다. 따라서 의사는 어떤 주사를 시행할지 여부에 대해 결정을 하기 전에 적응증, 금기사항, 의학적 근거, 기대되는 이득, 가능한 부작용, 예상되는 결과, 진단의 확실성, 시술에 대한 개인적인 경험, 임상 경험, 편견, 이전 시술에 대한 환자의 반응, 그리고 환자에 대한 존중 등에 대해 고려해야 할 의무가 있다. 이 공유 의사 결정은 신중한 숙고와 각 환자와의 대화가 필요한 매우 복잡한 과정이다. 또한 임상의는 의료 절차를 수행하기 전에 상식을 사용하고 자신의 한계를 아는 것이 필수적이다. 경우에 따라 환자와 상의한 후 침습적 절차를 수행하는 것보다 대체 접근 방식을 사용하거나 전문 상담을 요청하는 것이 더 나을 수 있다. 다시 말해 시술을 할 수 있다고 해서 시술을 해야 하는 것은 아니다.

세부전문의에게 의뢰해야 하는 경우

근골격계 질환 환자의 대다수는 1차 진료 제공자가 능숙하게 관리할 수 있지만, 세부 전문의 동료에게 의뢰하는 것이 바람직하고 필요한 상황이 있다. 표준 적응증에는 정확한 진단에 대한 불확실성이 있는 경우, 제공자가 시술을 수행하는 데 불편함을 느끼는 경우, 치료에 대해 예상되는 반응이 발생하지 않은 경우, 쉽게 접근할 수 없는 관련 구조(특히 척추, 고관절 또는 천장관절), 시술 시도가 성공적이지 못한 경우, 패혈성 관절염의 가능성, 염증성 다발성 관절염의 의심, 치료에 반응하지 않는 재발성 단일관절염 또는 진단되지 않은 만성 단일관절염 등이 포함된다. 이러한 경우 환자는 스포츠 의학 전문의, 류마티스 전문의, 정형외과 전문의, 중재영상의학과 전문의 또는 통증의학과 전문의에게 의뢰될 수 있다. 급성 패혈성 관절이 의심되는 경우 환자는 관절 배액, 괴사 조직 제거, 관주, 정맥 항생제 및 비정형 감염의 경우 감염병 상담을 위해 응급 입원 환자가 필요하다.

표준 약물관리

근골격계 질환은 1차 진료 제공자가 실제로 흔히 접하게 되는 질환이다. 전통적으로 이들 중 다수는 경구 약물을 사용하여 치료하고 있다. 그러나 처방자는 부작용과 잠재적인 독성을 알고 있어야 한다. 가장 효과적인 통증 관리 전략은 종종 복합적이다. 약물 치료 외에도 불안을 줄이기 위한 심리사회적 개입과 물리 치료, 지압 및 TENS와 같은 물리적 전략을 통해 통증을 줄이고 통증 대처 기술을 개선하며 기능을 회복할 수 있다.

2020년에 American College of Physicians (ACP)와 American Academy of Family Physicians (AAFP)에서 성인의 비허리 근골격계 부상으로 인한 급성 통증 관리에 관한 임상 지침(가이드라인)을 발표했다.[1] 가이드라인의 권장 사항은 4주 미만 지속되는 급성 통증에 대한 약물 및 비약물 관리의 비교 안전성 및 효능에 대한 체계적인 검토를 기반으로 한다. 검토에는 32,959명의 참가자를 등록하고 45개의 치료를 평가한 207건의 임상시험이 포함되었다. 전반적으로 중간 정도의 확실성 증거가 있는 그들의 가장 강력한 권장 사항은 멘톨 젤이 있거나 없는 국소 NSAID의 1차 사용을 지원한다. 이것은 통증 완화, 신체 기능 개선 및 치료에 대한 환자 만족도의 세 가지 영역 모두에서 긍정적인 효과를 기록한 유일한 개입이었다. 임상시험에서 심각한 위장관 또는 신장 부작용은 관찰되지 않았다. 그러나 국소 NSAID의 심혈관 안전성 확인은 여전히 추가 관찰 연구가 필요하다.[2]

경구 비선택적 NSAID 및 선택적 시클로옥시게나아제-2(cyclooxygenase-2, COX-2) 억제제는 염증 상태의 치료에 사용하기 위해 매우 일반적으로 사용되는 약물 종류이다. 그러나 일차 진료 임상의가 치료하는 많은 근골격계 질환은 실제로 병인에 활성 염증을 수반하지 않는다. 그럼에도 불구하고 이러한 약물은 일반적으로 사용된다. 위에 언급된 ACP/AAFP 가이드라인은 통증을 포함한 증상을 감소 또는 완화하고 신체 기능을 개선하기 위해 경구 NSAID에 대해 중간 정도의 확실성 증거와 함께 조건부 권장 사항을 제공하거나 통증을 줄이기 위해 경구용 아세트아미노펜을 사용한다.[1]

불행하게도, NSAID 및 COX-2 억제제는 잘 알려진 위장관 부작용, 간독성, 신독성, 부종, 혈압 상승 및 울혈성 심부전 악화를 넘어서는 부작용이 있다. 2013년에 연간 233,798명의 환자 이상의 추적 조사를 받은 353,809명의 환자를 대상으로 한 754건의 임상시험에 대한 메타 분석이 보고되었다. COX-2 억제제와 디클로페낙(diclofenac)은 주로 관상 동맥 사건의 증가로 인해 주요 혈관 사건을 1/3 증가시키는 것으로 나타났다. 이부프로펜(ibuprofen)은 주요 관상동맥 사건을 상당히 증가시켰다. 그러나 나프록센(naproxen)은 주요 혈관 사건의 발생률을 증가시키는 것으로 밝혀지지 않았다. 2017년 BMJ에 61,460건을 포함한 4건의 연구에 대한 고품질 메타 분석이 게재되었다. 이는 나프록센을 포함한 모든 NSAID가 급성 심근경색의 위험 증가와 관련이 있음을 보여주었다. 셀레콕시브(celecoxib)의 심근경색 위험은 기존 NSAID와 비슷했다. 위험은 NSAID를 사용한 첫 달과 고용량에서 가장 컸다.[3] 모든 NSAID는 심부전의 위험을 두 배로 높이고 상부 위장관 합병증의 위험을 증가시킨다.[4] 전국적인 코호트 연구에서는 대부분의 NSAID를 단기간 치료해도 이전에 심근경색이 있었던 환자의 사망 및 재발성 심근 경색 위험 증가와 관련이 있다고 밝혔다. 따라서 NSAID를 사용한 단기 또는 장기 치료는 이 집단에서 권장되지 않는다. 모든 NSAID 사용은 심혈관 안전 관점에서 제한되어야 한다.[5]

2개의 대규모 유럽 인구 기반 연구에 따르면 전통적인 NSAID 및 COX-2 억제제가 심방세동 발생률을 증가시키는 것으로 나타났다.[6,7] 이는 심방 세동 발병 후 30일 이내에 최근 사용한 경우에 특히 두드러진다. NSAID는 신장에서 발현되는 시클로옥시게나제 효소를 억제하기 때문에 이 메커니즘이 체액 저류를 유발하고 혈압을 높이며 심장의 이완기 말과 수축기 차원 모두에서 비대를 초래하는 것으로 생각된다. 또는 NSAID가 항염증제로 사용되기 때문에 NSAID가 치료하는 근본적인 염증 상태 및 통증은 심장 효과와 관련이 있을 수 있다.

2015년에 발표된 대규모 체계적 검토 및 메타 분석에 따르면 NSAID 및 COX-2 억제제도 정맥 혈전색전증의 위험을 거의 두 배로 높이는 것으로 나타났다.[8] COX-2 효소의 억제는 혈소판 활성화로 이어지는 프로스타사이클린의 합성을 억제하고 또한 혈소판 응집을 유발하는 트롬복산의 방출을 자극하는 것으로 추정된다.

통증 완화에 경미하거나 중간 정도의 효과가 있지만 아세트아미노펜 독성이 자주 발생한다. 1990년부터 1998년까지 아세트아미노펜과 관련된 과다 복용과 관련하여 매년 평균 56,000건의 응급실 방문, 26,000건의 입원, 458건의 사망이 있었다.[9] 2007년 질병 통제 센터는 매년 1,600건의 급성 간부전 사례를 추정했으며 그 중 아세트아미노펜 관련이 가장 흔했다.[10] 2014년에 50,396건의 아세트아미노펜 단독 노출과 22,951건의 아세트아미노펜 조합에 대한 단일 노출이 National Poison Data System에 보고되었다.[11] 2014년에 미국 FDA는 정제, 캡슐 또는 기타 용량 단위당 325 mg 이상의 아세트아미노펜을 함유하는 모든 복합 의약품의 승인을 철회했다. 모든 아세트아미노펜 처방약의 라벨에는 중증 간 손상 가능성을 강조하는 박스형 경고 및 알레르기 반응(예: 얼굴, 입, 목의 부기, 호흡 곤란, 가려움증 또는 발진)의 가능성을 강조하는 경고가 추가되었다. 다른 보고된 부작용으로는 아나필락시스, 급성 신세뇨관 괴사, 빈혈, 혈소판 감소증, 메스꺼움, 발진 및 두통이 있다. Roberts와 동료들의 8개 연구에 대한 체계적인 문헌 검토에서 4개는 심혈관 부작용의 증가, 1개는 위장관 부작용 또는 출혈, 3개는 신장 부작용, 2개는 모든 원인으로 인한 사망률의 증가를 보고했다.[12] 2013년에 FDA는 아세트아미노펜 섭취 후 개인에게서 보고된 드물지만 심각한 피부 반응의 가능성을 대중에게 알리는 보도 자료를 발표했다. 이러한 반응에는 스티븐스-존슨 증후군, 독성 표피 괴사, 급성 전신 발진성 농포증이 포함된다. 이러한 모든 피부 상태는 잠재적으로 치명적일 수 있으며 처음 노출되는 경우에도 발생할

수 있다.[13]

경구 코르티코스테로이드는 자주 처방된다. 그러나 그들은 인식하지 못하는 중대한 위험을 초래할 수 있다. 대만의 2020년 인구 기반 연구에서 1,500만 명 이상의 환자가 평균 기간 3일 동안 경구용 스테로이드를 투여 받았다. 대조군에 비해 위장관 출혈의 발생률은 1.8배, 패혈증은 2배, 심부전은 2.4배 증가했다. 이러한 부작용은 스테로이드 시작 후 5-30일 이내에 기록되었다.

2019년 Cochrane Database 체계적 검토는 트라마돌의 이점을 하향 조정했다. 위약과 비교하여 트라마돌 단독 또는 아세트아미노펜과의 병용은 골관절염 환자의 통증이나 기능에 중요한 이점이 없을 것이다. 중간 수준의 증거는 부작용으로 인해 훨씬 더 많은 참가자가 이 약물 복용을 중단할 가능성이 있음을 보여준다.[14]

2020 ACP/AAFP 가이드라인에 따르면 트라마돌을 포함한 1가지 아편유사제는 중증 부상이나 1차 치료가 효과가 없는 경우를 제외하고 비허리 근골격계 원인의 급성 통증 관리를 위해 처방해서는 안된다. 이 계열의 약물은 급성 비요통 환자에게 거의 또는 전혀 도움이 되지 않는다. 장기 중독 및 과다 복용의 가능성과 같은 상당한 피해가 있다. 과거 또는 현재 물질 사용 장애가 있는 환자에게 급성 근골격계 손상에 대한 아편유사제 처방을 피하고 지속 기간을 7일 이하로 제한하고 처방 시 저용량을 사용하는 것은 지속적인 아편유사제 사용률을 줄이기 위한 잠재적으로 중요한 목표이다.[15] 심각한 사건을 포함한 많은 부작용이 만성 비암성 통증에 대한 오피오이드의 중장기 사용과 관련이 있다. 2017년에 발표된 Cochrane 리뷰에 따르면 위약을 대조로 사용한 시험에서 오피오이드 관련 부작용의 절대 사건 발생률은 78%였으며 심각한 부작용의 절대 사건 발생률은 7.5%였다.[16] 확인된 부작용에 근거하여, 임상에서 만성 비암성 통증이 있는 사람들에게 장기 사용을 고려하기 전에 임상적으로 관련된 이점이 명확하게 입증되어야 한다.

세로토닌 및 노르에피네프린 재흡수 억제제인 둘록세틴(duloxetine)은 종종 만성 근골격계 통증의 보조 치료에 사용된다. 통증 완화, 기능 개선, 기분 조절 개선, 삶의 질 개선 등의 효과가 있는 것으로 나타났다. 이 약물은 일반적으로 골관절염 및 만성 요통 치료에서 경미한 부작용으로 내약성이 우수하다. 부작용으로는 메스꺼움, 피로, 현기증, 구강 건조 등이 있다. 최근 검토에서 낮은 심혈관 위험이 확인되었다.[17]

글루코사민과 콘드로이틴 설페이트는 골관절염으로 인한 통증을 줄이기 위해 환자가 일반적으로 복용하는 처방전 없이 구입할 수 있는 식이 보조제이다. 안타깝게도 인기에도 불구하고 이점을 보여주는 데이터는 약하고 효능을 보여주는 데이터는 상충된다. Orgata 가 2018년에 발표한 18개 논문에 대한 메타 분석에서는 통증에 대한 글루코사민의 미미한 호의적 효과와 무릎 관절 기능에 대한 작지만 중요하지 않은 효과를 발견했다.[18]

일반적인 근골격계 질환의 통증과 진행을 조절하기 위한 표준 약리학적 경구 약물의 상대적으로 낮은 효능과 상당한 독성을 감안할 때 의사는 더 효과적이고 독성이 덜한 다른 치료 옵션의 사용을 고려해야 한다. 체중 감소, 상대적인 휴식, 지압, 깁스, 부목, 보조기, TENS 장치, 체외 충격파 요법 등과 같은 장치의 활용에 대한 보수적인 측정에 종종 좋은 반응이 있다. 공식적인 물리치료는 충분히 참여할 수 있지만 일반적으로 충분히 활용되지 않는 환자들에게도 상당히 도움이 된다.[19] 다른 치료 옵션에는 이 책에 나와 있는 많은 바늘 기반 주사 및 흡인 절차가 포함된다.

주사와 흡인의 적응증

주사와 흡인을 시행하는 데 있어서 많은 적응증들이 있다. 진단적 관점에서 일시적으로 통증을 줄이기 위해 관절이나 연부조직에 국소 마취 용액을 도입하면 임상의가 보다 포괄적인 검사를 수행할 수 있다. 통증은 자발적인 혹은 비자발적인 움직임 때문에 근골격계 검사의 제한 요인이 될 수 있다. 통증 때문에 근육경련이 발생하여 검사하는 부위의 운동 범위가 제한될 수 있다. 효과적인 통증 완화는 임상의들이 충분히 관련된 부분의 검사를 시행할 수 있게 한다. 환자의 근육, 힘줄, 인대, 연골을 포함하여 근본적인 구조물들을 파악하는데 필수적이다.

진단적 주사의 결과에 따라 중요한 임상 관리 결정이 내려질 수 있다. 예를 들어 환자는 급성 어깨 통증을 호소할 수 있다. 검사에서 환자는 중등도의 심한 통증을 호소하고 어깨를 옆으로 잡고 어깨 외전을 보여줄 수 없는 상태이다. 임상적 질문은 환자가 어깨 회전근개 복합체의 완전한 파열인지 아니면 견봉 아래의 회전근개 충돌이 통증의 원인인지 여부일 수 있다. 임상의는 1% 메피바카인 1–2 mL의 견봉하 주사를 선택할 수 있다. 1분 후 환자가 무제한 외전을 포함하여 전체 운동 범위를 보여줄 수 있는 경우, 이 "충돌 테스트"는 통증이 어깨 외전 불능의 제한 요인임을 나타낸다. 결과적으로 회전근개 구조의 완전한 파열은 없다. 환자는 특정 시간에 전문 진료 의뢰 없이 1차 의료 제공자가 지시하는 보존적 치료를 계속 받을 수 있다.

체액은 관절이나 연부조직의 흡인을 통해서도 얻을 수 있다. 색상, 선명도 및 혈액의 존재 여부를 전체적으로 검사해야 한다. 정상적인 관절 활액은 맑고 투명하다. 체액에는 출혈 원인(가장 일반적으로 급성 외상)을 나타내는 혈액이 포함될 수 있다. 또한 염증이 생긴 윤활막에서 나오는 헤모글로빈의 분해로 인한 황색색소증(xanthochromia)으로 인해 노란색일 수도 있다. 체액의 투명도는 백혈구의 존재에 의해 변경될 수 있다. 결정과 세포 파편도 선명도를 감소시킬 수 있다. 세포, 결정, 세균 및 혈액에 대해 평가하기 위해 체액의 현미경 검사에서 얻은 정보는 매우 중요하며 다음 섹션에서 설명하기로 하겠다.

치료학적으로 주사와 흡인을 시행하는 데에는 여러 가지 이유가 있다. 관절에서 체액 자체를 제거하면 상당한 통증이 완화되고 관절 운동 범위가 회복될 수 있다. 팔꿈치와 같이 상대적으로 작은 관절의 경우 3–5 mL의 체액만 제거해도 이런 현상이 발생할 수 있다. 큰 무릎 관절에서 임상의는 만성 상태에서 100–150 mL의 체액을 제거할 수 있다.

치료용 주사에 대한 적응증에는 결정관절병증, 윤활막염, 류마티스성 관절염, 기타 비패혈성 염증성 관절염, 골관절염 및 골관절증이 포함된다. 연부조직 적응증에는 활액낭염, 건염, 건증, 상과염, 발통점, 신경절 낭종, 신경종, 신경 포착 증후군 및 근막염이 포함된다. 염증성 관절 및 연부조직 상태에서 치료 효과는 종종 코르티코스테로이드/국소 마취 혼합물의 정확한 주사에 의해 달성된다.

코르티코스테로이드 주사는 또한 비후성 반흔, 켈로이드, 편평 태선, 만성 단순 태선, 건선, 결절성 양진, 원형 탈모증 및 원판상 루푸스와 같은 다양한 피부 질환이 있는 환자의 병변에 직접 투여될 수 있다.

피부 구조와 신경 주변에 국소마취제를 주입하면 일시적으로 통증이 사라진다. 이것은 고통스러운 수술 절차를 수행할 수 있도록 하기 위해 임상적으로 중요하다.

주사와 흡인의 금기증

흡인 및 주사의 적응증을 이해하는 것이 중요하지만 이러한 절차를 수행해서는 안 되는 상황을 인식하는 것이 훨씬 더 중요할 수 있다. 절대적 금기증에는 비협조적인 환자에 대한 시술 수행, 제안된 주사 약물에 대한 실제 알레르기 병력, 감염된 조직을 통한 주사, 중요한 체중 부하 힘줄에 코르티코스테로이드 주사가 포함된다. 특히, 아킬레스건, 슬개골 및 대퇴사두근 힘줄 내부 및 주변에 스테로이드를 주입하면 이러한 중요한 구조의 치명적인 파열이 발생할 수 있다. 그러한 파열로부터의 회복은 종종 어렵고 오래 걸리며 불완전하다.

많은 상대적 금기증이 존재한다. 이는 가변적이며 특정 환자나 상황에만 적용될 수 있다. 이들 중 일부는 동맥, 정맥, 신경 또는 흉막 표면과 같은 중요한 구조 근처의 시술을 포함한다. 또한 응고 장애, 주사액의 방부제에 대한 알레르기, 면역 저하 상태, 취성 당뇨병, 무혈성 괴사 병력, 주사 부위 관절 치환술 이력, 시술에 대한 과도한 불안, 시술후 주의사항을 따르지 않는 경우 등의 환자들에 대해서는 주의를 기울여야 한다.

코르티코스테로이드를 투여받는 환자는 아메바, *Borrelia burgdorferi* (라임병), 칸디다, *Cryptococcus*, *Mycobacterium*, *Nocardia*, *Pneumocystis*, *Strongyloides* (실선충), *Toxoplasma* 등에 의해 유발되는 잠복 질환의 활성화 또는 감염의 악화를 경험할 수 있다.

The Society of Interventional Radiology 합의 지침에서는 근골격 경피 시술을 출혈 위험이 낮은 것으로 분류한다.[20] 그러나 출혈의 위험이 증가할 수 있는 많은 임상 상황이 있다. 시술을 진행하기 전에 각 환자의 동반 질환, 약물 및 응고 매개변수에 대한 검토를 고려해야 한다. 혈우병 및 폰빌레브란트병과 같은 응고병증은 환자에게 혈관절증 및 구획 증후군을 비롯한 출혈 합병증을 일으키기 쉽다. 간경화, 만성 간 질환, 만성 신장 질환 및 비타민 K 결핍과 같은 특정 상태는 출혈 가능성을 증가시킬 수 있다. 또한 항응고제, 항혈소판제 및 NSAID는 모두 출혈 위험을 증가시킬 수 있다. 프로트롬빈 시간/INR, 부분 트롬보플라스틴 시간(PTT) 및 혈소판 수를 포함한 환자의 응고 프로필을 평가하고 침습적 시술 전에 수정해야 할 수 있다.

항응고제로 치료받는 환자의 경우 의사는 항응고 요법을 보류하거나 취소할 경우 발생하는 혈전증의 가능성에 대해 바늘 기반 시술과 관련된 출혈 위험을 비교해야 한다. 경구 항응고제인 와파린을 복용하는 환자는 주사 또는 흡인에 대한 절대적인 금기 사항이 아니다. 1998년 *Arthritis and Rheumatism* 저널에 Thumboo는 INR이 4.5 미만인 와파린을 복용하는 류마티스 클리닉에 다니는 환자를 포함하여 32건의 관절 및 연조직 주사 및 흡인에 대한 전향적 코호트 연구 결과를 보고했다. 시술 후 4주 동안 환자를 추적 관찰한 결과, 심각한 출혈은 없었다.[21] 또한 저자는 비공식적으로 발표되지는 않았지만 더 많은 환자들에 대한 경험이 있었다고 발표하였다. 2015년 Foremny와 동료들은 근골격계 절차를 출혈 위험이 낮은 경우와 높은 경우로 분류했다. 관절 주사 또는 흡인, 체액 흡인(혈종 또는 농양), 복막주사, 말초신경차단 등 출혈 위험이 낮은 시술을 시행할 때는 항응고제를 유지할 필요가 없다(INR ≤ 3.0의 경우). 또한 이러한 시술 시 클로피도그렐의 복용은 권장하지 않으며 20,000/μL 이상의 혈소판 수치가 적당하다고 여겨진다.[22] 현재까지 항혈소판제, 혈전용해제, 섬유소용해제, 저분자량 헤파린 또는 직접 트롬빈억제제제(다비가트란 등) 및 인자 Xa 억제제(리바록사반, 아픽사반 등), 와파린을 복용하는 환자의 주사 절차 수행시 약제 복용은 이러한 항응고제와 동일하게 적용해서는 안된다.

특수한 의학적 상태

몇 가지 의학적 상태는 특별한 고려가 필요하다. 당뇨병은 1차 진료 환자 집단에서 매우 흔하고 점점 더 증가하는 의학적 상태이다. 비만과의 빈번한 연관성으로 인해 이러한 환자는 주사치료에 잘 순응하는 관절과 연부조직도 기계적인 그리고 대사적인 스트레스 상황에 놓이게 된다. 혈당 수치가 크게 상승할 수 있다는 우려가 있지만 연구에 따르면 일시적인 상승은 일반적으로 임상적으로 중요하지 않다. 무릎 관절 내 스테로이드 주사는 포도당 조절이 양호한 당뇨병 환자에서 2–3일 동안 급성 고혈당증을 유발할 수 있다.[23,24] 어깨 관절 내 스테로이드 주사는 더 많은 용량과 반복 용량으로 식후(평균적이지는 않음) 포도당 수치를 잠시 상승시킬 수 있다.[25] 혈당 상승은 일반적으로 탄수화물 제한, 일반적인 당뇨병 치료 요법의 지속, 주사 후 며칠 동안 혈당을 면밀히 모니터링하여 잘 조절할 수 있다. 그러나 당뇨병이 있으면 주사 코르티코스테로이드를 사용한 치료의 효과가 떨어질 수 있다.

아스피린, NSAID, 항혈소판제, 와파린 및 직접 트롬빈 억제제(dabigatran 등) 및 인자 Xa 억제제(rivaroxaban, apixaban 등)를 포함한 새로운 경구 항응고제를 포함한 경구용 항응고제를 복용하는 환자의 주사 성능에 대한 우려가 제기되었다. 이 문제는 위의 금기사항 섹션에서 논의되었다.

패혈성 관절염은 의학적 응급 상황이다. 관절 감염은 관절과 주변 구조의 완전성에 심각한 결과를 초래하는 매우 심각한 상태이다. 가능한 빨리 패혈성관절염을 진단하고 응급치료를 하도록 모든 노력을 기울여야 한다. 환자는 영향을 받은 관절의 세척, 정맥 항생제 투여 및 통증 조절을 포함한 외과적 배액을 포함한 치료가 필요하다. 이는 주치의와 정형외과 의사, 그리고 가능하면 감염내과 전문의에 의해 조정된 방식으로 수행하는 것이 가장 좋다. 관절 감염을 일으키는 흔한 유기체는 연쇄상구균/포도상구균 종, 임균, 메티실린 내성 황색포도상구균이다.

류마티스 관절염은 일차 진료의에게 항상 고민인 질환 중 하나이다. 이 질환은 파괴적이고 빠르게 진행하는 염증성 관절염이다. Lytic 효소는 프로세스가 중단되고 제어되지 않는 한 관절 표면, 윤활막 및 지지 구조를 빠르게 분해한다. 관절 및 연부조직 주사는 영향을 받은 관절에 국소적으로 비교적 적은 양의 코르티코스테로이드를 전달하여 이 상태의 전반적인 전신 관리를 강화하는 데 사용할 수 있기 때문에 치료에 있어서 중요한 역할을 한다.

관절 치환 장치와 관련된 통증 관리에는 특별한 고려가 필요하다. 관절 치환과 관련된 통증은 종종 정상적인 생체 역학이 변경되기 때문에 발생한다. 통증의 다른 원인으로는 과도한 수술 후 반흔 조직, 잘 맞지 않거나 치환물의 느슨한 구성 요소가 포함될 수 있다. 코르티코스테로이드 또는 기타 물질의 단순한 주사는 종종 환자의 통증에 의미 있는 개선을 가져오지 않으며 근본적인 생체역학적 이상을 교정하지 않는다. 치명적인 결과를 초래하는 치환 관절의 감염으로 인해 주사가 복잡해질 가능성도 있다. 이러한 환자의 경우 일반적으로 주사를 시행하지 않고 환자를 정형외과 의사에게 다시 의뢰하여 이 어려운 문제를 관리하는 것이 더 현명할 것이다.

합병증

주사 및 흡인에 사용되는 바늘 기반 시술의 합병증은 전신 및 국소의 두 가지 범주로 나뉜다. 전신 합병증에는 혈관미주신경 반응, 국소 마취 관련 합병증 및 코르티코스테로이드 관련 합병증이 포함된다. 환자는 아나필락시스를 포함한 알레르기 반응을 일으킬 수 있다. 국소 마취제의 다른 심각한 독성은 심장 부정맥 및 발작을 포함할 수 있다. 하지만 일반적으로 연부조직 및 관절 주사에 사용되는 양에 훨씬 초과하는 용량을 부주의하게 혈관 내 투여함으로써 발생한다. 코르티코스테로이드 주사와 관련된 전신 합병증에는 혈관 홍조, 당뇨병 환자의 혈당 수치 상승, 면역 반응 장애, 심리적 장애, 시상 하부 뇌하수체 부신 축 억제, 불규칙한 월경, 비정상적인 질 출혈 및 골다공증이 포함된다. 코르티코스테로이드 요법을 받는 환자는 또한 감염의 국소화 불능과 함께 잠재적으로 감소된 면역 저항으로 인해 감염 또는 오래된 감염의 재활성화 위험이 증가할 수 있다. 이러한 감염 위험은 신체의 모든 위치에 있는 모든 병원체(바이러스성, 박테리아성, 진균성, 원생동물 또는 연충성)에 존재한다. 감염은 경증 또는 중증일 수 있으며 합병증의 위험은 코르티코스테로이드 용량에 따라 증가한다. 또한 코르티코스테로이드 요법은 활동성 감염의 징후와 증상을 숨길 수 있다.

코르티코스테로이드의 국소 진피 합병증에는 피하 지방 위축, 진피 위축 및 피부 탈색이 포함될 수 있다. 이들은 표면 구조물에 주사 후 가장 눈에 띄지만 관절내 주사 후에도 볼 수 있다. 이것은 아마도 코르티코스테로이드의 부주의한 표면 주사 또는 바늘 트랙을 따라 피하 지방 또는 진피로 역류하는 코르티코스테로이드 때문일 것이다. 피부 효과가 나타나기까지 최대 2개월이 걸릴 수 있다. 피부 탈색은 1년에 걸쳐 대부분의 환자에서 정상화된다.[26] 피부 위축은 보통 해결되지만 5년 이상 지속되는 효과가 보고된 바 있다.[27] 이러한 피부 합병증의 범위와 기간은 코르티코스테로이드 제제의 용해도 및 농도와 관련이 있을 수 있다. 흥미롭게도, 정상 식염수 침윤은 국소 코르티코스테로이드 피부 위축을 빠르게 역전시키는 것으로 나타났다.[28] 기타 국소 합병증으로는 출혈, 감염, 관절근접골의 골괴사, 인대 파열 또는 힘줄 파열 등이 있을 수 있다. 힘줄 내(Intratendinous) 코르티코스테로이드 주사는 힘줄 파열을 일으킬 수 있다.[29-31] 이는 건세포 증식의 억제와 분리된 콜라겐 다발의 강도 감소를 통해 발생할 가능성이 높다. 기흉은 등 근육의 통증유발점 주사의 합병증으로 보고되었다.[33] 큰 손바닥 손목 신경절 낭종의 흡인을 시도하면 요골 동맥 손상이 발생할 수 있다.[34]

주사 후 발적은 일반적으로 연부조직 및/또는 윤활막 공간의 스테로이드 결정에 대한 반응으로 인한 것으로 여겨지는 국소 현상이다. 반응은 코르티코스테로이드 주사 후 6-24시간 후에 발생한다. 발적은 과거에 결정성 코르티코스테로이드에 기인한 것으로 여겨졌지만, 이것은 논란의 여지가 있으며 의학적 근거로부터 지지받지 못한다. 메칠파라벤을 포함한 방부제로 인한 화학활막염에서 임상적으로 동일한 반응이 나타난다.[35,36] 일반 리도카인, 에피네프린이 포함된 리도카인, 부피바카인의 다회용 바이알에는 모두 1 mg의 메틸파라벤이 들어 있다. 환자가 "스테로이드 발적" 또는 "리도카인 알레르기" 병력이 있는 경우 방부제가 포함되지 않은 1% 리도카인 일회용 바이알을 신중하게 대신 사용할 수 있다. 두 경우 모두 반복 흡인을 통해 감염이 없음을 확인한 후 경구용 NSAID 및 냉찜질을 사용하여 급성 주사 후 반응을 관리할 수 있다.

연골 세포에 대한 아미드 국소마취제의 독성에 대한 최근 보고에 따라 우려가 증가하고 있다. 시험관내 연구[37,38]에서 이 효과는 리도카인, 부피바카인, 로피바카인으로 보고되었으며, 생체내 시험에서 확인되었다.[39,40] 이 중에서 부피바카인과 로피바카인은 독성이 가장 적은 약제일 수 있다.[40] 근거는 정형외과 수술 후 통증 펌프를 통해 마취제를 지속적으로 주입하는 것과 같이 고농도 국소마취제에 더 오래 노출될수록 연골 용해의 위험이 더 크다는 것을 시사한다.[41] 그러나 동물모델에서는 국소마취제를 1회 주사한 후에도 독성 후기 세포 및 대사 변화가 나타난다.[38] 일부 연구에서는 방부제와 국소마취용액의 pH도 연골 독성에 역할을 할 수 있다고 제안하고 있다.[42]

국소마취제의 관절내 주입은 지속적인 관절 내 주입과 다르다. 마취제에 대한 연골세포 독성은 제품에 노출된 기간과 직접적인 관련이 있다. 관절 또는 연부조직에서 마취제의 흡수 및 제거는 국소마취제의 물리화학적 특성 및 국소 혈류와 관련된 여러 요인에 따라 달라진다. 지용성이 높고 단백결합이 높은 국소마취제는 섭취가 지연되는 경향이 있다.[43] 아미드 국소마취제 중에서 부피바카인은 이러한 특성에 대해 가장 큰 가치를 가지며 아마도 조직에서 가장 긴 체류 시간을 가질 것이다.[44] 2017년 국소마취제 1회 투여가 연골에 미치는 영향에 대한 체계적인 검토에서 Kreuz와 동료들은 4가지 다른 마취제를 사용한 12개의 연구를 포함했다. 그들은 특히 골관절염 연골에서 유형, 용량 및 시간 의존 방식으로 증가하는 연골세포 및 연골에 대한 독성 효과를 발견했다. 이 리뷰에서 부피바카인과 리도카인은 메피바카인과 로피바카인보다 더 연골 독성이 있었다.[45]

현재 코르티코스테로이드가 연골에 유해한 영향을 미칠 수 있다는 초기 증거가 있다. 2017년 McAlindon과 동료들은 JAMA에 무작위 임상 시험 결과를 발표했다.[46] 증상이 있는 무릎 골관절염 환자 140명의 무릎에 코르티코스테로이드를 3개월마다 주사하고 MRI

스캔으로 무릎 연골의 부피를 측정했다. 그들은 2년 후 트리암시놀론을 주사한 환자의 연골 두께가 0.29 mm 감소한 반면 식염수 투여군은 0.13 mm 감소했으며 무릎 통증 정도는 치료군 간에 유의한 차이가 없었다.

안전성

환자와 시술자의 안전을 위하여 다음의 절차를 따라야 한다. 먼저, 국소 해부학적 지표를 정의해야 한다. 시술자가 시술부위의 구조물들에 대해 정확한 지식을 가지고 바늘을 진입해야 한다는 것을 의미한다. 다음으로 혈액 및 체액과의 부주의한 접촉을 피하기 위해 항상 보편적인 주의사항을 따른다. 개인 보호장비를 사용해야 한다. 거의 모든 주사 및 흡입의 경우 비멸균 장갑을 사용하는 것으로 충분하다. 거의 모든 임상 외래 환자 상황에서 의료 소독 기술을 엄격히 준수하는 한 이러한 절차를 수행하는 동안 멸균 장갑이나 멸균 포를 사용할 필요가 없다.

바늘에 의한 손상을 줄이기 위해서 가능한 다양한 종류의 새로운 안전한 형태의 바늘을 사용해야 한다. 시술자는 OSHA 규칙을 유지하고 손상을 피하기 위한 안전한 디자인의 바늘을 사용할 책임이 있다. 사용 후 모든 날카로운 물질들은 즉시 천자방지용기에 담아둬야 한다. 그리고 나서 날카로운 물질을 담아둔 용기는 의료폐기규정에 따라 처리되어야 한다.

침습적인 시술을 시행할 때는 항상 무균적인 테크닉을 사용해야 한다. 시중에서 구할 수 있는 일반적인 살균제품에는 10% povidone-iodine-aqueous 와 2% chlorhexidine-alcohol 용액이다. 두 제품 모두 그람 양성균(gram-positive bacteria), 그람 음성균(gram-negative bacteria), 진균(fungi), 외피성 바이러스(enveloped viruses)에 대항하는 활성을 가진 광범위 스펙트럼 소독약들이다. Chlorhexidine-alcohol은 수술 후 표재성 및 심부 수술 부위 감염을 예방하는 데 povidone-iodine보다 훨씬 더 효과적인 것으로 나타났다.[47,48] 신경축차단술(neuraxial blockade procedures)을 받는 환자에서 알코올 기반 클로르헥시딘-알코올은 포비돈 요오드 사용에 비해 바늘 자입부의 군집화 발생율이 의미있게 더 낮았다.[49] 이러한 연구는 족부 및 발목 수술에서 수술 부위의 박테리아 농도를 감소시키는 데 있어 포비돈-요오드에 비해 클로르헥시딘의 우수한 임상 효능을 입증하는 다른 연구와 일치한다.[50,51] 또한, 클로르헥시딘 글루코네이트는 혈액 또는 혈청 단백질에 의해 불활성화되지 않는 반면, iodophors은 불활성화 된다.[52,53] chlorhexidinealcohol의 수술 후 감염률 감소는 chlorhexidine의 보다 빠른 작용, 지속적인 활성 및 잔류 항균 효과와 관련이 있는 것으로 생각된다.[54] 소독약은 제조업체의 권장사항에 따라 건조되도록 해야 한다.

무균적인 테크닉을 사용한다는 것은 반드시 살균된 수술실 환경에서 시술을 해야 한다는 것을 의미하는 것은 아니다. 그러나 감염성 유기체가 바늘에 의해 조직으로 옮겨질 가능성을 최소화하기 위해 시술자에게 필요한 예방 조치를 취할 것을 요구한다. 주사와 흡인을 시행할 때 시술자는 항상 무균적인 "no-touch technique"을 사용해야 한다. 이 테크닉은 피부를 소독한 후 주사부위에 어떠한 것도 접촉하지 않도록 하는 것이다. 국소 해부학적 지표를 확인한 후 주사부위에 잉크로 표시하고, 볼펜의 움푹 들어간 끝으로 피부에 견고하게 압력을 가하여 자국을 만든다. 다음으로 주사 부위를 알코올로 깨끗이 닦고 소독제로 소독한다. 이러한 과정 후에 소독된 부위에 어떠한 불소독된 물체도 접촉되지 않도록 한다. 소독된 바늘만 이 부위에 접촉할 수 있다.

한 명의 환자에게만 바늘과 주사기를 사용하는 것이 중요하다. 다른 환자에게는 절대 사용해서는 안된다. 단일 용량(일회용) 약물 바이알을 사용하는 경우 한 명의 환자에게만 사용해야 한다. 바이알에는 보존제가 포함되어 있지 않기 때문에 심지어 동일한 환자에게도 재사용할 수 없다. 약병의 고무 마개는 구멍을 뚫기 전에 알코올로 닦아야 한다. 약물 바이알은 심지어 동일 환자에서 추가 용량을 주입할 때조차도 새로운 바늘과 주사기를 사용해야 한다.

물질을 조직에 주입하기 전에 항상 흡인을 시도해야 한다. 이렇게 하면 바늘 끝이 혈관 안에 있지 않은지 확인할 수 있다. 이 간단한 조작을 수행함으로써 의도하지 않은 혈관내 주입을 방지할 수 있다.

관절 혹은 점액낭 안에, 그리고 힘줄 주변에 주사를 한다. 힘줄 안에 주사하는 것은 그 구조를 약화시킬 수 있다. 특히 아킬레스건, 슬개골 또는 대퇴사두근 건과 같은 체중을 지탱하는 힘줄에 주사하는 경우 파열될 수 있다. 또한 직접 신경에 주사하는 것도 피해야 한다. 환자는 바늘이 신경에 접촉할 때 보통 통증(pain), 감각이상(paresthesias), 저림(numbness)을 호소하기 때문에 신경내 주사는 종종 분명히 알 수 있다. 이런 경우 주입하기 전에 바늘을 약간 빼고 위치를 다시 잡아야 한다.

주사 후 멸균 거즈를 사용하여 부위를 닦고 필요한 경우 직접 압박한다. 마지막으로 멸균 접착 드레싱을 적용한다. 바늘은 즉시 천자방지용기에 버린다. 시술에 따라 사무실 직원이 환자의 전신적 혹은 국소적인 반응의 징후를 확인하기 위해 환자는 어느 정도의 시간동안 사무실에 남아 있어야 한다.

해부학

임상의는 주사나 흡인을 위해 선정된 각 부위의 3차원적 해부학과 구조의 기능을 완벽히 이해하는 것이 중요하다. 대상 부위에 대한 상세한 지식은 환자의 증상을 일으키는 병리학적 과정을 보다 깊게 이해할 수 있게 한다. 이것은 이학적 검사를 의미있게 만든다. 마지막으로 치료의사는 진단 가능한 질병 목록을 머리속에 만들 수 있어야 한다. 이 지식으로 의사는 다음 단계를 수행할 수 있다. 그래야만 임상의는 피부표면 아래의 구조적인 관계를 이해할 수 있고, 3차원적으로 생각할 수 있다. 바늘을 진입시키는 동안 어떤 해부학적 구조물을 통과하며 지나가는 지 바늘의 위치를 "보는 것"은 매우 중요하다. 이러한 사고과정들은 임상의로 하여금 바늘 끝의 위치를 "실시간"으로 파악할 수 있게 한다. 이것은 큰 바늘을 이용한 체액흡인 시 바늘을 정확하게 위치시켜 보다 향상된 임상결과를 가져올 수 있다. 바늘로 인한 손상의 합병증 또한 위험한 구조물들을 회피함으로써 최소화시킬 수 있다.

지표

주사나 흡인을 시술하는 동안 시술자는 관계된 국소 해부학적 지표를 확인해야 한다. 이러한 지표들은 근본적인 뼈의 돌출부나 쉽게 확인할 수 있는 연부조직에 해당한다. 이 지표들은 각 주사부위에 특이적이다. 해부학적 지표를 확인한 후에 볼펜이나 수술용 마커펜으로 피부에 그 구조들을 표시한다. 그다음 바늘의 자입부위를 표시한다. 그리고 나서 볼펜의 움푹 들어간 끝으로 견고하게 눌러 피부에 표시한다. 그 부위를 소독하는 과정에서 표시가 지워질 수 있기 때문에 꼭 확인을 해야 한다. 이렇게 함으로써 임상의들은 각 환자의 시술을 표준화 할 수 있고 시각적인 틀을 갖출 수 있다. 아무리 경험이 많다 하더라도 시술하려는 임상의들은 바늘의 자입부위와 해부학적인 지표를 표시하는 것과 확인하는 과정을 생략해서는 안된다. 피부에 표시한 후에는 환자가 그 부위를 움직이지 않도록 해야 한다. 몸을 움직이면 피부 표시와 해부학적 구조사이의 연관성이 바뀌게 된다.

국소마취

환자에게 통증 없는 경험을 제공하는 것은 일차 진료 제공자의 책임이다.[55] 견봉하공간에 대한 후방접근과 같은 선택적인 주사에서 피부를 늘이고 잡아쥠으로써 주의를 분산시켜 주사바늘의 삽입에 따른 통증을 줄일 수 있다.

피부표면을 차갑게 하거나 국소마취제를 사용해서 국소마취를 함으로서 통증 없이 피부를 통해 바늘을 삽입할 수 있다. 국소적 냉각스프레이(vapocoolant spray)는 간단하게 빠른 발현시간과 효과적인 피부마취에 사용될 수 있다. 이러한 피부 냉매는 짧은 기간 동안 표피의 비세포독성 냉각을 유발한다. 이것은 바늘 주입과 관련된 통증을 차단하는 최대 30초의 국소마취 효과를 제공한다. 마취의 작용기전은 말초신경계의 A-delta 섬유와 C-섬유의 신경전달속도를 감소시켜서 척수로의 침해수용성 입력을 차단하는 것이다. 2018년 Zhu와 동료들의 메타분석에 따르면 국소적 냉각스프레이는 성인과 어린이 모두에서 플라시보 스프레이 또는 무치료와 비교할 때 정맥 캐뉼라 삽입 중 통증을 유의하게 감소시키는 것으로 기록되었다.[56]

고전적인 증기 냉각제인 Gebauer의 Ethyl Chloride®는 유리병 및 금속 캔 용기로 제공된다. 두 용기 모두 환기가 잘 되는 공간에서 치료부위로부터 3-9인치 떨어진 곳에서 시행한다. 병은 거꾸로 들어야 하지만, Accu-Stream 360 캐니스터는 어떤 위치에든 고정할 수 있다. 염화에틸 스트림을 병 용기는 3-7초, 캔 용기는 4-10초 동안 또는 피부가 하얗게 될 때까지(둘 중 먼저 발생하는 시점) 해당 부위에 지속적으로 분사한다. 그런 다음 바늘을 즉시 피부에 삽입한다. 이 제품은 가연성이므로 Ethyl Chloride®를 사용할 때는 특별히 주의해야 한다. 소작 장치, 하이프 케이터, 전기수술기계, 무선 주파수 장치, 강렬한 펄스 광 발생기 또는 레이저를 포함하여 화염이나 스파크가 있는 환경에서 사용해서는 안된다.

대체제로서 Gebauer의 Pain Ease® (1,1,1,3,3-펜타플루오로프로판과 1,1,1,2-테트라플루오로에탄의 독점 혼합물)는 액체 형태나 에어로졸 형태의 스프레이 둘 다 사용될 수 있다. 이 제품은 가압 금속 캔에 유통되며 불연성 제품이다. 두 가지 Pain Ease® 제품은 캔을 똑바로 세워 대상 부위에서 3–7 인치 거리에서 투여된다. 피부가 얼기 시작할 때까지 4–10초 동안 분무한다. 10초 이상 분무하지 않는다. 액체 형식으로 분사되는 제품은 더 작은 목표부위에 핀포인트로 분무액을 생성한다. 미스트의 미세한 물방울이 직경 3 cm의 원형 패턴으로 분사된다. 바늘 주사 또는 가벼운 시술을 위한 적절한 국소마취는 최대 30초 동안 지속된다. Pain Ease®는 태아기형 및 발암성 물질이 아니기 때문에 직접 임신한 환자에게도 안전하게 사용할 수 있다. 게다가 이 제품은 Ethyl Chloride®에 비해 더 넓은 범위의 마취가 가능하며 피부 아래로 액체가 흐르지 않고 화재의 위험성이 없다는 등의 이점을 제공한다. 손상되지 않은 피부에만 사용하도록 승인된 Ethyl Chloride®와 달리 Pain Ease®는 경미한 피부 상처와 손상되지 않은 점막에도 사용할 수 있다. 장기간 접촉하면 Ethyl Chloride®와 Pain Ease® 모두 진찰대 덮개에 사용되는 폴리염화비닐 덮개를 손상시킬 수 있다. 주입 중에 주변에 보호하는 패드 등의 사용은 증기 냉각수 유체가 실내 장식품과 접촉하는 것을 효과적으로 방지한다.

Ethyl Chloride® 및 Pain Ease®는 멸균되는 것을 요구하지는 않지만 미국 약전에 따라 미생물 한도 시험을 통과한 제품이다. 이 검사들은 황색포도상구균, 대장균, 녹농균, 살모넬라 종들이 없다는 것을 입증하기 위하여 고안된 것이다. 그러한 검사들은 총 세균, 곰팡이, 효모의 성자을 측정한다.[57] 2012년 연구에 따르면 Ethyl Chloride® 단독으로도 효과적인 소독이 가능하며 포비돈–요오드 단독에 비해 포비돈–요오드와 함께 사용할 때 피부소독이 더 향상된다고 하였다.[58] 그러므로 국소적 냉각스프레이를 사용한 후 다시 소독약으로 시술부위를 닦을 필요는 없어 보인다.

장비

의료 제공자는 주사 및 흡인을 수행하는 데 필요한 모든 장비와 공급품을 구성해 두는 것이 좋다. 이를 구성해 두면 실무자에게 편리하게 물품들이 제공될 수 있다. 이로 인해 필요한 물품들을 모으는 시간을 단축 할 수 있다. 또한 의도하지 않은 의료상의 실수(medical errors)도 줄일 수 있다. 시술이 시행되기 전에 모든 장비들과 물품들은 정리 되어야 한다. 제공자 또는 정리 취향에 기반하여 4가지 방식이 활용될 수 있다.

1. 전용 캐비닛(Dedicated cabinet)
2. 트레이(Injection tray)
3. 카트(Injection cart)
4. 주사용 팩(Injection packs)

캐비닛은 의료 제공자가 같은 방에서 지속적으로 작업하는 환경에서 잘 사용 될 수 있다. 물품들을 한 곳에 모아 놓고 볼 수 있지만 시술 시행 시 다양한 구성 품들을 챙겨야한다. 대형 플라스틱 트레이 또는 카트는 재료 정리를 위한 휴대용 옵션을 제공한다. 이런 방식은 커다란 병원 또는 교육 환경에서 잘 적용될 수 있다. 또 다른 방법으로는 시술 과정에서 항상 사용되는 모든 물품들을 전부 포함하는 "주사용 팩(injection packs)"을 만드는 것이다.

수년간 시술을 시행한 결과 저자가 개인병원에서 선호하는 방법은 물품을 한곳에 모아두는 것이다. 그리고 환자가 방문하기 전에 병원 직원이 각각의 주사용 팩을 만들어 놓게된다. 이런 주사용 팩들은 다른 관련된 약품과 다양한 주사기 그리고 바늘들과 함께 각각의 진료실에 있는 안전한 캐비닛에 보관된다. 환자가 주사 또는 흡인이 필요한 상태로 여겨질 때 캐비닛에서 주사용 팩을 꺼내 진료실 카운터에 올려놓게 된다. 저자는 제공된 물품들을 사용하지만 캐비닛에서 다른 사이즈의 주사기나 다른 길이의 바늘들 역시 자유롭게 선택할 수 있다. 주사를 하는 시점에 저자 또는 직원이 주사기에 적절한 약물들을 넣고 올바른 바늘을 끼운다. 이런 시술 전 정리는 병원의 효율을 증가 시키고 의료적인 실수의 가능성을 줄인다.

준비 및 정리를 위해 추천되는 물품들(그림 2-1):

- 장갑-비멸균 검진용 장갑
- 돌돌 말수 있는 받침대용 수건-비멸균
- 알코올 솜(alcohol pads)
- 10% Povidone-iodine pads or 2% chlorhexidine-70% alcohol pads
- 거즈 패드(gauze pads)-비멸균
- 반창고 밴드
- 지혈용 겸자(선택)
- 주사기
  - 3 mL
  - 5 mL
  - 10 mL
  - 20 mL
  - 60 mL
- 바늘
  - 20 gauge-1 inch-약물 흡인과 작은 관절 흡인용
  - 18 gauge-1.5 inch-큰 관절과 윤활낭 흡인용
  - 25 gauge-5/8, 1, 1.5, 2 inch-주사용
  - 20 gauge-3.5 inch spinal needle-심부 주사/흡인용
- Pain Ease® mist 또는 중간 스트림 도포형 냉각 마취 스프레이(vapocollant spray)
- 1% lidocaine
- 1% mepivacaine
- 0.5% bupivacaine
- 선택한 스테로이드(일반적으로 triamcinolone 40 mg/mL)
- 선택한 점성보충제(필요시 주문)

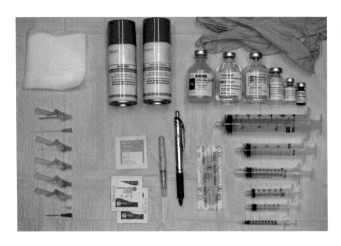

그림 2-1. ● 주사와 흡인 치료에 사용하는 도구들

해부학적 지표 유도하 주사 기법

주사나 흡인을 시행할 때 의료 제공자는 표준화된 절차를 따르는 것이 중요하다. 이는 임상의가 계획하는 것과 환자를 준비시키는 것을 도와주며, 시술 시 누락할 수 있는 절차상의 가능성을 줄여준다. 다음의 순서대로 시행되도록 해야 한다.

1. 의학적 진단을 결정하고 연관된 감별진단을 고려한다.
2. 시술에 대한 모든 금기사항을 고려한다.
3. 제안된 시술과 다른 대안에 대해 환자/보호자들과 의논한다.
4. 환자/보호자들로부터 시술동의서를 받는다.
5. 필요한 물품을 모으고 준비한다.
6. 시술을 위해 환자에게 바른 자세를 취하게 한다.
7. 해부학적 지표와 주사부위를 확인 후 잉크로 표시한다(표시한 이후 시술이 끝날 때까지 환자가 관련 부위를 못 움직이게 해야 한다).
8. 움푹 들어간 볼펜 끝부분으로 피부를 견고하게 눌러 주사부위를 더욱 명확하게 한다.
9. 깨끗한 검사용 장갑을 착용한다.
10. 피부를 alcohol pad로 닦은 뒤 10% povidone-iodine pad 또는 2% chlorhexidine-70% alcohol pad 등을 사용하여 피부를 깨끗하게 한다. 그리고 제조사 권장 사항에 따라 마르게 둔다.
11. 촉지하여 주의를 분산시키고(tactile distraction), 국소냉각용 스프레이(Pain Ease), 또는 국소마취제를 이용하여 국소마취를 시행한다.
12. no-touch technique을 사용하여 바늘을 자입 부위에 위치시키고 치료 부위로 세밀하게 진입시킨다.
13. 만약 초음파 가이드 하에 시술을 사용한다면 초음파 섹션의 기술에 관한 지시를 따른다(선택).
14. 관절윤활액(synovial fluid)이나 활액낭액(bursa fluid)을 흡인(선택)하고, 만일 적응이 된다면 검사실에 검사를 의뢰한다. 만약 흡인 후 코르티코스테로이드나 점성보충제를

바로 주입한다면 관절 또는 활액낭에서 바늘을 제거하지 않는다. 이런 경우 바늘 허브(hub)를 견고하게 잡고(필요시 hemostat clamp 사용) 원래 흡인할 때 사용한 주사기를 바늘과 분리시킨 뒤 코르티코스테로이드가 들어있는 두 번째 주사기를 즉시 부착시킨다.

15. 목표 부위에 적절한 코르티코스테로이드 용액 또는 점성보충제를 주입한다. 혈관 내로 주사되는 것을 피하기 위해 주사 전에 항상 흡인해 본다. 주입시 저항이 있을 때는 약물을 주입하면 안된다.

16. 바늘을 제거한다.

17. 멸균 gauge pad를 사용하여 주사부위를 직접 압박한다.

18. 멸균 밴드를 부착한다.

19. 주사 후 주의사항에 대해 환자에게 알려준다.

관절강액 분석

현미경 검사를 위해 관절강액의 샘플을 채취하는 것이 관절강세정술(arthrocentesis)의 일차적인 목적이다. 관절강액의 검사는 관절유출(joint effusion)을 일으키는 원인의 진단에 중요한 정보를 제공한다.[59,60] 이것은 패혈성 또는 결정성 관절염을 보이는 급성 단일관절염의 경우 특히 중요하다. 관절강세정술을 성공적으로 시행한 후 관절강액의 소견을 관찰한다. 정상적인 관절강액은 맑고 투명하다. 관절강액의 육안적 소견을 기록해야 한다. 이것은 관절 내에 존재하는 염증의 양을 임상적으로 빨리 평가하도록 도와준다. 완전히 투명한 관절강액은 정상 관절에서 비롯되고 골관절염 같은 비염증성상태에서 관찰된다. 혼탁함의 정도는 일반적으로 염증의 양에 비례한다. 대부분의 탁한 패혈성 관절강액은 패혈성 관절에서 일어나지만 예외도 드물지 않다. 다음으로 관절강액은 즉시 현미경 검사를 하거나 가능한 빨리 진단적 검사가 가능한 실험실로 보내져야 한다. 관절강액 분석을 위해 표본이 보내졌을 때 표본은 EDTA (ethylenediaminetetraacetate)로 항응고 처리된 유리 튜브에 놓여진다. 헤파린, 수산염(oxalate), 리튬과 같은 항응고제는 결정 분석을 혼동시킬 수 있기 때문에 이들이 포함된 튜브를 사용하지 않는다. 최적의 좋은 결과를 얻기 위해서 각 지역의 실험실에 문의하여 관절강액를 수송할 우선방법을 결정한다. 배양을 위해 제출된 관절강액은 적절한 배양 배지에 주사기로 전달된다. 일반적인 세균 배양 배지는 대부분의 패혈성 관절염의 경우에 적합하다. 그러나 임질(gonorrhea)은 패혈성 단일관절염의 흔한 원인이다. 만약 이 원인이 의심되면 그것을 이산화탄소 하에서 Thayer-Martin 배지로 옮긴다. 임균성 질환이 의심된다면 인두, 자궁경부, 요도, 직장을 포함한 다른 부위의 배양이 필요하다. 곰팡이 감염이 고려사항이라면 Sabouraud 포도당 한천에서 시료를 배양한다.

과거에는 포도당, 산도(pH), 젖산을 위한 시험들이 일상적으로 행해졌으나 근거중심의 연구는 이러한 값들이 틀렸음을 입증하였다. 전통적으로 관절 삼출은 정상, 비염증성, 염증성, 패혈성, 출혈성으로 분류되어 왔다. 절대적인 세포 수는 관절강액이 염증성인지 비

표 2-1

관절강액의 특성

	모양	점성	세포개수/mm^3	% PNNs	결정 모양
정상	투명	높음	<180	<10%	없음
Osteoarthritis	투명	높음	200-2,000	<10%	없음
Rheumatoid arthritis	반투명	낮음	2,000-50,000	다양함	없음
Psoriatic arthritis	반투명	낮음	2,000-50,000	다양함	없음
Reactive arthritis	반투명	낮음	2,000-50,000	다양함	없음
Gout	반투명에서 흐림	낮음	2,000-50,000	>90%	바늘 모양+ 복굴절되서 보임
Pseudogout	반투명에서 흐림	낮음	2,000-50,000	>90%	마름모꼴모양+ 복굴절되서 보임
Septic arthritis	짙은 먹구름색	다양함	2,000-50,000+	>90%	없음
Hemarthrosis	적색	낮음	2,000-50,000	<10%	없음

염증성인지를 구별하게 해주는 주요 인자이다. 세포 수가 2,000 개/mm^3 미만인 관절강액은 비염증성일 가능성이 높고, 2,000 개/mm^3 이상인 경우에는 일반적으로 염증성 관절강액일 가능성이 크다. 차등 백혈구수(differential leukocyte count)는 추가적인 정보를 제공한다. 비염증성 관절강액은 일반적으로 50% 미만의 다형핵 세포들(PMNs)을 포함하고 염증성 관정강액은 더 많은 PMNs를 포함한다. 패혈성 관절염에서 유일하게 임상적으로 유용한 관절강액 검사는 백혈구수, PMNs의 포함정도(백분율), 그람 염색(Gram stain), 배양이다.

결정 분석은 현미경을 갖춘 어떤 의료기관에서도 수행될 수 있다. 관절강액 한방울을 깨끗한 슬라이드 위에 떨어뜨리고 커버 슬립을 하고 검사한다. 결정은 일반현미경에서 관찰될 수 있으며 결정, 백혈구, 세균에 관해서 예비식별한다. 편광 광학 현미경은 결정 식별에 가장 중요한 표준 검사법이다. 이것은 보통 추천 실험실에서만 존재한다. 통풍에서 발견되는 모노나트륨 요산 결정은 바늘 모양을 보이고 편광 하 검사에서 강한 복굴절을 보인다. 인산칼슘이수화(calcium pyrophosphate dehydrate) 결정은 가성통풍에서 발견된다. 이것들은 매우 굴절력 있고, 짧으며, 장사방형이고, 약한 복굴절을 보인다. 세포내 결정의 존재는 통풍과 가성통풍의 더욱 분명한 예측인자이다(표 2-1).

시술 후 처치

흡인 또는 주사 직후 치료 부위를 무균 밴드로 감싸며 압박을 가한다. 일단 시술자는 환자가 안정적이고 떨어질 위험이 없다고 판단되면 환자를 검사/시술 테이블에서부터 내려오도록 해야 한다. 코르티코스테로이드가 관절강 또는 연부조직에 잘 퍼질 수 있도록 부드러운 마사지 또는 천천히 해당부위를 운동범위 내에서 움직이게 격려해야 한다. 병원에서 퇴원한 후 환자는 부작용이 발생하는지 잘 살펴보고 어떤 부작용이라도 즉시 보고하도록 주지시킨다. 가장 중요한 것은 감염의 초기 징후를 인지하는 것이다. 그러므로 부종, 홍반(redness), 증가된 온감(warmth), 근위부의 붉은색 선조(red streaking) 또는 100˚F 이상의 발열 등이 있으면 즉시 보고되어야 한다.

환자들은 흔히 국소마취제 주사 후 통증이 완전히 소실하는 경험을 한다. 통증 경감과 통증으로 인한 회피 반응이 없기 때문에 치료 부위에 대한 추가적인 손상의 위험이 증가한다. 환자들에게 초기 통증 완화가 국소마취제에 의한 것이며 이 효과는 일시적일 수 있다는 사실을 알려줘야 한다. 순수한 1% 리도카인의 경우 통증 완화는 약 1시간 정도 지속될 수 있다. 주사된 코르티코스테로이드 제제의 항염증 효과는 대개 24시간에서 48시간 정도 이후에 발현한다. 그러므로 통증이 1 시간 정도 후에 다시 나타날 수 있으며, 1–2일 후 다시 감소할 수 있다고 설명해 줘야 한다.

흡인 또는 주사 후 환자에게 추가적인 주의사항을 알려 주도록 한다. 환자는 치료 부위에 얼음찜질을 적용할 수 있다. 하지만 이것이 도움이 된다는 근거는 아직 없다. 임상적 상황에 따라 NSAID를 처방할 수도 있지만 앞에서 논의된 부작용과 잠재적인 독성에 대해 충분히 인지하고 있어야 한다. 연구 결과에 의하면 치료부위를 고정하는 것은 불필요하지만[61,62], 사용을 줄이거나 움직임을 조절하는 것은 대개 도움이 된다. 압박붕대 또는 부목의 사용이 바람직할 수 있지만 이를 일률적으로 사용하는 것에 대해 문헌적 근거는 없다. 시술 후 흔히 생길 수 있는 부작용이나 특별 주의사항을 포함한 시술후처치 환자교육자료는 유용한 자료로 활용될 수 있다(부록 2 참조).

시술기록

시술 전, 중, 후에 일어난 일들을 정확하고 빠짐없이 기록하는 것은 의료 서비스 제공에 있어서 매우 중요한 과정이다. 이것은 공식적인 의료기록으로 쓰일 뿐만 아니라 청구기록과 법적문서로 사용될 수 있다. 기록에는 제안된 시술방법과 대안적인 치료방법이 논의되었다는 사실과 발생가능한 합병증에 대한 설명, 그리고 모든 질문에 대한 답변이 포함되어야 한다. 기록에는 항상 환자에게 서면 동의서를 받았다는 사실을 포함해야 한다. 그리고나서 환자의 자세, 마취약제, 사용된 재료, 그리고 시술을 시행하면서 이루어진 각각의 과정을 기록해야 한다. 기록에는 타당한 소견, 발생한 합병증, 그리고 환자의 시술 후 상태를 포함해야 한다. 마지막으로 환자 지시 항목, 치료 계획, 그리고 후속 조치 방법(follow up care)에 대해 기록하고 의료 제공자가 서명하고 필요에 따라 감독관도 서명한다.

부록 3의 무릎관절 흡인과 주사에 대한 문서 예시를 참조하자. 흡인/주사 시술, 환자, 의사 그리고 의료 기관의 필요에 따라 기록 양식을 변경할 수 있다. 기록양식을 시행하기 전에 이에대해 법적 검토를 받을 것을 권장한다.

청구 및 보험코드 산정

적절한 진료비을 받기 위해 임상의가 시행한 시술에 대해 적절한 코드를 부여하는 것은 필수적이다. 이는 시행한 일에 대해 정당한 청구액의 지불과 적절한 물품에 대한 상환을 보장해 준다. 환자에게 시행된 모든 시술은 코드의 근거자료로서 의료기록지에 자세하게 서술하고 기록해야 한다. 출판 시점에 피부, 신경주위, 근골격계 주사 및 흡인에 대한 비용을 청구하기 위해 다음 CPT® (Current Procedural Terminology) 2021 코드가 사용되었다:

CPT 2021에서 작은 관절은 손가락과 발가락 같은 관절로 정의된다. 턱관절(temporomandibular), 견봉쇄골(acromioclavicular), 흉쇄골(sternoclavicular), 손목, 팔꿈치, 발목, 그리고 팔꿈치점액낭(olecranon bursae) 등은 중간관절(intermediate joints) 또는 점액낭(bursa)으로 정의된다. 큰관절은 관절와상완골(glenohumeral joint), 천장관절(sacroiliac joint), 고관절(hip joint), 무릎관절(knee joint), 그리고 견봉하점액낭(subacromial bursa) 등이 있다.

정의에 의하면 CPT code 20550, 20551, 20600, 20605, 그리고 20610은 하나의 힘줄, 관절, 점액낭에 주사하는 것에 해당한다. 만약 하나 이상의 힘줄, 관절, 점액낭에 주사한다면 주사한 각각의 구조물에 여러번 주사한 내용을 모두 나열하도록 한다. 추가적으로 수정코드 −51 또는 −59는 여러번 시술이 시행되었을 때 적용되어 사용되어야 한다. 일반적으로 −59는 다른 부위에 여러 번 주사하였을 때 사용되는 코드이지만, 특별한 수정코드는 보험회사의 선택에 의해 결정된다. 통증유발점주사의 CPT 코드 20552와 20553은 시행된 주사의 횟수에 관계 없이 각 시술에 한번만 사용된다. CPT 2021은 다발성 결절종의 흡인과 주사를 보고할 때 구체적인 지침을 제공한다. 이런 경우 code 20612가 사용되는데 수정코드 −59가 추가된다.

CPT 2021은 팔꿈치 터널 증후군(cubital tunnel syndrome)에서 척골신경(ulnar nerve) 또는 요골신경(radial nerve)의 깊은가지인 후방골간신경(posterior interosseous nerve) 포착(entrapment)에 대한 코르티코스테로이드 주사를 위해 사용되는 코드를 특별히 정의하지 않는다. 저자가 느끼기에 CPT가 변하기 전까지는 코드 64450 (주사, 마취약제, 기타 말초신경 혹은 그 가지)이 이런 경우에 시행되는 시술을 가장 정확하게 반영한다고 본다.

노인의료보험(medicare)과 대부분의 민영 보험 회사들은 여러 번의 주사치료에 대해 지불할 때 복합 수술규정(multiple surgery rule)을 적용한다. 첫 시술에 대해 일반적으로 100%를 지불하고, 두 번째 시술에 대해 50%, 그리고 세 번째 또는 그 이상의 시술에 대해 25%를 지불한다.

보험회사가 주사/흡인 시술에 대한 지불을 정당화하기 위해 진단코드 또한 제출되어야 한다. 이 코드들은 standard International Classification of Diseases (ICD) system을 따른다. 이 책의 각 장에는 흔히 사용되는ICD−10 (http://www.cdc.gov/nchs/icd/icd10cm. htm) 코드가 표시되어 있다.

J 코드는 시술 중 사용된 약품 또는 기구를 청구하기 위해 사용된다. 코르티코스테로이드와 점성보충제제와 같은 치료용 주사제제들은 주사관리코드와 함께 추가로 청구된다 (표 2–2).

J코드는 국소마취제에는 적용되지 않는데, 이는 바늘과 주사기처럼 시술에 꼭 필요한

표 2-2

주사 시술용 2021 CPT 코드

- 11900 — Intralesional injections (1–7 lesions)
- 11901 — Intralesional injections (>7 lesions)
- 20526 — Injection, therapeutic, carpal tunnel
- 20550 — Injection(s), single tendon sheath, or ligament, aponeurosis (e.g., plantar "fascia")
- 20551 — Injection, single tendon origin/insertion
- 20552 — Injection(s), single or multiple trigger point(s), 1 or 2 muscles
- 20553 — Injection(s), trigger point(s), 3 or more muscles
- 20600 — Arthrocentesis, aspiration and/or injection, small joint or bursa; without ultrasound guidance
- 20604 — with ultrasound guidance, with permanent recording and reporting
- 20605 — Arthrocentesis, aspiration and/or injection, intermediate joint or bursa; without ultrasound guidance
- 20606 — with ultrasound guidance, with permanent recording and reporting
- 20610 — Arthrocentesis, aspiration and/or injection, major joint or bursa; without ultrasound guidance
- 20611 — with ultrasound guidance, with permanent recording and reporting
- 20612 — Aspiration and/or injection of ganglion cyst(s), any location
- 27096 — Injection of SI joint using anesthetic agents and/or steroid, with imaging guidance and permanent recording
- 64400 — Injection, anesthetic agent; trigeminal nerve, any division or branch
- 64402 — Injection, anesthetic agent; facial nerve
- 64405 — Injection, anesthetic agent; greater occipital nerve
- 64418 — Injection, anesthetic agent (nerve block), diagnostic or therapeutic procedures on the somatic nerves
- 64450 — Injection, nerve block, therapeutic, other peripheral nerve or branch
- 64455 — Injection(s), anesthetic agent, and/or steroid, plantar common digital nerve(s) (e.g. Morton's neuroma)
- 68200 — Subconjunctival injection
- 76942 — Ultrasonic guidance for needle placement with imaging supervision and interpretation with permanent recording

시술도구로서 고려되기 때문이다. 비용은 시술 중 사용된 단위 수를 반영한다. 예를 들어 Kenalog®의 J 코드는 10 mg 단위로 표시된다. Kenalog 40 mg이 주사되었다면 환자에게 J3301 코드 4단위가 청구된다. 주사 시 가장 흔히 사용되는 J코드는 표 2–3에 나열되어 있다.

방문 기록이 평가의 필요성과 완성도를 뒷받침해 준다면 평가와 관리(E&M) 코드는 청구될 수 있다. 이것은 수정코드 −25가 필요하고 "같은 의사에 의한 중요하고 개별적인 평가와 관리, 동일한 날에 다른 검증된 전문 의료인에 의한 시술 또는 다른 서비스를 받는 경우"에만 사용될 수 있다.[63] 그렇지 않으면 평가가 수행되지 않거나 해당 조건을 충족하지 않는 경우 CPT 코드 및 관련 J 코드만 사용할 수 있다.

시술동의서

모든 침습적인 시술과 마찬가지로 환자에게 시술에 대한 동의서를 받아야 한다. 진료기록을 위해 이는 문서형식(written format)으로 작성되어야 한다. 환자는 다른 방식의 진단과 치료에 대한 논의를 포함해서 충분히 질문을 할 기회가 주어져야 한다. 시술동의서 서식의 사례가 부록 1에 첨부되어 있다.

표 2-3

주사제용 2021 HCPCS J 코드

J-Code	Material	Unit (mg)
J3301	Kenalog®	10
J3303	Aristopan®	5
J1020	Depo-Medrol®	20
J1030	Depo-Medrol®	40
J1040	Depo-Medrol®	80
J0704	Celestone-Soluspan®	6
J1094	Decadron-LA®	1
J7318	Durolane®	60
J7320	Genvisc-850®	25
J7321	Hyalgan®	20
J7321	Supartz®	25
J7322	Hymovis®	24
J7323	Euflexxa®	20
J7324	Orthovisc®	30
J7325	Synvisc®	16
J7325	Synvisc-One®	48
J7326	Gel-One®	90
J7327	Monovisc®	88
J7328	Gelsyn-3®	34
J0585	Botulinum toxin type A	1
J0587	Botulinum toxin type B	1

근거중심의학

관절 내 및 연부조직 코르티코스테로이드 주사는 1차 진료의에 의해 흔히 시행되는 시술이다. 이들은 인정을 받은 시술이며 다양한 근골격계 질환의 치료에 흔히 사용된다. 의미있는 치료효과가 50년 이상 출판된 연구 결과를 통해 주장되어 왔지만, 문헌에 대한 세밀한 검토 결과 의미있는 장기 치료 효과에 대한 근거는 아직 부족해 보인다. 코르티코스테로이드 주사의 단기적인 효과를 지지하는 문헌들은 있다. 코르티코스테로이드 주사의 효과에 대해 명확한 답을 보여주는 질 높은 자료는 아직 충분하지 않다. 하지만 명확한 의학적 근거가 없다고 해서 이런 시술들이 효과가 없다는 것을 의미하지는 않는다. Cochrane Database of Systematic Reviews와 같은 절대표준 근거중심의학자료조차도 데이터 자체에 결함이 있는 연구에 대한 메타 분석을 수행하는 데 어려움을 겪고 있다. 특정 질환에 대한 코르티코스테로이드 주사의 치료 결과를 측정하는 데에는 방법론적으로 새로운 연구가 필요하다.

참고문헌

1. Qaseem A, McLean RM, O'Gurek D, Batur P, Lin K, Kansagara DL, et al. Nonpharmacologic and pharmacologic management of acute pain from non-low back, musculoskeletal injuries in adults: A clinical guideline from the American College of Physicians and American Academy of Family Physicians. *Ann Intern Med* 2020;173:739-48.

2. Zeng C, Wei J, Persson MSM, Sarmanova A, Doherty M, Xie D, et al. Relative efficacy and safety of topical non-steroidal anti-inflammatory drugs for osteoarthritis: A systematic review and network meta-analysis of randomised controlled trials and observational studies. *Br J Sports Med* 2018;52(10):642-50.

3. Bally M, Dendukuri N, Rich B, Nadeau L, Helin-Salmivaara A, Garbe E, et al. Risk of acute myocardial infarction with NSAID in real world use: Bayesian meta-analysis of individual patient data. *BMJ* 2017;357:j1909.

4. Coxib and traditional NSAID Trialists' Collaboration. Vascular and upper gastrointestinal effects of nonsteroidal anti-inflammatory drugs: Meta-analyses of individual participant data from randomised trials. *Lancet* 2013;382(9894):769-79.

5. Olsen AS, Fosbøl EL, Lindhardsen J, Folke F, Charlot M, Selmer C, et al. Duration of treatment with nonsteroidal anti-inflammatory drugs and impact on risk of death and recurrent myocardial infarction in patients with prior myocardial infarction. A Nationwide Cohort Study. *Circulation* 2011;123:2226-35.

6. Schmidt M, Christiansen CF, Mehnert F, Rothman KJ, Sørensen HT. Non-steroidal anti-inflammatory drug use and risk of atrial fibrillation or flutter: Population based case–control study. *BMJ* 2011;343:d3450.

7. Krijthe BP, Heeringa J, Hofman A, Franco OH, Franco OH, et al. Non-steroidal anti-inflammatory drugs and the risk of atrial fibrillation: A population-based follow-up study. *BMJ Open* 2014;4(4):e004059.

8. Ungprasert P, Srivali N, Wijarnpreecha K, Charoenpong P, Knight EL. Non-steroidal anti-inflammatory drugs and risk of venous thromboembolism: A systematic review and meta-analysis. *Rheumatology* 2015;54(4):736-42.

9. Nourjah P, Ahmad SR, Karwoski C, Mary Willy. Estimates of acetaminophen (Paracetamol)-associated overdoses in the United States. *Pharmacoepidemiol Drug Saf* 2006;15:398-405.

10. Bower WA, Johns M, Margolis HS, Williams IT, Bell BP. Population-based surveillance for acute liver failure. *Am J Gastroenterol* 2007;102:2459-63.

11. Mowry JB, Spyker DA, Brooks DE, McMillan N, Schauben JL. 2014 annual report of the American Association of Poison Control Centers' National Poison Data System (NPDS): 32nd annual report. *Clin Toxicol (Phila)* 2015;53(10):962-1147.

12. Roberts E, Delgado Nunes V, Buckner S, Latchem S, Constanti M, Miller P. Paracetamol: Not as safe as we thought? A systematic literature review of observational studies. *Ann Rheum Dis* 2016;75(3):552-9.

13. FDA Drug Safety Communication: FDA warns of rare but serious skin reactions with the pain reliever/fever reducer acetaminophen. Available at: http://www.fda.gov/Drugs/DrugSafety/ucm363041.htm. Accessed on December 29, 2013.

14. Toupin April K, Bisaillon J, Welch V, Maxwell LJ, Jüni P, Rutjes AW, et al. Tramadol for osteoarthritis. *Cochrane Database Syst Rev* 2019;(5):CD005522.

15. Riva JJ, Noor ST, Wang L, Ashoorion V, Foroutan F, Sadeghirad B, et al. Predictors of prolonged opioid use after initial prescription for acute musculoskeletal injuries in adults: A systematic review and meta-analysis of observational studies. *Ann Intern Med* 2020;173:721-9.

16. Els C, Jackson TD, Kunyk D, Lappi VG, Sonnenberg B, Hagtvedt R, et al. Adverse events associated with medium- and long-term use of opioids for chronic non-cancer pain: An overview of Cochrane Reviews. *Cochrane Database Syst Rev* 2017;10(10):CD012509.

17. Park K, Kim S, Ko YJ, Park BJ. Duloxetine and cardiovascular adverse events: A systematic review and metaanalysis. *J Psychiatr Res* 2020;124:109-14.

18. Ogata T, Ideno Y, Akai M, Seichi A, Hagino H, Iwaya TI. Effects of glucosamine in patients with osteoarthritis of the knee: A systematic review and meta-analysis. *Clin Rheumatol* 2018;37(9):2479-87.

19. Allen KD, Choong PF, Davis AM, Dowsey MM, Dziedzic KS, Emery C. Osteoarthritis: Models for appropriate care across the disease continuum. *Best Pract Res Clin Rheumatol* 2016;30(3):503-35.

20. Patel IJ, Davidson JC, Nikolic B, Salazar GM, Schwartzberg MS, Walker TG, et al. Standards of practice committee, with Cardiovascular and Interventional Radiological Society of Europe (CIRSE) endorsement. *J Vasc Interv Radiol* 2012;23(6):727-36.

21. Thumboo J, O'Duffy JD. A prospective study of the safety of joint and soft tissue aspiration and injections in patients taking warfarin sodium. *Arthritis Rheum* 1998;41(4):736-9.

22. Foremny GB, Pretell-Mazzini J, Jose J, Subhawong TK. Risk of bleeding associated with interventional musculoskeletal radiology procedures. A comprehensive review of the literature. *Skeletal Radiol* 2015;44(5):619-27.

23. Habib GS, Bashir M, Jabbour A. Increased blood glucose levels following intra-articular injection of methylprednisolone acetate in patients with controlled diabetes and symptomatic osteoarthritis of the knee. *Ann Rheum Dis* 2008;67:1790-1.

24. Habib G, Safi A. The effect of intra-articular injection of betamethasone acetate/betamethasone sodium phosphate on blood glucose levels in controlled diabetic patients with symptomatic osteoarthritis of the knee. *Clin Rheumatol* 2009;28:85-7.

25. Habib GS, Abu-Ahmad R. Lack of effect of corticosteroid injection at the shoulder joint on blood glucose levels in diabetic patients. *Clin Rheumatol* 2007;26:566-8.

26. Rogojan C, Hetland ML. Depigmentation-A rare side effect to intra-articular glucocorticoid treatment. *Clin Rheumatol* 2004;23:373-5.

27. Lund IM, Donde R, Knudsen EA. Persistent local cutaneous atrophy following corticosteroid injection for tendinitis. *Rheumatol Rehabil* 1979;18:91-3.

28. Shumaker PR, Rao J, Goldman MP. Treatment of local, persistent cutaneous atrophy following corticosteroid injection with normal saline infiltration. *Dermatol Surg* 2005;31:1340-3.

29. Clark SC, Jones MW, Choudhury RR, Smith E. Bilateral patellar tendon rupture secondary to repeated local steroid injections. *J Accid Emerg Med* 1995;12:300-1.

30. Ford LT, DeBender J. Tendon rupture after local steroid injection. *South Med J* 1979;72:827-30.

31. Chen SK, Lu CC, Chou PH, Guo LY, Wu WL. Patellar tendon ruptures in weight lifters after local steroid injections. *Arch Orthop Trauma Surg* 2009;129:369-72.

32. Scutt N, Rolf CG, Scutt A. Glucocorticoids inhibit tenocyte proliferation and tendon progenitor cell recruitment. *J Orthop Res* 2006;24:173-82.

33. Paik NC, Seo JW. CT-guided needle aspiration of pneumothorax from a trigger point injection. *Pain Med* 2011;12(5):837-41.

34. Jalul M, Humphrey AR. Radial artery injury caused by a sclerosant injected into a palmar wrist ganglion. *J Hand Surg Eur Vol* 2009;34(5):698-9.

35. Fujita F, Moriyama T, Higashi T, Shima A, Tominaga M. Methyl p-hydroxybenzoate causes pain sensation through activation of TRPA1 channels. *Br J Pharmacol* 2007;151(1):153-60.

36. Epstein SP, Ahdoot M, Marcus E, Asbell PA. Comparative toxicity of preservatives on immortalized corneal and conjunctival epithelial cells. *J Ocul Pharmacol Ther* 2009;25(2):113-9.

37. Dragoo JL, Braun HJ, Kim HJ, Phan HD, Golish SR. The in vitro chondrotoxicity of single-dose local anesthetics. *Am J Sports Med* 2012;40(4):794-9.

38. Jacobs TF, Vansintjan PS, Roels N, Herregods SS, Verbruggen G, Herregods LL, et al. The effect of Lidocaine on the viability of cultivated mature human cartilage cells: An in vitro study. *Knee Surg Sports Traumatol Arthrosc* 2011;19(7):1206-13.

39. Wiater BP, Neradilek MB, Polissar NL, Matsen FA 3rd, et al. Risk factors for chondrolysis of the glenohumeral joint: A study of three hundred and seventy-five shoulder arthroscopic procedures in the practice of an individual community surgeon. *J Bone Joint Surg Am* 2011;93(7):615-25.

40. Scheffel PT, Clinton J, Lynch JR, Warme WJ, Bertelsen AL, Matsen FA 3rd. Glenohumeral chondrolysis: A systematic review of 100 cases from the English language literature. *J Shoulder Elbow Surg* 2010;19(6):944-9.

41. Grishko V, Xu M, Wilson G, Pearsall AW 4th. Apoptosis and mitochondrial dysfunction in human chondrocytes following exposure to lidocaine, bupivacaine, and ropivacaine. *J Bone Joint Surg Am* 2010;92(3):609-18.

42. Dragoo JL, Korotkova T, Kim HJ, Jagadish A. Chondrotoxicity of low pH, epinephrine, and preservatives found in local anesthetics containing epinephrine. *Am J Sports Med* 2010;38(6):1154-9.

43. Miller RD, Pardo MC Jr. *Basics of Anesthesia.* 6th Ed. Philadelphia, PA: Elsevier Saunders, 2011:136.

44. Becker DE, Reed KL. Essentials of local anesthetic pharmacology. *Anesth Prog.* 2006;53(3):98-109.

45. Kreuz PC, Steinwachs M, Angele P. Single-dose local anesthetics exhibit a type-, dose-, and timedependent chondrotoxic effect on chondrocytes and cartilage: A systematic review of the current literature. *Knee Surg Sports Traumatol Arthrosc* 2018;26(3):819-30.

46. McAlindon TE, LaValley MP, Harvey WF, Price LL, Driban JB, Zhang M, et al. Effect of intra-articular triamcinolone vs saline on knee cartilage volume and pain in patients with knee osteoarthritis: A randomized clinical trial. *JAMA* 2017;317(19):1967-75.

47. Rabih O, Wall MJ Jr, Itani KM, Otterson MF, Webb AL, Carrick MM, et al. Chlorhexidine-alcohol versus povidone-iodine for surgical-site antisepsis. *N Engl J Med* 2010;362:18-26.

48. Wade RG, Burr NE, McCauley G, Bourke G, Efthimiou O. The comparative efficacy of chlorhexidine gluconate and povidone-iodine antiseptics for the prevention of infection in clean surgery: A systematic review and network meta-analysis. *Ann Surg* 2021 Dec 1;274(6):e481-8.

49. Krobbuaban B, Diregpoke S, Prasan S, Prasan S, Kumkeaw S. Alcohol-based chlorhexidine vs. povidone iodine in reducing skin colonization prior to regional anesthesia procedures. *J Med Assoc Thai* 2011;94(7):807-12.

50. Ostrander RV, Botte MJ, Brage ME. Efficacy of surgical preparation solutions in foot and ankle surgery. *J Bone Joint Surg Am* 2005;87:980-5.

51. Bibbo C, Patel DV, Gehrmann RM, Lin SS. Chlorhexidine provides superior skin decontamination in foot and ankle surgery: A prospective randomized study. *Clin Orthop Relat Res* 2005;438:204-8.

52. Mangram AJ, Horan TC, Pearson ML, Silver LC, Jarvis WR. CDC: Guideline for prevention of surgical site infection, 1999. *Infect Control Hosp Epidemiol* 1999;20(4):250-266.

53. Brown TR, Ehrlich CE, Stehman FB, Golichowski AM, Madura JA, Madura JA. A clinical evaluation of chlorhexidine gluconate spray as compared with iodophor scrub for preoperative skin preparation. *Surg Gynecol Obstet* 1984;158:363-6.

54. Denton GW. Chlorhexidine. In: Block SS, ed. *Disinfection, Sterilization, and Preservation*, 5th Ed. Philadelphia, PA: Lippincott Williams & Wilkins, 2001:321-36.

55. Berry PH, Dahl JD. The new JCAHO pain standards: Implications for pain management nurses. *Pain Manag Nurs* 2000;1(1):3-12.

56. Zhu Y, Peng X, Wang S, Chen W, Liu C, Guo B, et al. Vapocoolant spray versus placebo spray/no treatment for reducing pain from intravenous cannulation: A meta-analysis of randomized controlled trials. *Am J Emerg Med* 2018;36(11):2085–2092.

57. Gebauer's Pain Ease® Topical Anesthetic Skin Refrigerant Technical Data Document. Available at: http://www.gebauer.com/Portals/150313/docs/pe%20technical%20data%20document.pdf. Accessed on May 3, 2014.

58. Azar FM, Lake JE, Grace SP, Perkinson B. Ethyl chloride improves antiseptic effect of betadine skin preparation for office procedures. *J Surg Orthop Adv* 2012;21(2):84-7.

59. Courtney P, Doherty M. Joint aspiration and injection and synovial fluid analysis. *Best Pract Res Clin Rheumatol* 2013;27(2):137-69.

60. Pascual E, Sivera F, Andres M. Synovial fluid analysis for crystals. *Curr Opin Rheumatol* 2011;23(2):161-9.

61. Charalambous C, Paschalides C, Sadiq S, Tryfonides M, Hirst P, Paul AS. Weight bearing following intra-articular steroid injection of the knee: Survey of current practice and review of the available evidence. *Rheumatol Int* 2002;22(5): 185-7.

62. Chatham W, Williams G, Moreland L, Parker JW, Ross C, Alarcón SG, et al. Intraarticular corticosteroid injections: Should we rest the joints? *Arthritis Care Res* 1989;2(2):70-4.

63. American Medical Association. CPT® 2021 Professional Edition, 2021:978. ISBN#: 978-1-64016-049-1.

주사제 Injectable Agents

James W. McNabb

국소마취제

국소마취제는 세포막 안정화 약물이다. 이들은 신경세포막에 나트륨이온 특정 채널을 통해 나트륨의 유입을 억제함으로써 작용한다. 그들은 가역적으로 통각수용기에서 흥분성 세포막의 탈분극과 재분극 비율을 감소시켜 통증 자극을 방해한다.

국소마취제는 흔히 통증상태의 치료 시 코르티코스테로이드 같은 다른 화합물과 같이 또는 단독으로 주입된다. 관절이나 연부조직에 국소마취제를 주입하는 것은 여러 목적으로 사용된다. 국소마취제의 주입은 짧은기간의 통증완화를 제공한다. 이것은 환자를 위해 피드백을 제공하며, 통증에 의한 제한 없이 환부의 더욱 광범위한 검사를 제공할 수 있다. 비록 국소마취제와 함께 스테로이드를 혼합하는 것은 제조사에 의해 추천되지 않지만, 주사 전 코르티코스테로이드가 들어 있는 주사기에 국소마취제를 혼합하는 것은 흔한 임상 관행이다. 관례적으로 투명한 액체(국소마취제)를 먼저 주사기에 채우고, 이어서 혼탁한 액체(스테로이드)를 채운다. 추가된 국소마취제의 용량만큼 스테로이드는 희석된다. 이것은 큰 관절 공간 또는 점액낭에서 스테로이드를 확산시킬 수 있다. 주사 후 통증 완화는 환자와 임상의 모두에게 스테로이드가 적절한 주입되었음을 확인시켜 준다. 비록 마취제의 효력이 떨어진 후 통증이 다시 나타날 수 있지만 환자는 24–48 시간 안에 주입된 코르티코스테로이드가 적절히 퍼져서 임상적인 효과를 발휘하기 시작한다는 것을 느낄 수 있다.

국소마취제의 몇 가지 선택이 있다. 가장 일반적으로 아마이드(amide)계의 국소마취제가 사용된다. 아마이드의 임상적으로 중요한 특성은 표 3-1에 요약되어 있다.

국소 마취 주사용 리도카인(lignocaine, Xylocaine®)은 에피네프린과 함께 또는 없이 0.5%, 1% 및 2% 농도로 상업적으로 이용 가능하다. 에피네프린을 사용하지 않는 침윤마취의 작용시간은 30–120분이다. 연부조직 주사를 위해 저자는 오직 에피네프린을 포함하지 않은 1% 리도카인을 사용한다. 이것은 보존제인 메틸파라벤을 함유하는 다용도 용기에 사용할 수 있다. 리도카인은 또한 보존제가 함유되지 않은 일회용 2 mL 바이알로도 제공된다. 2% 리도카인 용액은 더이상의 임상적인 이점을 부여하지 않고 4.5 mg/kg보다 많은 양의 주입에 따른 독성의 위험성을 증가시킨다. 에프네프린의 함유 또한 근골격계 주사 및 흡인에서 더이상의 이점을 제공하지 않을뿐더러 코르티코스테로이드를 희석시키기 위한 절차에서도 사용되지 않는다. 사실 에프네프린이 함유된 리도카인은 산성(pH = 4.5)

표 3-1

일반적인 국소 마취제의 특성

국소마취제 종류	작용발현시간(분)	에피네프린 미첨가시 지속시간(분)	에피네프린 미첨가시 최대사용량(mg/kg)
Lidocaine	<1	30-120	4.5
Mepivacaine	3-20	30-120	6.0
Bupivacaine	2-10	120-240	2.5
Ropivacaine	3-15	120-240	2.5

이며 주입시 일시적으로 상당한 국소적인 타는 통증을 야기한다.

부피바카인(Marcaine®, Sensorcaine®, Vivacaine®, Exparel®)은 또다른 흔히 사용되는 국소마취제이다. 이것은 발현이 더 늦지만 더 긴 마취효과를 제공한다. 에피네프린을 사용하지 않는 침윤마취를 위한 작용시간은 120-240분이다.

다회용 바이알에는 보존제로서 1 mg의 메틸파라벤을 함유한다. 많은 임상의들은 국소마취의 빠른 발현시간과 긴 작용시간을 위해 리도카인에 0.25% 부피바카인을 섞는 것을 선호한다. 하지만 이 방법의 임상적인 이점은 증명되지 않았다. 별도의 마취제를 빼내는 단계 때문에 이러한 혼합방법은 오염 및 바늘에 의한 손상의 위험성을 증가시킨다. 또한 조직이 치유되기 전에 초기 통증이 조절되는 느낌이 들기 때문에 부피바카인 때문에 환자가 잘못된 안도감을 가질 수 있다. 마취 작용시간의 연장으로 통증이 없는듯하여 환자는 예기치 않은 질환부위의 사용으로 힘줄파열 같은 더 큰 손상을 당할 수 있다.

메피바카인(Carbocaine®)은 작용시간이 짧은 부피바카인의 동족체인 새로운 제제이다. 1%, 2%, 3% 주입 용액으로 사용할 수 있다. 짧은 발현 시간과 마취 효과가 있다. 에피네프린을 사용하지 않는 침윤마취의 작용시간은 30-120분이다. 이것은 보존제인 메틸파라벤이 들어 있는 다용도 병과 방부제가 없는 일회용 바이알로도 제공된다.

로피바카인(Naropin®)은 작용시간이 긴 부피바카인 동족체인 새로운 제제이다. 0.5% 용액이 주사를 위해 사용될 수 있다. 로피바카인 또한 작용 발현시간이 길고 마취 효과가 오래 지속된다. 에피네프린을 사용하지 않는 침윤 마취의 작용 시간은 120-240분이다. 로피바카인은 보존제인 메틸파라벤이 들어 있는 다용도 병과 보존제가 없는 일회용 바이알로 제공된다.

레보부피바카인(Chirocaine®)은 부피바카인의 좌선성 이성질체(levo-enantiomer)이다. 이것은 국소마취를 위해 최근에 개발된 옵션이다. 레보부피바카인은 2.5, 5.0, 7.5 mg/mL 용액으로 시판되고 있다. 이러한 입체 이성질체 모두 라세믹 부피바카인 보다 심혈관계 및 중추신경계 독성이 더 적다.[1]

국소마취제의 산성도(pH)는 국소적인 통증을 감소시키는 완충작용을 할 수 있다. 에피네프린이 함유되지 않은 1% 리도카인의 pH는 6.5 인데 반면, 에프네프린이 함유된 1% 리도카인의 pH는 4.5 이다. 부피바카인은 등장성이다. 1:10의 비율로 에프네프린이 함유된 리도카인에 살균된 8.4% 중탄산나트륨을 첨가하면 혼합액을 중화시키고 통증이 의미있게 완화된다. 그러나 이것은 에프네프린이 함유된 리도카인이 아닌 순수한 리도카인이 사용되기 때문에 관절주사에 있어서 임상적으로 중요하지 않다.

일반적으로 주사되는 국소마취제의 양은 주사부위와 질환의 경과에 따라 달라진다. 부작용이 가장 적은 가장 낮은 농도의 마취제 중 가장 작은 용량을 사용해야 한다. 예를 들어 과거에는 어깨, 천골관절, 고관절 및 무릎과 같은 큰 관절의 치료를 위해 많은 용량(5–10mL)의 리도카인이 일반적으로 사용되었다. 보다 최근에 저자는 훨씬 적은 양(0.5–1 mL)의 메피바카인 또는 기타 마취제로 동등한 마취 효과가 있다는 사실을 발견했다. 마취제 투여를 제한하는 이 권장 사항은 국소 및 전신 독성의 가능성을 줄이기 위해 만들어졌다.

아마이드(amide) 국소마취제의 연골독성에 대한 논의는 이 장(chapter)의 "합병증" 편에 포함되어 있다.

코르티코스테로이드

주사 목적으로 사용되는 코르티코스테로이드는 하이드로코티손(hydrocortisone)의 합성 유도체이다. 코르티코스테로이드는 다양한 장소에 작용하며 정확한 작용 기전은 복잡하다. 코르티코스테로이드는 유전자 전사(gene transcription)를 조절하는 당질부신피질호르몬(glucocorticoid) 수용체에 결합한다. 코르티코스테로이드는 annexin-1 이라는 단백질 생산을 변경하여 cytokine과 다른 염증 유발 매개체를 줄인다.[2-4] 이는 면역 기능을 저하시키고[5], 세포 매개성 면역을 억제하고 염증부위에 축적하는 대식세포와 PMNs의 숫자를 줄이게 된다. 호중구 접착분자의 내피세포 발현을 억제 하여 혈관을 안정화 시킨다. 결과적으로 모세혈관 확장과 혈관 투과성이 줄어들게 된다.[2,3] 최종적인 결과로서 염증의 양를 감소시켜서, 부종과 통증이 줄어든다.

관절과 연부조직 주사를 위해 상용화된 코르티코스테로이드에는 여러 종류가 있다(표 3-2). 여기에는 Triamcinolone acetonide (Kenalog®), triamcinolone diacetate (Aristocort®), triamcinolone hexacetonide (Aristospan®), methylprednisolone acetate (Depo-Medrol®), betamethasone acetated 및 sodium phosphate (Celestone Soluspan®), dexamethasone acetate (Decadron-LA®) 등이 있다. Hydrocortisone과 비교했을 때 각각의 제제들은 역가, 용해도 그리고 생물학적 반감기에 따라 구분된다(표 3-2). 제품에 따라서 효능과 조직에서의 용해도가 다르다. 용해도는 각 제제의 생물학적 작용시간에 반비례한다. Hydrocortisone은 높은 용해도와 매우 짧은 작용 시간 때문에 거의 사용되지 않는다. 게다가 다른 제제들에는 없는 미네랄코르티코이드(mineralocorticoid) 작용이 강하다.

근골격계 술기에 흔히 사용되는 합성 코르티코스테로이드는 prednisolone 유도체이다. 코르티코스테로이드 제제들은 수용성 또는 불용성 중 하나이다. 대부분의 코르티코스테로이드 제제들은 물에 높은 불용성을 가지는 corticosteroid ester를 포함하여 microcrystalline suspension을 형성한다.[6] 더욱 불용성이 강한 esterified corticosteroid는 수용성 제제보다 주사 부위에 더 오래 남아있다.

표 3-2

주사 가능한 코르티코스테로이드의 특성

스테로이드 종류	상대적 항염증작용력	용해도(%Wt/Vol)	생물학적 반감기(h)
Hydrocortisone acetate (Hydrocortone)	1	높음 0.002	8–12
Triamcinolone acetonide (Kenalog®)	5	중등도 0.004	12–36
Triamcinolone hexacetonide (Aristospan®)	5	중등도 0.0002	12–36
Methylprednisolone acetate (Depo-Medrol®)	5	중등도 0.0014	12–36
Betamethasone acetate and sodium phosphate (Celestone Soluspan®)	25	낮음/높음	26–54
Dexamethasone acetate (Decadron-LA®)	25	낮음	26–54

하지만 Dexamethasone 제제들은 에스테르가 아니며, 수용성이고 투명해 보인다(즉, 불입자제제). 코르티코스테로이드 에스테르 제제들은 활성화 성분을 방출 하기 위해서 cellular esterase에 의한 가수분해가 필요하며, 이로서 nonester 제제 보다 관절에 더 오래 머물게 되는 잠재적 이점이 있다.[7] 한편 dexamethasone sodium phosphate와 betamethasone sodium phosphate 같은 수용성 제제들은 세포에 빠르게 흡수되서 효과가 빨리 나타나지만 지속 시간은 짧아지게 된다.[4]

특히, Betamethasone 제제인 셀레스톤 솔루스판(Celestone Soluspan®)은 betamethasone salt 와 betamethasone ester의 조합을 포함하고 있어서 빠른 onset과 긴 작용시간을 제공할 수 있다. 하지만 대부분의 임상 연구에서 Celestone Soluspan은 다른 코르티코스테로이드제제 들과 비교했을 때 발현시간과 작용시간에서 유의한 차이를 보이지 않았다.[8,9]

다양한 제제들의 효능을 직접적으로 비교하는 몇 가지 연구가 진행되었다. Triamcinolone acetonide, triamcinolone hexacetonide 그리고 betamethasone phosphate와 acetate 조합의 관절내 주입을 비교하는 연구가 Derendorf 등에 의해 진행되었다. 그들은 2–3주에 걸쳐 주사 부위의 코르티코스테로이드가 모두 흡수되는 과정을 보여주었다. Triamcinolone hexacetonide는 보다 낮은 용해도 때문에 triamcinolone acetonide 보다 천천히 흡수되어 synovial level을 오래 유지하고 전신 코르티코스테로이드 레벨은 낮게 유지했다. 내인성 hydrocortisone의 억제는 외인성 스테로이드 레벨과 상관관계가 있다.[10] 다양한 코르티코스테로이드의 상대적 효능에 대한 체계적 검토가 2014년 Garg에 의해 발표되었다. 여기에는 Triamcinolone acetonide, triamcinolone hexacetonide, methylprednisolone 및 betamethasone을 포함하는 약물 간에 장기적 효능에 차이가 없음을 전반적으로 보여주는 7개의 양질의 시험이 포함되었다.[11] 유사한 결과가 2018년 Cushman에 의해 보고되었다.[12] 류마티스 관절염 환자의 무릎 관절에 코르티코스테로이드 주사를 사용한 이중 맹검 연구에서 Hajialilo와 동료들은 triamcinolone hexacetonide 와 dexamethasone을 비교한 통증 결과에서 차이가 없음을 발견했다.[13] 류마티스 관절염 또는 무릎 관절이 심하게 부은 척추관절염 환자를 포함한 최근의 또 다른 이중 맹검, 무작위 대조 시험에서는 triamcinolone acetonide 또는 methylprednisolone acetate를 주사했을 때 24주째 통증에 차이가 없음을 발견했다.[14]

관절과 연부조직 주사를 위해 어떤 코르티코스테로이드가 선호되는지 결정해주는 연구가 진행된 적은 없다. 확실한 데이터가 없기 때문에 코르티코스테로이드 제제의 선택은 임상의 개개인의 취향에 달려 있다. 문헌적인 근거는 없지만 일부 임상의들은 상대적으로 관절내 주사에는 불용성 제제들을, 연부조직과 힘줄주위 주사에는 수용성 제제들을 사용하는 것을 선호한다. 저자는 약품의 유용성, 비용과 과거 경험을 고려해볼 때 부위과 상관없이 모든 주사에 triamcinolone acetonide (40 mg/mL)를 사용하는 것을 선호한다. 다른 코르티코스테로이드를 선택한 경우에는 비교표(표 3-3)에서 동등한 용량과 투여량을 계산할 수 있다.

코르티코스테로이드의 용량은 일반적으로 주사부위, 질환의 진행양상, 그리고 염증의 정도에 따라 결정된다. 불행하게도, 투약 결정에 도움이 될만한 양질의 출판된 의학적 근거 문헌이 없다. 일반적으로 최소한 초기 주입 시에는 가능한 가장 낮은 용량을 사용해야 한다. 이 권장 사항은 국소 및 전신 독성의 가능성을 최소화하려는 욕구와 주사 효과의 균형을 맞추기 위해 만들어졌다. 코르티코스테로이드의 권장 용량은 각각의 chapter에 나열되어 있다. 표 3-3은 주사에 사용되는 코르티코스테로이드의 동등 용량을 나타낸다. 이 책의 목적을 위해 모든 용량은 triamcinolone acetonide suspension (Kenalog)을 기준으로 밀리그램(mg)으로 표시되어 있다. 만일 임상의가 다른 종류의 스테로이드를 사용하기를 원한다면 테이블을 사용하여 상대적인 용량을 간단히 계산할 수 있다. 예를 들어 만약 triamcinolone 20 mg을 손목 관절에 주사한다면, Kenalog® 20 mg, Aristospan® 20 mg, Depo-Medrol® 20 mg, Decadron-LA® 4 mg 또는 Celestone Soluspan® 3 mg 을 사용할 수 있다.

관절내 코르티코스테로이드 주사의 빈도에 대해 출판된 모든 정보들은 전문가의 의견에

표 3-3

주사 가능한 코르티코스테로이드의 동등 용량

코르티코스테로이드	상품명	동등 용량(mg/mL)
Triamcinolone acetonide	Kenalog®	40
Triamciolone hexacetonide	Aristospan®	40
Methylprednisolone acetate	Depo-Medrol®	40
Dexamethasone acetate	Decadron-LA®	8
Betamethasone actate and sodium phosphate	Celestone Soluspan®	6

근거한 것으로 보인다. 2014년에 발행된 논문에서 이 문제를 검토했다.[15] Hypothalamic-pituitary-adrenal axis (HPAA) 억제는 가장 흔하고 위험한 글루코코르티코이드 투여의 부작용이지만 종종 인식되지 않고 치료되지 않는다. 위험과 작용시간은 환자와 치료 특성에 따라 다르다. Guaraldi와 동료들은 methylprednisolone acetate 또는 triamcinolone acetate 의 단일 40mg 점액낭내 주사가 최대 45일까지 HPAA를 억제하기에 충분하다고 결정했다.[16] 일반적으로 무증상이지만, 환자는 코르티솔혈증을 암시하는 증상을 인식하고 보고하여 빠른 진단을 거쳐 궁극적인 치료를 받도록 하여 심각한 합병증을 피하도록 교육받아야 한다. 반복 투여 및 고용량 투여의 정확한 효과는 알려져 있지 않다. 일반적으로 대부분의 전문가들은 코르티코스테로이드 주사를 3개월에 한번 이상 자주 시행해서는 안된다고 주장한다. 아직 근거가 없음에도 이런 가이드는 HPAA의 억제, 골다공증, 국소 관절의 붕괴 등의 스테로이드와 연관된 부작용을 막기 위한 것이다.

저자는 일반적으로 국소마취제/코르티코스테로이드 용액을 주사할 때 작은 주사기만 사용한다. 3 mL 주사기는 모든 관절 및 연부조직 부위의 주사에 사용된다. 이것은 최대 1 mL의 국소마취제(에피네프린이 없는 리도카인 또는 메피바카인)와 최대 1 mL의 코르티코스테로이드를 수용한다. 각각의 주사기는 국소마취제의 양을 먼저 채운 다음 코르티코스테로이드를 채움으로써 시술 시에 준비된다. 일반적으로 환자에게 local 국소마취제/코르티코스테로이드 혼합물을 주사하기 전에 불용성 코르티코스테로이드가 주사기의 아래쪽에 침전 하는 것을 볼 수 있다. 국소마취제/코르티코스테로이드 혼합액을 환자에게 주사하기 직전에 공기 1 mL를 주사기에 흡인시키면 "혼합 기포(mixing bubble)"가 만들어진다(그림 3-1). 그리고 나서 국소마취제 사이에 코르티코스테로이드를 균일하게 퍼뜨리기 위해 주사기를 빠르게 돌린다. 주사기 바늘을 위쪽으로 향하게 하여 바늘이 목표 부위의 피부에 삽입되기 전에 미량의 공기를 제거한다.

코르티코스테로이드를 넓게 퍼지게 하면 연부조직 주사의 효과가 증대된다는 잘못된 생각을 흔히 볼 수 있다. 시술자들은 연관된 부위에 용액을 널리 퍼뜨리기 위하여 흔히 "fanning" 또는 "peppering" 기법을 사용한다. 하지만 이러한 방법들은 대부분 불필요 하

그림 3-1. ● 혼합 기포

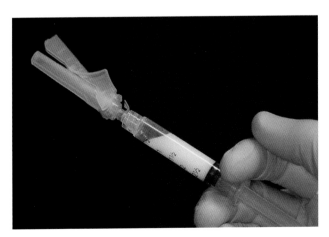

다. 일회주입(bolus)으로 주입된 국소마취제/코르티코스테로이드 혼합액은 수동적으로 건초(tendon sheath)와 국소 근막면(fascia plane)을 따라 이동한다. 대퇴골전자 통증증후군(trochanteric pain syndrome)을 주사할 때 연관된 부위가 대부분 크기 때문에 "fanning"을 고려해 볼 수 있을 것이다.

점성보충제

Hyaluronan (sodium hyaluronate)는 천연복합당(natural complex sugar)으로서 lycosami-noglycan family에 속한다. 골 관절염 환자의 관절액에는 내인성 hyaluronan의 농도와 양이 줄어 있다. 현재 관절액 안에 이러한 성분을 보충하기 위해 주사제로 사용될 수 있는 몇 가지 제품들이 출시되어 있다. 상용화된 약제들은 닭 벼슬 또는 새균성 발효 추출물로부터 합성 유도된 hyaluronan의 고분자량 유도체 들이다. 외인성 고분자량 히알루론산(hyaluronic acid)을 관절에 주입하면 염증성 사이토카인과 효소의 생성을 하향 조절하고 천연 히알루론산의 생성을 회복하며 골관절염의 진행을 늦춤으로써 골관절염 캐스케이드(cascade)를 방해할 수 있다. 점성보충제의 정확한 작용기전은 알려져 있지 않지만 슬관절의 물리적인 완충작용, 항염증작용, 그리고 윤활막세포에 의한 내인성 hyaluronan의 생성 촉진, 염증 감소, 통증 감소 및 무릎 관절 기능 개선을 가져온다.

점성보충제는 무릎의 골관절염 치료에 중요한 역할을 한다. 골관절염은 만성질환 상태로 몇 가지 치료방법이 존재 한다. 이들 중 체중감량과 물리치료가 가장 효과적인 방법이다. 하지만 통증이 지속된다면 약물요법이 사용될 수 있다. 안타깝게도 경구 NSAID와 아세트아미노펜은 효과는 별로 없으면서 심각한 독성 부작용을 야기한다. 이런 질환에서 마약성 제제는 만성적으로 사용되어서는 안될 것이다. 코르티코스테로이드 주사는 특히 급성 통증과 부종을 호소하는 환자들에서 중단기적으로 효과가 있다. 점성보충제는 무릎 골관절염의 중장기(3–6개월) 치료에 중요한 위치를 차지한다. 점성보충제의 적절한 사용은 무릎 인공관절치환술의 시기를 연장시킬 수 있다. 이들 약제는 효과와 장기간 사용의 안정성이 우수한 것으로 기록되어 있다. 또한, 다루기 힘든 당뇨병 환자, 코르티코스테로이드 주사에 실패한 환자, 코르티코스테로이드를 자주 투여하고 반복 투여로 인해 심각한 부작용이 발생할 위험이 있는 환자, 코르티코스테로이드에 대해 드문 알레르기가 있는 사람 등의 치료에서 점액보충제의 특별한 이점이 있을 수 있다.

현재 미국에서 상품으로서 구할 수 있는 hyaluronan 주사제가 표 3–4에 나열되어 있다. 이들은 약품으로 분류되어 있지 않고 FDA에 의해 의료기기로 분류되어 있다. 이들 제제들은 보존적 비약물치료와 아세트아미노펜 같은 간단한 진통제에 충분히 반응하지 않는 무릎 골관절염 환자의 통증치료 목적으로만 승인되어 있다. 근거문헌의 증가에도 불구하고 무릎 이외의 다른 관절에서 이러한 점액보충제의 사용은 현재까지 FDA의 승인을 받지 못했다.

합의에 기반한 2013년 가이드라인에서 미국 정형외과 학회는 히알루론산의 관절내주사 사용을 적절한 치료 방식이 아닌 것으로 간주했다.[17] 반면에 2019년 발표된 Europe-

표 3-4

FDA 승인을 받은 점성보충제

Viscosupplementation products- synthetically derived from rooster combs
Gel-One® (Zimmer) http://gelone.zimmerbiomet.com/
  30 mg/mL-3 mL syringe given as a single injection
Synvisc® (Sanofi-Aventus) www.synvisc.com
  8 mg/mL-2 mL syringe given as three weekly injections
Synvisc-One® (Sanofi-Aventus) www.synviscone.com
  8 mg/mL-6 mL syringe given as a single injection
Hyalgan® (Fidia Pharma) www.hyalgan.com
  10 mg/mL-2 mL syringe given as three to five weekly injections
Supartz® (Bioventus) www.supartz.com
  10 mg/mL-2.5 mL syringe given as five weekly injections

Viscosupplementation products-produced by bacterial fermentation and extraction
Euflexxa® (Ferring) www.euflexxa.com
  10 mg/mL-2 mL syringe given as three weekly injections
Durolane® (Bioventus) www.durolane.com
  20 mg/mL-3 mL syringe given as a single injection
Gelsyn-3® (Bioventus) https://www.oakneepainrelief.com/gelsyn_3/
  16.8 mg/mL-2 mL syringe given as three weekly injections
Orthovisc® (Anika) https://www.anikatherapeutics.com/products/orthobiologics/orthovisc/
  15 mg/mL-2 mL syringe given as three to four weekly injections
Monovisc® (Anika) https://www.anikatherapeutics.com/products/orthobiologics/monovisc/
  22 mg/mL-4 mL syringe given as a single injection
Genvisc-850® (OrthogenRx) https://genvisc850.com/
  10 mg/mL-2.5 mL syringe given as five weekly injections
Hymovis (Fidia Pharma) https://hymovis.com/
  8 mg/mL-3 mL syringe given as two weekly injections

an-based Osteoarthritis Research Society International (OARSI) consensus guidelines 은 이제 히알루론산 주사를 레벨 1B 권장 사항으로 지정했다.[18] Hyaluronan 유도체의 사용에 대한 의학 문헌에서의 근거 중심적인 지원은 일관성이 없지만 긍정적인 결과를 기록하는 문헌이 증가하고 있다. 전문적인 의견 불일치의 주된 이유는 연구된 히알루론산(hyaluronic acid) 제품의 차이, 특히 시험 설계 및 수행의 품질에 상당한 차이가 있기 때문이다. 이를 해결하기 위한 노력의 일환으로 Xing과 동료들은 히알루론산 주사가 부작용 위험의 증가없이 무릎 골관절염 치료에 효과적인 개입임을 보여주는 중복 메타분석에 대한 PRISMA 준수 체계적 검토를 수행했다.[19] 또한 Altman은 히알루론산의 반복적인 관절내 주사 과정이 무릎 골관절염에 효과적이고 안전한 치료법임을 보여주었다.[20]

이러한 제품은 많은 측면에서 유사하지만 각 제품의 물리적 특성에는 상당한 차이가 있다(표 3-5). 일부 hyaluronate 제품은 닭 벼슬을 가공하는 과정에서 얻어진다. 다른 제품들은 동일한 물질을 생산하는 유전적으로 설계된 박테리아에서 추출된다. 임상적인 관점에서 중요한 점은 제품의 분자량과 분자들의 교차결합이다. 높은 분자량과 교차결합의 존재는 약물의 관절내 잔존시간을 늘려주며 장기적인 치료 효과를 예측할 수 있게 해준다. 연구에 따르면 히알루론산이 활막세포의 세포 표면 수용체와 상호작용하는 능력을 최대화하여 천연 히알루론산 합성을 최대화하는 최적의 분자량 범위가 있다고 한다.[21] 최적

표 3-5

FDA 승인 점성보충제: 물리적 특성

상품명	분자량	탄성도	점성도	교차결합 (Cross-linked)	주사횟수	작용기간
Helathy young synovial fluid	6	117	45	No	N/A	
Osteoarthritic synovial fluid	1.1-1.9	1.9	1.4	No	N/A	
Euflexxa®	2.4-3.6	92	38	No	3	26 wk
Gel-One®	Unknown	Unknown	Unknown	Yes	1	13 wk
Hyalgan®	0.5-0.7	0.8	4	No	5	26 wk
Orthovisc®	1.0-2.9	60	46	No	3-4	22 wk
Hymovis®	0.5-0.7	Unknown	Unknown	No	2	26 wk
Supartz®	0.6-1.2	9	15	No	5	26 wk
Synvis®	6	111	25	Yes	3	26 wk
Synvisc-One®	6	111	25	Yes	1	26 wk
Durolane®	Unknown	Unknown	Unknown	Yes	1	26 wk
Gelsyn-3®	1.1	Unknown	Unknown	Yes	3	26 wk
Genvisc-850®	0.62-1.2	Unknown	Unknown	Yes	5	30 wk
Monovisc®	1.0-2.9	Unknown	Unknown	Yes	1	26 wk

의 분자량 분자(500,000-4백만 daltons)는 세포 표면 수용체에 강력하게 결합하여 천연 히알루론산 생합성 자극을 최대화한다. 또한 시중에서 판매되는 제품은 효과 지속시간 (13-26주)과 치료 과정에 필요한 주사 횟수(단일 주사 vs. 3-5주 시술)에서도 차이가 있다. 골관절염으로 인한 무릎 통증 치료를 위한 단일 주사 히알루론산 주사 요법은 다중 주사 요법과 유사한 효능을 제공하고, 주사 시술에 대한 환자의 노출을 줄이며, 치료 완료/순응 가능성을 극대화하고, 비용을 절감하고, 환자의 편의성을 높였다.[22] 이러한 모든 제제는 멸균 주사기에 미리 포장되어 있다. 비용이 비싸기 때문에 보험 처리 절차에 대해 숙지하여야 한다.

　Hyaluronan 제품들에 대해 과민반응이 있거나 주사부위의 무릎주변이나 무릎내에 감염이 있는 환자들에게 투여하는 것은 금기이다. 점성보충제를 정확하게 무릎관절내에 주입하는 것은 굉장히 중요하다. 그러므로 무릎 관절내 주사를 시행할 때 시행자는 바늘이 무릎관절낭을 지나 성공적으로 진입하였는지 항상 관절낭액을 흡인하여 확인해야 한다. 초음파를 이용한 흡인과 주사는 성공적인 시술에 매우 도움이 된다. 의도하지 않은 활액 조직, 지방 등으로의 관절외 주입이나 혈관내 주입은 부작용의 위험을 높인다. 점성보충제 주입에 있어서 가장 흔히 보고되는 부작용은 일시적인 국소 통증, 관절통, 관절의 강직, 관절의 부종, 관절의 뜨거움, 그리고 보행장애 등이다. 조류단백질, 깃털 또는 달걀 제품에 알러지가 있는 환자에게 닭 벼슬로부터 유도된 제품을 주사할 때는 주의를 해야 한다.

보툴리눔 독소

보툴리눔 신경독(Botulinum neurotoxin)은 클로스트리디움 보툴리눔(Clostridium botuli-num) 에 의해 생산된 7가지의 서로 연관된 단백질로 구성되어 있다. 이들 중 A형과 B형의 신경독만이 미국에서 사용이 승인되어 있다. 보툴리눔독소는 presynaptic nerve mem-brane에 비가역적으로 결합하고 신경근접합부(neuromuscular junction)에서의 아세틸콜린의 형성과 전달을 차단한다. 보툴리눔 독소는 주입된 근육의 이완성 마비를 일으킨다. 이는 효과적으로 목표 근육인대 기본 단위에 이른바 "의료부목(medical splinting)"을 생성하여 지속된 사용을 차단한다. 이는 특정 부위를 약 3달 정도 기능적인 휴식, 안정을 시킴으로 병변을 치유되도록 도와준다.

주사는 해부학적 지표 또는 근전도를 사용하여 시행된다. 영향을 받은 근육들 중 가장 높은 임상적 그리고 EMG 활동성을 보인 근육에 주사를 시행한다. 주사에 의한 치료 효과는 보통 처음 7일 안에 일어나며 평균적으로 12주 동안 지속된다. 주사는 3−4개월 마다 반복할 수 있다. 회복은 새로운 신경근 접합부 형성에 의한 근위부의 축색돌기 발아(axonal sprouting) 와 근육 신경 재분포(muscle reinnervation)를 통해 이루어 진다.

임상연구에서 경부 근긴장이상증(cervical dystonia), 경추성 두통, 돌발성 두통, 편두통, 근육이상과 동반된 턱관절 장애, 근근막 통증증후군, 이상근 증후군, 서경[writer's cramp(글 등을 쓸 때 손에 쥐가나는 것:역자 주)], 외측 상과염 그리고 족저근막염 등을 포함하는 다양한 근골격계 질환의 치료에 있어서 보툴리눔 독소를 이용한 치료가 효과적인 것으로 입증되었다. 현재 미국에서 사용이 승인된 보툴리눔 독소 제품들은 표 3-6에 명시 했다. 이 책이 출판되는 시점에서 근골격계 통증 치료를 위한 보툴리눔 신경독소 사용은 성인에 있어서 경부 근긴장이상증과 상지경직(upper limb spasticity), 그리고 만성 편두통(4시간이상 지속되는 두통이 월 15회 이상 발현)의 예방 목적으로만 사용되도록 FDA 승인이 되어 있다.[23] 다른 통증에 보툴리눔 독소를 사용하는 것은 허가되지 않은 사용(off−label use)으로 간주된다. 하지만 의사에 따라 다른 치료 방법에 반응이 없거나 다른 치료 방법이 적합하지 않다고 판단되는 환자에 있어서 적당한 치료 방법으로 고려해 볼 수 있다.

기타

다른 의료용 약품들(investigational agents)이 의료를 시행함에 있어서 미래에 새로운 역할을 담당하고 관절내 주사를 통해 전달될 수 있을 것이다. 여기에는 ketorolac(Tora-dol®)[24,25], 및 etanercept(Enbrel®)와 같은 생물학적 제제들이 포함된다.[26] 관절 내 주사되는 질병 조절 골관절염 약물인 Sprifermin은 무릎관절의 연골 두께를 증가시키는 유망한 결과를 보여주었다.[27] 기대되는 미래의 치료법으로는 적절한 바이러스 매개체를 관절내로 주사하여 류마티스관절염, 건선성관절염(psoriatic arthritis), 다른 염증성관절염, 그리고 골관절염을 치료할 수 있는 유전자를 윤활막세포들로 전달하는 것이다.[28,29]

표 3-6

보툴리눔 신경독소

Botulinum neurotoxin type A products

Botox® (Allergan) http://www.allergan.com/products/eye_care/botox.htm
  100 units/vial

Dysport® (Ipsen) www.dysport.com
  500 units/vial

Botulinum neurotoxin type B product

MyoBloc® (Solstice Neurosciences) http://www.myobloc.com
  5,000 units/mL

참고문헌

1. Miller RD, Pardo MC Jr. *Basics of Anesthesia*, 6th Ed. Philadelphia, PA: Elsevier Saunders; 2011:140-141.
2. Schramm R, Thorlacius H. Neutrophil recruitment in mast cell-dependent inflammation: Inhibitory mechanisms of glucocorticoids. *Inflamm Res* 2004;53:644-52.
3. Malemud CJ. Cytokines as therapeutic targets for osteoarthritis. *BioDrugs* 2004;18:23-35.
4. Barnes PJ. Anti-inflammatory actions of glucocorticoids: Molecular mechanisms. *Clin Sci (Lond)* 1998;94:557-72.
5. Eymontt MJ, Gordon GV, Schumacher HR, Hansell JR. The effects on synovial permeability and synovial fluid leukocyte counts in symptomatic osteoarthritis after intraarticular corticosteroid administration. *J Rheumatol* 1982;9:198-203.
6. MacMahon PJ, Eustace SJ, Kavanagh EC. Injectable corticosteroid and local anesthetic preparations: A review for radiologists. *Radiology* 2009;252(3):647-61.
7. Wright JM, Cowper JJ, Page Thomas DP, Knight CG. The hydrolysis of cortisol 21-esters by a homogenate of inflamed rabbit synovium and by rheumatoid synovial fluid. *Clin Exp Rheumatol* 1983;1:137-41.
8. Blankenbaker DG, De Smet AA, Stanczak JD, Fine JP. Lumbar radiculopathy: Treatment with selective lumbar nerve blocks-comparison of effectiveness of triamcinolone and betamethasone injectable suspensions. *Radiology* 2005;237:738-41.
9. Stanczak J, Blankenbaker DG, De Smet AA, Fine J. Efficacy of epidural injections of Kenalog and Celestone in the treatment of lower back pain. *AJR Am J Roentgenol* 2003;181:1255-8.
10. Derendorf H, Mollmann H, Gruner A, Haack D, Gyselby G. Pharmacokinetics and pharmacodynamics of glucocorticoid suspensions after intra-articular administration. *Clin Pharmacol Ther* 1986;39(3):313-7.
11. Garg N, Perry L, Deodhar A. Intra-articular and soft tissue injections, a systematic review of relative efficacy of various corticosteroids. *Clin Rheumatol* 2014;33(12):1695-1706.
12. Cushman DM, Bruno B, Christiansen J, Schultz A, McCormick ZL. Efficacy of injected corticosteroid type, dose, and volume for pain in large joints: A narrative review. *PM R* 2018;10(7):748-57.
13. Hajialilo M, Ghorbanihaghjo A, Valaee L, Kolahi S, Rashtchizadeh N, Amirkhiz MB, et al. A double-blind randomized comparative study of triamcinolone hexacetonide and dexamethasone intra-articular injection for the treatment of knee joint arthritis in rheumatoid arthritis. *Clin Rheumatol* 2016;35(12):2887-91.
14. Kumar A, Dhir V, Sharma S, Sharma A, Singh S. Efficacy of methylprednisolone acetate versus triamcinolone acetonide intra-articular knee injection in patients with chronic inflammatory arthritis: A 24-week randomized controlled trial. *Clin Ther* 2017;39(1):150-8.
15. Johnston PC, Lansang MC, Chatterjee S, Kennedy L. Intra-articular glucocorticoid injections and their effect on hypothalamic-pituitary-adrenal (HPA)-axis function. *Endocrine.* 2015;48(2):410-6.
16. Guaraldi F, Gori D, Calderoni P, Castiello E, Pratelli L, Leporati M, et al. Comparative assessment of hypothalamic-pituitary-adrenal axis suppression secondary to intrabursal injection of different glucocorticoids: A pilot study. *J Endocrinol Invest.* 2019;42(9):1117-24.
17. Sanders JO, Murray J, Gross L. Non-arthroplasty treatment of osteoarthritis of the knee. *J Am Acad Orthop Surg* 2014;22(4):256-60.
18. Bannuru RR, Osani MC, Vaysbrot EE, Arden NK, Bennell K, Bierma-Zeinstra SMA, et al. OARSI

guidelines for the non-surgical management of knee, hip, and polyarticular osteoarthritis. *Osteoarthritis Cartilage* 2019;27(11):1578-89.

19. Xing D, Wang B, Liu Q, Ke Y, Xu Y, Li Z, et al. Intra-articular hyaluronic acid in treating knee osteoarthritis: A PRISMAcompliant systematic review of overlapping meta-analysis. *Sci Rep* 2016;6:32790.

20. Altman R, Hackel J, Niazi F, Shaw P, Nicholls M. Efficacy and safety of repeated courses of hyaluronic acid injections for knee osteoarthritis: A systematic review. *Semin Arthritis Rheum* 2018;48(2):168-75.

21. Smith MM, Ghosh P. The synthesis of hyaluronic acid by human synovial fibroblasts is influenced by the nature of the hyaluronate in the extracellular environment. *Rheumatol Int* 1987;7(3):113-22.

22. McElheny K, Toresdahl B, Ling D, Mages K, Asif I. Comparative effectiveness of alternative dosing regimens of hyaluronic acid injections for knee osteoarthritis: A systematic review. *Sports Health* 2019;11(5): 461-6.

23. Botox prescribing information. Available at: http://www.allergan.com/assets/pdf/botox_pi.pdf Accessed on August 2, 2020.

24. Min KS, St Pierre P, Ryan PM, Marchant BG, Wilson CJ, Arrington ED. A double-blind randomized controlled trial comparing the effects of subacromial injection with corticosteroid versus NSAID in patients with shoulder impingement syndrome. *J Shoulder Elbow Surg* 2013;22(5):595-601.

25. Lee SC, Rha DW, Chang WH. Rapid analgesic onset of intra-articular hyaluronic acid with ketorolac in osteoarthritis of the knee. *J Back Musculoskelet Rehabil* 2011;24(1):31-8.

26. Roux CH, Breuil V, Valerio L, et al. Etanercept compared to intraarticular corticosteroid injection in rheumatoid arthritis: Double-blind, randomized pilot study. *J Rheumatol.* 2011;38(6):1009-1011.

27. Hochberg MC, Guermazi A, Guehring H, Amoretti N, Brocq O, Albert C, et al. Effect of intra-articular sprifermin vs placebo on femorotibial joint cartilage thickness in patients with osteoarthritis: The FORWARD randomized clinical trial. *JAMA* 2019;322(14):1360-70.

28. Evans CH, Ghivizzani SC, Robbins PD. Arthritis gene therapy and its tortuous path into the clinic. *Transl Res.* 2013;161(4):205-16.

29. Weber C, Armbruster N, Scheller C, Kreppel F, Kochanek S, Rethwilm A, et al. Foamy virus-adenovirus hybrid vectors for gene therapy of the arthritides. *J Gene Med* 2013;15(3-4):155-67.

정형생물학Orthobiologics

Francis G. O'Connor

재생의학

"재생의학(regenerative medicine)"은 특정 부상 부위에서 신체의 내인성 복구 능력을 강화하는 데 초점을 맞춘 자가조직(autologous), 동종이계(allogeneic) 또는 증식성(proliferative) 주사제를 정확하게 적용하는 근골격계 의학의 새로운 분야이다.[1] 재생의학의 성장은 일반적인 근골격계 질환 치료를 위한 기존 치료 옵션의 효능에 도전하는 증거가 증가함에 따라 나타났다. 1999년에 Kraushaar와 Nirschl은 테니스 엘보 시술의 수술 부위에 대한 전자 현미경을 사용하여 염증 세포의 부재를 증명하고, 염증의 역할에 의문을 제기했으며, "혈관섬유아세포성 건초증(angiofibroblastic tendinosis)"이라는 용어를 만들어냄으로써 과사용 손상에 대한 퇴행성 경로를 확인할 수 있는 길을 열었다.[2] 이러한 퇴행성 과정의 확인은 항염증 약물의 역할에 대한 우려를 불러일으켰다.[2] 전통적으로 비스테로이드성 항염증 약물은 이러한 질환의 관리를 위해 1차 진료제공자에 의해 처방되었지만, 퇴행성 건병증에 대한 인식이 증가함에 따라 그 역할에 의문이 제기되었다.[3] 특히, 코르티코스테로이드 주사는 근골격계 연조직 손상에서 단기적인 완화를 제공할 수 있지만, 이러한 효과가 장기적으로 위약보다 나을 것이 없고, 어떤 경우에는 해로울 수 있다는 우려가 있다는 것을 확인한 몇 가지 체계적인 검토의 주제였다.[4] 척추의 경우 아급성 및 만성 요통의 환경에서 경막외 스테로이드 주사를 포함한 주사들은 업데이트된 코크레인(Cochrane) 리뷰에서 "아급성 및 만성 요통에서 [코르티코스테로이드] 주사 요법의 사용을 뒷받침할 증거가 현재 불충분하다"고 결론지었다.[5]

많은 관절 및 연부조직 질환에 대한 주사제 외에, 기존의 수술 절차도 그 효능에 대한 도전을 받아왔다. 40세 이상 환자의 무릎 반월판 파열을 치료하기 위한 관절경 수술은 최근 메타 분석에서 일반 수술을 포함한 보존적 치료보다 나을 것이 없는 것으로 나타났으며,[6,7] 회전근개 충돌(rotator cuff impingement) 수술은 개선된 환자 결과를 제공하지 못해 어려움을 겪고 있다.[8] 관절염 관리에서 관절치환술(joint replacement surgery)은 많은 환자의 삶의 질을 크게 향상시켰지만 이러한 절차는 관리 기술이며 그들 자신의 합병증과 위험이 없는 것은 아니다.[9] 상호 검토된 의학 문헌(peer-reviewed medical literature)의 이러한 보고서들은 제공자뿐만 아니라 일반적인 근골격계 질환 치료에 대한 현재 접근 방식에 대한 우려를 제기하고, 재생의학 모델을 포함하여 다른 잠재적 대체 치료에 대한 집중적인 고려의 필요성을 제기하였다.

Mulvaney 등은 재생의학 치료 모델을 이화작용(catabolism) 및 조직변성(issue degener-ation)에서 동화작용(anabolism)과 조직복구(tissue repair.)로의 패러다임 전환으로 설명했다.[1] 만성 손상의 경우 Mulvaney 등이 설명한 대로 실패한 자가조직복구에 대한 몇 가지 병태생리에 대한 가설이 있다.

1. 몸은 부상을 인식하지 못하고 효과적이지 않은 치유 반응을 일으킨다.
2. 적절한 회복이 없는 만성적인 반복운동, 병적 관절운동을 초래하는 인대 이완, 병적 운동을 초래하는 기능적인 운동 장애와 같은 진행 중인 조직 손상에 의해 회복 메커니즘이 압도된다.
3. 치료 메커니즘은 차선의 치료 환경에 의해 억제된다. 이화작용, 차선의 치유 환경에 기여하는 요인으로는 독소 노출(많은 의약품 포함), 잘못된 식단, 비만, 규칙적인 운동 부족, 만성 전신 염증, 만성 감염, 부족한 수면, 호르몬 결핍 및 만성 스트레스가 포함되지만 이에 국한되지는 않는다.[10,11]

앞서 언급한 자가복구 실패의 원인은 재생의학 및 상담의 잠재적 대상이자 기회이다. 재생의학 치료의 목표는 자연적이고 자연적인 과정을 촉진하고 강화하는 것이다.[1] 현재 이용할 수 있는 재생요법이 풍부하지만, 이 검토에서는 가장 강력한 증거 기반 문헌을 가진 더 일반적인 치료법 중 다음 몇 가지에 초점을 맞춘다. 자가 혈액(autologous blood); 혈소판풍부혈장(platelet—rich plasma) 요법; 및 자가 줄기세포(autologous stem cells).

프롤로테라피

Hackett이[12] 처음 기술한 프롤로테라피는 1950년대부터 치료 양식으로 사용되어 왔다. 중재로서 프롤로테라피를 지지하는 이론은 (급성 외상이나 만성 미세 외상을 통해) 누적된 인대 이완이 관절이 의도한 생리학적 매개변수를 초과할 수 있게 한다는 것이다. 이러한 불균형적인 움직임은 척추 디스크 돌출을 초래하는 고리형 인대파열 또는 골관절염을 초래하는 연골 퇴화를 포함하는 병리학적 반응을 유발할 수 있다. 다양한 인대들이 관절의 비정상적 운동등을 바로잡기 위해서 작용한다는 개념아래 프롤로테라피는 치료 방법의 하나로써 적용되어 왔다. 퇴행성 건형증의 치료에도 역시 이용되어 왔다.[13]

가장 많이 연구된 "증식제(proliferant)" 용액은 15% 덱스트로스이지만 다른 물질(예를 들어, sodium morrhuate)이 사용되었다. 인대나 힘줄에 주입될 때, 고강력 덱스트로스는 액체의 빠른 삼투 이동을 통해 가벼운 세포 손상을 유도하는 것으로 생각되며, 이는 결국 염증 반응을 시작한다.[14] 이러한 집중적인 치유 캐스케이드의 개시는 이전에 인식되지 않았던 인대 손상을 치유하고 손상된 인대를 이상적인 길이와 구조로 회복시키는 것으로 가정된다. 통증이 있는 관절이나 척추 부위의 주요 인대를 전부 또는 대부분 치유함으로써 정상적인 동작들이 회복되어 시간이 지남에 따라 해당 부위가 치유될 수 있게 된다. 치유 캐스케이드는 염증 유도에 의해 시작되기 때문에 치료 전 7일, 치료 후 회복기에는 소염제 사용을 자제할 필요가 있다.

수년 동안 프롤로테라피의 사용을 지지하는 과학적 근거는 임상 실습에서의 사용에 비해 빈약하였다. 그러나 지난 10년 동안 이러한 의학적 근거의 부족은 헌신적인 연구자들에 의해 효과적으로 해결되었다. 높은 수준의 고찰 연구에서는 현재 많은 만성적인 부상에서 프롤로테라피를 사용하는 것을 지지한다. 이러한 연구 중 가장 중요한 것 중 하나는 Rabago와 동료들에 의한 다기관(multicenter) RCT였는데 조사자들은 90명의 환자들을 1년 동안 추적했고, 프롤로테라피가 식염수 주사나 집에서 하는 운동과 비교했을 때 무릎 골관절염(OA)에 대한 통증, 기능, 경직성 점수를 임상적으로 의미 있는 개선을 가져왔다고 결론지었다. 연구에 사용된 프로토콜은 무릎 주변의 관절내 구조와 인대 구조를 모두 대상으로 했다.[15] Hauser 등은 만성 근골격계 통증에 대한 덱스트로스 프롤로테라피 요법에 대한 체계적인 검토를 발표했다. 그들의 논문은 14개의 RCT를 검토하고 "인대 기능 장애로 인한 건병증, 무릎과 손가락관절 골관절염, 척추/골반 통증의 치료를 위해 덱스트로스 프롤로테라피의 사용을 지지한다."고 결론 지었다.[16] Dumais와 동료들은 무릎 골관절염의 치료를 위한 무작위 교차 연구를 수행했고 "프롤로테라피의 사용은 24주 이상 지속된 증상의 현저한 감소와 관련이 있다"고 결론 내렸다.[17] 현재 관절 골관절염, 건병증 및 만성 척추 통증에서 프롤로테라피의 사용을 뒷받침하는 높은 수준의 통계적으로 유의미한 연구가 많이 있다.[13,18-22]

자가혈액

자가혈액주사(Autologous blood injections, ABI)는 만성 손상의 치유 과정에 도움을 줄 수 있는 성장 인자가 있는 혈소판을 포함하고 있다. 혈소판에서 구체적으로 확인된 것은 형질전환성장인자-β(transforming growth factor-β), 혈소판 유래성장인자(platelet-derived growth factor), 인슐린 유사성장인자(insulin-like growth factor), 혈관내피성장인자(vascular endothelial growth factor) 및 표피성장인자(epidermal growth factor)이다. 이러한 혈소판 성장 인자는 치유 과정을 자극하고 손상된 조직의 복구로 이어지는 것으로 생각된다. 가설은 이러한 성장인자가 혈관 신생 및 세포 증식을 자극하고 인장 강도 및 수리 세포 모집을 증가시킨다는 것이다.

ABI 시술은 임상 환경에서 쉽게 수행할 수 있다. 일반적으로 약 2-3 cc의 혈액이 다양한 양의 마취제를 사용하여 주사기에 주입된다. 혈액과 마취제의 결합은 보통 초음파 유도를 통해 손상된 힘줄과 그 주위에 주입된다. 자가 혈액을 주입하기 위해 때때로 "페퍼링(peppering)" 기술이 사용된다. 여기에는 힘줄에 바늘 삽입, 혈액 일부 주입, 피부에서 나오지 않고 빼기, 약간의 방향 전환 및 재삽입이 포함된다(펜네스트레이션을 다루는 고급 및 보조 절차에 대한 6장 참조). 시술 후에는 대개 몇 주 동안 힘줄을 심하게 사용하거나 과도하게 사용하는 것을 피해야 하며, 그 후에는 물리치료가 시작된다. 절차는 최소 침습적이지만 여전히 잠재적인 부작용이 있다. 여기에는 감염 부위의 작은 위험과 주사 부위의 일시적인 통증이 포함된다. ABI는 혈액제제를 사용하는 다른 시술에 비해 유리하지만,

환자 자신의 혈액이 주입되기 때문에 수혈에 의한 감염이나 반응의 위험이 없다.

재생요법으로서 ABI의 효능에 대한 증거는 제한적이다. ABI는 다양한 건병증에 활용되지만 일반적인 용도 중 하나는 난치성 테니스 엘보(recalcitrant tennis elbow)이다. 한 연구에서 외측 상과염 환자 28명에게 단요측 수근 신근(extensor carpi radialis brevis) 아래에 자가 혈액 2 mL를 주사했다. 모든 환자는 물리치료, 부목고정, 비스테로이드성 항염증 약물 및 이전 스테로이드 주사의 전부 또는 조합을 포함하는 이전의 비외과적 치료에 실패했다. ABI 치료 후 비수술적 방법에 실패한 환자 22명(79%)은 격렬한 활동 중에도 통증이 완전히 완화되었다.[23] Chou 등의 후속 메타분석에 의하면 ABI가 코르티코스테로이드 주사보다 효과적이지만 혈소판 풍부 혈장(PRP) 주사보다 외측 상과염 치료에 효과적이지 않다고 결론지었다.[24] 마지막으로 ABI가 유망하지만 DeVos 등은 현재 높은 수준의 임상 연구가 제한되어 있다고 언급했다. 향후 임상 연구에서는 적절한 대조군, 무작위 배정, 눈가림 또는 검증된 질병별 결과 측정을 사용하여 통증과 기능을 평가해야 한다. 또한 저자는 건병증 연구를 위한 좋은 실험 모델이 기초 연구에 도움이 될 것이라고 언급하였다.[25]

혈소판풍부혈장

기준치 이상의 혈소판 농도로 정의되는 PRP는 1990년대부터 임상에 사용되었다.[26] PRP는 자가혈액으로부터 준비되며, 원심분리기 밀도 분리를 이용하여 적혈구를 제거한 다음 남은 혈장 중 혈소판이 풍부한 부분을 더 농축한다. 혈소판은 공기, 손상된 조직 부위와 같은 콜라겐의 부서진 조각과 접촉하거나, 탈분립 과정에서 근접하게 다른 혈소판을 감지할 때 활성화(탈과립, degranulate)된다. 혈소판이 탈과립되면, 이들은 앞서 언급한 성장 인자를 포함하는 알파 과립을 방출하여 염증을 신호하고 신체의 내인성 회복 메커니즘을 자극한다.

PRP는 잘 수행된 많은 RCT에서 효과적인 치료 양식으로 나타났지만[27-32], 일부 증거는 혼합된 결과를 보여주었다.[33] Laver 등은 무릎과 엉덩이 OA 모두에 대해 PRP를 히알루론산(HA)과 비교한 29개 연구(11개 RCT)를 살펴본 문헌의 체계적인 검토를 발표했다. 그들은 현재의 임상 증거가 여러 대체 치료와 비교하여 무릎과 고관절 OA에 대한 PRP 치료가 이점이 있다고 결론지었다.[34] 많은 RCT가 시험 물질을 식염수 주입 대조군과 비교한 결과를 계속 혼동하는 한 가지 문제는 식염수 주입이 대조군이 아니라 치료제라는 것을 나타내는 합리적인 증거가 있다는 것이다.[35] PRP 연구의 또 다른 혼란스러운 문제는 유사한 유형의 부상, 치료 후 회복 체제, 주사 방법, 임상의 기술 및 그에 따른 약물 사용(및 기타 많은 요인)의 변화를 통계적으로 설명하고 적절하게 연구에 동력을 공급하는 것이 어렵다는 사실에 기인할 수 있다. 또한 문헌에서 비교되고 있는 PRP의 비교 대상 물질들에 대한 명확한 개념은 없다.[36]

PRP의 준비를 위해 상업적으로 이용 가능한 많은 시스템과 실험실 기반의 준비 프로토콜이 있다. 하지만 근골격계 복구를 위한 최적의 혈소판 농도가 확립되지 않았다. PRP의 질적 차이는 또한 연구에서 교란 변수이다. 다양한 혈액 성분의 존재와 농도: RBC, WBC

및 혈소판은 모두 유익하거나 유해한 영향을 미치는 것으로 제안되었다. 예를 들어, 백혈구가 부족한 PRP가 관절내 응용에 백혈구가 풍부한 PRP보다 더 유익한 반면, 백혈구가 풍부한 PRP는 간내 응용에 더 우수할 수 있다는 것을 뒷받침하는 데이터가 있다.[37,38] 그럼에도 불구하고 한 가지 제제의 임상적 우수성은 진행 중인 연구의 대상이 되지 않았다.[39] Mautner 등은 향후 연구에 사용되는 PRP 유형을 정확하고 신속하게 설명하기 위해 가변 구성요소를 기반으로 PRP를 정의하도록 설계된 포괄적인 PRP 명명 논문을 설명했다.[36]

줄기세포

자가(Autologous) 중간엽 줄기세포(mesenchymal stems cells, MSC)는 필요한 표적 조직으로 분화하는 것이 아니라 부상 부위에 결합하고 조직 복구를 용이하게 하기 위해 파라크린 방식으로 작용함으로써 근골격계 복구를 용이하게 하는 것으로 보인다.[40] 자가 줄기세포 제제는 지방 유래 MSC와 골수 유래 MSC로부터 만들어질 수 있다. 현재, 어떤 소스가 근골격계 응용(application)에 더 최적인지에 대한 논의가 진행 중이다. 골수 유래 줄기세포는 체외 연구에서 더 높은 골형성 및 연골형성 잠재력을 가지고 있는 것으로 나타났다. 그러나 골관절염 치료를 위해 지방 유래 줄기세포를 사용하는 것을 조사하는 인간 연구는 골수 유래 치료와 비슷한 결과를 보여주었다. 또한 지방은 측정 단위당 골수보다 줄기세포의 수가 훨씬 더 많다. 그러나 이러한 차이가 인간 연구의 개선된 결과에서 임상적으로 의미 있는 차이를 초래하는지는 두고 볼 일이다. 언급된 모든 것들에 따르면, 골수와 지방에서 추출된 줄기세포의 수는 매우 적다; 대략 10,000분의 1로 추정된다. 게다가, 실제로 전달되고 주사로 생존하는 생존 가능한 세포의 수는 현재 알려져 있지 않다.

　Mulvaney 등은 의학 문헌을 검토하고 무릎 관절염을 치료하기 위해 골수와 지방 유래 줄기세포를 사용하는 6개의 RCT를 발견했으며, 이는 다음과 같은 결론을 내렸다: 심각한 부작용은 없었고 줄기세포 주입에 유리한 우수한 방사선 결과가 있었다.[1] 두 번의 실험은 개선된 조직학적 결과, 개선된 관절 점수 치유율, 우수한 환자 보고 결과를 보고했다. 그러나 일부 연구의 증거 수준은 편향의 위험이 인식되었기 때문에 수준 3으로 감소했다.[41] Maddening 등은 43명의 환자의 무릎 OA에 대해 골수 흡인 농축액(bone marrow aspirate concentrate, BMAC)을 사용한 무작위 삼중 맹검 위약 대조 시험을 발표했고, BMAC가 안전하며 위약 대비 6개월 이상 임상적으로 유의한 통증 완화를 제공한다고 결론 내렸다.[42] Centeno와 동료들은 골수 유래 줄기세포로 처리된 장기 추적 치료를 받은 840개의 OA 무릎에 대한 연구를 발표했고 이 응용이 안전하고 효과적이라는 것을 발견했다.[43] Centeno와 동료들은 또한 골수 유래 줄기세포로 처리된 115개의 어깨 OA와 회전근개 파열에 대한 전향적 다중 사이트 연구를 발표했는데, 이는 DASH 점수에서 통계적으로 유의미한 개선을 보여주었다.[43] Hernigou 등은 최근 12년 동안 추적 검사를 하며 총 무릎 관절 성형술(total knee arthroplasty, TKA)과 심각한 무릎 OA를 위한 연골 아래 골수 주사를 비교한 획기적인 RCT를 발표했다. 두 그룹 모두 비슷한 긍정적인 개선을 보였다. 세포

치료군은 연골병변과 골수병변이 모두 개선된 것으로 나타났다. TKA에 따른 의학적, 수술적 합병증은 세포주사군에 비해 유의하게 컸다.[44] 정형외과적 재생 응용 분야에서 MSC의 출처가 우수한지에 대한 논쟁이 계속되고 있지만, 둘 다 임상 효과를 뒷받침하기 위해 고품질 RCT 수준의 증거가 더 필요하다.

Australasian College of Sports Physicians는 2016년에 자체 MSC 줄기세포 치료가 안전하다고 간주되기 전에 신약과 동일한 4상 시험 안전성 테스트를 거쳐야 한다는 입장문을 발표했다. 그들의 입장문은 또한 배양 확장 MSC의 잠재적 사용을 다루고 있었다.[45] 골수 또는 지방 조직에서 배양되지 않은 MSC의 안전성과 관련하여, 현재 의학 문헌은 무릎 및 고관절 골관절염과 일부 건병증 및 힘줄 파열의 치료에 두 소스 모두 안전하고 합리적으로 효과적인 것으로 보인다는 것을 뒷받침한다. 그러나, 더 높은 수준의 연구가 필요하다.

요약

재생 의학은 근골격계 부상에 대한 유망한 새로운 접근법을 제공한다. 이러한 치료법은 대체로 안전한 것으로 나타났지만, 현재 그 사용을 안내하는 증거 기반 데이터는 제한적이다. 중요한 것은 현재 미국에서 이용 가능한 정형외과적 치료법이 어떤 조직 재생으로 이어질 수 있다는 증거가 없다는 점이다. 제공자는 환자와 이러한 접근법을 논의할 때 데이터에 정직하고 신중하게 진행하는 것이 중요하다. 시간이 지남에 따라 더 많은 증거와 지침이 개발될 것이다. National Football League는 최근 현재 우리 주변에서 일상적으로 활용되고 있는 정형생물학적 치료법에 대한 지침을 다음과 같이 발표하였다.[46]

- "PRP 혹은 줄기세포와 같은 정형생물학적 치료법은 힘줄, 인대, 관절에 영향을 미치는 특정 조건의 통증 완화와 잠재적으로 개선된 치료에 대한 가능성을 제공한다.
- PRP 또는 줄기세포 치료 후 조직재생에 관련된 적응증이나 합병증에 관한 논란들은 현재 적용가능한 임상 증거가 없다.
- 무분별한 정형생물학적 치료의 사용 및/또는 조직 처리 및 전달에 대한 엄격한 프로토콜의 부족은 역설적으로 운동선수의 건강과 안전을 위험에 빠뜨릴 수 있다.
- 과학자들의 적극적인 연구는 우리 선수들의 유익함과 안전성을 극대화하는 생물학적 치료법에 대한 최고의 징후와 적용을 정의하는 데 도움이 될 것이다."

언급된 모든 것들은, 현재 받아들여지고 있는 많은 치료와 수술에 대한 제한적인 뒷받침 의학적 근거에 대한 관점을 유지하는 것이 중요하다. 재생 옵션은 많은 부상과 장기적인 환자 건강을 위해 더 안전하고 생리학적인 치료 선택이 될 수 있다. 임상의는 문헌을 신중하고 지속적으로 평가하고 환자에게 최선이라고 생각하는 것을 해야 한다.

참고문헌

1. Mulvaney SW, Tortland P, Shiple B, Curtis K, et al. Regenerative medicine options for chronic musculoskeletal conditions: A review of the literature. *Endurance Sports Med* 2018;(Fall/Winter):6-15.

2. Kraushaar BS, Nirschl RP. Tendinosis of the elbow (tennis elbow). Clinical features and findings of histological, immunohistochemical, and electron microscopy studies. *J Bone Joint Surg Am* 1999;81(2):25978.

3. Kane SF, Olewinski LH, Tamminga KS. Management of chronic tendon injuries. *Am Fam Physician* 2019;100(3):147-57.

4. Coombes BK, Bisset L, Vicenzino B. Efficacy and safety of corticosteroid injections and other injections for management of tendinopathy: A systematic review of randomised controlled trials. *Lancet.* 2010;376(9754):1751-67.

5. Staal JB, de Bie RA, de Vet HC, Hildebrandt J, Nelemans P. Injection therapy for subacute and chronic low back pain: An updated Cochrane review. *Spine (Phila Pa 1976).* 2009;34(1):49-59.

6. Lee DY, Park YJ, Kim HJ, Nam DC, Park JS, Song SY, et al. Arthroscopic meniscal surgery versus conservative management in patients aged 40 years and older: A meta-analysis. *Arch Orthop Trauma Surg* 2018;138(12):1731-9.

7. Siemieniuk RAC, Harris IA, Agoritsas T, et al. Arthroscopic surgery for degenerative knee arthritis and meniscal tears: A clinical practice guideline. *BMJ* 2017;357:j1982.

8. Khan M, Alolabi B, Horner N, et al. Surgery for shoulder impingement: A systematic review and metaanalysis of controlled clinical trials. *CMAJ Open* 2019;7(1):E149-58.

9. Skou ST, Roos EM, Laursen MB, et al. A randomized, controlled trial of total knee replacement. *N Engl J Med* 2015;373(17):1597-606.

10. Anderson K, Hamm RL. Factors that impair wound healing. *J Am Coll Clin Wound Spec* 2012;4(4): 84-91.

11. Gosling CM, Forbes AB, Gabbe BJ. Health professionals' perceptions of musculoskeletal injury and injury risk factors in Australian triathletes: A factor analysis. *Phys Ther Sport* 2013;14(4):207-12.

12. Hackett GS. Joint stabilization through induced ligament sclerosis. *Ohio State Med J* 1953;49(10): 877-84.

13. Yelland MJ, Sweeting KR, Lyftogt JA, et al. Prolotherapy injections and eccentric loading exercises for painful Achilles tendinosis: A randomised trial. *Br J Sports Med* 2011;45(5):421-8.

14. Jensen KT, Rabago DP, Best TM, et al Early inflammatory response of knee ligaments to prolotherapy in a rat model. *J Orthop Res* 2008;26(6):816-23.

15. Rabago D, Patterson JJ, Mundt M, et al. Dextrose prolotherapy for knee osteoarthritis: A randomized controlled trial. *Ann Fam Med* 2013;11(3):229-37.

16. Hauser RA, Lackner JB, Steilen-Matias D, et al. A systematic review of dextrose prolotherapy for chronic musculoskeletal pain. *Clin Med Insights Arthritis Musculoskelet Disord* 2016;9:139-59.

17. Dumais R, Benoit C, Dumais A, et al. Effect of regenerative injection therapy on function and pain in patients with knee osteoarthritis: A randomized crossover study. *Pain Med* 2012;13(8):990-9.

18. Smigel LR, Reeves KD, Lyftogt J, et al. Poster 385 caudal epidural dextrose injections (D5W) for chronic back pain with accompanying buttock or leg pain: A consecutive patient study with long-term follow-up. *PM R* 2016;8(9S):S286-7.

19. Dwivedi S, Sobel AD, DaSilva MF, et al. Utility of prolotherapy for upper extremity pathology. *J Hand Surg Am* 2019;44(3):236-239.

20. Watson JD, Shay BL. Treatment of chronic low-back pain: A 1-year or greater follow-up. *J Altern Complement Med* 2010;16(9):951-8.

21. Kim WM, Lee HG, Jeong CW, et al. A randomized controlled trial of intra-articular prolotherapy versus steroid injection for sacroiliac joint pain. *J Altern Complement Med* 2010;16(12):1285-90.

22. Ryan M, Wong A, Taunton J. Favorable outcomes after sonographically guided intratendinous injection of hyperosmolar dextrose for chronic insertional and midportion Achilles tendinosis. *AJR Am J Roentgenol* 2010;194(4):1047-1053.

23. Calandruccio JH, Steiner MM. Autologous blood and platelet-rich plasma injections for treatment of lateral epicondylitis. *Orthop Clin North Am* 2017;48(3):351-357.

24. Chou LC, Liou TH, Kuan YC, et al. Autologous blood injection for treatment of lateral epicondylosis: A meta-analysis of randomized controlled trials. *Phys Ther Sport* 2016;18:68-73.

25. de Vos RJ, van Veldhoven PL, Moen MH, et al. Autologous growth factor injections in chronic tendinopathy: A systematic review. *Br Med Bull* 2010;95:63-77.

26. Marx RE, Carlson ER, Eichstaedt RM, et al. Platelet-rich plasma: Growth factor enhancement for bone grafts. *Oral Surg Oral Med Oral Pathol Oral Radiol Endod* 1998;85(6):638-646.

27. Smith PA. Intra-articular autologous conditioned plasma injections provide safe and efficacious treatment for knee osteoarthritis: An FDA-sanctioned, randomized, double-blind, placebo-controlled clinical trial. *Am J Sports Med* 2016;44(4):884-91.

28. Dai WL, Zhou AG, Zhang H, et al. Efficacy of platelet-rich plasma in the treatment of knee osteoarthritis: A meta-analysis of randomized controlled trials. *Arthroscopy* 2017;33(3):659-70.e1.

29. Peerbooms JC, Lodder P, den Oudsten BL, et al. Positive effect of platelet-rich plasma on pain in plantar fasciitis: A double-blind multicenter randomized controlled trial. *Am J Sports Med* 2019;47(13): 3238-46.

30. Gosens T, Peerbooms JC, van Laar W, et al. Ongoing positive effect of platelet-rich plasma versus corticosteroid injection in lateral epicondylitis: A double-blind randomized controlled trial with 2-year follow-up. *Am J Sports Med* 2011;39(6):1200-8.

31. Mishra AK, Skrepnik NV, Edwards SG, et al. Efficacy of platelet-rich plasma for chronic tennis elbow: A double-blind, prospective, multicenter, randomized controlled trial of 230 patients. *Am J Sports Med* 2014;42(2):463-71.

32. Laudy AB, Bakker EW, Rekers M, et al. Efficacy of platelet-rich plasma injections in osteoarthritis of the knee: A systematic review and meta-analysis. *Br J Sports Med* 2015;49(10):657-72.

33. Yerlikaya M, Talay Caliş H, Tomruk Sutbeyaz S, et al. Comparison of effects of leukocyte-rich and leukocyte-poor platelet-rich plasma on pain and functionality in patients with lateral epicondylitis. *Arch Rheumatol* 2018;33(1):73-9.

34. Laver L, Marom N, Dnyanesh L, et al. PRP for degenerative cartilage disease: A systematic review of clinical studies. *Cartilage* 2017;8(4):341-64.

35. Bar-Or D, Rael LT, Brody EN. Use of saline as a placebo in intra-articular injections in osteoarthritis: Potential contributions to nociceptive pain relief. *Open Rheumatol J* 2017;11:16-22.

36. Mautner K, Malanga GA, Smith J, et al. A call for a standard classification system for future biologic research: The rationale for new PRP nomenclature. *PM R* 2015;7(4 Suppl):S53-9.

37. Xu Z, Yin W, Zhang Y, et al. Comparative evaluation of leukocyte- and platelet-rich plasma and pure platelet-rich plasma for cartilage regeneration. *Sci Rep* 2017;7:43301.

38. Zhou Y, Zhang J, Wu H, et al. The differential effects of leukocyte-containing and pure platelet-rich plasma (PRP) on tendon stem/progenitor cells—Implications of PRP application for the clinical treatment of tendon injuries. *Stem Cell Res Ther* 2015;6(1):173.

39. Andia I, Martin JI, Maffulli N. Advances with platelet rich plasma therapies for tendon regeneration. *Expert Opin Biol Ther* 2018;18(4):389-98.

40. Caplan AI. Why are MSCs therapeutic? New data: New insight. *J Pathol* 2009;217(2):318-24.

41. Pas HI, Winters M, Haisma HJ, et al. Stem cell injections in knee osteoarthritis: A systematic review of the literature. *Br J Sports Med* 2017;51(15):1125-33.

42. Emadedin M, Labibzadeh N, Liastani MG, et al. Intra-articular implantation of autologous bone marrowderived mesenchymal stromal cells to treat knee osteoarthritis: A randomized, triple-blind, placebocontrolled phase 1/2 clinical trial. *Cytotherapy* 2018;20(10):1238-46.

43. Centeno CJ, Al-Sayegh H, Bashir J, et al. A prospective multi-site registry study of a specific protocol of autologous bone marrow concentrate for the treatment of shoulder rotator cuff tears and osteoarthritis. *J Pain Res* 2015;8:269-76.

44. Hernigou P, Auregan JC, Dubory A, et al. Subchondral stem cell therapy versus contralateral total knee arthroplasty for osteoarthritis following secondary osteonecrosis of the knee. *Int Orthop* 2018;42(11):2563-2571.

45. Osborne H, Anderson L, Burt P, et al. Australasian College of Sports Physicians-position statement: The place of mesenchymal stem/stromal cell therapies in sport and exercise medicine. *Br J Sports Med* 2016;50(20):1237-44.

46. Rodeo S, Bedi A. 2019-2020 NFL and NFL physician society orthobiologics consensus statement. *Sports Health* 2020;12(1):58-60.

5

근골격계 초음파
Musculoskeletal Ultrasound

Francis G. O'Connor

서론

근골격계 의학에서 초음파의 활용은 지난 10년 동안 많은 변화가 있었다. 이전에 중재영상의학과 의사에 의해 독점적으로 행해진 시술은 이제 진료 현장에서 1차 진료의사들에 의해 쉽게 시행된다(그림 5-1).[1,2] 중재적 초음파는 레지던트 및 펠로우십 교육에서 일상적으로 가르치고 있으며, 초음파는 학부 의학 교육의 일환으로 해부학 교육에 점점 더 통합되고 있다.[3] 미국 스포츠 의학 협회(American Medical Society for Sports Medicine, AMSSM)는 근골격계 초음파 교육을 위한 커리큘럼 지침을 최근 발표했다.[4]

초음파 유도의 "부가가치"를 뒷받침하는 근거가 계속해서 축적되고 있다.[1,2,5,6] 촉진 유도 주사의 정확도의 가변성에 관한 여러 출판물이 문서화되었다.[7,8] Eustace는 견봉하 주사의 29%만이 의도한 목표에 도달했다고 보고했고, Blum 등은 무릎 골관절염 환자에 대한 연구에서 초음파 유도 주사(ultrasound-guided injections, USGIs)의 96%에 비해 촉진 유도 주사(palpation-guided injections)의 83%만이 관절내 공간을 찾는 데 성공한 것으로 나타났다. 초음파 바늘 유도는 실시간 기능에서 촉진 유도 주사보다 분명히 이점이 있으며 연조직 목표물을 시각화하는 기능은 임상의가 주변 신경 혈관 구조를 피하는 데 도움이 된다. USGIs가 더 정확하고, 더 효율적이며, 잠재적으로 더 비용 효율적이라는 관측을 뒷받침하는 출판물이 계속해서 등장하고 있다. 2015년 AMSSM은 중재적 근골격 초음파에 대한 합의된 입장을 발표했다. 이 문서는 다음과 같이 결론을 내렸다: USGI가 더 정확하다는 강력한 근거(**strong** evidence)가 있다. USGI가 더 효과적이라는 중등도의 근거(**moderate** evidence)가 있다; 마지막으로 USGIs가 더 비용 효율적이라는 예비 근거(**preliminary** evidence)가 있다.[5]

적응증

USGIs는 촉진 유도 주사에 대해 이미 논의된 유사한 지침을 따른다. 그러나 초음파의 활용을 선호하는 몇 가지 다른 징후가 있다(표 5-1). 보다 정확한 진단을 용이하게 하거나 특정 위치에서 약물을 투여하기 위해 정확도를 개선하는 것을 고려해야 하는 기술적으로 어려운 주사가 이 제4판에 설명되어 있다. 그러한 주사의 예는 이상근(piriformis muscle)에 대한 것인데 여기서 촉진 유도 주사는 깊은 후방 엉덩이에 있는 여러 근육 그룹 사이의 위

그림 5-1 ● 외래 기반 초음파 유도 슬개골상부 무릎 주사를 시행하는 1차 진료의사

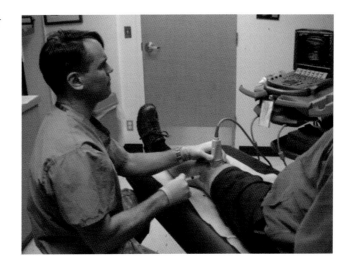

치를 묘사할 수 없다. 두 번째 명확한 표시는 안전 또는 정확성 문제를 위해 형광 투시 또는 초음파 안내에 따라 주사를 수행하도록 현지 표준 관리에서 권장하는 경우이다. 지침이 필요할 수 있는 예로는 관절내 고관절 또는 안면 관절 주사가 있다(그림 5-2).

촉진 유도 주사에서 USGIs로 전환하기 위한 또 다른 일반적인 시나리오는 이전 주사가 임상적 개선을 제공하지 못하는 것이다. 비만이 동반된 환자에서 주사 실패는 드문 일이 아니다. 또한 취약한 신경혈관 구조물(예: 장요근 주사를 시행하는 동안 대퇴동맥)에 근접하거나 바늘 구멍이 잠재적으로 유해할 수 있는 구조물에 근접한 고위험 절차(예: 기흉의 합병증이 있는 폐)에 대한 주사 대상에 대해서도 초음파 사용이 지침으로 권장된다.

금기증

USGIs에 대한 금기증은 촉진 유도 주사에 대해 이전에 확인된 것과 동일한 주의사항을 따른다. 그러나 중요한 것은 초음파를 사용하려면 해부학적 관계의 3차원 인식과 실시간 바늘 지침을 성공적으로 사용하기 위한 합리적인 손-눈 조정이 필요하다는 것이다. 초음파 지침을 능숙하게 사용하려면 훈련과 연습에 상당한 투자가 필요하기 때문에 제공자가 자신의 한계를 인식하는 것이 매우 중요하다.

표 5-1

초음파 유도 주사 적응증

Ultrasound Guidance Indication	Example
Accuracy	Piriformis
Recommended guidance	Intra-articular hip
Palpation-guided failure	Subacromial impingement (obesity)
Assess anatomy	Iliopsas bursa-femoral artery
High-risk procedure	Porximity to the lung

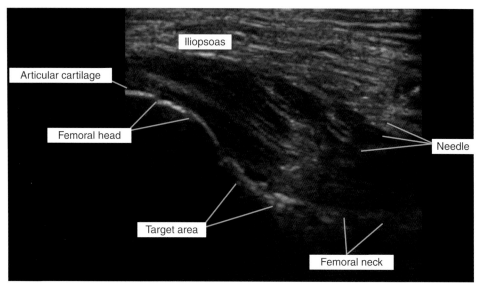

그림 5-2 ● 관절내 고관절 주사 중 전방 고관절 캡슐에 접근하는 바늘

정상적인 초음파 해부 신호

근골격계 초음파는 근골격계 질환의 진단과 관리에 있어 극적인 혁신을 나타내는 주목할 만한 도구이다. 그러나 이 기술은 인식할 수 있는 새로운 패턴을 가진 "중요한" 학습곡선 (learning curve)과 연관되어 있으며 3차원 및 단면 해부학에 대한 지식을 알려진 촉진-근거(palpation-evident) 단면 해부학(cross-sectional anatomy) 구조와 통합해야 한다. 초음파 해부 신호에 대한 완전한 검토는 본 도입부의 범위를 벗어나며, 관심있는 독자는 몇 가지 참고 문헌들을 참조하길 바란다.[9, 10] 그러나 기본적인 해부학적 구조와 함께 비등방성(anisotropy) 및 음향 음영(acoustic shadowing)의 인공물 개념이 소개된다.

초음파 이미징은 고에코(hyperechoic), 저에코(hypoechoic), 그리고 무반향(anechoic)의 세 가지 특징적인 신호를 생성한다. "고에코"는 B 모드(밝기 모드) 이미징에서 밝은 에코 신호와 함께 강한 반사를 나타낸다. "저에코"는 약하거나 낮은 강도(덜 밝은) 에코 신호로 해석되는 반면, "무반향"은 에코 신호가 없는 어두운 영역을 나타낸다. 이 세 가지 용어는 일반적으로 접하는 근골격 구조의 특징적인 패턴을 설명하는 데 사용된다(표 5-2): 근육 (그림 5-3); 힘줄(그림 5-4); 인대(그림 5-5); 신경(그림 5-6) 및 뼈(그림 5-7).

일반적인 초음파 신호를 이해하는 것 외에도 영상을 적절하게 해석하기 위해서는 초음파 아티팩트(artifacts)*를 이해하는 것이 중요하다. 근골격 초음파 영상 및 바늘 유도에 영향을 미치는 많은 아티팩트가 있지만[8,9], 여기서는 비등방성(anisotropy) 및 음향 음영 (acoustic shadowing)이라는 두 가지에 특히 주의해야 한다.

근골격계 초음파에서 일반적으로 사용되는 용어인 비등방성(anisotropy)은 프로브 (probe)가 기울어져 관찰된 에코 발생의 변화와 함께 특정 조직에서 생성된 아티팩트를 설

---

* [역자 주] 검사하려는 인체 부위의 실제 해부학이 영상에서 제대로 반영되지 않고 나타나는 현상을 말한다

표 5-2

일반적인 해부학적 구조에 대한 초음파 신호

해부학적 구조물	초음파 신호(이해 편의를 위해 원문 영어로 표기)
근육	• Hypoechoic with multiple hyperechoic lines, which represent fibro adipose septa or perimysium • Transverse-loosely arranged hyperechoic foci, resulting in a "starry night" appearance • Longitudinal-obliquely fascicular, "multipennate" appearance
인대	• Hyperechoic with anisotropy • Tightly arranged, bright lines longitudinally or bright dots transversely at right angles—compact fibrillary pattern
신경	• Linearly fascicular pattern with hypoechoic fascicles and hyperechoic connective tissue longitudinally • Transversely, clustered fascicles-"honeycomb," "cluster-of-grapes," or "speckled" appearance
힘줄	• Hyperechoic striated appearance that are more compact than tendons • Trilaminar appearance-central hypoechoic layer • Connect two osseous structures
뼈	• Intense hyperechoic appearance of cortical bone • Hyaline cartilage is hypoechoic or anechoic

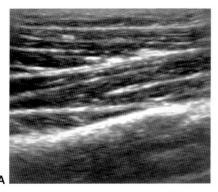 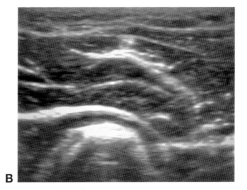

그림 5-3. ● A: 근육, 장축. B: 근육, 단축

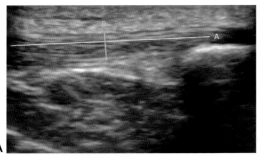 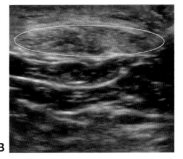

그림 5-4. ● A: 힘줄, 장축. A와 B로 표시된 선은 슬개건의 경계를 나타낸다.
B: 힘줄, 단축(슬개건)(*노란색 원*).

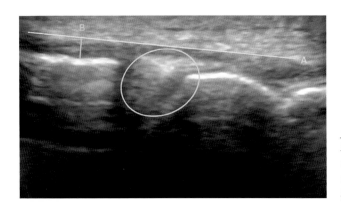

그림 5-5. ● 인대, 장축(내측측부인대)
라인 A와 B는 내측 측부 인대의 너비와 길이 경계를 나타낸다. 원은 내측 반월판을 나타낸다.

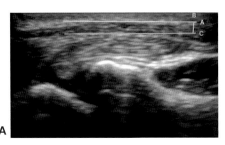

A

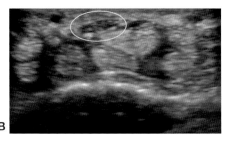

B

그림 5-6. ● A: 신경, 장축(정중신경). 선 A, B 및 C는 정중 신경의 너비 및 장축 경계를 나타낸다.
B: 신경, 단축(정중 신경) 및 힘줄, 단축. 노란색 원은 짧은 축에서 정중 신경을 나타낸다.

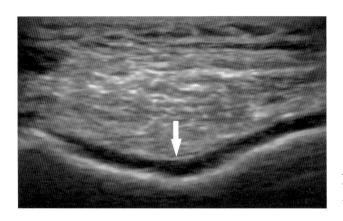

그림 5-7. ● 뼈 및 상부 관절 연골(대퇴 고랑). 화살표는 대퇴골 연골을 직접 가리킨다.

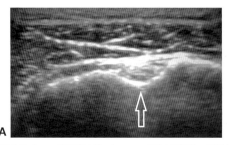

A

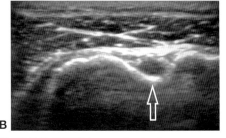

B

그림 5-8. ● 비등방성(anisotropy)을 나타내는 이두근 힘줄의 단축 이미지(short-axis view)
A와 B의 화살표는 단축에서 이두근 힘줄을 직접 가리킨다. A는 프로브가 힘줄에 수직인 고에코 신호를 보여준다. B프로브가 힘줄에 직접 수직이 아닌 경우 무반향(anechoic) 신호를 보여줍니다.

그림 5-9. ● 관절내 고관절 주사의 장축 이미지(long-axis view). 화살표는 대퇴골 경부의 피질(cortex)에 깊은 음향 음영 (acoustic shadowing)을 나타 낸다.

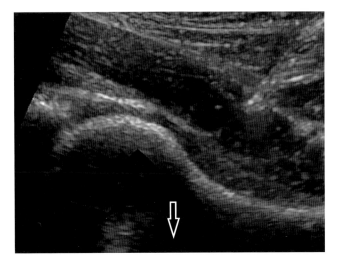

명하는 데 사용된다. 예를 들어 힘줄과 같은 특정 근골격 구조는 각도 의존성의 결과로 입사 초음파 빔의 각도 변화에 따라 에코 발생(고에코에서 저에코로)의 변화를 나타낸다 (그림 5-8). 이 초음파 아티팩트의 인식은 이 현상을 병리를 나타내는 것으로 잘못 해석하 지 않기 위해 중요하다. 힘줄은 신경보다 이방성(anisotropy)에 더 취약하다.

음향 음영(acoustic shadowing)은 근골격 초음파를 사용하는 공급자가 이해해야 하는 또 다른 흔히 볼 수 있는 핵심 아티팩트이다. 초음파 이미지는 초음파 이미지 생성을 위해 빔 반사에 의존한다. 빔이 예를 들어 뼈나 석회화와 같이 반사율이 높은 인터페이스를 만 나게 되면 더 이상 투과할 빔이 없어 결과적으로 그림자가 생긴다(그림 5-9). 이 아티팩트 는 공기나 가스가 조직에 있을 때도 발생할 수 있다.

초음파 바늘 유도 용어

USGIs 와 연관된 특정 용어와 정의를 소개한다. 이러한 정의의 핵심은 트랜스듀서(trans-

그림 5-10. ● 장축 방향 (long-axis orientation), in-plane 주사(cubital tunnel)

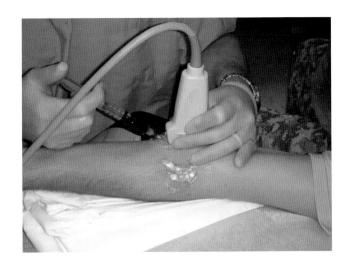

ducer)와 대상 및 바늘의 관계를 이해하고 설명하는 것이다.[11] "장축(long-axis)"("세로 (longitudinal)") 이미지는 트랜스듀서의 장축이 해부학적 대상에 평행한 위치이며(그림 5-10) "단축(short-axis)"("가로(transverse)") 정렬은 트랜스듀서가 대상 구조에 수직이다 (그림 5-11). "Out-of-plane" 주사는 변환기가 바늘의 장축에 수직이고 고에코 바늘 끝 또 는 샤프트만 시각화할 수 있는 경우이다(그림 5-12). 반면 "in-plane" 주사은 트랜스듀서가 바늘과 평행하고 바늘 샤프트와 팁의 전체 세그먼트가 대상에 접근하는 것을 볼 수 있는 경우이다(그림 5-13). In-plane 주사는 임상 실습에서 선호된다.

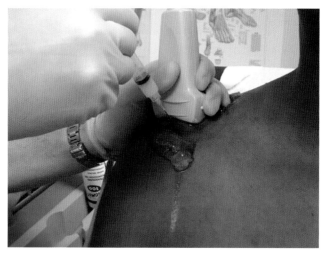

그림 5-11. ● 단축 방향(short-axis orientation), out-of-plane 주사(AC joint)

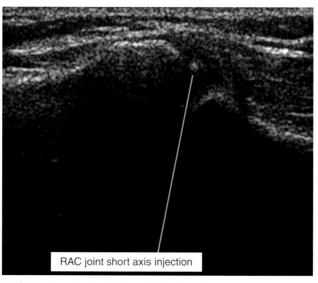

RAC joint short axis injection

그림 5-12. ● Out-of-plane 주사(견봉쇄골관절)

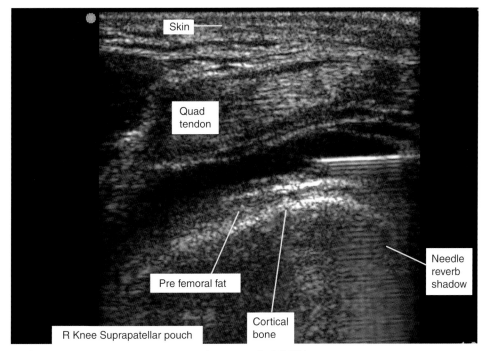

그림 5-13. ● In-plane 주사, short-axis (transverse) 대상 영상

초음파 및 바늘 유도(ULTRASOUND AND NEEDLE GUIDANCE)

USGIs를 성공적으로 수행하려면 세가지 요소가 필요하다. 적절한 적응증을 가진 환자 선택, 초음파 해부학(sono-anatomy), 바늘을 시각화하고 의도한 목표로 유도하는 능력이다. 이 요인 중 처음 두 가지는 임상적 통찰력과 지식의 배양으로 해결된다. 세 번째 과제는 시공간 및 정신 운동 발달 모두를 목표로 하는 연습이 필요하다. 바늘을 동시에 제어하고 시각화하고 안내하는 것은 손재주와 손과 눈의 협응이 필요한 복잡한 작업이다. 초음파 프로브는 타겟 이미지와 바늘 이미지 획득을 모두 향상시키기 위해 여러 방향으로 조작할 수 있다. 프로브 조작의 다양한 측면을 식별하는 유용한 방법은 "P.A.R.T."이다: Pressure (압력), Alignment (정렬), Rotation (회전) 및 Tilt (기울기)(그림 5-14).[12]

제공자가 프로브에 가하는 압력(pressure)은 이미지 품질, 조직의 에코 발생에 상당한 영향을 미칠 수 있으며 관심 구조까지의 거리를 단축할 수 있다. 압력은 일반적으로 프로브 전체에 고르게 적용되지만 공급자는 초음파 빔을 원하는 방향으로 향하게 하여 표적을 용이하게 하거나 바늘이 들어갈 공간을 더 많이 만들기 위해 한쪽에 비대칭 압력을 가할 수 있다. 축 재배치(axial relocation) 또는 "변환(translation)"은 트랜스듀서 프로브 풋프린트(footprint)와 관련하여 장축 또는 단축 방향일 수 있다. 이 축 운동(axial motion)은 관심 있는 구조를 찾고 바늘 전진을 위해 화면에 최적으로 배치하는 주요 목표를 가지고 있다. 축 변환(axial translation)은 장축 또는 단축에서 "slide"라고도 한다. "회전(rotation)"은 transducer가 프로브의 중심 축을 중심으로 회전하는 위치이다. 이것은 장축이 표면에 평행하지만 현재 초음파 평면에 수직이 아닌 대상의 축 방향 보기를 용이하게 한다. 프로

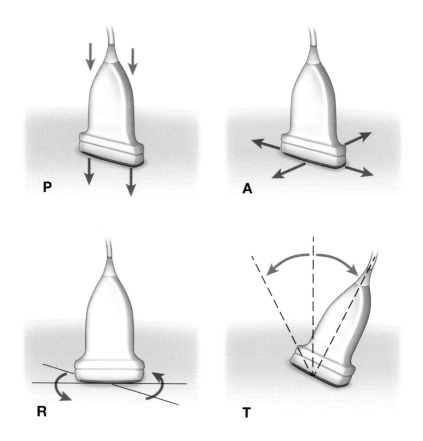

그림 5-14. ● 프로브의 위치변화 PART: Pressure(압력), Alignment(정렬), Rotation(회전) 및 Tilt(기울기)

브를 초기 프로브 위치의 90도까지 계속 회전시키면 구조물의 이미지를 단축에서 장축 보기로 변경할 수 있다. 마지막으로 "기울기(tilt)"는 트랜스듀서가 단축면에서 기울어지는 위치이다. 이것은 프로브를 "sweeping", "toggling" 또는 "fanning"하는 것으로도 설명된다. 프로브를 기울이면 프로브가 단축면에 결합되기 전에 미리보기가 용이할 수 있다.

실시간 초음파 유도를 수행하는 동안 바늘을 이미지화하는 방법을 배우는 것은 어려울 수 있으며 바늘과 프로브 손을 동시에 사용하여 손과 눈의 협응을 연습해야 한다. 한 그룹의 교육자들은 "S.T.A.R. 기술"[See(보기), Tilt(기울이기), Align(맞추기), Rotate(회전하기)]을 참조하여 초보 사용자가 USGIs를 수행하는 데 필요한 기술을 습득하도록 돕는다 (표 5-3, 그림 5-15).[13]

STAR 기술을 활용하는 것 외에도 단축 주사는 장축 주사와 비교하여 문제가 있다. 바늘이 의도한 목표에 접근하는 동안 전체 경로를 볼 수 없기 때문이다. out-of-plane 기술을 사용하는 경우 초음파 빔의 평면을 가로지르기 시작하면 고에코 바늘 끝이나 샤프트만 식별된다. 따라서 바늘이 전진함에 따라 공급자는 이 프로브면을 통과할 때까지 바늘 끝을 이미지화할 수 없다. 전체 주사 중에 바늘 끝을 보는 데 필요한 기술을 "walk down" 기술이라고 한다. 이 기술은 바늘 끝이 점진적으로 자입될 때 일련의 횡방향 프로브 선형

표 5-3

바늘 초음파 획득 및 유도를 위한 STAR 기법

See	S	초음파 프로브나 바늘을 움직임 없이 치료의사는 초음파 화면 대신 프로브와 바늘을 직접 보고 있다.
Tilt	T	바늘을 가장 잘 보이게 하기 위해서 프로브를 장축으로 앞뒤로 기울여 보면서 조절한다.
Align	A	바늘이 시야에 들어올때까지 프로브를 바늘쪽으로 기울이면서 맞춰본다.
Rotate	R	바늘이 완전히 시각화되면 프로브를 장축으로 기울인다.

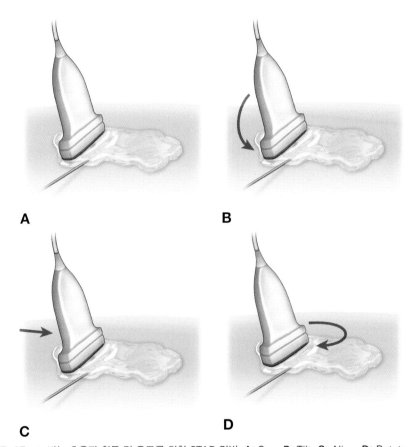

그림 5-15. ● 바늘 초음파 획득 및 유도를 위한 STAR 기법. **A**: See. **B**: Tilt. **C**: Align. **D**: Rotate.

슬라이드(probe linear slides)를 포함하고, 이어서 초음파 영상이 대상 방향의 연부조직에 더 깊이 들어간다. 이 out-of-plane 기술은 프로브를 움직이지 않고 바늘을 더 깊게 향하게 하는 데 추가로 사용할 수 있다. 바늘은 의도한 대상 위로 팁을 보기 위해 프로브의 중심 아래에서 out-of-plane 으로 잡입된 다음, 더 깊은 방향으로 방향을 바꾸기 위해 부분적으로 철회되어, 이전보다 더 깊은 바늘 팁이 표적에 더 가까워질 때까지 다시 전진한다. 이 과정은 바늘 끝이 표적에 도착할 때까지 반복된다. 반복되는 리디렉션은 바늘을 목표로 걸어가는 단계를 밟는 것과 같다. 중요한 점은 바늘 끝이 시야에 들어오면 연부조직의 어디에 바늘 끝이 있는지에 대한 참조가 없기 때문에 바늘 끝을 전진시켜서는 안 된다는 것이다.

시술의 초음파 유도

USGIs는 몇 가지 별개의 단계로 촉진 유도 시술(palpation-guided procedures)과 유사한 방식으로 진행된다. 이러한 단계는 문서와 몇 가지 수정 사항을 추가하여 Lento에서 원래 설명한 대로 표 5-4에 나열되어 있다.[14]

1단계: 병력청취 및 이학적검사
초음파 유도 주사의 성공 여부는 적절한 진단에 달려 있다. 진단 영상 검사의 검토를 포함하는 병력청취 및 이학적 검사는 주사를 시작하기 전에 완료되어야 한다.

2단계: 동의 얻기
앞서 설명한 바와 같이 모든 주사에 대한 동의를 확인하고 진료기록부에 기록해야 한다. USGIs 고유의 표준 촉진 유도 주사와 비교하여 초음파의 역할에 대해 신중하게 논의해야 한다. 시술 중에 환자에게 주사를 시각화할지 여부를 추가로 물어봐야 한다. 이 기술은 대부분의 환자들에게 흥미로운 것이지만 일부 환자들은 자신의 몸에서 바늘을 볼 때 불안해하고 잠재적으로 질이 떨어질 수 있다.

표 5-4

초음파 유도 시술 단계

단계	시술절차
1	병력청취와 이학적 검사
2	동의서 획득
3	장비 준비
4	환자 자세 취하고 기계 준비
5	예비 초음파 스캔
6	피부에 식별
7	멸균 장갑 착용
8	필요시 피부부위를 멸균 소독
9	약물 준비; 필요시 국소마취제 준비
10	필요한 경우 살균 소독을 포함한 초음파 프로브 전처치
11	주사기 실린지에 바늘 연결
12	프로브하에 바늘 자입 및 시술 시행
13	서류작성, 환자 재평가, 기구 정리

3단계: 장비 조립

주사를 위한 용품을 담을 수 있는 멸균 영역을 고려해야 한다. 절차에서 이 단계는 촉진 유도 주사에 대해 논의된 것과 비슷하다.

4단계: 환자와 기계의 배치

초음파 기계는 환자의 다른 쪽에서 환자의 머리 움직임을 제한하고 바늘 배치와 방향에 있어 정확도를 높이는 데 도움이 되며, 눈 높이와 주사기 바로 맞은편에 배치해야 한다. 이는 머리 움직임을 제한하고 바늘 배치 및 방향의 정확도를 높인다. 환자는 편안한 자세가 되어야 하며, 가능하면 누운 자세로 미주신경 반응의 가능성을 제한해야 한다. 프로브를 잡을 때 제공자는 자주 사용하지 않는 손으로 스캔하는 방법을 배워야 한다. 바늘 방향을 지정하는 데 자주 사용하는 손을 사용해야 하기 때문이다. 또한 프로브를 잡을 때 의료 제공자의 네 번째 및 다섯 번째 손가락이 피부 접촉을 유지하여 의도하지 않은 움직임을 제한하고 프로브를 환자에게 고정해야 한다.

5단계: 예비 스캔

이 예비 스캔은 진단을 확인하고 대상을 식별하며 공급자가 in-plane 또는 out-of-plane 바늘 접근이 최적인지 여부를 가장 잘 결정하는 데 도움이 된다. 또한 예비 스캔은 제공자가 적절한 바늘 길이를 결정하는 데 도움이 될 뿐만 아니라 계획된 시술에 대한 수정(예: 주사 전 관절 삼출액의 흡입)을 계획하는 데 도움이 된다.

6단계: 피부 구분하기

예비 스캔 중에 피부를 표시하면 적절한 표적을 식별하고 피부 멸균 후 프로브 위치를 쉽게 구분할 수 있다. 올바른 교체가 이루어질 수 있도록 프로브 양쪽 끝에 적절한 스킨 표시 펜으로 피부를 표시할 수 있다.

7단계: 멸균 장갑 착용

주사를 수행하기 전에 적절한 장갑을 선택해야 한다. 멸균 장갑은 공급자가 의도한 바늘 주사 위치를 만질 경우에만 필요하다. 무균 장갑과 비무균 장갑의 문제는 이전에 자세히 논의되었다.

8단계: 깨끗한 피부

주사를 수행하기 전에 적절한 피부 세정제(예: chlorhexidine gluconate)를 선택해야 한다. 소독 약제는 이전에 초음파와 함께 논의되었지만 핵심 변수는 프로브 헤드의 손상을 방지하기 위해 프로브 제조업체의 권장 사항을 준수하는지 확인하는 것이다.

9단계: 의약품 작성; 필요에 따라 국소 마취

주사 전에 약물을 작성하고 국소 마취로 피부를 준비하는 절차는 촉진 유도 주사에 사용되는 것과 유사하다.

10단계: 프로브 준비

USGIs를 수행하기 전에 프로브를 준비하는 것은 활발히 논란이 되고 있는 영역이며 미국 초음파 의학 연구소(American Institute of Ultrasound in Medicine, AIUM) 관리 지침에서 다루고 있다.[15] 가장 중요한 것은 초음파 유도 시술은 제공자의 시설 감염 관리 지침에 따라 수행되어야 한다는 것이다. 환자의 피부는 소독용 세정제로 적절히 세척해야 한다. 초음파 트랜스듀서는 잠재적인 오염원이기도 하다. 따라서 제조업체 권장 사항 및 시설별 감염 관리 지침에 따라 각 절차 사이에 프로브를 소독해야 한다.[15] 멸균 초음파 젤, 드레이프 및 프로브 커버/콘돔을 사용하면 오염 및 감염 위험을 줄일 수 있는 최상의 방법을 제공할 수 있다. 대안으로는 멸균 겔과 결합된 변환기를 덮는 멸균 장갑의 사용, 멸균 겔과 결합된 변환기를 덮는 멸균 콘돔의 사용 또는 멸균 겔과 결합된 변환기 표면에 직접 도포된 멸균 폐색 드레싱(예: Tegaderm®)의 사용이 있다. 앞서 설명한 바와 같이 "노터치" 기술을 사용하는 공급자는 준비된 피부 입구 부위에서 멀리 떨어진 대상 부위에 트랜스듀서를 배치한다. 바늘은 준비된 피부 영역을 통과하고 몸 안의 트랜스듀서 아래를 통과한다. 이 기술은 부주의한 트랜스듀서나 바늘 이동에 따른 교차 오염의 위험 때문에 숙련된 임상의만 사용해야 한다.[15]

11단계: 바늘에 주사기 부착

대체로서 주사기에 연결된 연장 튜브에 바늘을 직접 연결할 수 있다. 이것은 바늘 끝을 움직이지 않고 플런저를 더 쉽게 누를 수 있기 때문에 유용할 수 있다.

12단계: 프로브 아래에 바늘 위치

STAR 기법을 사용하면 실제 바늘(영상 화면의 바늘이 아닌)이 프로브 깊숙이 있는 조직에 삽입되는 것을 관찰해야 한다. 실제 바늘이 프로브 아래에 있는 것처럼 시각화되면 제공자는 화면을 보고 초음파 이미지에서 바늘을 식별할 수 있다. 그런 다음 직교(orthogonal) 평면의 단축 슬라이드를 사용하여 주사하는 동안 정상적으로 인식되는 해부학적 관계를 유지한다.

13단계: 기록

AIUM Practice 사용 지침은 적절한 시술 기록을 위한 명확한 지침을 지정한다.[15] "적절한 문서화가 필수적이며 환자의 의료 기록에 영구적으로 문서화되어야 한다. 초음파 검사의 유지는 임상적 요구사항과 관련 법적 및 지역 의료 시설 요구사항 모두에 부합해야 한다. 시술 문서에는 다음이 포함되어야 한다. (a) 환자 식별, (b) 시설 식별, (c) 시술 날짜, (d) 요청된 시술(신체 측면 포함), (e) 시술에 대한 적응증, (f) 초음파 유도를 위한 정당성, (g) 대상 및 관련 관련 구조(정상 및 비정상 모두)에 대한 설명, (h) 초음파를 사용하여 대상의 위치를 파악하고 프로브 위치, 대상에 대한 접근을 포함하는 시술의 필수 요소에 대한 설명, 바늘 추적 방법(in plane 또는 out of plane). 표준 기법으로부터의 편차를 기술하고 정당화한다. (i) 사용된 경우 약물의 종류와 양, (j) 바늘/장치 종류 및 게이지, (k) 제거된 검체(있는 경우)과 그의 처분."[15] 초음파 유도 시술 중에 사용된 무균 기술의 선택은 보고서에 기록되어야 한다.

AIUM Practice 사용지침은 적절한 이미지 활용 및 문서화에 대한 지침도 제공한다.[15] "시술 전, 시술 중, 시술 후 스틸 이미지 또는 비디오: (a) 이미지에는 환자 식별 정보, 시설 식별 정보, 시술 날짜, 시술 부위의 측면(오른쪽 또는 왼쪽)이 표시되어야 한다. (b) 간접 기법을 사용하지 않는 한 대상 부위에 삽입된 바늘이나 장치를 보여주는 이미지를 하나 이상 포함해야 한다. (c) 모든 이미지는 영구적으로 보관되고 쉽게 검색할 수 있어야 한다. (d) 정상 크기 또는 형태의 변화를 기록하고 측정값을 동반해야 한다."[15]

새로운 초음파 기술

초음파 기술은 인터페이스가 더 작고 다양한 치료 환경에서 더 이동성이 뛰어난 도구의 품질 이미징이 발전함에 따라 계속해서 개선되고 있다. 통합 기능을 통해 사용자는 보다 쉽게 고품질의 임상적으로 유용한 영상을 생성할 수 있다. 고해상도 이미징이 지속적으로 개선됨에 따라 이전에는 최선을 다해 도전했던 더 미세한 구조(예: 신경)에 대한 확인 과정이 점점 보편화되고 있다. 마지막으로 새로운 기술 발전은 초음파를 고정되 장소 이용 기계에서 휴대용 휴대용 장치로 이동시키고 있다. 휴대용 초음파 시스템은 스마트폰에 부착할 수 있고, 뛰어난 해상도와 침투력을 제공하며, 최종 사용자의 실험복에 편리하게 떨어뜨릴 수 있다. 시간이 지나고 비용이 감소함에 따라 이러한 장치는 근골격 초음파 및 기타 현장 진료 사무실 및 병원 응용 프로그램을 사용할 수 있는 광범위한 접근성을 1차 의료 제공자에게 제공할 것이다.

참고문헌

1. Sorensen B, Hunskaar S. Point-of-care ultrasound in primary care: A systematic review of generalist performed point-of-care ultrasound in unselected populations. *Ultrasound J* 2019;11(1):31.
2. Sconfienza LM, Albano D, Allen G, et al. Clinical indications for musculoskeletal ultrasound updated in 2017 by European Society of Musculoskeletal Radiology (ESSR) consensus. *Eur Radiol* 2018;28:5338-51.
3. Berko NS, Goldberg-Stein S, Thornhill BA, et al. Survey of current trends in postgraduate musculoskeletal ultrasound education in the United States. *Skeletal Radiol* 2016;45:475-82.
4. Finnoff JT, Berkoff DJ, Brennan F, et al. American Medical Society for Sports Medicine (AMSSM) recommended sports ultrasound curriculum for sports medicine fellowships. *Br J Sports Med* 2015;49:145-50.
5. Finoff J, et al. American Medical Society for sports medicine position statement: Interventional musculoskeletal ultrasound in sports medicine. *Clin J Sports Med* 2015;25:6-22.
6. Daniels EW, Cole D, Jacobs B, et al. Existing evidence on ultrasound-guided injections in sports medicine. *Orthop J Sports Med* 2018;6(2):2325967118756576.
7. Bum Park Y, et al. Accuracy of blind versus ultrasound guided suprapatellar bursal injection. *J Clin Ultrasound* 2012;40(1):20-5.
8. Eustace JA, et al. Comparison of accuracy of steroid placement with clinical outcomes in patients with shoulder symptoms. *Ann Rheum Dis* 1995;38:59-63.

9. Jacobsen JA. *Fundamentals of Musculoskeletal Ultrasound*, 3rd Ed. Philadelphia, PA: Elsevier, 2018.

10. Bianchi S, Martionoli C, Abdelwahad IF, et al. *Ultrasound of the Musculoskeletal System*. New York: Springer-Verlag Berlin Heidelberg, 2008.

11. Visco CJ. Introduction to interventional ultrasound. In: Malanga G, Mautner K, eds. *Atlas of Ultrasound-Guided Musculoskeletal Injections*. New York: McGraw Hill, 2014.

12. Ihnatsenka B, Boezaart AP. Ultrasound: Basic understanding and learning the language. *Int J Shoulder Surg* 2010;4(3):55-62.

13. Lam NC, Fishburn SJ, Hammer AR, et al. A randomized controlled trial evaluating the See, Tilt, Align, and Rotate (STAR) maneuver on skill acquisition for simulated ultrasound-guided interventional procedures.
J Ultrasound Med 2015;34(6):1019-26.

14. Lento PH. Preparation and setup for musculoskeletal ultrasound-guided procedures. In: Malanga G, Mautner K, eds. *Atlas of Ultrasound-Guided Musculoskeletal Injections*. New York: McGraw Hill, 2014.

15. AIUM Practice Parameter for the Performance of Selected Ultrasound-Guided Procedures. Available at: https://www.aium.org/resources/guidelines/usGuidedProcedures.pdf. Last Assessed on December 22, 2019

고급보조기법
Advanced and Adjunctive Techniques

Francis G. O'Connor

주사법은 일차 치료 의사의 진료 현장에서 근골격 의학에서 연조직 및 관절 장애를 직접 치료하는 방법으로서 근거가 충분히 입증되어 왔다.[1] 진료 현장에서 문제가 되는 통증 부위를 정확하게 목표화하는 능력은 차례로 잠재적인 이점을 극대화할 뿐만 아니라 전신 부작용을 최소화하는데도 도움이 되었다. 주사 기법의 향상과 사용의 증가 그리고 초음파 유도의 추가로 근골격계 의학에서 사용할 수 있는 고유한 기술과 방법으로서 주사치료는 점차 전파되었다.[2] 지난 10년 동안 상당한 증거 기반 문헌이 추가되었는데 이러한 문헌들로 인해 일차 진료현장에서 직접 치료 방법으로써 비용 효율적인 임상 결과를 보장하고 치료방법으로써 가치있는 방법임이 입증되었다.[3] 이러한 이른바 고급 기술은 통증 완화 목표를 달성하고 연조직 구조의 기계적 변화에 영향을 미치며 궁극적으로 개선된 임상 치료를 제공한다고 할 수 있겠다. 이 장에서 논의되는 기법에 귀침술(통증 관리), 반복혼합주사(barbotage; 석회성 건병증); 고용량 주사액을 이용한 인대 강압교정(brisement; 건병증/건초염), 주사침 천공술(needle fenestration; 건병증), 수력분리술(hydrodissection; 신경 포착), 수력확장술(hydrodilatation, hydroplasty; 유착성 관절낭염), 통증유발점 건침(dry needling; 근막통증) 및 괴사조직 절제술(tenotomy with debridement; 건병증)이 등이다. 이러한 기법이 검토되고 임상현장에 뒷받침하는 증거가 도입되는 동안 이러한 기술을 능숙하게 사용하기 위해 추가 교육 및 실습이 필요한 고급 기술임을 다시 한번 강조한다.

귀 전장 침술
Auricular Battlefield Acupuncture

전장침술(Battlefield Acupuncture: BFA)은 미 공군 의사 Dr. Richard Niemtzow이 2001 년 개발했다.[4] 이 기법은 마약성 진통제가 이차적인 전신 효과 부작용이 있어 임무 수행에 영향을 주어 사용하지 못하는 경우나 기타 다른 이류로 사용할 수 없는 경우 특별히 통증 완화시키기 위해 개발되었다. BFA는 오랜 기간 지속되어온 귀이요법 기법에서 파생된 방법으로 통증을 신속하게 완화하도록 설계되었다. 상호작용하는 것으로 생각되는 외이의 특정 경혈을 활용하여 중추 신경계 통증 처리와 함께 귀의 BFA는 통증 완화를 제공하는 빠르고 편리한 방법이 될 수 있다(그림 6-1). 이 기술은 반영구적인 ASP (Aiguille Semi-Permanente) 바늘을 사용하며 이 전에 평평해진 표피에 의해 표면으로 밀려나기 전에 최대 3-4일 동안 귓혈에 남아있는 특성을 가지고 있다. 통증 완화는 개인과 병증에 따라 몇 분에서 며칠까지 다양한 지속 시간을 갖는다. 이 기법은 원래 전장에서 부상당한 전투원의 관리를 지원하기 위해 개발되었지만 BFA는 널리 인기를 얻었으며 전신 진통제의 대체 또는 보조역할을 하고 있다.

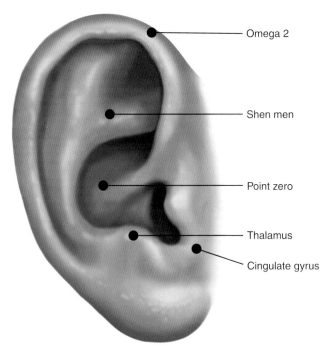

그림 6-1. ● 귀 경혈

근거

BFA는 의료 침술사와 비침술사등이 모두가 전장에서 일차진료방법으로서 사용했다. 임상현장에서 BFA가 점점 더 많이 사용되어 왔지만 귀이요법(auriculotherapy) 분야의 연구는 제한적이었다. 여성 환자에 대한 소규모 무작위 급성 편두통이 있는 대조 시험(n=94)의 경우 이 요법이 특정 귀 경혈을 사용할 때 단기 통증 완화를 제공한다는 것이 입증되었다.[5] 다양한 통증 불만을 호소하는 응급실(ER) 환자(n=87)에 대한 또 다른 파일럿 연구에서는 표준 치료와 비교하여 응급실을 떠나기 전에 이 요법을 받은 사람들의 통증이 23% 감소한 것으로 나타났지만 응급실 방문 후 24시간 동안의 통증 감소 수준은 동일하였다.[6] 마지막으로, 응급 상황에서 통증 완화를 위한 귀이요법의 효능을 평가하기 위해 최근 메타 분석이 수행되었다. 메타 분석은 여러 무작위 연구의 데이터를 사용했으며 286명의 환자를 포함했다. 유의한 부작용은 관찰되지 않았으며 환자 만족도가 크게 향상되었다. 그러나 침술이 진통제 사용을 감소시켰는지 여부에 관한 결과는 모호했다. 연구 수는 제한적이었지만 단독 또는 보조 기술로서의 귀 침술은 통증 점수를 상당히 감소시킨 것으로 보고되었다.[7] 현재의 근거는 제한적이지만 BFA는 군대 및 응급 의학 커뮤니티에서 널리 사용되고 있으며 급성 통증 관리에 유용한 보조 요법으로 입증되고 있다.

금기 사항

활동성 피부 감염, 바늘 공포증 및 임신이 유일한 금기 사항이다.

그림 6-2. ● ASP 바늘
(Sedatelec의 ASP®)

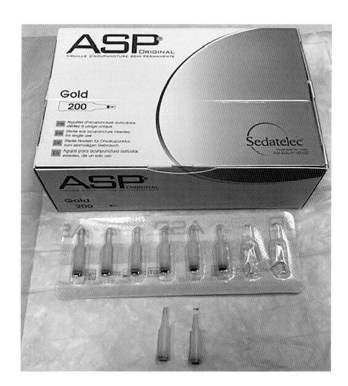

장비

- ASP 또는 침(그림 6-2)
- 알코올 솜

시술 전 설명

환자는 바늘이나 침이 약간 불편할 수 있지만 일반적으로 잘 견딜 수 있음을 알려준다. 바늘은 언제든지 스스로 제거할 수 있다. 그러나 대부분의 환자에서 일반적으로 2-10일 이내에 빠진다. 환자들은 추가로 통증 완화가 즉각적이지 않을 수 있으며 달성하는 데 며칠이 걸릴 수 있음을 알려준다. 환자는 초기 배치 후에 ASP 바늘에서 얻을 반응을 알기 전까지 격렬한 활동을 해서는 안 된다는 것도 알려준다.

마취

일반적으로 BFA 시술에는 국소 마취가 필요하지 않다.

기법

BFA 기법은 Ziemtzow에 의해 개발 및 설명되었다. 전장 침술 "기법"을 시행하는 임상의는 먼저 적절한 병력 및 신체 검사를 수행한다. 5개의 경혈이 순차적으로 확인되고 지시된 대로 바늘을 계속해서 삽입한다. 대상회(cingulate gyrus), 시상핵전방(thalamic nucleus anterior), 오메가 2, 포인트 0 (point 0) 및 셴멘(shen men). 이런 바늘 삽입 순서는 일반적으로 "CTOPS" 또는 "CCTTOPPSS"라는 약어로 귀 사이를 번갈아 가며 진행하는 과정을 나타낸다.

1. 왼쪽 또는 오른쪽 귀 중 하나를 바늘 삽위 위치 부위로 선택한다. 통증이 명확하게 편측화되지 않은 경우에는 주로 사용하지 않는 손의 귀를 사용한다.
2. ASP 바늘은 먼저 대상회(cingualte gyrus)에 삽입된다.
3. 환자는 약 2분 동안 걸을 수 있도록 하여 통증 감소가 발생했는지 확인한다. 통증 감소가 발생하지 않으면 ASP 바늘을 반대쪽 귀의 대상회에 삽입하고 환자가 새로운 통증 경감 정도를 파악해 보기 위해 움직여 보도록 한다.
4. 대상회(cingulated gyrus)를 통해 통증 감소가 달성된 경우, 가장 많은 통증 감소를 나타낸 귀의 시상 전방에 또 다른 ASP 바늘을 자입한다. 환자는 걸어 보기도 하는 증 움직여 보면서 새로운 통증 점수를 평가해 본다.
5. 어떤 귀 삽입이 통증 감소를 일으키든, ASP 바늘은 오메가 2, 셴맨, 포인트 0에 유사한 순차적인 방식으로 배치한다.
6. 통증 감소가 우세한 귀에 모든 "전장 침술" 지점에서 ASP 바늘을 자입 한 후 통증 수준을 평가한다. 통증 점수가 0-1/10이면 치료 목표가 달성된다. 통증 점수가 1/10 이상인 경우 반대쪽 귀에도 유사한 방식으로 바늘을 꽂는다.

그림 6-3. ● ASP 바늘이 삽입된 귓바퀴

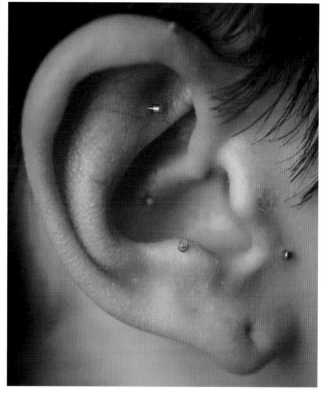

시술 후 관리

치료 의사는 귀 자극이나 감염을 관찰해야 한다. 시술 후 가벼운 홍반이 예상된다. 일반적인 시술 후 지침에는 환자에게 다음과 같은 주의 사항을 설명한다.

- 처음 며칠 동안 통증이 증가하더라도 놀라지 말것. 이것은 정상적인 반응일 수 있으며 치료가 실패했다고 착각하지 말 것
- 침은 수면 중이나 다른 물건에 닿으면 불편할 수 있다. 불편하면 스스로 빠지기 전에 제거하거나 BFA 키트에 제공된 반창고를 사용할 수 있다.
- 발적, 분비물 또는 현저한 통증과 같은 감염 징후 여부를 관찰한다.
- 첫 시술 후에 과도한 활동을 피하고 초기 반응에 따라 활동을 조정한다.
- 시술 후 약간의 휴식을 취하고 활동을 한다. 시술 직후에 효과가 바로 나타나지는 않는다.
- 주치의가 처방한 대로 처방약을 계속 복용한다.
- 다음 방문 시 치료의사와 공유할 시술에 대한 궁금증은 메모한다.

CPT 코드:

- 97811-Acupuncture, one or more needles, without electrical stimulation

임상적 유의 사항

- BFA는 다른 치료법에 대한 훌륭한 보조 수단이며 환자가 다른 고급 침술에 반응하는지 알아보는 지침이 될 수 있다.
- BFA는 임의의 간격으로 반복할 수 있지만 급성 통증에 대한 일반적인 프로토콜은 다음과 같다. 초기, 효능이 약해지면 3–6일 후에 반복한 다음 시간을 늘린다.
- 만성 통증의 경우 1–2주마다 유한한 반응이 나타난다.
- 통증이 명확하게 어느쪽인지 확인되지 않으면 사용하지 않는 손쪽의 귀에 사용한다. 정상적인 전화 사용은 ASP 바늘을 자극할 수 있다.
- 통증이 현저히 감소했다면 한쪽 귀만 치료하는 것을 고려한다. 이렇게 하면 환자가 편안한 수면자세를 취하는 것이 가능하다.

참고문헌

1. Stephens MB, Beutler AI, O'Connor FG. Musculoskeletal injections: A review of the evidence. *Am Fam Physician* 2008;78(8):971–6.
2. Finnoff JT, Hall MM, Adams E, Berkoff D, Concoff AL, Dexter W, et al. American Medical Society for Sports Medicine (AMSSM) position statement: Interventional musculoskeletal ultrasound in sports medicine. *PM R* 2015;7(2):151–168.e12.
3. Daniels EW, Cole D, Jacobs B, Phillips SF. Existing evidence on ultrasound-guided injections in sports medicine. *Orthop J Sports Med* 2018;6(2):2325967118756576.
4. Niemtzow RC. Battlefield acupuncture: My story. *Med Acupunct* 2018;30(2):57–8.
5. Allais G, Romoli M, Rolando S, Airola G, Castagnoli Gabellari I, Allais R, et al. Ear acupuncture in the treatment of migraine attacks: A randomized trial on the efficacy of appropriate versus inappropriate acupoints. *Neurol Sci* 2011;32(Suppl 1):S173–5.
6. Goertz CMH, Niemtzow R, Burns SM, Fritts MJ, Crawford CC, Jonas WB. Auricular acupuncture in the treatment of acute pain syndromes: A pilot study. *Mil Med* 2006;171(10):1010–4.
7. Jan AL, Aldridge ES, Rogers IR, Visser EJ, Bulsara MK, Niemtzow RC. Does ear acupuncture have a role for pain relief in the emergency setting? A systematic review and meta-analysis. *Med Acupunct* 2017;29(5):276–89.

반복혼합주사
Barbotage

반복적인 주사와 흡입을 주 내용으로 하는 기법인 초음파 유도 반복혼합주사(barbotage)는 연조직 석회질 침착물의 관리에 일반적으로 사용된다.[1] 석회성 건병증은 슬개건 및 둔부 힘줄을 비롯한 여러 위치에서 확인 및 치료되지만 가장 일반적으로 확인되는 곳은 어깨를 둘러싸고 있는 회전근개의 힘줄부위이다. 무증상 성인의 최대 7.5%, 어깨 통증의 최대 20%에서 발생하는 흔한 질환인 회전근개석회화건병증(RCCT)은 40−50대 여성에서 자주 진단된다. 심각한 장애를 초래하지 않는 RCCT는 일반적으로 보존적 치료에 우수한 결과를 보인다.[2]

석회성건병증의 정확한 병인은 현재 알려지지 않지만 국소 조직 퇴행성 변화에 의한 결과로 추정된다. 석회화 과정은 특히 건세포의 연골세포로의 화생 변형이 힘줄 내부의 석회화를 유도하는 세포 매개 질환과 관련이 있는 것으로 추정된다.[3] Uthoff는 병인을 3단계로 설명한다: (a) 섬유연골이 있는 석회화 전 단계; (b) 칼슘 침착이 있는 석회화 단계; (c) 석회화 후 단계로, 영향을 받은 힘줄의 자가 치유 및 복구가 몇 개월 동안 지속될 수 있다.[4] 석회화 단계에서는 흡수 단계가 발생하는에 이 때 견봉하 점액낭에서 칼슘 결정의 유출 가능성과 함께 혈관 침범, 부종 및 증가된 건내 압력등이 특징적이다. 이 단계는 일반적인 진통제에 잘 반응하지 않고 반응이 없는 경우 급성 통증의 발병과 관련이 있다.[2] 급성 단계는 일반적으로 경계가 잘 정의되지 않은 "부드러운" 침전물과 관련이 있는 반면 더 만성적인 "더 단단한" 병변은 선명한 경계로 더 세분화되어 나타나는 경향이 있다.

근거

초음파 유도 반복혼합주사는 높은 성공률과 낮은 합병증률로 안전한 기술로 알려져 있다.[5] 체외 충격파 치료, 견봉하 스테로이드 주사, 건식 침술 또는 관절경을 이용한 석회화 제거술을 포함한 다른 주요 치료법과 비교하여 그 효과를 평가하는 근거 보고는 현재 없다. 그러나 진행 중인 임상 시험에서 새로운 증거가 나오지 않아 현재로는 908명의 환자에 대한 최근의 체계적 고찰 결과 초음파 유도 반복혼합주사가 권장되었다.[6] 흥미롭게도 de Witte 등이 초음파 유도 견봉하 스테로이드 주사와 초음파 유도 견봉하 스테로이드 주사를 단독으로 사용한 초음파 유도 반복혼합주사 후 1년 및 5년 추적 결과를 조사한 두 개의 연구결과를 보고하였다. 결과는 1년차에 분명한 이점을 보여주었지만 5년차에는 유의한 임상적 또는 방사선학적 차이가 없었음을 보고하였다.[7,8]

설명되는 바와 같이 반복혼합주사는 단독 및 2바늘을 이용한 기술을 모두 사용하여 시행할 수 있다. 1개 바늘 기법과 2개 바늘 기법의 효능을 평가하는 한 발표된 연구가 있으며 1년 추적 관찰에서 임상 결과에 유의미한 차이가 없음을 발견했다. 그러나 데이터는 이중 바늘접근법이 더 단단한 침전물을 치료하는 데 더 적절할 수 있는 반면 단독 바늘 요법은 체액이나 부드러운 석회화를 치료하는 데 더 유용할 수 있다고 제안했다.[9] 또한, 최근 증거에 따르면 따뜻한 식염수를 사용하면 시술 시간이 단축되고 특히 단단한 석회화의 경우 칼슘 침전물 용해가 개선되는 것으로 나타났다.[10] 마지막으로, 초음파 유도 반복혼합주사가 사용되는 경우 견봉하 스테로이드 주사 후에 시행해야 최적 효과로 이어진다는 것을 시사한다.[11]

금기 사항

반복혼합주사 기법은 앞에서 설명한 모든 활액낭 주사에 적용되는 유사한 금기 사항이 있다. 또한 환자가 무증상이거나 석회화가 매우 작거나(≤5 mm), 석회화가 활액낭 공간으로 이동한 경우에는 초음파 유도 반복혼합주사가 추천 되지 않는다. 석회화의 골내 이동이 있는 환자의 경우 결과가 좋지 않다는 보고도 있다.[12]

장비

- 하나 또는 두 개의 18 게이지 바늘(선택한 기법에 따라: 단일 또는 2개 바늘)
- 반복혼합주사 시술 전후에 견봉하 주사용 25게이지 바늘 2개
- 주사기 2개(20 mL 및 3 mL)
- 10 cm 18 또는 20 게이지 척추 바늘 1개(선택 사항)
- 그릇(세척액 수집용)
- 멸균 식염수(100−200 mL, 38−40℃로 가온)
- 리도카인 1% 또는 메피바카인(10 mL)
- 스테로이드(1 mL, 40 mg/mL)
- 초음파(선형과 곡선형 프로브)

시술 전 설명

시술 중 환자의 움직임을 방지하기 위해 환자를 앙와위로 눕힌다. 증상이 있는 시술 대상 어깨의 팔은 석회화 위치에 따라 약간의 내부 또는 외부 회전으로 몸을 따라 완전히 신전되어야한다. 무균 기법을 포함하여 초음파 유도 사용에 대한 시술 지침은 초음파 소개의 이 전 장에 자세히 설명되어 있다.

마취

평면 내 접근과 함께 바늘의 경로를 따라 견봉하 점액낭 및 석회화 주위에 최대 10 mL의 리도카인 또는 메피바케인을 주입한다.

기법

초음파 유도하 반복적주사법(barbotage)은 환자를 테이블에 앙와위 자세로 위치하고 시행한다. 2개 바늘 및 단일 바늘 기법은 Sconfienza와 Messina에 의해 기술되었다.[12] 앞에서 설명한 대로 피부와 초음파 프로브의 멸균 준비 후 표적으로 하는 석회화 병변은 초음파 프로브를 사용하여 영상에서 시각화된다. 25 게이지 바늘을 사용하여 국소 마취(최대 10 mL의 리도카인 또는 메피바카인)를 견봉하 점액낭에 주사하여 석회화 주위에 주입한다. 두 바늘 기법을 사용할 때 첫 번째 바늘은 바늘 베벨이 프로브 쪽으로 열린 상태에서 석회화의 가장 낮은 부분에 삽입한다. 그런 다음 두 번째 바늘은 첫 번째 바늘과 평행하고 표면적인 석회화에 삽입되어 올바른 세척 회로를 만들기 위해 첫 번째 바늘과 25–30도 각도로 경사지게 된다. 그런 다음 석회화를 식염수로 채우고 코어를 용해하기 위해 부드러운 간헐적 압력을 가하고 완전한 내부가 비워지는 것이 시각적으로 확인될 때까지 석회질 액체가 두 번째 바늘을 통해 빠져나오도록 한다. 칼슘이 주사기에 채워져서 더 이상 칼슘이 배출되지 않으면 새 주사기로 교체한다. 관찰된 나머지 석회화는 바늘로 뚫을 수 있다. 마지막으로 견봉하 스테로이드 주사 후에 시술을 종료한다. 단일 바늘 기술은 두 바늘 기술과 비슷하지만 석회화는 한 바늘로만 구멍을 뚫는다는 점에서 주의해야 한다. 세척은 침전물을 수화(hydrate)하기 위해 주사기 플런저를 눌러 수행한다. 그런 다음 칼슘은 플런저가 방출될 때 동일한 주사기 내에서 식염수와 함께 역류시키면서 세척시킨다.

  단일 바늘 기술은 감염 및 출혈 위험이 더 낮은 것으로 생각되었다. 반면에 두 개의 바늘을 사용하면 석회화 외부로 식염수 용액의 유입을 보장하여 석회화를 중단시키고 후속 활액낭염의 위험을 줄일 수 있다.

시술 후 관리

현재로서는 절차 후 관리에 대한 근거 기반 지침이 없지만 Messina 등이 프로토콜을 발표했다.[9,12] 그들은 최대 2주 동안 비스테로이드성 항염증제 및 상대적 휴식(즉, 팔을 어깨 위로 올리지 않음)의 단기 과정을 제안했다. 그 후 물리치료의 짧은 치료가 이어진다. 영상검사는 일반적으로 권고되지 않는다. 환자는 치료 후 며칠 이상 통증이 지속되거나 발열이 있는 경우 또는 치료 후 2개월 후에도 통증이 재발하는 경우 연락하도록 지시한다.

CPT 코드:

- 20551–Injection; single tendon origin/insertion
- 76942–Ultrasonic guidance for needle placement with imaging supervision and interpretation with permanent recording

유의사항

- 초기 견봉하 주사는 시술 중 환자의 편안함을 돕기 위해 5–10 mL의 리도카인을 주사해야 한다. 시술 후 견봉하 공간으로 스테로이드를 주입하면 시술 후 통증이 감소한다.

- 바보타주를 용이하게 하는 따뜻한 식염수는 시술 시간을 줄이고 칼슘 침전물 용해를 개선하는 것으로 입증되었다.
- 데이터에 따르면 이중 바늘 접근 방식은 단단한 침전물을 치료하는 데 더 적절할 수 있는 반면 단일 바늘 접근 방식은 물이 차있는 병변을 치료하는 데 더 유용할 수 있다.
- 연조직으로의 공기가 들어가는 석회질 침전물과 주변 초음파 해부학의 시각화를 흐리게 할 수 있으므로 피해야 한다.
- 추가 팁과 권고사항등이 게시되었으며 관심 있는 독자가 사용할 수 있다.[9]

참고문헌

1. Davidson J, Jayaraman S. Guided interventions in musculoskeletal ultrasound: What's the evidence? *Clin Radiol* 2011;66(2):140-52.
2. Speed CA, Hazleman BL. Calcific tendinitis of the shoulder. *N Engl J Med* 1999;340(20):1582-4.
3. De Carli A, Pulcinelli F, Rose GD, et al. Calcific tendinitis of the shoulder. Joints 2014;2(3):130-6.
4. Uhthoff HK, Sarkar K. Calcifying tendinitis. *Baillieres Clin Rheumatol* 1989;3(3):567-81.
5. Lanza E, Banfi G, Serafini G, et al. Ultrasound-guided percutaneous irrigation in rotator cuff calcific tendinopathy: What is the evidence? A systematic review with proposals for future reporting. *Eur Radiol* 2015;25(7):2176-83.
6. Gatt DL, Charalambous CP. Ultrasound-guided barbotage for calcific tendonitis of the shoulder: A systematic review including 908 patients. *Arthroscopy*. 2014;30(9):1166-72.
7. de Witte PB, Selten JW, Navas A, et al. Calcific tendinitis of the rotator cuff: A randomized controlled trial of ultrasound-guided needling and lavage versus subacromial corticosteroids. *Am J Sports Med* 2013;41(7):1665-73.
8. de Witte PB, Kolk A, Overes F, et al. Rotator cuff calcific tendinitis: Ultrasound-guided needling and lavage versus subacromial corticosteroids: Five-year outcomes of a randomized controlled trial. *Am J Sports Med* 2017;45(14):3305-14.
9. Sconfienza LM, Viganò S, Martini C, et al. Double-needle ultrasound-guided percutaneous treatment of rotator cuff calcific tendinitis: Tips & tricks. *Skeletal Radiol* 2013;42(1):19-24.
10. Sconfienza LM, Bandirali M, Serafini G, et al. Rotator cuff calcific tendinitis:Does warm saline solution improve the short-term outcome of double-needle US-guided treatment? *Radiology*. 2012;262(2):560-6.
11. Arirachakaran A, Boonard M, Yamaphai S, et al. Extracorporeal shock wave therapy, ultrasound-guided percutaneous lavage, corticosteroid injection and combined treatment for the treatment of rotator cuff calcific tendinopathy: A network meta-analysis of RCTs. *Eur J Orthop Surg Traumatol* 2017;27(3):381-90.
12. Messina C, Banfi G, Orlandi D, et al. Ultrasound-guided interventional procedures around the shoulder. *Br J Radiol* 2016;89(1057):20150372.

힘줄 브리즈먼트/고용량 주사
Tendon Brisement/High-Volume Injection

브리즈먼트(tendon brisement)는 섬유모세포조직(fibroblastic tissue)의 변연절제술 (debridement)과 힘줄내에 바늘(intratendinous needle)로 퇴행성 건병증에 직접 접근하는 창냄술(fenestration), 힘줄절단술(tenotomy)과 달리 유착성으로 생긴 힘줄주위 신생혈관 과 신생신경(peritendinous neovessels and neonerves)를 파괴하는 데 중점을 둔다. 브리즈 먼트는 1997년에 소개되었으며 처음에는 정상적인 치유 반응을 이용하여 적절하게 힘줄 의 퇴행성 주기를 방해하기 위한 것이었으나 본질적으로 현재 설명된 고용량 주사(HVI: High-Volume Injection)와 동일한 것으로 보인다.[1] 브리즈먼트는 특별한 구역에 약제를 주 입하는 시술인데 힘줄과 힘줄이 연결된 부위, 근막 또는 근막과 지방 패드 사이의 공간이 주요 목표지점이다. 정확한 치료 기전은 알려져 있지 않지만 이 술기는 잠재적으로 흉터 조직을 파괴하고 관련된 신생 혈관 및 신경을 손상시켜 궁극적으로 힘줄의 치유를 자극하 는 것으로 생각된다. 힘줄 파열 및 HVI 술기는 본질적으로 연조직의 수압 감압(hydro- static decompression)을 수행한다. 브리즈먼트 술기 또는 HVI는 아킬레스건 및 슬개건 부 위가 가장 일반적으로 치료 적용 부위이지만 비골건과 같은 활액막과 관련된 다른 부위에 서도 사용된 보고가 있다.

근거

HVI 치료에 대한 여러 보고 기록이 있다. 슬개골 건병증에 대한 초음파 유도 HVI 요법은 2008년 Crisp와 동료들에 의해 처음 기술되었다.[2] 초음파에 의해 확인된 신생혈관은 슬개 건과 Hoffa의 지방 패드 사이에 HVI로 치료되었다. 주사는 치료 의사가 느끼는 저항에 따라 0.5% 부피바카인 10 mL, 코르티손 25 mg, 생리 식염수 20-40 mL로 구성된 용액을 주입하였다. 피험자들은 시술 후 2주에 상당한 개선을 보고했다.

Chan 등의 연구는 난치성 아킬레스 건병증이 있는 30명의 환자가 포함되었다.[3] 모든 환 자는 10 mL 0.5% 부피바카인, 25 mg 하이드로코르티손 및 4-10 mL의 생리 식염수를 포 함하는 HVI 주사를 아킬레스건의 전방 측면과 Kager's 사이에 투여했다. 지방 패드부위 를 초음파 파워 도플러로 혈관성을 평가한 후 편심 부하(eccentric loading)를 사용하여 서서히 주사하였다. 통증 점수의 결과는 평균 76 mm에서 평균 25 mm로 평균 50 mm의 변화로 단기간(2주)에 상당한 개선을 보였다. 또한 기능적인 측면에서 평균 50 mm 증가로 통계적으로 유의하게 개선되었으며 30주 추적 평가에서 유의미한 감소가 나타났다.

HVI가 코르티코스테로이드의 활용을 통합한 앞서 언급한 연구 외에도 일반적으로 리 도카인과 생리 식염수의 조합(Wheeler[4], Mafulli[5])과 같은 용액 용량만을 사용한 연구는 제한적이다. 이 연구들은 긍정적인 결과를 보여주었지만 제한된 수와 비교를 위한 대조군이 없었다. HVI 기술은 유망하지만 보존적 재활치료에 실패한 사람들에게 잠재적으로 유용한 술기이지만 현재로서는 강력한 증거가 부족하기 때문에 제한적이다.

금기 사항

Brisement/HVI 시술에는 앞서 설명한 바와 같이 모든 활액낭 및 골막 근처부위에 주사에 적용되는 유사한 금기사항이 있다. 통증 완화 또는 부적절한 건내 스테로이드 주사가 파열을 유발할 수 있으므로 시술자는 힘줄의 부분적 또는 전체층 파열이 분명한 부위에서 특히 주의해야 한다.

장비

- 21–22게이지 바늘 1개
- 멸균 식염수(20–100)
- 리도카인 1%(10 mL)
- 스테로이드(1 mL, 40 mg/mL)(선택 사항)
- 고주파 프로브가 있는 초음파 기계

시술전설명

시술 중 환자의 움직임을 방지하기 위해 환자의 자세를 앙와위로 눕혀야 한다. 환자의 팔다리는 초음파 영상에서 최적의 시각화를 용이하게 하기 위해 몸을 따라 완전히 뻗어 있어야 한다. 무균 기법을 포함하여 초음파 유도 사용에 대한 시술 지침은 초음파 소개의 이전 장에 자세히 설명되어 있다.

마취

평면내 접근 방식으로 초음파 유도하에 인접한 피부와 연조직을 통해 바늘의 경로를 따라 최대 10 mL의 리도카인을 주입한다.

기법

환자를 적절한 위치(예: 아킬레스 건병증의 경우에는 복와위 자세)에 놓고 적절하게 준비하고 멸균 소독을 한 후 관련된 힘줄을 초음파로 검사하여 건병증 부위를 확인한다. 25게이지 바늘을 사용하여 피부와 피하 조직을 마취한다. 피부를 마취한 후 21 또는 22 게이지 바늘을 사용하여 브리즈먼트 또는 HVI를 시행할 수 있다. 증상이 있는 부위에서 선형 프로브를 사용하여 힘줄 또는 힘줄 지방 패드 경계면을 식별한다. 그런 다음 바늘의 주입 경로를 확인하면서 리도카인과 생리 식염수를 조합하여 저항을 조금씩 느끼면서 주입한다. 주입되는 양은 다양하며 문헌에 5–100 mL의 범위로 설명되어 있다. 일부 저자는 지나치게 많은 부피가 힘줄 파열 및/또는 구획 증후군(compartment syndrome)을 일으킬 수 있다고 주장한다.

시술 후 관리

건 파열 또는 HVI, 특히 아킬레스건 또는 슬개건의 경우 환자는 며칠 동안 과도한 활동을 피하도록 한다. 아킬레스건의 경우 워킹 부츠가 많이 사용되고 슬개건의 경우 무릎 보호대를 사용할 수 있다. 이러한 기계적 보조기는 일반적으로 상지 또는 대퇴골의 대전자 영역에는 사용되지 않는다. 힘줄 파열 후 스트레칭과 물리 치료의 시기도 문헌에서 다양하다.

CPT 코드:

- 20550—Injection(s); single tendon sheath, or ligament, aponeurosis
- 27899—Unlisted procedure, leg or ankle
- 76942—Ultrasonic guidance for needle placement with imaging supervision and interpretation with permanent recording

유의사항

- 환자는 미주신경성실신(vasovagal syncope)의 발생 위험이 있으므로 주의 깊게 관찰하기 위해 누워 있어야 한다.
- 체중을 지탱하는 힘줄 근처에 골절이나 HVI가 있는 환자는 최소 48-72시간 동안 사지를 보호해야 한다.
- 최적의 치유반응을 촉진하기 위해 시술 후에 물리 치료를 같이 해야 한다.

참고문헌

1. Johnston E, Scranton P Jr, Pfeffer GB. Chronic disorders of the Achilles tendon: Results of conservative and surgical treatments. *Foot Ankle Int* 1997;18(9):570-4.
2. Crisp T, Khan F, Padhiar N, et al. High volume ultrasound guided injections at the interface between the patellar tendon and Hoffa's body are effective in chronic patellar tendinopathy: A pilot study. *Disabil Rehabil* 2008;30(20-22):1625-34.
3. Chan O, O'Dowd D, Padhiar N, et al. High volume image guided injections in chronic Achilles tendinopathy. *Disabil Rehabil* 2008;30(20-22):1697-708.
4. Wheeler PC, Tattersall C. Novel interventions for recalcitrant Achilles tendinopathy: Benefits seen following high-volume image-guided injection or extracorporeal shockwave therapy-a prospective cohort study. *Clin J Sport Med* 2020;30(1):14-9.
5. Maffulli N, Del Buono A, Oliva F, Testa V, Capasso G, Maffulli G. High-volume image-guided injection for recalcitrant patellar tendinopathy in athletes. *Clin J Sport Med* 2016;26(1):12-6.

천공술(경피적 건절단술)
Fenestration (Percutaneous Tenotomy)

힘줄병증(Tendinopathy)의 치료과정에서 힘줄에 여러 부위의 절개 또는 구멍을 만들기 위해 바늘을 사용하는 것을 힘줄천공(tendon fenestration)이라고 한다. 이 시술은 다른 방법과 달리 주사약제를 사용하지 않는다는 점이 구별되는 특징이다.[1] 건 절개술 또는 경피적 바늘건절개술은 문헌에서 동의어로 사용되어 왔으며 중재적 시술의 결과로 인해 건이 늘어나거나 이완되거나 또는 괴사조직이 제거된다. 이 시술의 이면에 있는 이론은 건증(tendinosis) 부위에 바늘을 반복적으로 통과시키면 만성 퇴행성 과정을 오히려 방해하고 출혈과 염증을 유발하며 치유를 촉진하는 성장 인자 및 기타 물질을 국소적으로 증가시킨다는 것이다. 건천공의 주요 목표는 만성 건이상을 급성 상태로 전환하여 치유를 촉진하는 것이다. 침창(needle fenestration)은 슬개골, 팔꿈치, 중둔근 및 아킬레스건을 포함한 여러 구조의 건병증에 일반적으로 사용된다.

근거

일반적인 건병증 치료에서 천공의 역할을 뒷받침하는 검토 문헌들의 여로 보고들이 있었다.[1-3] 바늘 천공의 이점에 대해 처음 보고한 사람 중 하나는 McShane과 동료였다.[4] 52명의 환자를 대상으로 한 연구, 22개월의 추적 조사에서 그들은 92%의 피험자가 우수한 결과를 보였다고 보고했다. Krey 등은 최근에 침창 보고 문헌에 대한 체계적 고찰을 수행하여 기준을 충족하는 문헌을 4개 찾았다.[2] 보고에서 그들은 건병증 환자의 환자 보고 결과 침창시술이 환자보고 통증 점수를 개선한다는 결론을 지었다. 그들은 또한 자가 혈액 제제의 추가가 이러한 결과를 더욱 개선할 수 있음을 보여주는 경향이 있다고 결론지었다.

금기사항

초음파 유도 경피적 시술을 수행할 때 고려해야 할 몇 가지 금기 사항이 있다. 여기에는 (a) 출혈 장애가 있는 환자; (b) 항응고 치료를 받고 있는 환자; 및 (c) 국소 감염의 존재 등이다. 기저 건 파열의 존재 여부는 기존 건 파열의 정도에 따라 시술의 합병증으로 건 파열의 위험이 증가하기 때문에 논의할 가치가 있다. 증거에 기반한 지침은 없지만 대부분의 저자들은 건증(tendinosis), 간질 파열(interstitial tearing) 또는 건 두께의 최대 50%까지 부분 두께 파열이 있는 부위에는 시술을 권장하고 파열이 건 두께의 50%보다 큰 경우 천공을 피하라고 보고한다.[1,2]

장비

- 27 게이지 바늘
- 22 게이지 바늘
- 5–10 mL 리도카인 1%
- 고주파 프로브가 있는 초음파 기계

시술전 설명

천공 시술 전, 시술 전후 2주간 비스테로이드성 소염진통제를 피하도록 환자에게 지시한다. 이론적으로 그러한 약물을 피하면 염증, 성장 인자 및 치유 단계가 변경되지 않는다는 점에서 치유 가능성이 증가할 수 있다.

마취

초음파 유도하에 평면 내 접근법을 사용하여 바늘을 주입하고 경로를 따라 최대 10 mL 리도카인을 주입한다. 어떤 환자들은 바늘이 힘줄 표면에 있을 때 심한 통증을 느낄 수 있다. 힘줄 표면에 마취제를 주입하는 것은 종종 증상을 크게 줄이는 데 효과적이다. 마취제의 양은 천공 후 치유 과정을 방해할 수 있으므로 최소화해야 한다.

그림 6-4. ● 장요측수근신근에서의 바늘 천공술

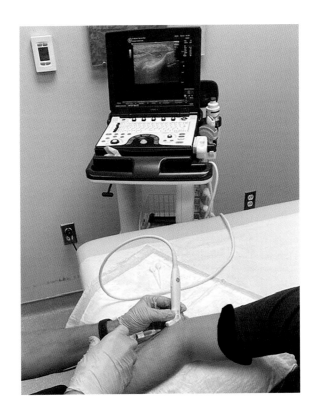

기법

초음파를 이용하여 증상이 있는 부위의 건증의 존재를 확인한 후 유도하에 바늘의 최적 경로를 계획한다. 건증이 있는 영역에서 목표점은 일반적으로 뼈에 붙어 있거나 부착되어 있는 부위를 목표로 한다. 그 다음 피부에 바늘 천자 부위와 초음파 프로브의 위치를 나타내기 위해 표시한다. 이렇게 해서 시술전 소독 부위와 초음파 프로프의 정확한 위치를 잡는데 도움이 된다. 먼저 적절한 소독제로 피부를 소독하고 천자 부위 주위에 멸균 소독포를 씌운다. 그런 다음 초음파 프로브를 젤이 있는 멸균 프로브 커버에 삽입하고 멸균 젤을 피부 표면에 바른다. 27 게이지 바늘을 사용하여 피하조직에 국소 마취제를 주사한다(그림 6-4). 천공에 사용되는 바늘의 크기는 어깨, 엉덩이, 무릎에 20 게이지 바늘을 사용하고 관절이 작은 건에는 22게이지 바늘을 사용한다. 바늘 길이는 1.5 cm 또는 3 cm이다. 바늘은 일반적으로 초음파 프로브와 평행한 힘줄의 장축을 따라 삽입된다. 바늘을 평면 내로 통과시키거나 프로브의 장축에 평행하게 통과시키는 것은 바늘이 전체적으로 초음파 영상에서 보이기 때문에 초음파 유도에 선호되는 경우가 많다. 그런 다음 바늘은 시술 동안 보이는 영상을 최적화하기 위해서 시술 중에 각도를 수정할 수 있다.

시술 중 환자의 불편함을 최소화하기 위해 힘줄에 바늘 주사시 몇 가지 기술적 측면을 고려해야 한다. 첫째, 바늘은 초음파 프로브와 힘줄의 긴 축을 따라 평면에 위치해야 한다. 둘째, 바늘이 피하조직 내에서 피부에 가까운 얇은 지점에 있는 동안 바늘을 적절한 각도로 조절해야 한다. 바늘이 피부에 가깝게 얕은 위치에 있는 동안 바늘 궤적을 변경하는 것이 훨씬 쉽다. 근육이나 힘줄과 같은 더 깊은 구조에 들어간 후 방향을 바꾸려 하다면 바늘은 방향을 바꾸기가 더 어려워진다. 바늘이 초음파 영상에서 식별되고 표적이 확인되면 바늘을 이상병변이 있는 힘줄 부위로 진행시킨다. 바늘에 탐침(stylet)이 끼어 있다면 천공 전에 제거해야 한다. 그런 다음 초음파 바늘을 90도로 회전시켜 천공 시킬 부위가 바늘로 확실하게 천공되는 것을 확인하는 것이 중요하다. 힘줄의 이상 병변이 뼈에 인접해 있으면 바늘을 전진시켜 뼈에 닿게 한다. 초음파 프로브를 90도 돌려서 바늘을 힘줄의 짧은 축에 대해 내측 또는 외측으로 위치를 바꾸어 가면서 방향을 바꿀 필요가 있는지 결정한다. 바늘은 다시 부분적으로 후퇴한 다음 방향을 변경하고 내측 또는 측방으로 진행하여 건증의 단축 영역을 덮도록 순차적으로 방향을 변경한다. 그런 다음 초음파 프로브를 바늘과 평면 내에서 다시 90도 돌리고 천공은 비슷한 방식으로 계속되며 대상 영역이 만족스럽게 천공될 때까지 반복한다. 환자에게 통증이 생기면 최소화해야 하지만 추가 마취제를 힘줄에 주사할 수 있다. 바늘이 힘줄을 통과하는 횟수는 다양하지만 종종 힘줄 이상 크기에 따라 15회에서 50회까지 다양하다. 바늘이 비정상적인 힘줄을 통과함에 따라 힘줄이 부드러워지는 경향이 있다. 건증의 전 부위를 치료하면 시술이 종료되며 바늘 전진 시 부드러움이 느껴진다.

시술 후 관리

건 천공 후 환자는 치유 과정이 방해받지 않도록 2주 동안 NSAID를 피하도록 한다. 비슷한 이유로 얼음은 건 치유 가정의 전조 과정이라 할 수 있는 유도 염증을 억제하지 않기 위해 피한다. 체중이 부하받는 힘줄의 경우 치유를 강화하고 힘줄 파열의 합병증을 피하기 위한 예방 조치를 고려해야 한다. 아킬레스건의 경우 보행용 부츠를 많이 사용하고 슬개건의 경우 무릎 보호대를 사용한다. 이러한 기계적 보조기는 일반적으로 상지 또는 대전자 영역에는 사용되지 않는다. 많은 저자들이 천자 후 2주를 기다려야 한다고 주장하지만, 건 천공 후 스트레칭과 물리 치료의 시기도 문헌에서 다양하다.

CPT 코드:

- 20551—Injection; single tendon origin/insertion
- 76942 (optional)—Ultrasonic guidance for needle placement with imaging supervision and interpretation with permanent recording

유의사항

- 바늘 구멍 외에 증식치료용 주사제, 자가 혈액 또는 다른 재생 제제의 추가를 고려하는 것이 유용할 수 있다.
- 환자에게 시술 후 임상적 이점을 확인하는 데 최대 6주가 소요될 수 있음을 알려준다.
- NSAID는 염증 반응을 유도하려는 의도를 무효화하므로 시술 후 피해야 한다.

참고문헌

1. Chiavaras MM, Jacobson JA. Ultrasound-guided tendon fenestration. *Semin Musculoskelet Radiol* 2013;17(1):85-90.
2. Krey D, Borchers J, McCamey K. Tendon needling for treatment of tendinopathy: A systematic review. *Phys Sportsmed* 2015;43(1):80-6.
3. Mattie R, Wong J, McCormick Z, et al. Percutaneous needle tenotomy for the treatment of lateral epicondylitis: A systematic review of the literature. *PM R* 2017;9(6):603-11.
4. McShane JM, Shah VN, Nazarian LN. Sonographically guided percutaneous needle tenotomy for treatment of common extensor tendinosis in the elbow: is a corticosteroid necessary? *J Ultrasound Med* 2008;27(8):1137-44.

신경 수력분리술
Nerve Hydrodissection

유착 용해 신경 성형술(adhesiolysis)이라고도 하는 신경 수력분리술은 초음파 활용이 증가하면서 근골격 통증치료분야에서 소개되기 시작하였다.[1,2] 신경 수력분리술은 잠재적인 연조직 부스러기나 또는 포착된 말초 신경을 풀기 위한 목적으로 이른바 분리라는 개념을 만들고 유착을 분리하기 위해 조직 평면 사이에 압력을 가해 용액을 주입하는 것으로 정의할 수 있다.[1,3] 수력분리술은 조직 평면을 무디게(blunt) 분리해내는 안전한 시술방법으로 입증되었다. 다시 말해 두 개의 평면 사이에서 작은 것에서 중간사이즈 크기의 신경을 따라 바늘을 자입하여 분리해내는 고급기술 술기라고 할 수 있다.

  말초 신경 포착 증후군의 치료에서 수력박리술을 사용하는 것은 비교적 새로운 개념이지만 개념 자체는 다양한 환경에서 수년 동안 사용되어 왔다. 수력분리술은 근치적 전립선 절제술 동안 신경혈관 다발을 보존하고 신장 종양의 고주파 절제술 동안 신경 손상을 예방하기 위해 비뇨기과 종양학에서 사용되었다.[4,5] 유방 재건술 과정 중 천공 동맥을 보존하고 안과 수술 중 수술 평면을 확인하는데 사용되었다.[6,7] 말초 신경 수력박리술과 관련하여 가장 자주 언급되는 위험은 신경내 주사(intraneural injection)와 관련된 신경 손상의 위험이었다. 그러나 관절경 수술 전 어깨 말초신경차단술을 받은 257명의 환자를 대상으로 한 연구에서 17%의 신경내 주사 발생률을 보고했지만 수술 후 신경학적 합병증을 경험한 환자가 0명으로 보고되었다.[8] 두 번째 연구에서는 72명의 신경간내 주사 환자를 조사 평가한 결과 영구적인 신경 손상은 전혀 확인되지 않음이 보고되었다.[9] 이러한 결과는 의도하지 않은 신경내 주사는 피해야 하지만 신경내 주사의 합병증은 한때 생각했던 것만큼 심각한 위험을 발생시키지 않는다는 것을 의미한다.

근거

2011년 Mulvaner가 발표한 대퇴신경지각이상증에 관한 증례보고와 Tabor 등이 2017년 발표한 족하수증 1예 보고에서 수력분리술을 사용하여 말초 신경병증을 성공적으로 치료했다는 증례 보고가 발표되었다. 그러나 이들 증례에서는 주사액의 일부로 국소 마취제 또는 스테로이드를 사용했다. 단일 증례 보고에서 5DW 용액을 초음파 유도 회음부 주사 후 요골신경 마비 징후 및 증상의 개선이 보고되었음이 발표되었다.[12] 최근 한 연구는 수근관 증후군 환자에서 스테로이드 주사와 5DW 정중 신경 회음부 주사를 비교했다. 이 연구는 4-6개월의 추적 관찰에서 5DW 그룹이 스테로이드 그룹에 비교해서 더 좋은 개선 효과를 보였다.[13]

금기사항

초음파 유도 시술을 수행할 때 고려해야 할 몇 가지 금기 사항이 있다. 여기에는 (a) 출혈 장애가 있는 환자; (b) 항응고 치료를 받고 있는 환자; 및 (c) 국소 감염의 존재. 등의 사항을 고려해야 한다. 수력분리술을 시도할 때 일단 정확한 진단이 선행되어야 한다. 포착 신경병증. 또한, 위축 또는 진행성 신경약화의 증거가 입증된 환자는 외과적 평가 및 의뢰를 고려해야 한다.

장비

- 21–22게이지 바늘 1개
- 5DW 용액(20–100)
- 리도카인 1%(10 mL)
- 스테로이드(1 mL, 40 mg/mL)(선택 사항)
- 고주파 선형 프로브가 있는 초음파 기계

시술 전 설명

수술 중 환자의 움직임을 방지하기 위해 환자를 앙와위로 눕혀야 한다. 환자는 수술 중 무감각이나 따끔거림이 느껴지면 즉시 말하도록 안내한다. 이것은 바늘의 후퇴 및 방향전환을 안전하게 하기 위함이다. 무균 소독 기술을 포함하여 초음파 유도 사용에 대한 지침이 초음파 소개의 이전 장에서 자세히 설명되어 있다.

마취

에피네프린과 함께 리도카인 1%를 사용하여 상부 피부를 마취한다.

기법

근위에서 원위 방향으로 신경을 수력분리하는 절차를 계획한다. 포착 부위의 근위 및 원위 시술 부위는 다음과 같이 적절하게 준비한다. 일회용 클로르헥시딘 스폰지로 신경 경로 위의 피부를 세척한 다음 멸균 초음파 젤을 사용한다. 초음파 프로브는 적절한 살균 세척한다. 영향을 받은 신경은 신경이 가장 얕은 부위에서 초음파 영상으로 시각화하기 쉬운 단축을 사용하여 확인한다. 한명의 보조자가 있으면 시술하는데 도움이 된다. 초음파 화면영상으로 초음파 유도를 사용하여 관련 혈관 해부학에 따라 주변 결합 조직의 신경의 표층 및 내측 또는 외측 지점으로 21–25 게이지 바늘을 전진시킨다(그림 6-3). 바늘을 처음에 짧은 축(평면 외)으로 진행하여 올바른 신경 위에 있는지 확인한 다음 신경에 접근할 때 정확한 깊이 제어를 위해 장축(평면 내)으로 전환한다. 보조자는 시술 의사가 들고 있는 10–20 mL 주사기에 커넥터 튜브를 부착한다. 주사기는 5DW 용액으로 채운다. 바늘이 신경초(perineural) 결합 조직에 가까워지면 5DW를 천천히 주입하여 주변 결합 조

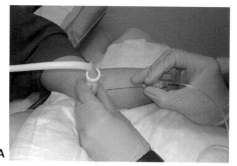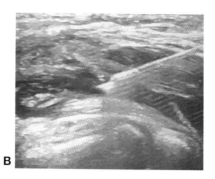

그림 6-5. ● 신경수력분리술.
A: 손목터널에서 척골신경의 수력분리술을 위한 바늘의 평면외 접근법. B: 손목터널에서 척골 신경의 신경수
력분리술을 시행을 위한 바늘의 평면 내 장축 접근 영상

직을 무디게 박리한다. 신경에서 바늘과 신경 사이의 거리를 유지하기 위해 용액을 사용
하여 바늘을 피상적으로 깊게 원주 방향으로 조작하면서 액체의 완전한 저에코 링(일명:
후광)이 짧고 긴 축 모두에서 시각화될 때까지 신경 주위에 나누어 주입한다(그림 6-5). 이
시점에서 신경은 긴 축으로 시각화되고 추가 주입액은 신경의 표면을 따라 주사기를 통해
밀려 신경 세그먼트의 길이를 따라 이동하고 포착 부위를 통해 수력분리 영역을 확장시
킨다.

시술 중 어느 때라도 신경이 커지는 것처럼 보이는 경우: 신경내 주사를 하고 있고 많은
양을 주입하면 신경이 손상될 수 있으므로 중지한다. 시술 중 어느 때라도 신경에서 멀어
지는 동심원의 조직 고리가 보이면 중지한다. 신경초내에 많은 양을 주입하면 신경을 압박
하고 손상시킬 수 있다.

시술 후 관리

시술이 끝난 후에 표면 붕대와 함께 지그시 압력을 가해야 한다. 심한 압박 드레싱은 마
찰을 증가시키고 포착을 유발하는 조직을 만들 수 있다. 생리적 신경 활주(nerve gliding)
를 강화하기 위해 즉각적인 물리 치료가 권장된다.

CPT 코드:

- Consider 20526—Injection, therapeutic, of carpal tunnel
- Consider 64450—Injection, nerve block, therapeutic, other peripheral nerve or branch
- Consider 64798 or 64704 for percutaneous neuroplasty. Coding should be discussed
  with a professional coder
- 76942—Ultrasonic guidance for needle placement with imaging supervision and inter-
  pretation with permanent recording

유의사항

- 희석된 리도카인의 활용을 고려한다. 또한 환자가 과거에 국소 마취제가 잘 안듣는 "느린 대사자"로 알려진 경우 2% 리도카인 사용을 고려한다.
- 수력박리술을 시작하기 전에 신경 단면적을 측정 및 문서화하고 신경 모양에 대한 설명을 기록한다(예: 신경의 단면적은 14 mm²이고 정상적인 무음영의 "포도 묶음" 모양의 신경다발 손실 소견이 보인다).
- 단일 시술자 접근법(주사기에 손을 대고 접근)은 주사 중 "주사 압력" 감각을 유지하는 이점이 있지만 더 많은 기술이 필요한 반면, 보조자와 함께 하는 접근법(바늘에 손을 대고 접근)은 바늘에 더 높은 정밀도를 제공하고 주입 압력을 더 느낄 수 있다.
- 10- 또는 20- mL 주사기는 수력 박리 절차에 권장된다. 더 큰 주사기(예: 60 mL)는 너무 커서 주입 압력을 느낄 수 없고 혼자서 다루기에는 너무 번거롭다. 대신 계획된 시술 중 사용 가능한 여러 개의 주사기를 준비해둔다.
- 물리 치료와 집에서 하는 운동은 신경 활주 운동 위주로 강조해야 한다.

참고문헌

1. Cass SP. Ultrasound-guided nerve hydrodissection: What is it? A review of the literature. *Curr Sports Med Rep* 2016;15(1):20-2.
2. Norbury JW, Nazarian LN. Ultrasound-guided treatment of peripheral entrapment mononeuropathies. *Muscle Nerve* 2019;60(3):222-31.
3. Bokey EL, Keating JP, Zelas P. Hydrodissection: An easy way to dissect anatomical planes and complex adhesions. *Aust N Z J Surg* 1997;67(9):643-4.
4. Guru KA, Perlmutter AE, Butt ZM, et al. Hydrodissection for preservation of neurovascular bundle during robot-assisted radical prostatectomy. *Can J Urol* 2008;15(2):4000-3.
5. Lee SJ, Choyke LT, Locklin JK, et al. Use of hydrodissection to prevent nerve and muscular damage during radiofrequency ablation of kidney tumors. *J Vasc Interv Radiol* 2006;17(12):1967-9.
6. Ting J, Rozen WM, Morsi A. Improving the subfascial dissection of perforators during deep inferior epigastric artery perforator flap harvest: The hydrodissection technique. *Plast Reconstr Surg* 2010;126(2):87e-9e.
7. Malavazzi GR, Nery RG. Visco-fracture technique for soft lens cataract removal. *J Cataract Refract Surg* 2011;37(1):11-2.
8. Liu SS, YaDeau JT, Shaw PM, et al. Incidence of unintentional intraneural injection and postoperative neurological complications with ultrasound-guided interscalene and supraclavicular nerve blocks. *Anaesthesia* 2011;66(3):168-74.
9. Bigeleisen PE. Nerve puncture and apparent intraneural injection during ultrasound-guided axillary block does not invariably result in neurologic injury. *Anesthesiology* 2006;105(4):779-83.
10. Mulvaney SW. Ultrasound-guided percutaneous neuroplasty of the lateral femoral cutaneous nerve for the treatment of meralgia paresthetica: A case report and description of a new ultrasound-guided technique. *Curr Sports Med Rep* 2011;10(2):99-104.
11. Tabor M, Emerson B, Drucker R, et al. High-stepping cross-country athlete: A nique case of foot drop and a novel treatment approach. *Curr Sports Med Rep* 2017;16(5):314-6.
12. Chen S-R, Shen Y-P, Ho T-Y, et al. Ultrasound-guided perineural injection with dextrose for treatment of radial nerve palsy: A case report. *Medicine (Baltimore)*. 2018;97(23):e10978.
13. Wu Y-T, Ke M-J, Ho T-Y, et al. Randomized double-blinded clinical trial of 5% dextrose versus triamcinolone injection for carpal tunnel syndrome patients. *Ann Neurol* 2018;84(4):601-10.

피막 수력확장술/수력성형술
Capsular Hydrodilatation/Hydroplasty

수력성형술로도 알려진 피막 수력확장술은 오십견(frozen shoulder)이라 하는 유착낭염의 관리에 사용되는 비수술적 중재방법이다.[1] 유착낭염은 1차 진료현장에서 접하는 흔한 장애로 유병률은 전체 환자의 전체 인구의 2–5%이다. 유착낭염으로 진단된 대부분의 환자는 40세에서 60세 사이의 여성이며 일반적으로 당뇨병 및 갑상선 기능 저하증과 관련된 질환이다. 유착성 관절낭염은 견갑상완 관절낭의 구축이 특징적인 병리학적 과정으로 정의되며 능동적 및 수동적 운동범위 모두 제한이 있다. 임상적으로는 영향을 받은 어깨의 통증, 뻣뻣함 및 기능 장애로 나타난다. 자연경과는 통증, 뻣뻣함, 회복의 3단계로 진행되는 것으로 설명되며 이는 동결되는 과정(freezing), 동결(frozen) 및 해동(thawing)으로도 알려져 있다. 유착성 관절낭염은 일반적으로 자연 치유된다고 알려져 있다. 그러나 일부 환자는 어깨의 완전한 기능을 회복하지 못하여 수년 동안 지속될 수 있다.[2]

근거

수력확장술(capsular distension)은 관절낭을 팽창, 신장 또는 파열시키기 위해 고압으로 견갑낭에 국소 마취제를 주입하는 비수술적 치료이다. 치료 요법은 치료 의사마다 다르지만 대부분 공통적으로 스테로이드, 국소 마취제 및 조영제가 포함된 다량의 식염수를 영상 유도하에 견갑상완 관절에 일반적으로 약 30 mL 주입한다. 46명의 환자를 대상으로 한 무작위 대조 연구는 수력확장군과 대조군을 비교했으며 중재 후 6주에 기능적 결과 점수에서 통계적 및 임상적으로 유의한 개선을 보여주었음이 보고되었다.[3] 수력확장을 견갑상완 및 견봉하 주사와 비교한 한 연구에서 6개월 후에는 유의한 차이가 없었지만 수중확장술은 더 빠른 통증 완화를 제공했다.[4] 마지막으로, Cochrane 리뷰에서는 식염수와 스테로이드를 사용한 피막팽창이 유착성 관절낭염의 통증, 운동 범위 및 기능에 단기적인 이점을 제공한다는 "중등도(silver)" 수준의 증거가 있음을 발견했다. 그러나 이것이 다른 대안적 치료법보다 나은지 여부는 불확실하다.[5]

금기사항

- 항응고/응고병증
- 전신 패혈증
- 조영제, 스테로이드 또는 국소 마취제에 대한 알레르기
- 급성 외상

장비

- 수압확장술을 위한 22 게이지 바늘 1개
- 수압확장술 전 연조직 주사용 25 게이지 바늘 1개
- 주사기 4개((2)20 mL 및 (2)3 mL)
- 수술용 튜브 및 3방향 스톱 콕(옵션)
- 그릇(세척액 수집용)
- 멸균 식염수(100−200 mL)
- 리도카인 1% 또는 메피바카인(10 mL)
- 스테로이드(1 mL, 40 mg/mL)
- 고주파 프로브가 있는 초음파

시술 전 설명

선호하는 후방 접근방식(아래 참조)을 위해 환자는 목표 어깨를 위로 향하고 체중을 지지하지 않는 측면 와위 자세를 취해야 한다. 영향을 받는 어깨의 팔은 중립 내전 위치에 있어야한다. 무균기술을 포함하여 초음파 유도 사용에 대한 절차 지침은 초음파 소개의 이전 장에 자세히 설명되었다.

마취

평면 내 접근법을 이용한 초음파 유도하에 바늘의 경로를 따라 견갑상완 관절에 최대 10 mL의 리도카인을 주입한다.

기법

수력성형술 이라고도 알려진 수력확장술은 전방 또는 후방 접근에서 수행할 수 있다. 후방 접근 방식은 우리가 선호하는 접근 방식이며 다음 단계를 통해 수행된다.

1. 환자는 환측 어깨를 위로 하여 옆으로 누운 자세를 취한다. 전완은 후방 견갑상완 관절을 쉽게 열 수 있도록 내부 회전되어야 한다.
2. 고주파 선형 또는 곡선형 프로브를 사용하여 극하근 및 후방 견갑상완 관절을 초음파에서 확인한다.
3. 무균 부위 준비 후 25 게이지 바늘로 면내 주사를 진행하여 국소 마취를 시행한다.
4. 그런 다음 관절낭이 관통될 때까지 이전에 식별된 경로를 따라 22 게이지 척추 바늘로 주사를 진행한다(그림 6-6). 이 시점에서 국소 마취제와 스테로이드를 관절에 주입한다. 이 후 주사기를 생리식염수의 20 cc 주사기로 변경한다. 선택적으로 3방향 스톱 콕이 있는 확장 튜브를 부착할 수 있다.
5. 그런 다음 0.9%의 생리 식염수를 관절(10−40 mL)에 주입하여 관절의 수력팽창을 유도한다.

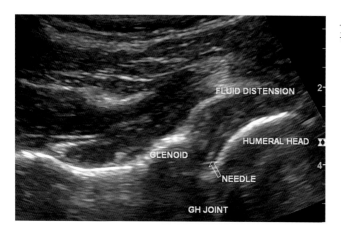

그림 6-6. ● 후방 견갑상완 관절의 수력확장시술 초음파 영상

시술 후 관리

시술 후에는 붕대와 함께 압력을 가해야 한다. 관절낭 운동 범위를 강화하기 위해 즉각적인 물리 치료가 권장된다.

CPT 코드:

- 20610−Arthrocentesis, aspiration and/or injection, major joint or bursa; without ultrasound guidance
- 20611−With ultrasound guidance, with permanent recording and reporting

유의사항

- 환자는 미주신경성 실신(vasovagal syncope)을 주의 깊게 관찰하기 위해 시술 후 바로 누운 자세를 취해야 한다.
- 수술 전에 환자의 편안함을 위해 견갑상 신경 차단을 고려할 수 있다.
- 수력확장술 시술을 최적으로 활용하려면 시술 직후에 물리치료를 받는 것이 좋다.

참고문헌

1. Halverson L, Maas R. Shoulder joint capsule distension (hydroplasty): A case series of patients with "frozen shoulders" treated in a primary care office. *J Fam Pract* 2002;51(1):61-3.
2. Ramirez J. Adhesive capsulitis: Diagnosis and management. *Am Fam Physician* 2019;99(5):297–300.
3. Buchbinder RGS, Forbes A, Hall S, et al. Arthrographic joint distension with saline and steroid improves function and reduces pain in patients with painful stiff shoulder: Results of a randomised, double blind, placebo controlled trial. *Ann Rheum Dis* 2004;63(3):302-9.
4. Yoon JP, Chung SW, Kim J-E, et al. Intra-articular injection, subacromial injection, and hydrodilatation for primary frozen shoulder: A randomized clinical trial. J Shoulder Elbow Surg 2016;25(3):376-83.
5. Buchbinder R, Green S, Youd JM, et al. Arthrographic distension for adhesive capsulitis (frozen shoulder). *Cochrane Database Syst Rev* 2008;(1):CD007005.

근막 통증유발점 단순 자입법(건식 자침)
Myofascial Trigger Point Dry Needling

근막통증 증후군은 근육 또는 관련 근막에서 발생하며 통증을 야기하는 있는 통증 유발점(MTrPs)과 관련된 일반적인 상태이다. 각 통증 유발점은 골격근 섬유의 촉지되고 팽팽한 밴드에서 고도로 국소화되고 과민화된 중심영역이다. 환자는 이 상태로 일차 진료 의사에게 자주 내원한다. 통증유발점에 스테로이드 또는 국소마취제를 주사할 수 있지만 결절은 일반적으로 주사 약제를 주입하지 않고도 여러 바늘 자입 만으로도 치료가 가능하다. 이러한 단순한 바늘 자입하는 "건식 자침" 기법은 근막 통증 증후군의 치료를 위해 바늘을 통증유발점으로 통과시키는 것과 관련된 기술을 경험적으로 개발한 Travell과 Simons에 의해 소개되었다.[1] 근육내 자극이라고도 하는 이 치료 방식은 유사한 이론을 기반으로 하는 전통적인 침술에도 배타적이지 않다. 그러나 건식 자침은 전통적인 경락이 아닌 직접적이고 만져볼 수 있는 통증의 원인인 각각의 통증유발점을 목표로 한다.

건식 침술은 표준화된 속이 빈 피하 침 또는 단단한 코어 침술 침을 피부를 통해 MTrP에 직접 삽입하는 침습적 시술이다(그림 6-7). MTrP의 적절한 건식 바늘 시술은 관련 통증과 "국소 연축 반응(local twitch response)"을 모두 이끌어낸다. 이 반응은 팽팽한 띠의 근육섬유가 빠르게 수축하는 비자발적 척수반사이다. 국소 연축반응은 통증유발점에서 바늘의 적절한 자입을 나타낸다. 활성 통증 유잘점 부위에는 지속적인 통증 상태 및 근막 압통과 관련된 것으로 알려진 높은 수준의 염증 매개체가 있다. 이 국소 환경은 국소 연축반응의 발생과 함께 긍정적으로 변화한다.[2] Lewit은 주사바늘 통과로 인한 치료 효과가

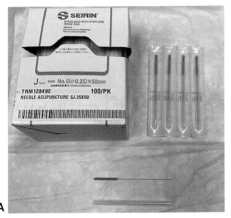
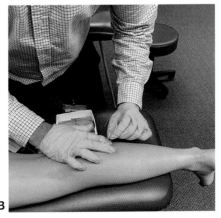

그림 6-7. ● 근막 통증유발점 건식 자침 절차.
A: 단순 건식 바늘. (Lhasa OMS.) B: 외측 비복근에 건식 바늘 자입 시술.

주사된 물질의 치료 효과와 다르다는 것을 보여주었다.[3]

근거

건식 바늘 자이 이점에 관한 근거 문헌의 조사 결과 결론은 모호하다. 무작위 임상 시험 결과 긍정적 효과가 있다는 연구와 별다른 차이가 없다는 연구가 모두 보고된다.[4-7] 초음파 사용으로 인해 시술의 정확성, 임상 반응 및 안전성을 향상시킬 수 있다.[8] 그러나 최근의 체계적인 고찰 검토 연구 결과 근막통증증후군 치료를 위해 받은 환자의 결과에 차이가 없는 것으로 나타났다.[9] 또 다른 종합적인 검토에서는 급성 요통에 대한 바늘 자입술을 권장 사항으로 제시하기에는 증거가 충분하지 않다.[10] 그러나 결과에 따르면 만성 요통의 경우 침술이 단기간에 무치료 또는 가짜 치료보다 통증 완화 및 기능 개선을 보였다. 이 술기는 다른 기존 치료법에 추가될 때 약간의 상승 효과가 있지만 다른 기존 및 "대체" 치료법보다 더 효과적이지 않았다고 보고한다.

보고된 대부분의 연구는 중대한 방법론적 한계로 인해 일반화할 수 없다.[10,11] 또한 이 양식의 작용 및 효과에 대한 잠재적인 생리학적 기전에 대한 엄격한 증거는 드물고 불완전하다. 침술 위주로 진행된 연구결과를 건식 자침에 반드시 적용할 수는 없다.[12] MTrP 주사로 치료를 받는 일부 환자에서 상당한 증상 개선이 발생하는 것으로 보이므로 이 시술의 적절한 위치를 결정하기 위해서는 추가적으로 근막통증 증후군의 치료에서 보다 깊이 있는 연구가 필요하다. 다루어야 할 영역에는 맹검, 무작위 배정, 대조군 사용 및 충분한 수의 환자를 포함하는 적절한 연구 설계가 포함된다.

특히 건침과 관련된 몇 가지 부작용이 보고되었다. 여기에는 통증, 혈종, 실신발작 및 기흉이 포함된다.[13] 전반적으로 보면 시술 자체는 합병증의 비율이 낮고, 경험이 풍부한 의사가 제공하는 건침/침술이 안전한 치료로 간주된다.[14]

금기사항

건식자침에는 금기 사항이 거의 없다. 그러나 건식 자침술을 시행하는데 고려해야 하는 몇 가지 사항이 있다. 바늘 공포증, 시술이 도움이 되지 않을 것이라는 믿음, 또는 시술 자체에 동의하지 않는 환자는 명확한 금기 사항이다. 봉와직염이나 림프부종의 증거가 있는 부위에 건식 자침을 해서는 안된다. 둘 다 침 치료로 악화될 수 있기 때문이다. 상대적 금기에는 비정상적인 출혈 경향, 심각하게 손상된 면역체계(예: 암, HIV, 간염 등), 혈관 질환, 당뇨병, 임신, 허약한 환자, 간질, 금속 또는 라텍스에 대한 알레르기가 포함된다. 어린이 및 특정 처방 약물(예: 상당한 기분 변화 약물, 혈액 희석제 등)을 복용하는 개인. 추가적인 상대적 금기 사항에는 심리적 불안정상태, 해부학적 고려 사항(흉막과 폐, 혈관, 신경, 장기, 관절, 인공 보철물, 이식 가능한 전기장치 등에 대해 극도의 주의가 필요함), 수술 부위 근처에서 4시간 이내의 자침, 시술을 참을 만한 상태가 되지 못하는 경우이다.

적응증	ICD-10 Code
Fibromyalgia/fibromyositis	M79.7
Spinal enthesopathy	M46.0
Cervicalgia	M54.2
Tension headache	G44.2

시술 전 설명

시술 중 환자의 움직임을 방지하기 위해 환자를 편안한 자세로 눕혀야 한다. 환자에게 시술 중 무감각이나 따끔거림이 있으면 보고하도록 지시한다. 이는 바늘을 자입후 방향을 바꿔야 하기 때문이다. 멸균 기술을 포함하는 주사에 대한 절차 지침은 초음파 소개의 이전 장에 자세히 설명되어 있다

장비

- 3- mL 주사기
- 바늘 선택:
  - 25 게이지, 1-2 inch 바늘(표준 중공 피하 바늘)
  - 0.30 × 50 mm 코어 침. 0.30은 바늘의 게이지 또는 직경에 해당하고 50은 길이에 해당
- (선택 사항) 통증유발점당 에피네프린이 없는 1% 리도카인 0.5-1 mL
- 알코올 준비 패드 1개
- 포비돈-요오드 준비 패드 2개
- 멸균 거즈 패드
- 멸균 접착 붕대

마취

- 국소 분무 냉각제 스프레이를 사용하여 피부 주의를 분산시키거나 피부를 국소 마취한다.

기법

표준 중공 피하 주사 바늘

1. 바늘 진입 지점은 결절 바로 위에 있다.
2. 그 부위에 볼펜 끝을 집어넣은 상태로 피부를 꾹꾹 눌러준다. 이때 움푹 파인 지점은 바늘의 진입점을 낸다.
3. 랜드마크가 확인된 후 환자는 움직이지 않아야 한다.
4. 알코올로 삽입 부위를 준비한다. 미국의 현재 치료표준은 시술 전에 70% 이소프로필 알코올로 피부를 준비하고 시술 중에 장갑을 사용할 것을 권장한다.[15]
5. 국소 분무형 냉각제 스프레이를 사용하여 국소 마취를 시행한다.

6. 사용하지 않는 손의 검지와 긴 손가락으로 결절의 양쪽을 단단히 눌러 근육 결절의 위치를 "고정"한다.

7. 바늘 끝이 통증유발점을 향하도록 하여 바늘과 주사기를 피부에 30–45도 각도로 위치시킨다.

8. 노터치 기법을 사용하여 삽입 부위에 바늘을 삽입한다.

9. 바늘 끝이 통증유발점의 중앙에 위치할 때까지 바늘을 결절 안으로 조심스럽게 전진시킨다. 결절로의 성공적인 진입은 국소 연축반응으로 알려진 빠른 근육 수축을 동반한다. 또한 통증유발점이나 연관통 부위에 통증이 증가할 수 있다. 근육경련(경련)이 이완될 때까지 바늘을 제자리에 둔다.

10. 건식 자침을 하는 경우 바늘을 결절에서 부분적으로 빼내고 다시 피하지방으로 돌아가서 다시 통증유발점으로 전진한다. 이 과정을 5–10회 또는 경련반응이 꺼질 때까지 반복한다.

11. 필요한 경우 에피네프린이 없는 0.5–1 mL의 1% 리도카인을 최종 바늘 삽입 동안 결절에 천천히 주입 할 수 있다.

12. 마지막으로 피부를 통해 바늘을 빼낸다.

13. 멸균 접착 붕대를 붙인다.

14. 각 주사 부위를 마사지하고 스트레칭한다.

15. 5분 안에 주사 부위를 재검사하여 통증 완화를 확인하고 합병증을 관찰한다.

솔리드 코어 침술 바늘(Solid Core Acupuncture Needle)

중공침(hallow needle) 시술에 추가하여, 앞서 언급한 기술을 약간 수정하여 중실코어(solid core) 침술 바늘을 사용할 수 있다. 통증 유잘점은 이전에 설명한 촉진 방법을 사용하여 식별한다. 1, 2번 손가락을 집게로 이용하여 피부를 부드럽게 들어 올린다. 또한 촉진을 하면서 피부의 긴장도를 확인하다. 멸균된 일회용 고체 필라멘트 바늘을 피부를 통해 직접 삽입하거나 가이드 튜브를 사용하여 제거한 다음 제거한다.[16] 바늘 침투 깊이는 MTrP에 맞물릴 수 있을 만큼 충분해야 한다. 바늘이 피부를 관통하고 근육에 삽입되면 다양한 방법으로 바늘을 조작할 수 있다. 근육 안팎에서 느리고, 일정하게, 바늘 끝으로 피스톤 운동을 사용할 수 있다("동적 니들링"이라고 함). 바늘을 제자리에 둘 수 있다("정적 바늘"이라고 함). 또는 근막이나 연조직을 잡아 끌기 위해서 바늘을 여러 번 회전시킬 수 있다. Baldry[17]는 "평균적인 반응을 보이는 환자"의 경우 바늘을 제자리에 30–60초 동안 "약한 반응을 보이는 환자"의 경우 최대 2–3분 동안 그대로 둘 것을 권장한다. 어떤 기술이 솔리드 코어 바늘을 사용하는 것이 이상적인지에 대한 합의는 없지만 대부분의 경우 동적 바늘이 정적 바늘(근육 내 전기 자극 없이)보다 우수하다는 것이 저자의 의견이다.

시술 후 관리

- 지시된 대로 얼음찜질, 온찜질, 스트레칭 및/또는 물리 치료.
- 기저 질환의 치료.
- 2주 후에 추적 검사를 고려.

CPT 코드:

- 20552–Injection of single or multiple trigger point(s) without imaging guidance
- 20553–Injection of trigger point(s) in three+ muscle groups without imaging
- 20560–Needle insertion(s) without injection(s): 1 or 2 muscle(s)
- 20561–Needle insertion(s) without injection(s): 3 or more muscles

유의사항

- 이 시술의 주요 목적은 MTrP에 바늘을 꽂을 때 국소 연축 반응을 이끌어내는 것이다.
- 기흉을 포함한 합병증의 위험이 있을 정도로 바늘을 너무 깊게 전진시키지 않는다.

참고문헌

1. Simons DG, Travell JG, Simons LS. *Travell and Simons' Myofascial Pain and Dysfunction: The Trigger Point Manual*, 2nd Ed. Philadelphia. PA: Lippincott Williams & Wilkins, 1999.
2. Vulfsons S, Ratmansky M, Kalichman L. Trigger point needling: Techniques and outcome. *Curr Pain Headache Rep* 2012;16(5):407-12.
3. Lewit K. The needle effect in the relief of myofascial pain. *Pain* 1979;6(1):83-90.
4. Tekin L, Akarsu S, Durmuş O, et al. The effect of dry needling in the treatment of myofascial pain syndrome: A randomized double-blinded placebo-controlled trial. *Clin Rheumatol* 2013;32(3):309-15.
5. Ga H, Choi J-H, Park C-H, et al. Acupuncture needling versus lidocaine injection of trigger points in myo- fascial pain syndrome in elderly patients-A randomised trial. *Acupunct Med* 2007;25(4):130-6.
6. Barbagli P, Bollettin R, Ceccherelli F. Acupuncture (dry needle) versus neural therapy (local anesthesia) in the treatment of benign back pain. Immediate and long-term results. *Minerva Med* 2003;94(4 Suppl 1): 17-25.
7. Hong CZ. Lidocaine injection versus dry needling to myofascial trigger point. The importance of the local twitch response. *Am J Phys Med Rehabil* 1994;73(4):256-63.
8. Chiavaras MM, Jacobson JA. Ultrasound-guided tendon fenestration. *Semin Musculoskelet Radiol* 2013;17(1):85-90.
9. Cummings TM, White AR. Needling therapies in the management of myofascial trigger point pain: A systematic review. *Arch Phys Med Rehabil* 2001;82(7):986-92.
10. Furlan AD, van Tulder MW, Cherkin DC, et al. Acupuncture and dry-needling for low back pain. *Cochrane Database Syst Rev* 2005;(1):CD001351.
11. Tough EA, White AR, Cummings TM, et al. Acupuncture and dry needling in the management of myofascial trigger point pain: A systematic review and meta-analysis of randomised controlled trials. Eur J Pain 2009;13(1):3-10.
12. Cagnie B, Dewitte V, Barbe T, et al. Physiologic effects of dry needling. *Curr Pain Headache Rep* 2013;17(8):348.
13. Witt CM, Pach D, Brinkhaus B, et al. Safety of acupuncture: Results of a prospective observational study with 229,230 patients and introduction of a medical information and consent form. *Forsch Komplementmed* 2009;16(2):91-7.

14. White A, Hayhoe S, Hart A, et al. Adverse events following acupuncture: Prospective survey of 32,000 consultations with doctors and physiotherapists. *BMJ* 2001;323(7311):485-6.

15. Stephens MB, Beutler AI, O'Connor FG. Musculoskeletal injections: A review of the evidence. *Am Fam Physician* 2008;78(8):971-6.

16. Finnoff JT, Hall MM, Adams E, et al. American Medical Society for Sports Medicine (AMSSM) position statement: Interventional musculoskeletal ultrasound in sports medicine. *PM & R* 2015;7(2):151-168.e12.

17. Baldry P. Superficial versus deep dry needling. *Acupunct Med* 2002;20(2-3):78-81.

변연절제술을 함께하는 힘줄절단술
Tenotomy With Debridement

초음파 유도하 경피적 변연절제술 및 힘줄절단술은 난치성 건병증에 대해 최근 FDA 승인을 받은 시술이다. 현재 특별한 적응증이 있는데 이는 팔꿈치의 신근 및 굴곡 건병증, 슬개골 및 아킬레스 건병증, 족저근막염이 포함된다. 한 기술법(Tenex™)은 백내장 수술 중에 사용되는 기술인 "수정체 유화(phacoemulsification)"의 원리를 바탕으로 한다. 이 시술에서 초음파 진동 바늘 끝은 건병증 부위를 유화(emulsify) 시키고 바늘부위의 다른 작은 구멍을 통해 괴사된 조직을 흡입한다. 이 시스템에는 초음파 기계와 함께 18게이지 이중 구멍 바늘을 사용하는 휴대용 기기가 필요하다.[1] 두 번째 기술(TenJet™)은 식염수 및 흡입기의 가압된 고속 흐름을 이용하는 것으로 초음파에 의한 괴사조직 제거술을 대치하는 방법이라 할 수 있다.

근거

경피적 초음파 유도하 경피적 변연절제술 및 힘줄절단술은(PUT: percutaneous ultrasonic tenotomy with debridement)의 역할과 효능을 살펴본 여러 연구가 있다. Barnes 등은 내측(7) 또는 외측(12) 팔꿈치 건병증에 대해 6개월 이상의 보존적 관리에 실패한 38세에서 67세 사이의 19명의 환자를 전향적으로 연구했다.[2] 그들은 PUT가 시술 후 1년까지 만성, 불응성 외측 또는 내측 팔꿈치 건병증에 효과적이라는 것을 보고했다. 그러나 이 연구는 현재까지 발표된 다른 연구와 마찬가지로 증례 보고 시리즈로의 한계를 가지고 있다. 따라서 다른 치료 옵션에 비해 PUT의 효능은 현재 알려져 있지 않다. 이것은 수술적 치료 방법에 대한 또 다른 대안을 제공하는 유망한 신기술이지만 효능 및 효과를 평가하기 위한 추가 연구가 필요하다.

금기사항

초음파 유도 경피적 시술을 수행할 때 고려해야 할 몇 가지 금기 사항이 있다. (a) 출혈 장애가 있는 환자, (b) 항응고 치료를 받고 있는 환자 및 (c) 국소 감염의 존재 등이다. 기저 건 파열의 존재 여부는 기존 건 파열의 정도에 따라 합병증으로 건 파열의 위험이 증가하기 때문에 고려해야 할 가치가 있다.

장비

• 27 게이지 바늘

- 22게이지 바늘
- 5-10 mL 리도카인 1% 또는 메피바카인
- 장비 키트가 있는 휴대용 장치(사용하는 시스템에 따라 다름)
- 고주파 선형 프로브가 있는 초음파

시술 전 설명

시술 중 환자의 움직임을 방지하기 위해 환자를 앙와위로 눕혀야 한다. 영향을 받는 사지의 팔다리는 최적의 시각화를 용이하게 하기 위해 몸을 따라 완전히 뻗어 있어야 한다. 무균 기술을 포함하여 초음파 유도 사용에 대한 절차 지침은 초음파 소개의 이전 장에 자세히 설명되어 있다.

마취

평면 내 접근 방식으로 초음파 유도하에 피부와 연조직을 통해 목표 부위를 행해서 바늘의 경로를 따라 최대 10 mL의 리도카인을 주입하여 마취한다.

기법

초음파는 건증(tendinosis)의 존재를 확인하고 바늘 자입에 경로를 확인하기 위하여 먼저 시행한다. 건증의 영역은 일반적으로 뼈에 붙어 있거나 부착되어 있는 부위를 목표로 한다. 바늘은 일반적으로 초음파 프로브에 평행한 힘줄의 장축을 따라 삽입된다. 바늘의 평면 내 접근법은 바늘 전체가 초음파 영상에서 시각화하기 쉽기 때문에 선호되는 방법이다. 그런 다음 바늘의 각도를 시술 중에 수정하여 변연절제할 조직부위를 실시간으로 확인 할 수 있다. 그런 다음 피부는 바늘 천자 부위와 초음파 프로브의 위치를 나타내기 위해 표시한다. 이는 시술 전 세척이 필요한 부위를 나타내며, 추가적으로 프로브를 정확한 평면으로 위치 시킬 수 있도록 한다. 먼저 적절한 세정제로 피부를 문지르고 천자 부위 주

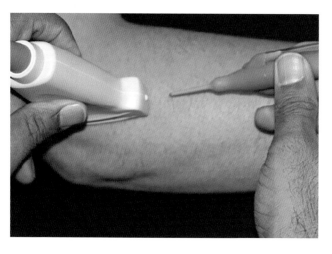

그림 6-8. ● 초음파 유도하 변연절제술 및 힘줄절단술을 위한 초음파 프로의 위치

위에 멸균 소독포를 덮는다. 그런 다음 초음파 프로브를 젤이 있는 멸균 프로브 커버에 삽입하고 멸균 젤을 피부 표면에 도포한다. 27 게이지 바늘을 사용하여 피하 조직을 국소 마취한다(그림 6-8).

11번 메스를 사용하여 PUT 장치의 진입을 용이하기 위해 작은 절개를 한다. 그런 다음 풋페달을 사용하여 작동하는 PUT 장치를 건병증 영역에 도입한다. PUT 장치는 바늘 천공 시술이 시행되는 건병증 조직 영역으로 방향을 재조정한다(위 참조). 시술이 끝나면 멸균 접착 드레싱으로 상처를 봉합한다.

시술 후 관리

시술 후 관리 및 재활은 임상적으로 조직 제거의 영역과 정도에 따라 매우 다양하다. 천공 절차와 마찬가지로 환자는 치유 과정을 방해하지 않도록 2주간 비스테로이드성 항염증제를 피하도록 한다. 비슷한 이유로 얼음은 건 치유의 전조인 유도 염증을 억제하지 않기 위해 피한다. 체중 부하 힘줄의 경우 치유를 강화하고 힘줄 파열의 합병증을 피하기 위한 예방 조치를 고려해야 한다. 아킬레스건의 경우 보행용 부츠를 많이 사용하고 슬개건의 경우 무릎 보호대를 사용한다. 이러한 기계적 보조기는 일반적으로 상지 또는 대전자 영역에서는 사용되지 않는다. 많은 저자들이 괴사조직 제거 후 2주를 기다려야 한다고 주장하지만 힘줄 조직 제거 후 스트레칭과 물리치료의 시기는 문헌에서도 다양하다.

CPT 코드:

- Shoulder: 23405 (tenotomy single tendon), or if appropriate 23406 (multiple tendons through same incision), also potentially use 23000 (removal of subdeltoid calcareous deposits, open)
- Achilles: 27605 (tenotomy percutaneous, Achilles tendon local anesthesia)
- Hip: 27006 (tenotomy abductors and/or extensor of hip open), 27000 (tenotomy, adductor of hip, percutaneous), 27062 (excision of trochanteric bursa or calcification), and 27060 (excision of ischial bursa)
- Foot: 28008 (fasciotomy, foot and or toe)
- Knee: 27306 (tenotomy, percutaneous, adductor or hamstring single tendon)
- Elbow: 24357 (tenotomy, elbow, lateral or medial: percutaneous)

유의사항

- 환자에게 시술 후 임상적 효과를 확인하는 데 최대 6주가 소요될 수 있음을 알려준다.
- NSAID는 염증 반응을 유도하려는 반응을 방해할 수 있으므로 시술 후 피해야 한다.

참고문헌

1. Peck E, Jelsing E, Onishi K. Advanced ultrasound-guided interventions for tendinopathy. *Phys Med Rehabil Clin N Am* 2016;27(3):733-48.
2. Barnes DE, Beckley JM, Smith J. Percutaneous ultrasonic tenotomy for chronic elbow tendinosis: A prospective study. *J Shoulder Elbow Surg* 2015;24(1):67-73.

직접국소마취주사법
Direct Local Injection

James W. McNabb

피부에 국소마취제를 주입하는 직접 국소마취주사는 정확한 마취를 제공하는 방법이다. 이 주사는 각각의 부위에 행해짐으로써 작은 피부시술이 통증 없이 가능하도록 해준다. 일반적으로, 대부분의 피부 시술들에 대한 마취 방법으로 1:100,000 (5 mg/mL)으로 에피네프린이 첨가된 1% 리도카인이 사용된다. 반면에 에피네프린이 첨가되지 않은 1% 리도카인은 근골격계 주사 시에 사용된다. 만약 60분 이상의 마취가 요구되는 경우, 에피네프린이 첨가되거나 첨가되지 않은 0.25% 부피바카인을 고려하기도 한다. 리도카인에 에피네프린을 첨가하면 마취 유지 시간 증가 및 혈관수축으로 인한 어느 정도의 지혈효과와 같은 장점이 있다. 진피 혈관수축 때문에 영향을 받은 부위의 피부가 창백해진다. 이러한 증상은 마취 영역을 시각적으로 예측할 수 있게 하는 장점이 된다. 그래서 마취가 되지 않은 부위 피부를 자를 가능성을 감소시킨다. 에피네프린에 의한 혈관 수축은 리도카인 흡수를 지연시킨다. 흡수가 지연되는 것은 독성 발생 가능성을 감소시키고 리도카인 최대 사용용량을 4 mg/kg에서 7 mg/kg까지 증가시킨다.[1] 에피네프린 첨가는 필요할 시에 국소마취제 다량의 사용을 가능하게 한다.

바늘 삽입 시와 피부로 국소마취제 투여 시 통증을 줄이기 위한 몇 가지 방법이 있다. 이상적으로 보통 가장 작은 30게이지 바늘을 사용해야 한다. 바늘 삽입으로 인한 통증을 줄이기 위해 추가적인 방법으로 국소 도포용 냉각스프레이나 피부견인이 있다. 바늘 삽입 시 빠르게 찌르거나 주사내용물을 따뜻하게 하거나[2] 국소마취 용액을 천천히 주입하는 것도[3] 통증을 줄일 수 있다. 임상적으로 허용된다면 진피로 직접 주입하는 것보다 피하조직으로 주입하는 것이 덜 아프다. 하지만 진피주입이 수반되지 않고 피하주사만으로 전층 피부마취는 대략 5분정도 걸린다.

에피네프린이 첨가된 pH는 4.5로 산성이기 때문에 주입 시 강한 타는 듯한 통증을 유발할 수도 있다. 옵션으로 리도카인과 에피네프린 섞인 용액을 중탄산염나트륨으로 중화시켜서 6.8[4] 이상의 중성 pH로 만들어서 주입하면 통증이 크게 감소된다.[5,6] 중화된 용액 사용은 광범위한 부위나 얼굴, 생식기와 같은 민감한 부위, 그리고 소아에서 국소마취제를 주입하여 통증이 예상되는 경우에 특히 유용하다.[7] 마취제를 중화시키기 위해 시술 직전에 중탄산염나트륨(8.4%)과 리도카인(1–2%)를 1:9로 섞는다. 위 용액들을 혼합할 때는 마취제 주입 시 사용할 주사기를 이용하여 한다. 간단하게, 두 용액들을 주사기로 빼내어 0.5 mL 공기를 추가한 후 주사기를 돌려서 잘 섞는다. 그 후에 주사기를 거꾸로 하여 공기 방울을 배출시킨다. pH를 증가시키는 것은 국소 마취제의 발현과 효능에 영향 없이 주사 시 통증을 감소시킨다.

환자 자세

- 어떠한 자세든 괜찮으나 일반적으로 시술부위가 시술자에게 잘 보이게 검사/시술대 위 누운 자세를 취한다.

마취

- 보통 주사 부위 통증 감소를 위해 국소 도포용 냉각스프레이가 사용된다. 그 대신에 피부를 문지르는 방법으로 통증을 감소시키기도 한다.

장비

- 국소 도포용 냉각스프레이
- 3 mL 주사기
- 30 G, 0.5인치 바늘
- 에피네프린이 첨가된 1% 리도카인
- 8.4% 중탄산염나트륨 (선택사항)
- 알코올 솜
- 소독된 거즈 솜

기법

1. 1% 리도카인과 에피네프린을 섞어 3 mL 주사기에 2–3 mL로 만든다.
2. 원한다면, 에피네프린 첨가된 1% 리도카인과 8.4% 중탄산염나트륨을 9:1로 주사기에 섞는다.
3. 알코올 솜으로 주사 부위를 소독한다.
4. 일시적인 국소마취를 위해 국소 도포용 냉각 스프레이나 피부 견인을 사용한다.
5. no–touch technique을 이용하여 바늘을 빠르게 한 번에 피부로 삽입한다(그림 7–1).
6. 바늘을 주사 부위의 중심 아래를 향하여 심부 진피 내로 비스듬히 전진시킨다. 주사기 플런져를 뒤로 살짝 당겨 피가 나오지 않으면 바늘의 혈관내 진입이 없음을 시사한다. 대략 1–2 mL 마취용액을 주입한다.
7. 그 다음, 바늘을 피부 속에 둔 채 살짝 뽑아 피부 병변 중심 바로 아래 진피 깊이 다시 진입시킨다. 마취 용액 약 1 mL정도 주사한다. 이렇게 진피내 주사는 주사 부위 바로 아래쪽으로 팽진을 만든다.

그림 7-1. ● 직접 국소 마취

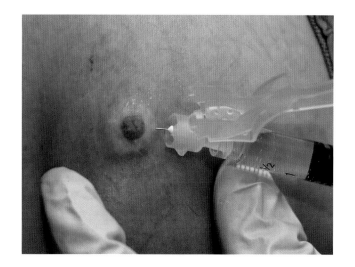

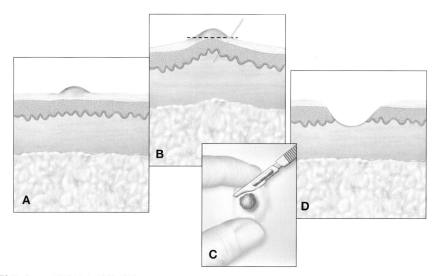

그림 7-2. ● 직접 국소 마취 과정

8. 그러므로 주사 부위가 위쪽으로 올라오게 되고 이는 조직 깊이를 증가시키고 수술 기구로부터 피하 구조물(혈관, 신경, 건)을 분리시켜 시술 시 안전성을 높이는 것을 도와준다(그림 7-2).
9. 바늘을 제거한 후 거즈로 눌러 직접적인 압력을 가한다.
10. 피부 시술은 표적부위가 완전히 마취된 후에 시행한다.

시술 후 관리

• 필요치 않다.

CPT 코드:

- 없다(국소마취 주사는 피부 시술 과정 CPT code에 포함되어 있다).

참고문헌

1. Tetzlaff JE. The pharmacology of local anesthetics. *Anesthesiol Clin North Am* 2000;18:217-33.
2. Hogan ME, vanderVaart S, Perampaladas K, et al. Systematic review and meta-analysis of the effect of warming local anesthetics on injection pain. *Emerg Med* 2011;58(1):86-98.
3. Hamelin ND, St-Amand H, Lalonde DH, et al. Decreasing the pain of finger block injection: Level II evidence. *Hand* (N Y) 2013;8:67-70.
4. Bancroft JW, et al. Neutralized lidocaine: Use in pain reduction in local anesthesia. *J Vasc Interv Radiol* 1992;3(1):107-9.
5. Masters JE. Randomised control trial of pH buffered lignocaine with adrenaline in outpatient operations. *Br J Plast Surg* 1998;51(5):385-7
6. Hanna MN, et al. Efficacy of bicarbonate in decreasing pain on intradermal injection of local anesthetics: A meta-analysis. *Reg Anesth Pain Med* 2009;34(2):122-5.
7. Davies RJ. Buffering the pain of local anaesthetics: A systematic review. *Emerg Med (Fremantle)* 2003;15(1):81-8.

부위차단주사법
Field Block Injection

부위차단 라는 용어는 피부 부위 병변의 주변 피부로의 마취 용액을 주입하는 것이다. 시술하고자 하는 목표 구조물 주변에 국소 마취제를 주입하는 방법은 직접 국소마취주사법보다 더 넓은 부위를 마취시킬 수 있는 장점이 있다. 이 마취는 주로 피부 병변의 수술적 절제 직전에 사용된다. 또한 수술 부위에 직접 주사하거나 시술 부위를 특정지어 마취할 필요가 없을 때 사용된다. 주위 침윤 마취는 작은 용량의 국소마취제로도 넓은 부위를 마취시킬 수 있는 장점이 있다. 시술시는 2군데 자입점으로 국소마취제를 시술 부위의 주변 진피층에 원형으로 빙 둘러서 주사한다. 마취제의 침윤은 사실상 다이아몬드 모양의 "울타리" 형태로 피부의 목표 부위로부터 신경 자극이 벗어나는 것을 방지한다. 이러한 이유로 1% 리도카인과 에피네프린 (선택적으로 중탄산염나트륨을 섞은)을 사용한 "직접 국소마취주사법"은 피부 시술시 마취 선택사항이다. 만일 마취시간이 60분이상 필요하다면 에피네프린을 섞거나 아니면 단독으로 또는 리도카인을 섞은 0.25% 부피바카인을 권장한다.

주사바늘을 피부표면의 수직으로 찌르는 것보다 수평으로 기울여 찌른다. 술자는 피부 절제를 할 목표 부위 주변의 마취가 필요한 부분을 확인한다. 피부 절개는 일반적으로 방추형(fusiform shape)으로 시행한다. 바늘의 삽입 부위는 방추형 모양의 바로 바깥선을 목표로 한다. 조금 긴 바늘(일반적으로 안면부위는 1 인치 30 게이지 바늘, 다른 부위는 2 인치 25 게이지 바늘)을 피부에 찔러서 절개부위의 선의 바깥쪽에서 진피층으로 진입시켜 절제부위의 중간부위까지 바늘이 들어가도록 한다. 국소마취제를 진피중에서 서서히 빼면서 주입한다. 바늘을 빼기 전에 바늘 끝을 움직여 절제가 예정된 여러 부위로 약물을 주입한다. 국소 마취제를 주입한 후 병소의 반대편 부위도 같은 방법으로 시행한다.

환자 자세

• 어떠한 자세든 괜찮으나 일반적으로 시술부위가 시술자에게 잘 보이게 검사/시술대 위 누운 자세를 취한다.

마취

• 보통 주사 부위 통증 감소를 위해 국소 냉각 스프레이가 사용되며, 그 대신에 피부를 문질러서 통증을 감소시키기도 한다.

장비

- 국소 도포용 냉각 스프레이
- 5 mL 혹은 10 mL 주사기
- 1 인치 30 게이지 바늘 (안면부위) 또는 2 인치 25 게이지 바늘(다른 부위)
- 에피네프린이 첨가된 1% 리도카인
- 8.4% 중탄산염나트륨 (추천되는 선택사항)
- 알코올 솜
- 소독된 거즈 솜

기법

1. 1% 리도카인과 에피네프린을 섞어 5 또는10 mL 주사기에 5−10 mL로 만든다.
2. 원한다면, 에피네프린 첨가된 1% 리도카인과 8.4% 중탄산염나트륨을 9:1로 주사기에 섞는다.
3. 주사 부위는 방추형(fusiform) 모양의 병소 바로 뒤부분이다(그림 7−3).
4. 알코올 솜으로 주사 부위를 소독한다.
5. 일시적인 국소마취를 위해 국소 도포용 냉각 스프레이나 피부 견인을 사용한다.
6. no−touch technique을 이용하여 긴 바늘(일반적으로 안면부위는 1 인치 30 게이지 바늘, 다른 부위는 2 인치 25 게이지 바늘)을 수평면을 향해 한번 강하게 찌른다
7. 진피 내의 긴 바늘(주사 없이)을 절제 가장자리를 따라 병변의 중간 지점을 바로 지난 점까지 전진시킨다. 바늘끝의 위치는 바늘 전진 시 볼 수 있다.
8. 바늘을 서서히 빼면서 국소 마취제를 진피내로 주입한다. 주사 경로를 따라 팽진을 만든다(그림 7−4).
9. 피부에서 바늘을 빼기 전에 바늘 끝의 방향을 바꾸어 절제 쪽의 다른 쪽으로 전진시킨다.
10. 국소 마취가 완전히 이루어진 후 바늘을 빼고 반대편도 같은 방법으로 시행한다.
11. 진피내 국소마취에 주입후 바늘을 빼고 거즈로 직접 압력을 가해 누른다.
12. 목표 부위에 완전한 마취가 이루어진 것을 확인한 후 피부 시술을 시행한다.

그림 7−3. ● 부위차단마취가 이루어지는 부위

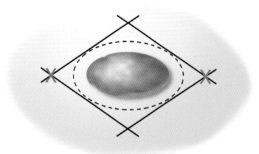

그림 7-4. ● 부위차단

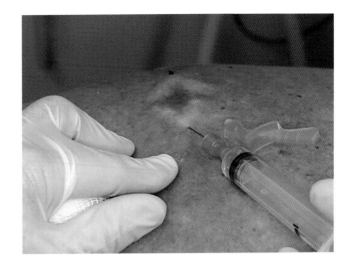

시술 후 관리

• 필요치 않다.

CPT 코드:

• 없다(국소마취 주사는 피부 시술 과정 CPT code에 포함되어 있다).

수지신경차단
Digital Nerve Block

수지 신경 주변에 국소 마취제를 주입하는 마취 방법은 엄지, 손가락들, 발가락들의 수지부 수술을 위해 시행할 수 있는 유용한 방법이다. 국소마취제에 에피네프린을 첨가하는 것은 마취제의 작용시간을 연장시키고 수술장에서의 출혈을 줄이기 위해 바람직하다. 수년 동안, 전통적인 가르침은 손가락, 발가락, 음경, 코끝, 귓불과 같은 말단 세동맥을 포함하고 있는 선단부위나 모서리쪽의 피부판에서는 에피네프린의 사용을 피해야 한다는 것이었다. 그러나 정상적인 혈관 흐름을 가진 환자에게 에피네프린의 사용을 억제하는 것은 필요하지 않으며, 사실 "의학적 미신(medical myth)"라는 상당한 증거가 제시되고 있다.

에피네프린을 손가락에 주사해서는 안 된다는 생각은 1920년과 1940년 사이, 프로카인이 에피네프린과 무관하게 사용되었을 때 손가락 괴사에 대한 보고와 함께 시작되었다. 프로카인 국소마취로 인한 손가락 괴사 사례 48건 중 거의 모두가 1950년 이전에 발생하였으며, 대부분의 경우 에피네프린 없이 프로카인이 주입되었다.[1] 프로카인은 pH가 3.6으로 매우 산성이며, 오래 보관할 경우 pH가 1로 더 낮아진다. 손가락 괴사의 역사적 보고의 원인으로 에피네프린의 첨가가 아니라 이러한 산도가 원인일 가능성이 높다.[2]

1880년부터 2000년까지의 3110환자에 대한 전향적 연구, 코, 귀, 넓은 피부판 수술과 피부이식의 4953사례[6]를 포함한 1111사례들[4]과 1334사례들[5]의 후향적 고찰등의 문헌에 대한 광범위한 검토결과 선단부와 수지에서의 에피네프린을 포함한 리도카인의 사용이 안전하다는 것이 확실히 입증되었다. 놀랍게도 출판된 이 논문들 중 어느 것에도 에피네프린 사용과 관련된 혈관 합병증의 사례는 보고되지 않았다. 궁극적으로 리도카인을 에피네프린과 함께 사용할지 여부는 의료진의 결정에 달려있다. 이것은 레이노 현상, 결합조직질환, 진행성 당뇨병, 말초혈관질환, 버거씨병[폐쇄혈전혈관염(thromboanglitis obliterans)]을 포함한 혈관 압박으로 이어지는 의료 조건을 가진 환자들에게 특히 중요할 수 있다.

엄지와 손가락, 발가락들은 각각의 수지의 내외측을 따라서 두개의 신경에 의해 지배받는다. 등쪽면과 배쪽면에 각각 한쌍으로 총 4개의 신경이 존재한다. 각각의 신경은 동맥과 함께 주행한다. 수지신경 차단의 목적은 국소 마취제를 이용하여 혈관 손상을 피하면서 적절한 수지부 국소 마취를 이루는데 있다. 전통적인 기법으로는 등쪽면에 두 번 주사(two-injection) 기법을 사용한 방법과 최근에는 지간(web space)에 두번 주사 방법이 있다. 하지만 근위 수지부의 배쪽면 피하 조직 공간에 한번 주사(single-injection) 방법으로도 충분한 마취효과를 이뤄낼 수 있다는 근거가 광범위하게 제시되고 있다.[7-11]

에피네프린을 포함한 1% 리도카인은 0.5% 부피바카인과 비교해보면 작용시작 시간은 비슷하면서도 훨씬 통증이 덜하고 작용시간은 짧은 것으로 보고되었다.[12-14] 따라서 수지

부위 마취를 하는데 있어서는 근위부 수지 배쪽면에 피하주방 조직에 에피네프린(1:100,000)을 포함한 1% 리도카인 2 mL를 1회 주입하여 조직을 단단하고 부풀게 하는 것이 추천할만한 방법이라고 할 수 있겠다. 이 기술을 SIMPLE (single, subcutaneous, injection, at the middle, proximal phalanx, using lidocaine, with epinephrine) 차단이라고 한다.[1]

관련해부학: (그림 7-5)

환자 자세

- 손이나 발을 편안히 뻗은 자세에서 검사/시술대 위 누운 자세를 취한다.

마취

- 국소 도포용 냉각 스프레이로 피부를 국소 마취한다. 그 대신에 피부를 문질러서 통증을 감소시키기도 한다.

장비

- 국소 도포용 냉각 스프레이
- 3 mL 주사기
- 30 게이지, 1/2 인치 바늘
- 에피네프린이 첨가된 1% 리도카인 2 mL
- 알코올 솜
- 소독된 거즈 솜

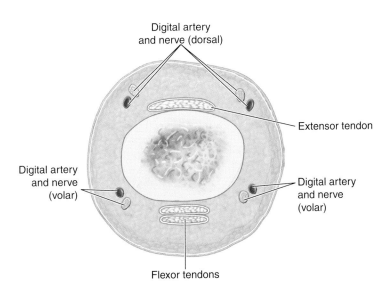

그림 7-5. ● 수지부 해부학

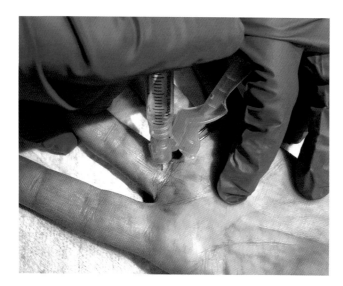

그림 7-6. ● 수지신경차단

기법

1. 주사 바늘을 손바닥이나 발바닥의 손/발 접합부 주름위에 위치시킨다.[15]
2. 알코올 솜으로 주사 부위를 소독한다.
3. 일시적인 국소마취를 위해 국소 도포용 냉각 스프레이나 피부 견인을 사용한다.[4]
4. no-touch technique으로 피부에 수직으로 30 게이지, 1/2 인치 바늘을 강하고 빠르게 한번에 삽입한다. 피부을 통하여 피하조직으로 수 밀리미터 진입시킨다(그림 7-6).
5. 주사기의 플런저를 살짝 빼서 피의 역류가 없음을 확인한다
6. 피하조직에 에피네프린을 함유한 리도카인을 2 mL 주입한다.
7. 바늘을 빼고 거즈를 눌러 압력을 가해 약제가 수지신경으로 퍼지도록 한다.
8. 마취 효과가 나기까지 5-10분 정도 기다린다.
9. 필요한 경우에는 시술을 반복한다.
10. 완벽한 마취가 이루어진 후에 수지부 시술을 시행하도록 한다.

시술 후 관리

- 필요치 않다.

CPT 코드:

- 없다(국소마취 주사는 피부 시술 과정 CPT code에 포함되어 있다).

참고문헌

1. Denkler K. A comprehensive review of epinephrine in the finger: To do or not to do. *Plast Reconstr Surg* 2001;108(1):114-24.
2. Thomson CJ, Lalonde DH, Denkler KA, et al. A critical look at the evidence for and against elective

epinephrine use in the finger. *Plast Reconstr Surg* 2007;119(1):260-6.

3. Lalonde D, Bell M, Benoit P, et al. A multicenter prospective study of 3,110 consecutive cases of elective epinephrine use in the fingers and hand: The Dalhousie Project clinical phase. *J Hand Surg Am* 2005;30(5):1061-7.

4. Chowdhry S, Seidenstricker L, Cooney DS, et al. Do not use epinephrine in digital blocks: Myth or truth? Part II. A retrospective review of 1111 cases. *Plast Reconstr Surg* 2010;126(6):2031-4.

5. Chapeskie H, Juliao A, Payne S, et al. Evaluation of the safety of epinephrine in digital nerve blockade: Retrospective case series analysis of 1334 toe surgeries. *Can Fam Physician* 2016;62(6):e334-e339.

6. Häfner HM, Röcken M, Breuninger H. Epinephrine-supplemented local anesthetics for ear and nose surgery: Clinical use without complications in more than 10,000 surgical procedures. *J Dtsch Dermatol Ges* 2005;3(3):195-9.

7. Hung VS, Bodavula VK, Dubin NH. Digital anaesthesia: Comparison of the efficacy and pain associated with three digital nerve block techniques. *J Hand Surg Br* 2005;30(6):581-4.

8. Williams JG, Lalonde DH. Randomized comparison of the single-injection volar subcutaneous block and the two-injection dorsal block for digital anesthesia. *Plast Reconstr Surg* 2006;118(5):1195-200.

9. Bashir MM, Khan FA, Afzal S, et al. Comparison of traditional two injections dorsal digital block with volar block. *J Coll Physicians Surg Pak* 2008;18(12):768-70.

10. Tzeng YS, Chen SG. Tumescent technique in digits: A subcutaneous single-injection digital block. *Am J Emerg Med* 2012;30(4):592-6.

11. Martin SP, Chu KH, Mahmoud I, et al. Double-dorsal versus single-volar digital subcutaneous anaesthetic injection for finger injuries in the emergency department: A randomised controlled trial. *Emerg Med Australas* 2016;28(2):193-8.

12. Schnabl SM, Unglaub F, Leitz Z, et al. Skin perfusion and pain evaluation with different local anaesthetics in a double blind randomized study following digital nerve block anaesthesia. *Clin Hemorheol Microcirc* 2013;55(2):241-53.

13. Alhelail M, Al-Salamah M, Al-Mulhim M, et al. Comparison of bupivacaine and lidocaine with epinephrine for digital nerve blocks. *Emerg Med* J 2009;26(5):347-50.

14. Thomson CJ, Lalonde DH. Randomized double-blind comparison of duration of anesthesia among three commonly used agents in digital nerve block. *Plast Reconstr Surg* 2006;118(2):429-32.

15. Bancroft JW, et al. Neutralized lidocaine: Use in pain reduction in local anesthesia. *J Vasc Interv Radiol* 1992;3(1):107-9

안면신경차단
Facial Nerve Blocks

안면신경차단은 얼굴의 다른 부위를 마취하기 위해 시행된다. 이 기술은 수술 부위에 직접 주사하거나 수술 부위의 왜곡을 원치 않을 때 사용된다. 이런 경우 소량의 국소마취제가 원하는 부위의 피부를 지배하는 특정 신경 주변에 주입된다. 그러므로 소량의 국소마취제로 일반적인 국소주사를 했을 때보다 훨씬 넓은 범위에 영향을 줄 수 있다. 이는 여러 번 주사할 때 나타나는 과도한 통증과 멍이 발생하는 것을 줄일 수 있다. 또한 필요한 국소마취제의 총 사용량을 줄여 약물독성의 가능성을 줄여준다. 얼굴 마취를 위해 흔히 시행되는 고전적 신경차단에는 3가지가 있는데, 안와상(supraorbital)/활차상(supratrochlear) 신경차단, 안와하(infraorbital)신경차단 그리고 턱끝신경차단(mental nerve block)이다. 이들 신경은 각각 제5뇌신경의 말단 감각지이며, 뼈구조에서 나올 때 사용되는 각각의 전용 소공(foramen)을 가지고 있다. 소공을 찾게 되면 원하는 효과를 얻기 위하여 소량의 마취제(0.5−1 mL)를 그곳에 주사할 수 있다. 그림 7-7에 나타나 있는 것처럼 안면공(facial fora-

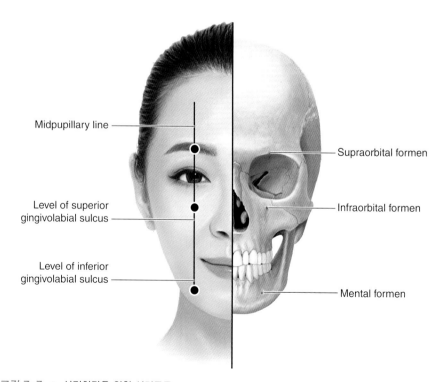

그림 7-7. ● 신경차단을 위한 신경공들

men)은 3개 모두 환자 동공을 중심으로 수직으로 그리는 가상의 선상에 위치한다. 안와상공(supraorbital foramen)이 가장 찾기 쉽다. 이는 동공 중심 바로 위에 위치하고 눈썹 아래에 있는 안와상 융기(ridge)에서 미묘하게 움푹 패인 곳으로서 만져진다. 활차상신경은 마취효과를 이마의 정중선 쪽으로 확장시키기 위해 안와상신경을 따라서 함께 주사된다. 신경은 눈 안쪽 눈구석 바로 수직의 안와상 융기(ridge)에 위치한다. 대부분의 사람들에서 이것은 눈썹 내측에 위치한다.

안와하공(infraorbital foramen)은 상악골에서 찾을 수 있고 안와하연(infraorbital rim)에서 약 1.5 cm 아래에 있으며 동공과 동일한 선상에 놓여 있다. 상악골에 있는 움푹 패인 곳은 촉지할 수 없다.

마지막으로 턱끝신경은 환자 동공의 중심에서 수직으로 그은 선과 동일한 선상에 위치한다. 이는 하악골 높이의 중간에 위치한다. 이것 또한 움푹 패인 곳은 촉지할 수 없다.

정확한 위치를 확인하기 위해서 각각의 소공 바로 위를 견고하게 촉지하여 인근 주변에서는 느낄 수 없는 강력하거나 둔탁한 통증을 이끌어 낼 수 있다. Coding이라는 관점에서 보면 외과적 시술을 목적으로 하는 모든 국소마취주사는 시행하려는 시술의 일부로 보게 된다. 그래서 이는 CPT 시술 code에 포함되어 있고 별도로 청구하지 않는다.

안와상 및 활차상신경차단
Supraorbital and Supratrochlear Nerve Blocks

안와상 및 활차상신경은 아마 얼굴신경블록 중 가장 시행하기 쉬운 블록일 것이다. 이들 신경들은 제5뇌신경의 눈신경가지(ophthalmic trunk)에서 기원하는 끝 감각분지이다. 이런 차단들은 이마에 가역적인 국소마취를 시행하기 위해 사용된다. 열상 봉합술, 피부병변 제거술, 광역학요법, 또는 이마의 얼굴 피부 레이져재생술 등 다양한 술기들이 이런 차단술을 이용하여 시행될 수 있다. 군발성, 긴장성, 편두통 등의 두통 질환들 또한 이러한 차단술등을 통해 치료할 수 있다.[1,2]

관련해부학: (그림 7-8)

환자의 자세

• 검사대위에 바로 누운 자세로 고개는 시술자를 향하게 한 뒤 시술자는 주사하는 쪽 얼굴 옆에 선다.

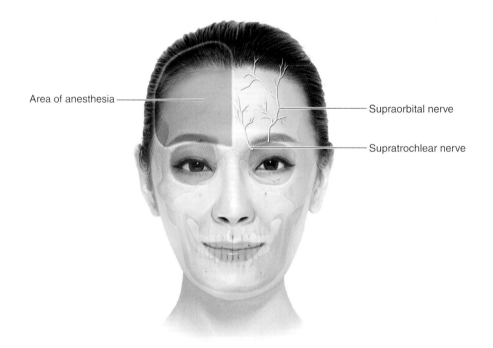

그림 7-8. ● 안와상 및 활차상 신경과 지배부위

해부학적 지표

1. 안와상공은 동공 중앙의 위측(시상면)에 위치하고 눈썹 아래에 있는 안와상 융기에서 미묘한 움푹패인 곳으로 촉진된다.
2. 두개골의 해부학적 연구에서 안와상공은 정중선에서 대략 25 mm 외측, 전두골의 측두하릉(temporal crest)에서 30 mm 내측, 그리고 안와상연(supraorbital rim)에서 2–3 mm 위측에서 발견된다. 안와상신경의 분지의 추가적인 출구는 14%의 두개골에서 존재했다.[3]
3. 활차상신경은 눈의 내측 끝에서 수직(시상면)에 존재하는 안와상 융기에 위치한다. 대부분의 사람들에서 이는 눈썹의 내측에 위치한다.
4. 각 신경부위보다 눈썹 바로위에 위치한 부위에서 볼펜 끝을 집어넣은 상태로 강하게 누른다. 이 움푹 들어간 자리가 바늘의 자입 부위를 나타낸다.

마취

- 이 부위는 눈에 가깝기 때문에 피부의 국소마취를 시행할 때 국소 도포용 냉각스프레이를 사용하는 것은 권장되지 않는다. 하지만 피부견인(skin distraction techniques)은 사용될 수 있다.

장비

- 국소 도포용 냉각 스프레이
- 3 mL 주사기
- 30 게이지, 1/2 인치 바늘
- 에피네프린이 포함 또는 포함되지 않은 1% 리도카인 1 mL (시술시간에 따라 선택)
- 알코올 솜
- 소독된 거즈 솜

기법

1. 알코올 솜으로 삽입부위를 잘 닦는다.
2. 주사기를 잡지 않은 손의 검지로 안와상공 바로 아래 안와상연 가장자리를 단단히 위치시킨다. 이렇게 하면 바늘이 안와상연 아래로 실수로 통과되는 것을 방지하고 마취제가 올바른 위치에 오도록 하는 데 도움이 된다.
3. 바늘 끝을 눈썹 바로 위에서 90도로 세워 안와상공 방향으로 향하게 한다.
4. 국소마취를 제공하기 위해서는 충분히 적셔지도록 PainEase 미스트를 멸균 면봉에 뿌린다. 그리고 주사부위 위에 면봉으로 도포한다.
5. 노터치 테크닉을 사용해서 바늘을 삽입 부위에 신속하게 삽입한다.
6. 안와상공 위로 바늘을 진입시킨 뒤 뼈에 닿으면 1 mm 가량 뒤로 뺀다.

7. 주사기의 플런저를 살짝 빼서 피의 역류가 없음을 확인한다.

8. 안와상공 바로 위에서 에피네프린을 포함하거나 포함하지 않은 1% 리도카인 1 mL를 주사한다.

9. 주사 후 바늘을 뺀다.

10. 눈 내측 끝에서 수직(시상면)에 존재하는 안와상 융기에 위치한 활차상신경에 바늘을 위치 시키고 동일한 과정을 반복한다.

11. 완벽한 마취가 이루어진 후에 피부 시술을 시행하도록 한다.

시술 후 관리

• 필요하지 않다.

CPT 코드:

• 없다(국소마취 주사는 피부 시술 과정 CPT code에 포함되어 있다).
• 64400−주사, 마취제, 삼차신경의 분지 및 가지

참고문헌

1. Blumenfeld A, Ashkenazi A, Napchan U, et al. Expert consensus recommendations for the performance of peripheral nerve blocks for headaches-A narrative review. *Headache* 2013;53(3):437-46.
2. Ilhan Alp S, Alp R. Supraorbital and infraorbital nerve blockade in migraine patients: Results of 6-month clinical follow-up. *Eur Rev Med Pharmacol Sci* 2013;17(13):1778-81.
3. Gupta T. Localization of important facial foramina encountered in maxillo-facial surgery. *Clin Anat* 2008;21(7):633-40

안와하신경차단
Infraorbital Nerve Block

안와하신경은 제5뇌신경의 상악신경가지(maxillary trunk)에서 기원하는 끝 감각분지이다. 이 차단술은 코의 중심을 포함하지 않은 가운데 안면부의 내측에 가역적인 국소마취를 시행하기 위해 사용된다. 피부와 윗입술 열상 봉합술, 광역학요법, 얼굴중앙부/윗입술 피부 레이져재생술, 윗입술 필러 주입술, 또는 피부 병변 제거술 등 여러 가지 시술들이 이 블록을 이용해 시행될 수 있다.

관련해부학: (그림 7-9)

환자의 자세

- 검사대위에 바로누운 자세로 고개는 시술자를 향하게 한뒤 시술자는 주사하는 쪽 얼굴 옆에 선다.

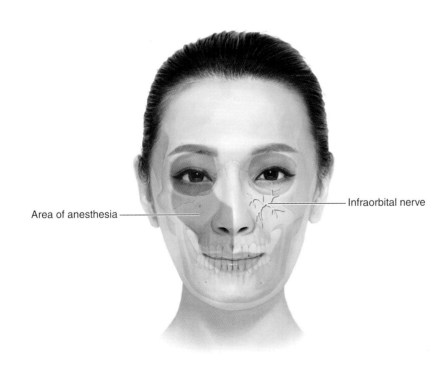

Area of anesthesia ⎯⎯⎯

⎯ Infraorbital nerve

그림 7-9. ● 안와하신경과 지배영역

해부학적 지표

1. 두개골의 해부학적 연구에서 안와하공은 정중선에서 약 28.5 mm 외측, 그리고 안와하 연에서 약 7 mm 아래에서 발견되고, 환자의 동공 중심으로 부터 수직(시상면)으로 그 린 가상 선상에 위치한다.[1] 소공이 있는 상악골의 움푹 패인 곳은 촉지하기 어렵다. 확 실한 위치를 확인하기 위해서는 소공 바로 위를 견고하게 눌러서 인근 구역에서 볼 수 없는 강하거나 둔한 통증을 이끌어 낼 수 있다.
2. 이 지점의 피부를 볼펜 끝을 집어넣은 상태로 강하게 누른다. 눌린 부분은 바늘의 자 입 위치를 나타낸다.

마취

- 이 부위는 눈에 가깝기 때문에 피부의 국소마취를 시행할 때 국소적 냉각스프레이를 사용하는 것은 권장되지 않는다. 하지만 피부견인(skin distraction techniques)은 사용 될 수 있다.

장비

- 헤드램프 또는 다른 광원(구강 내 접근용)
- 국소 도포용 냉각 스프레이(선택사항)
- 3 mL 주사기
- 경피적 접근용 30 게이지, 1/2 인치 바늘 또는 구강내 접근용 25 게이지 1½ 인치 바늘
- 에피네프린이 함유 또는 함유되지 않은 1% 리도카인 1 mL (시술시간에 따라 선택)
- 알코올 솜(경피적 접근용)
- 소독된 거즈 솜

기법(경피적 접근)

1. 알코올 솜으로 자입부위를 잘 닦고 준비한다.
2. 상악골에서 찾은 피부 위치에 바늘을 수직으로 위치시킨다. 바늘 끝을 안와하공 방향 으로 향하게 한다.
3. 바늘이 피부에 들어감과 동시에 근처의 피부를 집고 당기고 문질러서 주의를 분산시킨 다. 또는국소마취를 제공하기 위해서는 충분히 적셔지도록 PainEase 미스트를 멸균 면 봉에 뿌린다. 그리고 주사부위 위에 면봉으로 도포한다.
4. 노터치 테크닉을 사용해서 바늘을 자입부위에 신속하게 삽입한다.
5. 안와하공 위로 바늘을 진입시킨뒤 뼈에 닿으면 1 mm 가량 뒤로 뺀다.
6. 주사기의 플런저를 살짝 빼서 피의 역류가 없음을 확인한다
7. 안와하공 바로 위에서 에피네프린을 포함하거나 포함하지 않은 1% 리도카인 1 mL를 주사한다.

8. 주입 후 바늘을 뺀다.
9. 완벽한 마취가 이루어진 후에 피부 시술을 시행하도록 한다.

기법(구강내 접근)

1. 환자의 위치는 위와 같으며 머리를 뒤로 젖히기 위해 목을 신전시킨다.
2. 헤드램프 또는 다른 광원을 사용하여 시술에 적합한 조명을 제공한다.
3. 거즈를 사용해서 윗 입술을 잡고 위쪽으로 당긴다.
4. 중앙선으로부터 상악 3번째와 4번째 치아를 찾는다(송곳니/제일소구치). 안와하공은 이 치아들사이에 있는 치은점막반사(gingivolabial mucosal feflection)의 꼭지점 바로 위에 위치한다.
5. 1½ 인치, 25 게이지 바늘을 시상면에서 동측 동공을 향해 위치시킨다.
6. 바늘을 신속하게 이 위치에 자입하고 안와하공 위쪽으로 대략 0.5 cm 진전시킨다.
7. 주사기의 플런저를 살짝 빼서 피의 역류가 없음을 확인한다
8. 안와하공 바로 위에서 에피네프린을 포함하거나 포함하지 않은 1% 리도카인 1 mL를 주사한다.
9. 주입 후 바늘을 뺀다.
10 완벽한 마취가 이루어진 후에 피부 시술을 시행하도록 한다.

시술 후 관리

• 필요하지 않다.

CPT 코드:

• 없다(국소마취 주사는 피부 시술 과정 CPT code에 포함되어 있다).

참고문헌

1. Gupta T. Localization of important facial foramina encountered in maxillo-facial surgery. *Clin Anat* 2008;21(7):633-40.

외비신경차단
External Nasal Nerve Block

안와하신경 차단술은 코의 중앙부분이 아닌 코의 바깥부위 피부에 가역적인 마취를 제공한다. 외비신경차단은 연골성 비강등뼈와 코끝위의 피부에 마취를 제공하여 코의 마취를 보완해준다.

외비신경은 제5뇌신경의 몸통에서 전뇌신경의 말단 감각 가지이다. 코뼈 원위 가장자리의 뼈접합부에서 비강 중간선의 5-10 mm의 측면으로 나타난다.

피부열상 봉합술, 광역학요법, 코 피부 레이져재생술, 또는 피부 병변 제거술 등 여러 가지 시술들이 이 블록을 이용해 시행될 수 있다

관련해부학: (그림 7-10)

환자 자세

• 검사대위에 바로누운 자세로 고개는 시술자를 향하게 한 뒤 시술자는 주사하는 쪽 얼굴 옆에 선다.

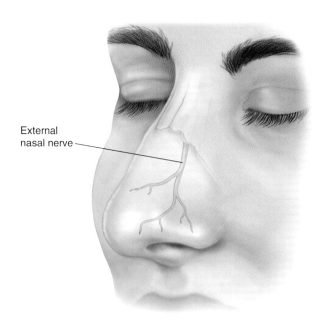

External
nasal nerve

그림 7-10. ● 외비신경과 지배영역

해부학적 지표

1. 비강 연골 접합부에서 비골의 원위 가장자리를 촉진한다. 중앙선의 7.5 mm 바깥으로 주입부위를 선택하고 표시한다.1

2. 이 지점의 피부를 볼펜 끝을 집어넣은 상태로 강하게 누른다. 눌린 부분은 바늘의 자입 위치를 나타낸다.

마취

● 이 부위는 눈에 가깝기 때문에 피부의 국소마취를 시행할 때 국소적 냉각스프레이를 사용하는 것은 권장되지 않는다. 하지만 피부견인(skin distraction techniques)은 사용될 수 있다.

장비

● 국소 도포용 냉각 스프레이
● 3 mL 주사기
● 30 게이지, 1/2 인치 바늘
● 에피네프린이 함유 또는 함유되지 않은 1% 리도카인 1 mL (시술시간에 따라 선택)
● 알코올 솜(경피적 접근용)
● 소독된 거즈 솜

기법

1. 알콜솜으로 자입부위를 잘 닦고 준비한다.

2. 위에서 확인한 것처럼 뼈연골 접합부의 코 바깥부분 위로 피부에 수직으로 바늘을 위치시킨다.

3. 바늘이 피부에 들어감과 동시에 근처의 피부를 집고 당기고 문질러서 주의를 분산시킨다. 또는국소마취를 제공하기 위해서는 충분히 적셔지도록 PainEase 미스트를 멸균 면봉에 뿌린다. 그리고 주사부위 위에 면봉으로 도포한다.

4. 노터치 테크닉을 사용해서 바늘을 자입부위에 신속하게 삽입한다.

5. 진피 깊숙하게 바늘을 진입시킨다. 바늘을 피하조직으로 전진시키려고 할 때, 바늘을 너무 멀리 전진시키면 비강에 들어가기 쉽다.

6. 주사기의 플런저를 살짝 빼서 피의 역류가 없음을 확인한다

7. 에피네프린을 포함하거나 포함하지 않은 1% 리도카인 1 mL를 천천히 주사한다.

8. 주입 후 바늘을 뺀다.

9. 완벽한 마취가 이루어진 후에 피부 시술을 시행하도록 한다.

시술 후 관리

- 필요하지 않다.

CPT 코드:

- 없다(국소마취 주사는 피부 시술 과정 CPT code에 포함되어 있다).

참고문헌

1. Moskovitz JB, Sabatino F. Regional nerve blocks of the face. *Emerg Med Clin North Am* 2013;31(2):517-27.

턱끝신경은 제5뇌신경 하악신경가지(mandibular trunk)로 부터 기원하는 끝 감각분지이다. 이 차단술은 얼굴중간 아래부분의(lower midface)에 가역적인 국소마취를 시행하기 위해 사용된다. 피부와 아랫 입술 열상봉합술, 광역학요법, 얼굴중앙과 아랫입술 피부 레이져재생술, 피부와 아랫입술 필러 주입술, 또는 피부 병변 제거술 등 여러가지 시술들이 이 블록을 통해 시행될 수 있다.

관련해부학: (그림 7-11)

환자의 자세

- 검사대위에 바로 누운 자세로 고개는 시술자를 향하게 한뒤 시술자는 주사하는 쪽 얼굴 옆에 선다.

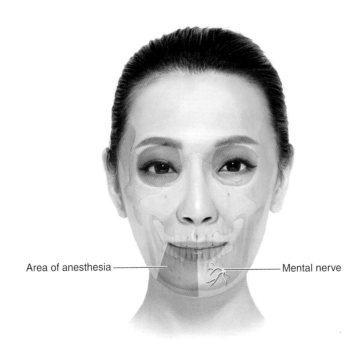

Area of anesthesia —————— Mental nerve

그림 7-11. ● 턱끝신경과 지배영역

해부학적 지표

1. 두개골의 해부학적 연구에서 턱끝구멍(mental foramina)은 평균적으로 정중선에서 대략 25.8 mm 외측, 그리고 하악 아래 가장자리(inferior mandibular margin)에서 13 mm 위측에 존재하고, 환자의 동공 중심에서 수직(시상면)으로 그린 선상에 위치한다.[1] 소공이 있는 하악골의 패인 곳은 촉지하기 어렵다. 확실한 위치를 확인하기 위해서는 소공 바로 위를 견고하게 촉지한다. 이때 인근 구역에서 볼 수 없는 강하고 둔한 통증을 이끌어 낼 수 있다.
2. 이 지점의 피부를 볼펜 끝을 집어넣은 상태로 강하게 누른다. 눌린 부분은 경피적 접근 시 바늘의 자입 위치를 나타낸다.

마취

- 국소 도포용 냉각 스프레이로 피부를 국소 마취한다. 그 대신에 피부를 문질러서 통증을 감소시키기도 한다.

장비

- 헤드램프 또는 다른 광원(구강 내 접근용)
- 3 mL 주사기
- 경피적 접근용 30 게이지, 1/2 인치 바늘 또는 경구 내 접근용 25게이지 1½ 인치 바늘
- 에피네프린이 함유 또는 함유되지 않은 1% 리도카인 1 mL (시술시간에 따라 선택)
- 알코올 솜(경피적 접근용)
- 소독된 거즈 솜

기법(경피적 접근)

1. 알코올 솜으로 자입 부위를 잘 닦고 준비한다.
2. 하악골에서 찾은 피부 위치에 바늘을 수직으로 위치시킨다. 바늘 끝을 턱끝구멍 방향으로 향하게 한다.
3. 국소 도포용 냉각스프레이를 사용하는 것은 주사시 통증을 경감시킬 수 있다. 바늘이 피부에 들어감과 동시에 근처의 피부를 집고 당기고 문질러서 주위를 분산시킨다.
4. 노터치 테크닉을 사용해서 바늘을 자입부위에 신속하게 넣는다.
5. 턱끝구멍 위로 바늘을 진입시킨 뒤 뼈에 닿으면 1 mm 정도 바늘을 뒤로 뺀다.
6. 주사기의 플런저를 살짝 빼서 피의 역류가 없음을 확인한다.
7. 턱끝구멍 바로 위에서 에피네프린을 포함하거나 포함하지 않은 1% 리도카인 1 mL를 천천히 주사한다.
8. 주입 후 바늘을 뺀다.
9. 완벽한 마취가 이루어진 후에 피부 시술을 시행하도록 한다.

기법(구강 내 접근)

1. 헤드램프 또는 다른 광원을 사용하여 시술에 적합한 조명을 제공한다.

2. 거즈를 사용해서 아랫 입술을 잡고 아래쪽으로 당긴다.

3. 중앙선부터 하악 3번째와 4번째 치아를 찾는다(송곳니/제일소구치). 안와하공은 잇몸입술 점막 꼭지(apex of the gingivolabial mucosal reflection) 바로 뒤에 위치한다.

4. 시상 면에서 1½ 인치, 25 게이지 바늘을 턱끝구멍쪽을 향해 바로 아래쪽으로 위치시킨다.

5. 바늘을 신속하게 이 위치에 자입하고 턱끝구멍 위로 약 0.5 cm 진입시킨다.

6. 주사기의 플런저를 살짝 빼서 피의 역류가 없음을 확인한다.

7. 턱끝구멍 바로 위에서 에피네프린을 포함하거나 포함하지 않은 1% 리도카인 1 mL를 천천히 주사한다.

8. 주입 후 바늘을 뺀다.

9. 완벽한 마취가 이루어진 후에 피부 시술을 시행하도록 한다

시술 후 관리

• 필요하지 않다

CPT 코드:

• 없다(국소마취 주사는 피부 시술 과정 CPT 코드에 포함되어 있다).

참고문헌

1. Gupta T. Localization of important facial foramina encountered in maxillo-facial surgery. *Clin Anat* 2008;21(7):633-40.

외이 부위차단
External Ear Field Block

외이는 4개의 신경으로부터 감각입력을 받는 복잡한 신경구조를 가지고 있다. 그림 7-12A 에 나타난 바와 같이, 외이의 위쪽은 이개측두신경(auriculotemporal nerve)이, 외이의 중간부위 뒤쪽은 소후두신경(lesser occipital nerve)이, 귀의 아래쪽은 대이개신경(great auricular nerve)이 담당한다. 중요한 것은 미주신경(vagus nerve)의 귓바퀴 가지가 외이도와 외이의 중앙부의 감각입력을 제공한다는 것이다.

절제술을 계획하고 있는 부위의 주변으로 국소마취제를 주입하는 것을 부위차단이라고한다. 이 기술은 적은 용량의 마취제로 넓은 부위에 영향을 줄 수 있다. 이 경우 바늘이들어가는 지점은 귀보다 바로 위아래에 위치한다. 진피내 국소마취제의 침윤은 귀 주위에가상의 다이아몬드 형태의 마취 "울타리"를 형성한다. 이 시술에서는 1% 리도카인(선택적으로 중탄산나트륨 완충)을 사용한다.

만일 외이도나 외이의 중심부가 수술부위에 포함된다면 미주신경의 귓바퀴 가지로부터

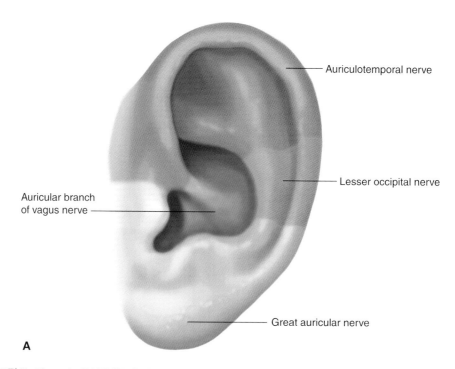

Auriculotemporal nerve

Lesser occipital nerve

Auricular branch
of vagus nerve

Great auricular nerve

A

그림 7-12. ● **A**: 외이의 위쪽을 담당하는 이개측두신경(auriculotemporal nerve), 외이의 중간부위 뒤쪽을 담당하는 소후두신경(lesser occipital nerve), 귀의 아래쪽을 담당하는 대이개신경(great auricular nerve).

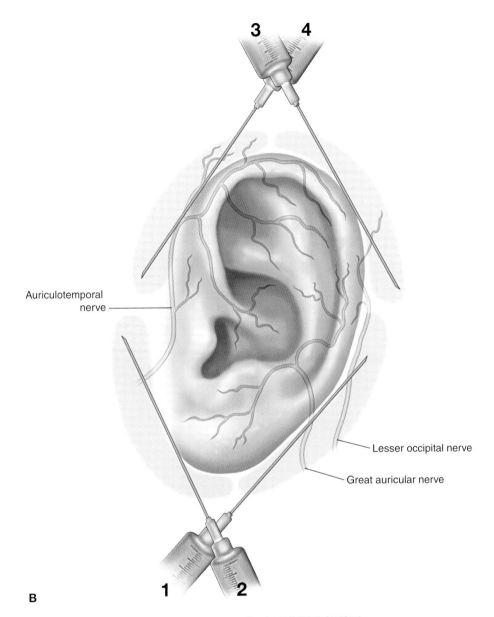

그림 7-12. ● *(계속)* B: 외이의 바로 위와 아래의 바늘의 삽입부위를 확인한다.

지배받는 부위의 피부에 직접 국소주사가 추가적으로 필요하다.

　이러한 유형의 마취차단을 사용하는 가장 일반적인 시술은 귀 열상 재건술, 혈종 제거, 귀 피부 병변의 절제/제거 등이다.

관련해부학: (그림 7–12A, B)

환자의 자세

● 검사대 위에 바로 누운 자세로 검사대 머리 쪽을 살짝 올려준다.

마취

- 국소 도포용 냉각 스프레이로 피부를 국소 마취한다. 그 대신에 피부를 문질러서 통증을 감소시키기도 한다.

장비

- 국소 도포용 냉각 스프레이
- 10 mL 주사기
- 1½ 인치 또는 2 인치 25 게이지 바늘
- 에피네프린이 함유된 1% 리도카인
- 8.4% 중탄산나트륨
- 알코올 솜
- 소독된 거즈 솜

기법

1. 1% 리도카인/에피네프린 9 mL와 8.4% 중탄산나트륨 1 mL (원하는 경우)를 주사기내에서 잘 섞는다.
2. 바늘 자입점이 외이 바로 위와 아래에 위치되었는지 확인한다(그림 7–12B).
3. 알코올 솜으로 주사 부위를 소독한다.
4. 국소 도포용 냉각스프레이를 사용하는 것은 주사시 통증을 경감시킬 수 있다. 바늘이 피부에 들어감과 동시에 근처의 피부를 집고 당기고 문질러서 주위를 분산시킨다.
5. 위쪽 주사부위에서 시작한다. no-touch technique을 이용하여 1½ 인치 또는 2 인치 25 게이지 바늘을 피부를 향해 한번 강하게 찌른다.
6. 긴 바늘을 수평면으로 귀의 앞쪽과 뒤쪽 지점을 향애 전진시킨다. 바늘을 진전시킬 때 바늘 끝의 위치를 확인할 수 있다.
7. 주사기의 플런저를 살짝 빼서 피의 역류가 없음을 확인한다.
8. 바늘을 서서히 빼면서 국소 마취제를 진피내로 주입한다. 주사 경로를 따라 팽진을 만든다.
9. 피부에서 바늘을 빼기 전에 바늘 끝의 방향을 바꾸어 귀의 다른 쪽으로 전진시킨다
10. 다시 한번 주사기의 플런저를 살짝 빼서 피의 역류가 없음을 확인한다.
11. 국소 마취제 주입이 완전히 이루어진 후 바늘을 빼고 귀의 아래쪽도 같은 방법으로 시행한다.
12. 진피 내 국소마취제에 주입 후 바늘을 빼고 거즈로 직접 압력을 가해 누른다.
13. 귀의 목표부위에 완전한 마취가 이루어진 것을 확인한 후 피부 시술을 시행한다.

시술 후 관리

• 필요하지 않다

CPT 코드:

• 없다(국소마취 주사는 피부 시술 과정 CPT 코드에 포함되어 있다).

대후두신경차단
Greater Occipital Nerve Block

대후두신경통으로 발생한 두통을 치료하기 위해 환자들은 때때로 일차 의료 기관을 방문한다. 대후두신경은 C2의 감각섬유(sensory fiber)로 구성되어 있으며, 뒤통수뼈(occipital bone)에 붙는 등세모근(trapezius)과 반가시근(semispinalis capitis)의 건막 부착부위를 통과하며 포착될 수 있다. 전형적으로 후두신경통은 목에서 시작하여 정수리, 귀, 전두부, 눈 주위로 퍼지는 양상을 보인다. 국제두통분류(International Classification of Headache Disorders) 3판에 따르면 후두신경통은 두피의 뒤쪽부분이나 대후두신경, 소후두신경 혹은 제3 후두 신경 분포 부위로 편측 혹은 양측의 발작적이고 쏘거나 찌르는 통증, 환부의 감각저하나 이상감각(dysesthesia)으로 묘사되고 흔히 관련된 신경들 위로 압통, 국소 마취제를 이용한 신경차단에 일시적으로 완화되는 통증이 관련되어 있다.[1] 후두신경통의 통증은 삼차척수핵(trigeminal spinal nuclei)에서 삼차신경경부 신경세포간 연결(trigeminocervical interneuronal connections)을 통해 전안와(fronto-orbital) 영역에 도달할 수 있다.

대후두신경 주사가 두통 통증을 치료하는 안전하고 효과적인 기술이라는 증거가 증가하고 있다.군발두통의 치료를 위해 후두아래 대후두신경으로의 스테로이드 주사는 2016년 미국 두통학회 진료지침(American Headache Society Evidence-Based Guidelines)의 Level A로 추천된다.[2] 다양한 진단의 장애성 두통을 가진 159명의 소아 및 청소년 환자 모집단에서 편측 대후두신경 주사는 효과적이며 빠른 치료와 최소한의 부작용을 보여주었다.[3] 562명의 환자를 대상으로 한 5년간의 후향연구에서 대후두신경 차단술은 편두통 환자의 급성 치료시 효과적으로 통증을 감소시켰다.[4] 또한 편두통 성인 환자 190명을 대상으로 한 단일센터 후향연구에서 보조요법으로 사용된 후두신경차단은 통증 감소에 따른 안전성 및 효능을 보였다.[5] 게다가 초음파 유도는 대후두신경 주사술의 효과를 증가시키는 것으로 입증되었다.[6]

적응증	ICD-10 Code
Headache	R51
Occipital neuralgia	M54.81
Cervicogenic headache	R51
Cluster headache	C44.009
Migraine headache	C43.909

관련해부학: (그림 7-13)

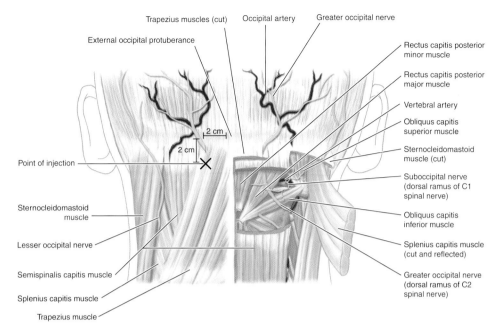

그림 7-13. ● 후두하 구역 해부학(From Gest TR. Lippincott Atlas of Anatomy, 2nd Ed. Philadelphia, PA: Wolters Kluwer, 2019.)

환자의 자세

- 환자는 진찰대 발판에 팔짱을 끼고 팔을 올린 후 이마를 댄 채 고개를 숙여 앞쪽으로 기대는 자세로 진찰대에 앉는다. 시술자는 환자 뒤로 가서 시술 쪽의 약간 바깥쪽으로 선다

해부학적 지표

1. 뒤통수뼈의 중간선에서 바깥 뒤통수뼈 융기의 뒤통수점(inion)을 확인한다.
2. 대 후두 신경의 주사 부위는 위 목덜미 선을 따라 바깥 뒤통수뼈 융기의 바깥쪽 2 cm, 아래(꼬리쪽)로 2 cm 지점이다.[7]
3. 대후두신경이 주행하는 뒤통수뼈 부위에 압력을 가하면 통증이 유발된다. 이 지점을 잉크 펜으로 표시한다
4. 이 지점을 볼펜 끝을 집어넣은 상태로 강하게 누른다. 볼펜 자국이 바늘의 진입 지점이 된다.
5. 해부학적 지표가 확인되면, 환자는 목을 움직여서는 안 된다.

마취

- 후두 뒤쪽은 국소 도포용 냉각 스프레이로 피부를 국소 마취하기 어려우며 머리카락이 두꺼운경우 특히 어렵다. 그 대신에 피부를 문질러서 통증을 감소시키기도 한다.

장비

- 3 mL 주사기
- 25 게이지 1 인치 바늘
- 에피네프린이 함유되지 않은 1% 리도카인 1 mL
- 에피네프린이 함유되지 않은 0.5% 부피바카인 1 mL
- 스테로이드 용액(triamcinolone acetonide 40mg) 1 mL
- 알코올 솜
- 포비돈 요오드(Povidone-iodine) 솜 2개
- 소독된 거즈 솜

기법

1. 머리를 정리하고 자입 부위를 Povidone-iodine 패드로 소독 후 알코올로 닦는다.
2. 뒤통수의 목덜미 선 아래를 향해 피부와 수직으로 주사기 바늘을 위치시킨다.
3. 바늘이 피부에 들어감과 동시에 근처의 피부를 집고 당기고 문질러서 주위를 분산시킨다.
4. no-touch technique을 이용하여 바늘을 자입점으로 진입한다(그림 7-14).
5. 목덜미선 아래의 뒤통수뼈에 바늘이 닿을 때까지 대후두신경 위치를 향해 바늘을 진입한다. 이후 바늘을 1-2 mm 뺀다.
6. 주사기의 플런저를 살짝 빼서 피의 역류가 없음을 확인한다.
7. 대후두신경 주위로 마취제/스테로이드 용액을 주사한다. 주사된 용액은 조직 내로 부드럽게 흘러 들어간다. 만약 저항이 증가하는 경우, 약물을 추가로 주사하기 전에 바늘을 진입 또는 빼서 약물이 잘 들어가게 한다.

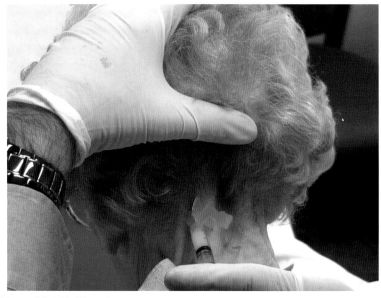

그림 7-14. ● 대후두신경통 주사

8. 주사 후 바늘을 빼고 모든 출혈이 멈출 때까지 거즈로 직접 압력을 가한다. .

9. 통증이 사라지면 5분 후 후두신경 검사를 다시 시행한다.

시술 후 관리

• 적응이 될 경우 진통제, 근이완제, 얼음찜질, 물리치료, 근골격 도수교정 또는 기타 치료를 한다.

• 2주 후에 추적 검사를 고려한다.

CPT 코드:

• 64405−Injection, anesthetic agent; greater occipital nerve

유의사항

• 대후두신경통은 환추관절(atlantoaxial joint) 또는 상부 돌기사이 관절(zygapophyseal joint), 또는 경추 근육의 통증 유발점에서 기인한 연관통증과 구분되어야 한다.[8]

참고문헌

1. https://ichd-3.org/13-painful-cranial-neuropathies-and-other-facial-pains/13-4-occipital-neuralgia/. Accessed on August 23, 2020.

2. Robbins MS, Starling AJ, Pringsheim TM, et al. Treatment of cluster headache: The American Headache Society Evidence-Based Guidelines. *Headache.* 2016;56(7):1093-106.

3. Puledda F, Goadsby PJ, Prabhakar P. Treatment of disabling headache with greater occipital nerve injections in a large population of childhood and adolescent patients: A service evaluation. *J Headache Pain* 2018;19(1):5.

4. Allen SM, Mookadam F, Cha SS, et al. Greater occipital nerve block for acute treatment of migraine headache. *J Am Board Fam Med.* 2018;31(2):211-8.

5. Ebied AM, Nguyen DT, Dang T. Evaluation of occipital nerve blocks for acute pain relief of migraines. *J Clin Pharmacol.* 2020;60(3):378-83.

6. Palamar D Uluduz D Saip S, et al. Ultrasound-guided greater occipital nerve block: an efficient technique in chronic refractory migraine without aura? *Pain Physician.* 2015;18(2):153-62.

7. Loukas M, El-Sedfy A, Tubbs RS, et al. Identification of greater occipital nerve landmarks for the treatment of occipital neuralgia. *Folia Morphol (Warsz).* 2006;65(4):337-42.

8. Tetzlaff JE. The pharmacology of local anesthetics. *Anesthesiol Clin North Am.* 2000;18:217-33.

두통 신경차단
Headache Nerve Blocks

두통 말초신경 차단술은 근긴장성, 경추성[2], 편두통[3-5], 군발성[6-8], 만성일과성 두통, 발작성 편두통(paroxysmal hemicranias), 지속성 편두통(hemicrania continua)등 다양한 두통[1]의 통증을 완화하기 위해 시행할 수 있는 유용한 시술이다. 이 시술들은 가정 약물치료에 실패한 환자에게 사용될 수 있으며 약물과용성 두통이 있는 환자에서 약물을 끊을 수 있도록 도와준다.[10] 신경차단술은 또한 어린이들[11,12]이나 산모[13]에게도 적합하다.

이러한 주사 기술은 양측 대후두신경, 소후두신경, 귀측두신경, 광대측두신경, 안와상신경, 활차상신경의 일부 또는 전체를 효과적으로 차단하기 위해 가역적 국소 마취를 제공하는 데 사용된다. 단일 신경 또는 여러 신경을 주사할지 선택하는 것은 관심 신경을 눌러보았을 때 국소 통증 또는 통증의 방사를 기준으로 임상적으로 결정하게 된다. 다중 뇌신경차단은 대후두신경 차단이 성공하지 못한 경우 만성두통질환에서 효과적이고 잘 견딜 수 있고 재현 가능한 임시치료를 제공할 수 있다.[14] 장기간의 증상 완화를 위해 후두신경주사에 코르티코스테로이드를 추가할 수 있다. 사실 후두부 아래 대후두신경으로의 스테로이드 주사는 군발두통 치료를 위해 2016년 미국두통학회 진료지침(American Headache Society Evidence—Based Guidelines)의 Level A로 추천되었다.[15] 다른 한편으로, 편두통 치료를 위해 국소마취제에 스테로이드를 추가하는 효과에 대한 몇몇 소규모 연구에서 아직 결론이 나지 않고 있다.[16]

두통 신경차단 주사로 인한 통증 완화는 보통 예상된 리도카인과 부피바카인 마취 효과보다 오래지속된다. 거의 모든 환자가 마취 신경 차단술을 받은 후 통증 완화를 경험하지만, 어떤 환자가 장기적으로 통증 완화를 경험할지는 예측할 수 없다.

말초 신경 차단에 대한 금기 사항에는 국소 마취제에 대한 알려진 알레르기, 개방 두개골 결손 및 상부 피부 감염이 포함된다. 임신은 상대적 금기증이다.

적응증	ICD-10 Code
Muscular tension headache	G44.209
Migraine headache	G43.209
Cluster headache	C44.009
Occipital neuralgia	M54.81
Cervicogenic headache	R51
Chronic daily headache	R51
Paroxysmal hemicrania	G44.039
Hemicrania continua	G43.909

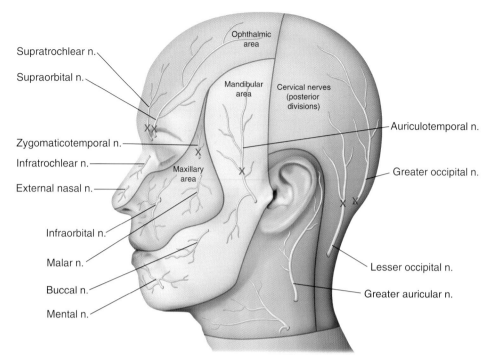

그림 7-15. ● 두피 신경들과 지배영역. 붉은 X 표시는 각 신경 주사시 자입점이다.

관련해부학: (그림 7–15)

환자의 자세

- 대후두신경과 소후두신경 주사를 위해 환자는 진찰대 발판에 팔짱을 끼고 팔을 올린 후 이마를 댄 채 고개를 숙여 앞쪽으로 기대는 자세로 진찰대에 앉는다. 시술자는 환자 뒤로 가서 시술 쪽의 약간 바깥쪽으로 선다.
- 귀측두신경과 광대측두신경 주사를 위해 환자는 검사대에 바로 누운 자세로 침대의 머리쪽을 살짝 올린다. 시술자는 주사부위 얼굴쪽 바깥으로 선다.
- 안와상신경과 활차상신경 주사를 위해 환자는 검사대위에 바로 누운 자세로 고개는 시술자를 향하게 한다. 시술자는 주사하는 쪽 얼굴 옆에 선다.

해부학적 지표

1. 대후두신경의 위치는 대후두신경 부분을 참조하시오.
2. 소후두신경의 주사점은 흉쇄유돌근(sternocleidomastoid muscle)의 내측 경계위에 있다. 주사 위치는 바깥 후두 융기와 유양돌기(mastoid process) 사이의 선의 바깥쪽 1/3 지점의 1 cm 아래이다.
3. 귀측두신경의 주사점은 이주(tragus) 수준에서 귀앞쪽으로 1.5 cm이다.
4. 광대측두신경의 주사점은 관골궁(zygomatic arch)위로 바깥 안와연의 뒤쪽으로 1.5 cm 이다.

5. 안와상신경과 활차상신경의 위치는 이들 신경 주사 부분을 참조하시오.

마취

• 활차상, 안와상, 광대측두 신경들 부위는 눈에 가깝기 때문에 피부의 국소마취를 시행할 때 국소적 냉각스프레이를 사용하는 것은 권장되지 않는다. 후두 뒤쪽은 국소 도포용 냉각 스프레이로 피부를 국소 마취하기 어려우며 머리카락이 두꺼운 경우 특히 어렵다. 그 대신에 피부를 문질러서 통증을 감소시키기도 한다.

장비(모든 부위가 양쪽에서 주입되는 경우)

• 5 mL 주사기 1개
• 10 mL 주사기 2개
• 30 게이지 1/2인치 바늘 2개, 25 게이지 1 인치 바늘 1개
• 에피네프린이 함유되지 않은 1% 리도카인 10 mL
• 에피네프린이 함유되지 않은 0.5% 부피바카인 10 mL
• 스테로이드 용액(triamcinolone acetonide 40 mg) 2 mL
• 알코올 솜
• 소독된 거즈 솜

기법

1. 각 신경 차단 주사점을 볼펜 끝을 집어넣은 상태로 강하게 누른다. 이것이 바늘의 진입 지점이 된다.
2. 알코올 솜으로 주사 부위를 소독한다.
3.
    • 10 mL 주사기 1개는 대후두신경과 소후두신경의 양측부위로 주사시 사용된다. 10 mL 주사기에 에피네프린을 함유하지 않은 1% 리도카인 4 mL와 에피네프린을 함유하지 않은 0.5% 부피바카인 4 mL와 스테로이드 용액(triamcinolone acetonide 40mg/mL) 2 mL를 채운다. 각 주사기의 내용물을 잘 섞는다. 25 게이지, 1 인치 바늘을 끼운다.
    • 10mL 주사기 1개는 귀측두신경과 광대측두신경의 양측부위로 주사시 사용된다. 10 mL 주사기에 에피네프린을 함유하지 않은 1% 리도카인 4 mL와 에피네프린을 함유하지 않은 0.5% 부피바카인 4 mL를 채운다. 각 주사기의 내용물을 잘 섞는다. 30 게이지 1/2 인치 바늘을 끼운다.
    • 5 mL 주사기는 안와상신경과 활차상신경의 양측부위로 주사시 사용된다. 5 mL 주사기에 에피네프린을 함유하지 않은 1% 리도카인 2 mL와 에피네프린을 함유하지 않은 0.5% 부피바카인 2 mL를 채운다. 각 주사기의 내용물을 잘 섞는다. 30 게이지 1/2 인치 바늘을 끼운다.

4. 바늘이 피부에 들어감과 동시에 근처의 피부를 집고 당기고 문질러서 주위를 분산시킨다.

5. no-touch technique을 이용하여 빠르게 바늘을 각 자입점으로 진입한다.

6.

- 대후두신경 두통 주사의 경우 전용 장에 설명된 기술을 따르고 각각의 대후두신경 부위로 리도카인/스테로이드 혼합물 2.5 mL를 주입한다.

- 소후두신경 두통 주사의 경우 25 게이지 1 인치 바늘을 확인된 자입점에 수직으로 위치시킨다. 바늘 끝이 상부 목덜미선에서 후두에 닿을 때까지 신경 위치를 향해 바늘을 전진시킨다. 바늘을 1-2 mm 뒤로 뺀다. 주사기의 플런저를 살짝 빼서 피의 역류가 없음을 확인한다. 각각의 소후두신경 부위로 리도카인/스테로이드 혼합물 2.5 mL를 주입한다.

- 귀측두신경과 광대측두신경 두통 주사의 경우 30 게이지 1/2 인치 바늘을 위에 기술한 자입점에 수직으로 위치시킨다. 자입점내 피하조직으로 바늘을 전진시킨다. 주사기의 플런저를 살짝 빼서 혈관 내 위치가 아님을 확인한다. 각각의 신경 부위로 마취제 혼합물 2 mL를 주입한다.

- 안와상신경과 활차상신경 두통 주사의 경우 전용 장에 설명된 기술을 따르고 각각의 안와상신경과 활차상 신경부위로 마취제 혼합물 1 mL를 주입한다.

7. 주사 후 바늘을 빼고 직접 압력을 가해 누른다. 안와상과 활차상 주사의 경우 마취제가 눈에서 이마위쪽으로 멀리 퍼지도록 눌러서 밀어낸다.

8. 1-5분후 환자를 재검사하여 통증 완화를 평가한다.

시술 후 관리

- 필요하지 않다

CPT 코드:

- 64400-Injection, anesthetic agent; trigeminal nerve, any division or branch
- 64402-Injection, anesthetic agent; facial nerve
- 64405-Injection, anesthetic agent; greater occipital nerve
- 64450-Injection, anesthetic agent; other peripheral nerve or branch

참고문헌

1. Blumenfeld A, Ashkenazi A, Napchan U, et al. Expert consensus recommendations for the performance of peripheral nerve blocks for headaches-A narrative review. *Headache* 2013;53(3):437-46.
2. Lauretti GR, Correa SW, Mattos AL. Efficacy of the greater occipital nerve block for cervicogenic headache: Comparing classical and subcompartmental techniques. *Pain Pract* 2015;15(7):654-61.
3. Ruiz Pinero M, Mulero Carrillo P, et al. Pericranial nerve blockade as a preventive treatment for migraine: Experience in 60 patients. *Neurologia* 2016;31(7):445-51.

4. Allen SM, Mookadam F, Cha SS, et al. Greater occipital nerve block for acute treatment of migraine headache. *J Am Board Fam Med* 2018;31(2):211-8.

5. Ebied AM, Nguyen DT, Dang T. Evaluation of occipital nerve blocks for acute pain relief of migraines. J Clin Pharmacol 2020;60(3):378-83.

6. Gonen M, Balgetir F, Aytac E, et al. Suboccipital steroid injection alone as a preventive treatment for cluster headache. *J Clin Neurosci* 2019;68:140-5.

7. Robbins MS, Starling AJ, Pringsheim TM, et al. Treatment of cluster headache: The American Headache Society Evidence-Based Guidelines. *Headache* 2016;56(7):1093-106.

8. Lambru G, Abu Bakar N, Stahlhut L, et al. Greater occipital nerve blocks in chronic cluster headache: A prospective open-label study. *Eur J Neurol* 2014;21(2):338-43.

9. Cortijo E, Guerrero-Peral AL, Herrero-Velazquez S, et al. Hemicrania continua: Characteristics and therapeutic experience in a series of 36 patients. *Rev Neurol* 2012;55(5):270-8.

10. Tobin J, Flitman S. Occipital nerve blocks: When and what to inject? *Headache* 2009;49(10):1521-33.

11. Szperka CL, Gelfand AA, Hershey AD. Patterns of use of peripheral nerve blocks and trigger point injections for pediatric headache: Results of a survey of the American Headache Society Pediatric and Adolescent Section. *Headache* 2016;56(10):1597-607.

12. Puledda F, Goadsby PJ, Prabhakar P. Treatment of disabling headache with greater occipital nerve injections in a large population of childhood and adolescent patients: A service evaluation. *J Headache Pain* 2018;19(1):5.

13. Govindappagari S, Grossman TB, Dayal AK, et al. Peripheral nerve blocks in the treatment of migraine in pregnancy. *Obstet Gynecol* 2014;124(6):1169-74.

14. Miller S, Lagrata S, Matharu M. Multiple cranial nerve blocks for the transitional treatment of chronic headaches. *Cephalalgia* 2019;39(12):1488-99.

15. Davies RJ. Buffering the pain of local anaesthetics: A systematic review. *Emerg Med (Fremantle)* 2003;15(1):81-8.

16. Bancroft JW, et al. Neutralized lidocaine: Use in pain reduction in local anesthesia. *J Vasc Interv Radiol* 1992;3(1):107-9.

콩다래끼Chalazion

James W. McNabb

콩다래끼는 윗 눈꺼풀이나 아래눈꺼풀의 결막 표면 위에 있는 마이봄샘(meibomian glands)[혹은 안검판선(tarsal glands)]의 염증과 폐쇄로 인해 생기는 급성 혹은 만성으로 육아종이 형성되는 질환이다. 이 작은 피지선의 폐쇄는 알러지, 사춘기 여드름, 혹은 장미증(rosacea)으로 인하여 발생한다. 콩다래끼는 큰 대식세포, 형질세포, 다형질핵 세포, 호산구 등이 포함된 스테로이드–반응 면역 세포를 포함하고 있다. 콩다래끼는 스스로 치유되지만 일부 환자는 1차 진료센터를 찾기도 하고 병변이 소실되는데 몇 주가 걸리기도 한다. 전통적 보존치료방법에는 열치료, 윤활제 점안, 눈꺼풀 세척, 국소 항생제[맥립종(hordeolum)과는 다르게 감염에 의한 질환은 아니다]가 포함된다. 2개월 이상의 보존적 치료 후에도 병변이 지속되면 수술이나 코르티코스테로이드 주사로 치료해야 한다.[1]

자주 간과되는 방법 중 하나는 병변 내 혹은 주위에 소량의 코르티코스테로이드(triamcinolone 4 mg)단순 주사이다. 연구들은 이 시술이 빠르고, 환자들에게 덜 고통스럽고, 안전하다고 보여준다. 약물 주입 후 수일 내 80%이상의 치료효과를 보인다.[2-5] 반응 비는 절개소파술(incision and curettage)의 수술적 치료결과를 반영한다.[6] 부가적으로 절개소파술에 비하여 이 시술의 장점은 간편함, 적은 통증, 비용 절감, 특별한 기구가 필요치 않다는 점, 술 후 안대 착용 불필요, 시술자나 환자 모두에게 더 편리하다는 점등이다.

적응증	ICD–10 Code
Chalazion	H00.19

관련해부학: (그림 8–1)

환자 자세

- 환자를 진찰대에 바로 눕게 한 뒤 침대머리를 30도 정도 올린다.
- 환자의 손은 무릎 위에 올려놓는다.
- 시술자는 환자의 병변이 있는 부위의 바깥쪽에 선다.

그림 8-1. ● 위눈꺼풀. 안검판 (tarsus)은 눈꺼풀의 골격을 형성하고 안검판선(tarsal glands)을 포함하고 있다.

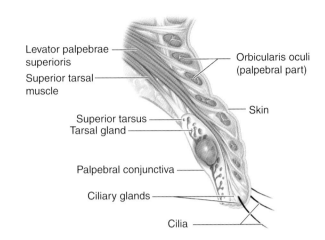

마취

• 눈꺼풀 피부에 코르티코스테로이드 주입 전에 국소 마취제 주입은 하지 않는다. 이 부위의 국소마취제 주입은 부종을 일으켜 콩다래끼의 위치를 모호하게 한다.

• 국소 각막 마취는 부주의하게 바늘을 사용함으로써 눈꺼풀, 결막, 안구를 찌를 수 있으므로 하지 않는다.

• 국소 도포용 냉각 스프레이는 눈 주위에 직접적으로 사용하지 않는다.

• 국소 도포용 냉각 스프레이를 사용하는 경우 탈지면에 분사하여 충분히 적셔준 뒤 주사 부위에직접 사용한다.

• 대신에 안와상 신경차단은 상안검의 마취를 제공하고 안와하 신경차단은 하안검의 마취를 제공한다.

장비

• (선택적) 각막 보호장비(Kolgerg Optical Supplies, Inc.http:///www.corneaprotectors.com/)

• (선택적) 콩다래끼 클램프(Chalazion clamp)

• 국소 도포용 냉각스프레이

• 3 mL 주사기

• 30 게이지, 1/2 인치 바늘

• 스테로이드 용액 0.1 mL (4 mg) (40 mg/mL triamcinolone acetonide)

• 알코올 솜 1개

• 포비돈 요오드(Povidone-iodine) 솜 2개

• 소독된 거즈 솜

기법

1. 안와상과 활차상 신경주사로 상안검의 적절한 마취를 제공하거나 안와하 신경주사로 하안검의 적절한 마취를 제공한다. 7장을 보시오.

2. (선택적) 각막과 안구보호를 위해 각막보호대를 사용한다

3. 병변의 수 밀리미터 바깥쪽에 주사지점을 찾는다. 자입 부위를 Povidone-iodine 패드로 소독후 알코올로 닦는다.

4. (선택적) 원한다면, 병변 고정을 위해 chalazion clamp를 사용할 수 있다. 그러나 이 기구를 사용하려면 신경 주사와 국소 각막 마취를 모두 해야 한다.

5. 손가락 끝으로, 눈꺼풀을 옆으로 당겨 피부가 고정되게 한다.

6. 바깥쪽에서 안쪽 방향으로 안검에 접근한다.

7. 안전성을 위해 바늘이 안구의 표면과 평행하게 위치하도록 한다. 시술자는 주사바늘의 안정성을 위해 환자의 얼굴에 주사 손을 올려놓는다.

8. 국소마취를 위해 PainEase mist를 소독된 솜에 충분이 분사하여 적신 뒤 병변 바깥쪽으로 바른다.

9. no-touch technique을 이용하여 빠르게 바늘을 콩다래끼 약 2-3 mm 바깥의 안검 피부로 자입한다(그림 8-2).

10. 바늘을 콩다래끼 중앙으로 천천히 조심스럽게 전진시킨다.

11. 병변내 바늘 자입 후, 바늘을 옆으로 조금씩 옮겨 정확한 위치를 찾고 바늘이 병변과 함께 움직이는지 확인한다.

12. 0.1 mL (4 mg) 스테로이드 용액 40 mg/mL (triamcinolone acetonide)을 콩다래끼에 주입한다. 이때 병변이 부풀어 오른다.

13. 바늘을 제거하고 거즈 패드를 대고 부드럽게 압박한다.

그림 8-2. ● 콩다래끼 주사

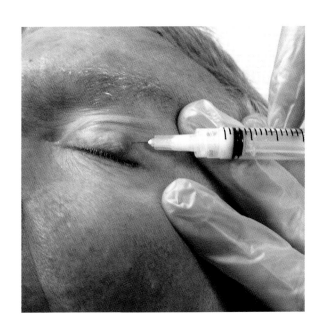

시술 후 관리

- 필요하지 않다.
- 1주 후 경과 관찰을 고려한다.

CPT 코드:

- 68200-Subconjunctival injection

유의사항

- 병변 내에 바늘을 주입한 후, 바늘을 옆으로 조금씩 옮겨 정확한 위치를 찾고, 바늘이 병변과 함께 움직이는지 확인한다.
- 1/3의 환자에서 두 번째 주사를 필요로 한다.
- 두 번의 주사 후에도 병변이 지속되면, 악성에 대한 검사를 해야 한다. 이 경우, 이 분야 전문가에게 의뢰하여 십자절개를 통한 일차 절개, 소파술등을 포함하는 더욱 공격적인 방법이 사용되어야 한다.
- 잠재적 합병증은 부주의한 각막 손상, 안구 관통, 안구 내 스테로이드 주입으로 인한 백내장, 지속적인 트리암시놀론(triamcinolone) 침착[7], 피부침착 등이다.

참고문헌

1. Wu AY, Gervasio KA, Gergoudis KN, et al. Conservative therapy for chalazia: Is it really effective? *Acta Ophthalmol* 2018;96(4):e503-9.
2. Wong MY, Yau GS, Lee JW, et al. Intralesional triamcinolone acetonide injection for the treatment of primary chalazions. *Int Ophthalmol* 2014;34(5):1049-53.
3. Ben Simon GJ, Rosen N, Rosner M, et al. Intralesional triamcinolone acetonide injection versus incision and curettage for primary chalazia: A prospective, randomized study. *Am J Ophthalmol* 2011;151(4):714-18.
4. Goawalla A, Lee V. A prospective randomized treatment study comparing three treatment options for chalazia: Triamcinolone acetonide injections, incision and curettage and treatment with hot compresses. *Clin Experiment Ophthalmol* 2007;35(8):706-12.
5. Chung CF, Lai JS, Li PS. Subcutaneous extralesional triamcinolone acetonide injection versus conservative management in the treatment of chalazion. *Hong Kong Med J* 2006;12(4):278-81.
6. Singhania R, Sharma N, Vashisht S, et al. Intralesional triamcinolone acetonide (TA) versus incision and curettage (I & C) for medium and large size chalazia. *Nepal J Ophthalmol.* 2018;10(19):3-10.
7. Wolkow N, Jakobiec FA, Hatton MP. A common procedure with an uncommon pathology: Triamcinolone acetonide eyelid injection. *Ophthalmic Plast Reconstr Surg.* 2018;34(3):e72-3.

켈로이드성 흉터
Keloid Scar

켈로이드성 흉터는 피부외상이 발생한 부위에 단단한 섬유 조직의 비정상적인 과증식의 결과로 발생한다. 이 조직은 주변의 피부 표면보다 조직이 상승하게 되며 범위는 원래 상처의 경계를 넘어서게 되며 자연적으로 없어지는 경우는 없고 종종 절개 이후에 재발하기도 한다. 일반적으로 켈로이드는 20대와 30대에 잘 발생하며 어두운 색소를 가진 피부에서 더욱 잘 발생한다. 대부분은 증상이 없지만 염증을 동반하거나 크기가 커지는 경우 가려움이나 통증을 동반 할 수도 있다.

일차적으로 수술 절개를 시행하는 경우에는 일반적으로 켈로이드성 흉터가 악화될 수 있기 때문에 최근의 임상 진료에서는 켈로이드성 흉터와 비후흉터(hypertrophic scar)에 대하여 많은 종류의 치료가 시행 되고 있다. 여기에는 절제 레이저, 프랙셔널(fractional) 레이저, 광역학치료(photodynamic therapy), 실리콘 겔 도포 그리고 냉동수술등이 포함된다.

가장 흔하게 이용되는 치료는 병변 내 주사이다. 오랫동안 첫 번째로 사용하는 주사약제는 코르티코스테로이드(corticosteroids)였다. 코르티코스테로이드는 상처치유 중에 발생하는 콜라겐의 합성을 감소시키고 혈관내피성장인자(vascular endothelial growth factor)를 억제하며 염증 매개체(inflammatory mediator)의 생산과 섬유모세포 증식(fibroblast proliferation)을 줄임으로써 과도한 흉터 형성을 감소시킨다. Huu 등의 최근연구에서 켈로이드 치료를 위한 최적의 용량은 흉터당 7.5 mg/1 cm^{2}이다.[1] 반복적인 코르티코스테로이드의 주사로 인해 발생 할 수 있는 합병증으로는 피부 위축, 모세혈관확장증, 색소침착저하 그리고 함몰 흉터 등이 있다.

여러 가지 치료법을 같이 시행하게 되면 훨씬 더 좋은 결과를 얻을 수 있다. 트리암시놀론(triamcinolone)과 5-fluorouracil을 함께 쓰는 경우 흉터소실(scar regression)을 촉진시키고 켈로이드의 재발이 감소한다.[2,3] 보툴리눔 독소A와 병변내 스테로이드의 병용 주사는 단독요법보다 우수한 것으로 보인다.[4] 최근 네트워크 메타분석에 따르면 코르티코스테로이드와 함께 병소 내 보툴리눔 독소A 주사가 더 효과적이고 부작용이 적다는 것을 보여주었다. 최적의 치료과정은 매달 triamcinolone acetonide 40 mg/mL (0.1 mL/cm^3)와 보툴리눔 독소A (2.5 IU/cm^3)를 섞어서 총 3회 치료하는 것이었다.[5] 병소내 혈소판 풍부 혈장과 트리암시놀론을 병용하면 특히 위축과 색소침착의 코르티코스테로이드 부작용을 줄이면서 켈로이드 치료에서 미용적으로 더 나은 결과를 얻을수 있었다.[6] 마지막으로 스테로이드 주사후 병소내 냉동수술을 병용하는 치료[7]와 코르티코스테로이드 주사후 수술적 절제를 시행하는 경우[8,9] 모두 효과적이었다.

적응증	ICD-10 Code
Keloid scar	L91.0

환자 자세

- 환자를 진찰대에 바로 눕힌다.
- 환자의 머리를 시술반대편으로 돌리도록 한다. 이는 불안과 통증 인지를 최소화 한다.
- 시술자는 켈로이드성 흉터에 가장 접근이 쉬운 위치에서 환자의 옆에 서도록 한다.

마취

- 국소 도포용 냉각 스프레이를 국소마취제로 사용한다.

장비

- 국소 도포용 냉각스프레이
- 3 mL 주사기
- 25 게이지, 1 또는 1½ 인치 바늘(켈로이드의 크기에 따라)
- 스테로이드 용액(triamcinolone acetonide 40 mg) 0.25-1mL
- (선택적) 5-fluorouracil 용액(50 mg/mL) 0.25-1mL
- (선택적) onabotulinumtoxinA 용액(100 unit/mL) 0.1-1mL
- 알코올 솜 1개
- 포비돈 요오드(Povidone-iodine) 솜 2개
- 소독된 거즈 솜
- 소독된 반창고

기법

1. Povidone-iodine 패드를 이용하여 주사 부위를 소독 후 alcohol로 소독한다.
2. 국소 도포용 냉각스프레이를 이용하여 국소 마취를 잘 시행 하도록 한다.
3. 바늘과 주사기를 피부표면과 평행하게 하여 켈로이드의 끝 부분으로부터 바늘 끝이 켈로이드성 흉터의 중앙을 향하도록 한다.
4. no-touch technique을 이용하여 바늘을 켈로이드의 끝 부분에서 삽입 하도록 한다 (그림 8-3).
5. 바늘을 병변으로 전진 시킨다.
6. 주사기의 플런저를 살짝 빼서 피의 역류가 없음을 확인한다.
7. 0.25-1 mL의 스테로이드 용액을(10-40 mg triamcinolone acetonide- 용량은 위 참조)를 이용하여 일정속도로 주사를 시행 하도록 하여[또한 0.25-1 mL (12.5-50 mg) 5-fluorouracil 용액 또는 10-100units onabotulinumtoxinA 용액을 이용할 수도 있

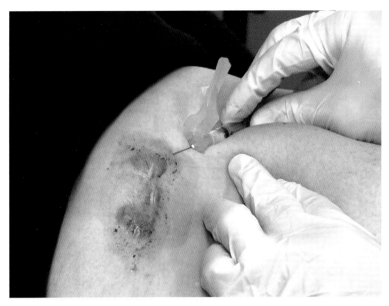

그림 8-3. ● 켈로이드 주사

    다] 약물이 켈로이드의 두께에 절반되는 깊이에서 켈로이드 기질내로 들어가도록 한다.
8. 약물이 피하지방 혹은 주변의 정상 피부에 들어가지 않도록 한다.
9. 약물을 주사 한 후 바늘을 뺀다.
10. 소독된 반창고를 붙인다.

시술 후 관리

- 필요하지 않다.
- 4-6주 후 검사를 고려한다

CPT 코드:

- 11900−Intralesional injections (1 to 7 lesions)
- 11901−Intralesional injections (>7 lesions)

유의사항

- 만약에 수 차례 주사치료에도 불구하고 켈로이드가 지속적으로 재발하는 경우 위에 언급된 바와 같이 조금 더 적극적인 치료의 시행이 필요하다.
- 진피 내 합병증을 피하기 위해서 표재 주사를 하지 않도록 주의 한다.

참고문헌

1. Huu ND, Huu SN, Thi XL, et al. Successful treatment of intralesional triamcinolone acetonide injection in keloid patients. *Open Access Maced J Med Sci* 2019;7(2):275-8.
2. Davison SP, Dayan JH, Clemens MW, et al. Efficacy of intralesional 5-fluorouracil and triamcinolone in the treatment of keloids. *Aesthet Surg J* 2009;29(1):40-6.
3. Darougheh A, Asilian A, Shariati F. Intralesional triamcinolone alone or in combination with 5-fluorouracil for the treatment of keloid and hypertrophic scars. *Clin Exp Dermatol* 2009;34(2):219-23.
4. Gamil HD, Khattab FM, El Fawal MM, et al. Comparison of intralesional triamcinolone acetonide, botulinum toxin type A, and their combination for the treatment of keloid lesions. *J Dermatolog Treat* 2020;31(5):535-44.
5. Sun P, Lu X, Zhang H, Hu Z. The efficacy of drug injection in the treatment of pathological scar: A network meta-analysis. *Aesthetic Plast Surg* 2019 Dec 18. doi: 10.1007/s00266-019-01570-8. Epub ahead of print. PMID: 31853608.
6. Hewedy ES, Sabaa BEI, Mohamed WS, et al. Combined intralesional triamcinolone acetonide and platelet rich plasma versus intralesional triamcinolone acetonide alone in treatment of keloids. *J Dermatolog Treat* 2020;1-7.
7. Weshahy AH, Abdel Hay R. Intralesional cryosurgery and intralesional steroid injection: A good combination therapy for treatment of keloids and hypertrophic scars. *Dermatol Ther* 2012;25(3):273-6.
8. Hayashi T, Furukawa H, Oyama A, et al. A new uniform protocol of combined corticosteroid injections and ointment application reduces recurrence rates after surgical keloid/hypertrophic scar excision. *Dermatol Surg* 2012;38(6):893-7.
9. Park TH, Seo SW, Kim JK, et al. Clinical characteristics of facial keloids treated with surgical excision followed by intra- and postoperative intralesional steroid injections. *Aesthetic Plast Surg* 2012;36(1):169-73.

일반 사마귀
Common Warts

일차 진료실에서는 일반 사마귀를 진단 받기 위해 상당히 많은 환자들이 찾아온다. 이러한 사마귀 구조물들은 사람유두종(human papilloma) 바이러스 감염이 국소적으로 진피에 발생한 것이다. 일반 사마귀는 여러 가지 방법으로 치료가 가능한데 여기에는 냉동수술, 전기수술, 레이저절제, 소작, 소파술 그리고 주사치료 등이 있다.

캔디다 알비칸(candida albicans); 홍역, 볼거리(mumps) 그리고 풍진(rubella); 백선균(Trichophyton); 그리고 투베르쿨린(tuberculin) 항원을 사마귀의 가장자리에 주사하는 면역치료는 T helper-1 cell cytokine들의 자극을 통해 중재되는 숙주 면역반응을 유발시킨다.[1] 이러한 치료로써 사마귀는 자연적으로 사라지게 된다. 또한 사람유두종 바이러스 직접 세포 매개 면역 반응(HPV-directed cell-medicatied immune response)은 멀리 떨어진 다른 사마귀도 치료하는 역할을 하게 된다. 캔디다[2]와 홍역, 볼거리, 풍진(MMR)[3]항원을 이용한 병변내 혹은 병변 주위 주사치료의 효과와 안정성에 대한 논문들이 점점 늘어가고 있다. 한 대규모 연구에서 다발성 난치성 피부 사마귀가 있는 어린이들을 대상으로 병소 내 캔디다 항원 주사를 한 뒤 70%의 완전한 반응을 보였다.[4] 액체 질소 냉동요법에 비해서 캔디다 항원의 병변내 주사는 더 나은 치료 반응을 보이며 더 적은 시간이 걸리고 원거리 사마귀의 치료도 가능하다.[5]

캔디다 항원은 "칸딘(Candin)"(Nielsen BioSciences, Inc. 11125 Flintkote Ave, San Diego, CA 92121, phone: 858-571-2726, website: https://nielsenbio.com/ candin-hcp/)이라는 상품명으로 쓰이고 있으며 generic (Hollister Stier Allergy. 3525 N. Regal St, Spokane, WA 99207, phone: 509-489-5656, website: http://www.hsallergy.com/)으로도 쓰이고 있다.

적응증	ICD-10 Code
Common warts	B07.8
Gential warts	A63.0
Plantar warts	B07.0

환자 자세

- 환자를 진찰대에 바로 눕힌다.
- 환자의 머리를 시술반대편으로 돌리도록 한다. 이는 불안과 통증 인지를 최소화한다.

마취

- 국소 도포용 냉각 스프레이를 국소마취제로 사용한다.

장비

- 국소 도포용 냉각 스프레이
- 3 mL 주사기
- 30 게이지, 1/2 인치 바늘
- 최대 1 mL의 캔디다 항원
- 최대 1 mL의 에피네프린을 포함하지 않은 1% lidocaine
- 알코올 솜 1개
- 소독된 거즈솜
- 소독된 반창고
- 깨끗한 받침용 수건

기법

1. 주사할 용액을 준비한다: 최대 1 mL의 캔디다 항원과 최대 1 mL의 에피네프린을 포함 하지 않은 1% 리도카인을 1:1의 비율로 섞는다.
2. 알코올 패드를 이용하여 주사 부위를 소독한다.
3. 국소 도포용 냉각스프레이를 이용하여 국소 마취를 잘 시행하도록 한다.
4. 바늘과 주사기가 사마귀의 끝 부분에서 피부와 10도의 각도를 이루도록 하며 바늘 끝은 사마귀를 향하도록 한다.
5. no-touch technique을 이용하여 바늘을 사마귀의 끝부분으로부터 5 mm 정도 바깥에서 삽입하도록 한다(그림 8-4).

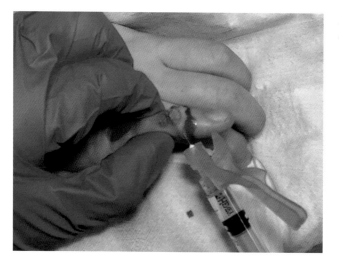

그림 8-4. ◉ 캔디다 항원을 사용한 일반 사마귀 주사

6. 바늘을 사마귀 끝부분의 진피 내로 전진 시킨다.

7. 주사기의 플런저를 살짝 빼서 피의 역류가 없음을 확인한다.

8. 사마귀 하나당 0.1 mL의 용액을 이용하여 사마귀의 바로 주변에 진피내 주사를 시행 하도록 한다. 1회 사용할 수 있는 캔디다 항원의 총 주사량은 1 mL 까지이다.

9. 피하 조직 내로 주사하지 않도록 한다.

10. 주사를 마치고 나면 바늘을 뺀다.

11. 소독된 반창고를 붙인다.

시술 후 관리

- 필요하지 않다.
- 면역계가 항원에 반응하게 되면 다음과 같은 국소적인 증상들이 발생할 수 있음을 환자에게 교육 하도록 한다: 국소적인 홍반, 가려움, 사마귀의 건조, 병변의 흑색화, 치료 된 조직의 박리, 단순히 자연적인 퇴화
- 부작용으로 발적, 샘병(adenopathy), 지속되는 사마귀 등이 있을 수 있다.
- 3주 후 검사를 고려한다.

CPT 코드:

- 11900−Intralesional injections (1 to 7 lesions)
- 11901−Intralesional injections (>7 lesions)

유의사항

- 캔디다 항원은 이전에 같은 항원이나 유사한 제품 사용 시 극심한 과민반응이나 알레르기와 같이 심각한 부작용을 경험하였을 경우 사용해서는 안 된다.
- 사마귀가 남아 있는 경우 3주내에 주사치료를 반복한다.
- 사마귀는 캔디다 항원 주사시 65−75%가 첫 주사 후 치료 된다.[6]
- 남아 있는 사마귀 중 50%가 두 번째 주사에 반응한다.[7]
- 사마귀에 대한 주사에서 캔디다와 홍역 항원의 사용은 FDA의 승인이 나지 않았으며 따라서 이 항원들에 대해서는 J code가 없다. 따라서 보험회사들은 이 시술에서 사용된 항원에 대해 보험급여를 제공하지 않는다. 불행하게도 주사 코드는 이 비용을 포함하지 않고 있으며 항원 자체의 가격은 시술료보다 비싸다. 그러므로 이 치료를 하려는 경우 환자가 구입 가능한 약국에서 약을 구입하여 약을 열지 않은 상태로 병원으로 가져와 시술 받을 수 있도록 한다.

참고문헌

1. Nofal A, Salah E, Nofal E, et al. Intralesional antigen immunotherapy for the treatment of warts: Current concepts and future prospects. *Am J Clin Dermatol* 2013;14(4):253-60.
2. Alikhan A, Griffin JR, Newman CC. Use of Candida antigen injections for the treatment of verruca vulgaris: A two-year Mayo Clinic experience. *J Dermatolog Treat* 2016;27(4):355–8.
3. Vania R, Pranata R, Tan ST. Intralesional measles-mumps-rubella is associated with a higher complete response in cutaneous warts: A systematic review and meta-analysis of randomized controlled trial including GRADE qualification. *J Dermatolog Treat* 2020:1–8.
4. Muñoz Garza FZ, Roé Crespo E, Torres Pradilla M, et al. Intralesional Candida antigen immunotherapy for the treatment of recalcitrant and multiple warts in children. *Pediatr Dermatol* 2015;32(6):797–801.
5. Khozeimeh F, Jabbari Azad F, Mahboubi Oskouei Y, et al. Intralesional immunotherapy compared to cryotherapy in the treatment of warts. *Int J Dermatol* 2017;56(4):474–8.
6. Phillips R, Pfenninger JL, et al. *Candida* antigen for the treatment of verruca. *Arch Dermatol* 2000;136:1274–5.
7. Singhania R, Sharma N, Vashisht S, et al. Intralesional triamcinolone acetonide (TA) versus incision and curettage (I & C) for medium and large size chalazia. *Nepal J Ophthalmol* 2018;10(19):3–10.

고리육아종, 다른 얇은 양성 염증성 피부질환
Granuloma Annulare and Other Thin, Benign, Inflammatory Dermatoses

고리육아종은 얇은 양성 염증성 피부질환 중 하나다. 아동과 젊은 성인에서 원인이 밝혀지지 않은 질환 중 상대적으로 흔히 질환이다. 이는 악성종양, 외상, 갑상선 질환, 당뇨 및 HIV 감염등과 관련이 있다. 가장 흔하게 국소화된 형태는, 피부 침착이나 붉은색 피부 팽윤 및 지름 5 cm까지의 고리형으로 나타난다(그림 8-5). 국소화된 고리육아종은 발, 발목, 하지, 손목에 호발하며 대개 별다른 치료없이 2년 이내에 치유된다. 하지만 전신적인 형태는 더 만성적이고 치료에 반응이 덜 하다.[1] 치료는 아직 증거가 미약하며 치료자의 선호도나 전문가 의견, 증례 보고로 정해진다. 강력한 국소 코르티코스테로이드 혹은 병변 내 코르티로스테로이드가 가장 흔히 사용된다. 액상 질소 냉동수술, 광역학치료, hydroxychloroquine, dapsone, tacrolimus, pimecrolimus, imiquimod를 포함하여 선택 가능한 수많은 치료방법들이 있다.[2]

적응증	ICD-10 코드
Alopecia areata	L63.9

환자자세

- 환자를 진찰대에 바로 눕게 한 뒤 침대머리를 30도 정도 올린다.
- 환자의 손을 무릎 위에 올려놓는다.
- 시술자는 환자의 병변있는 부위의 바깥쪽에 선다.

그림 8-5. ● 고리육아종 병변

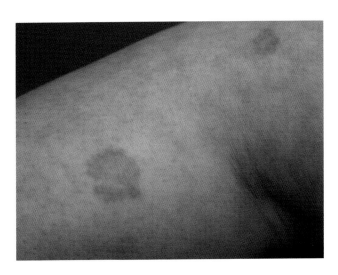

마취

- 국소 도포용 냉각스프레이를 국소마취제로 사용한다

장비

- 국소 도포용 냉각스프레이
- 8 mm, 31 게이지 바늘을 끼운 0.5 mL 인슐린 주사기
- 스테로이드 용액(10 mg/mL triamcinolone acetonide)
- 알코올 솜 1개
- 소독된 거즈솜
- 소독된 반창고

기법

1. 병변 위에 자를 사용하여 1 cm 간격으로 점으로 구획을 나눈 뒤 표시한다.
2. 알콜 솜으로 소독한다.
3. Gebauer's Pain Ease mist topical vapocoolant spray를 사용하여 충분한 국소마취를 시행한다(그림 8-6).
4. 바늘과 주사기를 각각의 자입점의 피부표면에 20도 각도로 위치시킨다.
5. no-touch technique을 이용하여 바늘을 피부에 빠르게 자입한다.
6. 바늘을 진피 깊숙이 반쯤 전진한다.
7. 주사기의 플런저를 살짝 빼서 피의 역류가 없음을 확인한다.
8. 0.02 내지 0.05 mL 스테로이드 용액을 주입한다(triamcinolone acetonide 10 mg/mL)(그림 8-7).
9. 전체 병변에 반복 주입한다.
10. 코르티코스테로이드 용액 주사 후, 바늘을 빼고, 거즈 패드로 누른다.

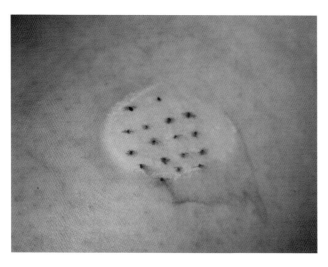

그림 8-6. ● Pain Ease mist topical vapocoolant spray를 도포한 직후 고리육아종 병변의 1 cm 간격 격자무늬 표시

그림 8-7. ● 인슐린 주사기/바늘로 소량의 트리암시놀론을 고리육아종 병변내 주사

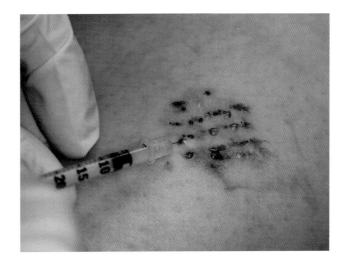

11. 소독된 반창고를 붙인다.
12. 주사는 병변이 치유될 때 까지 매 4-6주 마다 반복한다(그림 8-8).

시술 후 관리

- 필요하지 않다.
- 4-6주 후 검사를 고려한다.

CPT 코드:

- 11900-Intralesional injections (1 to 7 lesions)
- 11901-Intralesional injections (>7 lesions)

유의사항

- 표피나 피하조직내 주사는 피한다.

그림 8-8. ● 코르티코스테로이드 주사 7일 후 용해된 고리 육아종 병변

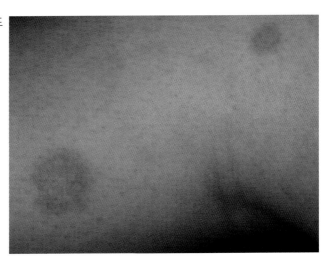

참고문헌

1. Wang J, Khachemoune A. Granuloma annulare: A focused review of therapeutic options. *Am J Clin Dermatol* 2018;19(3):333-44.
2. Thornsberry LA, English JC III. Etiology, diagnosis, and therapeutic management of granuloma annulare: An update. *Am J Clin Dermatol* 2013;14(4):279-90.

결절 가려움발진과 다른 두꺼운 양성 염증성 피부질환
Prurigo Nodularis and Other Thick, Benign, Inflammatory Dermatoses

결절가려움발진(PN)은 두꺼운 양성 염증성 피부질환 중 하나다. 결절가려움발진은 자발적이거나 아토피 피부염, 만성 신장 질환, 신경계 질환과 같은 기저 질환의 발현으로 발생할 수 있다. 또한 정신과 질환과도 강한 연관이 있다. PN은 양측성이며 각화과다, 벗겨짐, 과다색소침착 되어있는 단단하고 매우 가려운 결절이 특징인 만성적이고 많이 가려운 상태이다. 만성적이고 반복적으로 긁거나 결절을 떼어내는 것은 결절성의 태선화(nodular lichenification), 과다각화증, 과다색소침착, 피부 비후를 포함한 지속적인 변화를 유발한다. 치료되지 않은 벗겨진 병변은 종종 낙설과 딱지가 된다. 신체의 어느 부분에서도 생길 수 있으나 보통 팔이나 다리에서 시작된다. PN은 진피 및 표피의 작은 직경의 신경 섬유에 변화가 있는 신경병성 기원을 갖는 것으로 보인다.[1] 진단은 결절의 물리적 특징과 가려움의 유무를 통해 이루어진다. 피부 생검은 다른 질환을 배제하기 위해 시행된다.

PN은 보통 삶의 질에 커다란 영향을 준다. 불행하게도 치료 가이드로 가능한 무작위 대조군 연구는 거의 없다.[2] 병변내의 스테로이드는 매우 효과적이며 triamcinolone acetonide가 보통 사용된다. 성인에게 좋은 임상적인 결과를 얻기 위해 최대 4달까지 매달 총 용량 20 mg까지 반복적으로 시술한다.[3] 더 심하거나 내성이 있는 경우에는 광선요법, 전신 면역억제제, thalidomide, lenalidomide, 아편 유사제 수용체 길항제 또는 뉴로키닌-1(neurokinin-1) 수용체 길항제 사용이 필요할 수 있다.[4] 중재적 시술에 상관없이 PN의 효과적인 관리를 위해서 심리적인 요인의 연관성을 고려해야 한다.

적응증	ICD-10 코드
Prurigo nodularis	L28.1

환자 자세

- 환자를 진찰대에 바로 눕힌다.
- 환자의 머리를 시술반대편으로 돌리도록 한다. 이는 불안과 통증을 최소화 한다.
- 시술자는 결절가려움발진 병변에 가장 접근이 쉬운 위치에서 환자의 옆에 서도록 한다.

마취

- 국소 도포용 냉각스프레이를 국소마취제로 사용한다.

장비

- 국소 도포용 냉각스프레이
- 3 mL 주사기
- 25 게이지, 1 인치 바늘
- 스테로이드 용액(triamcinolone acetonide 10−40 mg/mL) 0.25−1 mL
- 알코올 솜 1개
- 포비돈 요오드(Povidone−iodine) 솜 2개
- 소독된 거즈솜
- 소독된 반창고

기법

1. 알코올 패드를 이용하여 주사 부위를 소독한다.
2. 국소 도포용 냉각스프레이를 이용하여 국소 마취를 잘 시행하도록 한다.
3. 바늘과 주사기가 병변의 가장자리에서 피부와 10−45도의 각도를 이루도록 하며 바늘 끝은 결절의 중심을 향하도록 한다.
4. no−touch technique을 이용하여 바늘을 병변 가장자리에서 자입한다(그림 8−9).
5. 바늘을 병변 내로 전진시킨다.
6. 주사기의 플런저를 살짝 빼서 피의 역류가 없음을 확인한다.
7. 0.1 mL 에서 최대 1 mL의 용액(triamcinolone acetonide 40mg/mL)을 전체 병변으로 균일하게 퍼지도록 병변 기저부에 주사한다.
8. 진피나 피하 조직 내로 주사하지 않도록 한다.
9. 코르티코스테로이드 용액 주사 후 바늘을 뺀다.
10. 소독된 반창고를 붙인다.

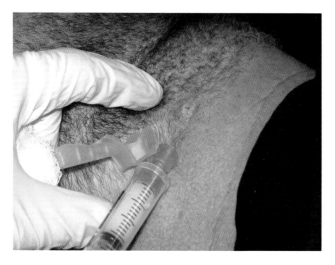

그림 8-9. ● triamcinolone을 25 G 바늘을 사용하여 결절가려움발진 병변에 주사

시술 후 관리

- 필요하지 않다.
- 4-6주 후 검사를 고려한다

CPT 코드:

- 11900-Intralesional injections (1 to 7 lesions)
- 11901-Intralesional injections (>7 lesions)

유의사항

- 표피나 피하조직내 주사는 피한다.

참고문헌

1. Fostini AC, Girolomoni G, Tessari G. Prurigo nodularis: An update on etiopathogenesis and therapy. *J Dermatolog Treat* 2013;24(6):458-62.
2. Wu AY, Gervasio KA, Gergoudis KN, et al. Conservative therapy for chalazia: Is it really effective? *Acta Ophthalmol* 2018;96(4):e503-9.
3. Richards RN. Update on intralesional steroid: Focus on dermatoses. *J Cutan Med Surg* 2010;14(1):19-23.
4. Kowalski EH, Kneiber D, Valdebran M, et al. Treatment-resistant prurigo nodularis: Challenges and solutions. *Clin Cosmet Investig Dermatol* 2019;12:163-72.
5. Lotti T, Buggiani G, Prignano F. Prurigo nodularis and lichen simplex chronicus. *Dermatol Ther* 2008;21(1):42-6.

턱관절Temporomandibular Joint

James W. McNabb

턱관절(TMJ) 기능 장애 및 관절염으로 인해 환자들은 흔히 1차 의료기관을 방문한다. 턱관절 세척술과 관절강내 약물을 주입하는 치료들은 오래전부터 시행되어 왔습니다. 소아 특발성 관절염에 스테로이드를 사용하는 주사치료들은 근거 문헌들이 보고되고 있다.[1]

그러나 최근 성인을 대상으로 한 무작위 대조 시험의 체계적 고찰결과 관절 내 스테로이드 주사는 다른 주사와 유사한 결과를 보이는 것으로 보이며 큰 차이가 없는 것으로 보인다.[2] 오히려 부작용 때문에 스테로이드 사용에 제한을 가져야 한다는 보고들이 있다.[3]

미국 FDA의 승인을 받지는 않았지만 히알루론산과[4,5]과 혈소판풍부혈장의 관절강내 주입[6,7]의 근거를 뒷받침하는 연구 보고는 점차 증가하고 있다. 중장기적으로 이러한 주사는 훨씬 더 효과적인 것으로 보고되고 있다.[8]

이러한 주사들은 턱관절 기능을 향상시키고 통증 감소를 더 효과적으로 가져오는 것으로 보인다. 따라서 주사는 1차 치료로 고려하거나 처음 보존치료에 반응이 없는 경우에 가급적 빨리 고려하여야 한다.[9]

초음파 사용으로 인해 턱관절 주사가 아주 효과적으로 용이하게 되었으며[10], 특히 소아 환자에서는 더욱 유용하게 되었다.[11,12]

적응증	ICD-10 code
Temporomandibular joint pain	M26.629
Temporomandibular joint arthritis	M26.69
TMJ joint osteoarthritis, primary	M19.91
TMJ joint osteoarthritis, posttraumatic	M26.69

관련해부학: (그림 9-1)

환자 자세

- 환자는 시술 침대에 앉는다.
- 환자는 손을 앞에 가지런히 한다.

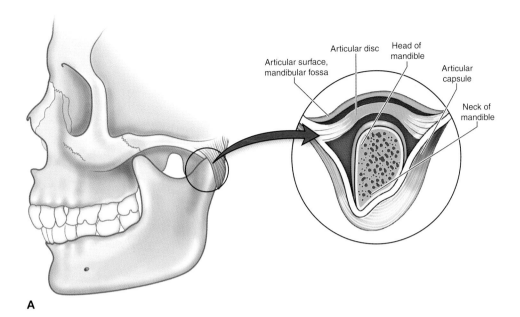

A

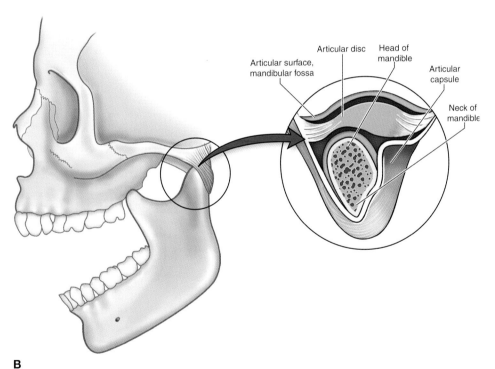

B

그림 9-1. ● 턱관절의 시상면. **A**: 입을 다물었을 때, **B**: 입을 열었을 때

해부학적 지표

1. 환자는 검사 테이블에 앉은 자세를 취하고 의사는 증상이 있는 턱쪽 측면 후방에 선다.
2. 턱관절을 입을 크게 벌리거나 다물기를 반복하면서 촉진한다.

3. 깊게 파진 턱관절 고랑을 입을 열었을 때 촉진하고 그 지점을 잉크 등으로 점 표시한다.

4. 그 지점에서 볼펜 끝부분으로 피부를 강하게 찍어서 표시한다. 이 부분이 후에 바늘 자입지점이 된다.

5. 해부학적 지표가 확인이 된 후에 환자는 턱을 움직이지 않아야 한다.

6. 시술이 끝날때까지 환자는 입을 연채로 유지하여야 한다.

마취

냉각 분사용 국소마취제로 피부를 마취할 수 있지만 대부분의 환자에서 필요치 않다. 만약 사용할 경우에는 환자의 귀나 눈으로 분사액이 들어가지 않도록 주의하여야 한다.

장비

- 첩포용 분사 마취 스프레이
- 주사기 3 mL
- 25 게이지 1 인치 바늘
- 에피네프린 섞지 않은 1% 메피바카인 0.5 mL
- 스테로이드 0.5 mL (triamcinolone acetonide 20 mg)
- 알코올 패드
- 포타딘 알코올 솜
- 멸균 거즈 패드
- 멸균 반창고

기법

1. 바늘 자입 부위를 포타딘 알코올 솜으로 소독하고 준비한다.

2. 냉각 국소 분사 마취 스프레이를 이용하여 국소 피부 마취를 시행한다.

3. 시상면으로 턱관절의 후방을 향해서 바늘끝을 전방 내측을 향하여 턱관절의 고랑 부위에서 30도의 각도로 자입한다.

4. no-touch technique을 사용하여 바늘을 자입한다(그림 9-2).

5. 바늘끝이 턱관절을 둘러싼 캡슐부위에 닿는 느낌이 날때까지 서서히 진입시킨다. 관절낭안으로 들어가면 갑자기 저항이 소실된다. 관절공간 안에 들어가면 턱관절 디스크 표면이나 디스크 안으로 바늘끝이 닿는 느낌이 들 수 있다. 이 경우 바늘을 1-2 mm 정도 후퇴시킨다.

6. 주사기의 플런저를 뒤로 빼서 혈액 흡입이 없음을 확인한다.

7. 메피바카인과 스테로이드가 혼합된 용액을 턱관절로 주입한다. 주입시 속도는 서서히 들어가도록 주의하여야 한다. 만약 저항이 느껴진다면 살짝 더 진입하거나 바늘을 빼서 주사약물이 들어가는 것을 다시 확인한다.

그림 9-2. ● 턱관절 주사

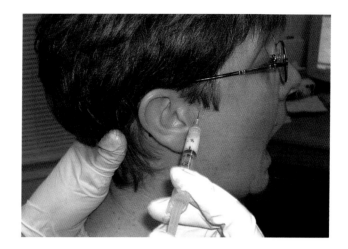

8. 주사액 주입이 끝나면 조심히 바늘을 뺀다.

9. 멸균 반창고를 붙인다.

10. 환자에게 지시사항으로 최대한 가능 범위로 입을 열었다 다물기를 반복하도로 한다. 이러한 동작을 통해서 주입한 약제가 관절캡슐을 통해 충분히 스며들도록 한다.

11. 턱관절 통증 감소 평가를 5분 이루 재평가한다.

시술 후 관리

• 시술후 껌씹기, 딱딱한 음식 그리고 과도하게 소리치는 등의 동작은 2주동안 피하도록 한다.

• NSAID 약제, 얼음마사지, 물리치료등은 권고된다.

• 2주 후 외래 통해 경과관찰 하도록 한다.

CPT 코드:

• 20605−Arthrocentesis, aspiration and/or injection, intermediate joint or bursa; without ultrasound guidance

• 20606−With ultrasound guidance, with permanent recording and reporting

유의사항

• 특히 성인 환자에서 스테로이드 주사후 퇴행성 관절의 진행이 보고된 바 있다.

참고문헌

1. Stoll ML, Good J, Sharpe T, et al. Intra-articular corticosteroid injections to the temporomandibular joints are safe and appear to be effective therapy in children with juvenile idiopathic arthritis. *J Oral Maxillofac Surg* 2012;70(8):1802-7.

2. Davoudi A, Khaki H, Mohammadi I, et al. Is arthrocentesis of temporomandibular joint with corticosteroids beneficial? A systematic review. *Med Oral Patol Oral Cir Bucal* 2018;23(3):e367-75.

3. Isacsson G, Schumann M, Nohlert E, et al. Pain relief following a single-dose intra-articular injection of methylprednisolone in the temporomandibular joint arthralgia-A multicentre randomised controlled trial. *J Oral Rehabil* 2019;46(1):5-13.

4. Manfredini D, Piccotti F, Guarda-Nardini L. Hyaluronic acid in the treatment of TMJ disorders: A systematic review of the literature. *Cranio* 2010;28(3):166-76.

5. Guarda-Nardini L, Cadorin C, Frizziero A, et al. Comparison of 2 hyaluronic acid drugs for the treatment of temporomandibular joint osteoarthritis. *J Oral Maxillofac Surg.* 2012;70(11):2522–2530.

6. Haigler MC, Abdulrehman E, Siddappa S, et al. Use of platelet-rich plasma, platelet-rich growth factor with arthrocentesis or arthroscopy to treat temporomandibular joint osteoarthritis: Systematic review with meta-analyses. *J Am Dent Assoc* 2018;149(11):940-52.e2.

7. Chung PY, Lin MT, Chang HP. Effectiveness of platelet-rich plasma injection in patients with temporomandibular joint osteoarthritis: A systematic review and meta-analysis of randomized controlled trials. *Oral Surg Oral Med Oral Pathol Oral Radiol* 2019;127(2):106-16.

8. Li F, Wu C, Sun H, et al. Effect of platelet-rich plasma injections on pain reduction in patients with temporomandibular joint osteoarthrosis: A meta-analysis of randomized controlled trials. *J Oral Facial Pain Headache* 2020;34(2):149-56.

9. Al-Moraissi EA, Wolford LM, Ellis E III, et al. The hierarchy of different treatments for arthrogenous temporomandibular disorders: A network meta-analysis of randomized clinical trials. *J Craniomaxillofac Surg* 2020;48(1):9-23.

10. Champs B, Corre P, Hamel A, et al. US-guided temporomandibular joint injection: Validation of an inplane longitudinal approach. *J Stomatol Oral Maxillofac Surg* 2019;120(1):67-70.

11. Young CM, Shiels WE II, Coley BD. Ultrasound-guided corticosteroid injection therapy for juvenile idiopathic arthritis: 12-year care experience. *Pediatr Radiol* 2012;42(12):1481-9.

12. Habibi S, Ellis J, Strike H, et al. Safety and efficacy of US-guided CS injection into temporomandibular joints in children with active JIA. *Rheumatology (Oxford)* 2012;51(5):874-7.

드물게 견갑상 신경병증을 호소하는 환자가 있을 수 있다. 신경포착이나 압박에 의한 질환으로서 간과되는 경우도 많다. 견갑상신경(Suprascapular nerve)은 견갑상절흔과 극관절와절흔을 지날 때 포착되기 쉽다. 견갑상절흔에서의 포착은 극상근과 극하근 약화와 함께 애매한 뒤쪽 어깨 통증을 초래하는데 깊고 둔하며 쑤시는 통증이 머리위로 물건등을 던지는 동작에 의해 심해진다고 호소하게 된다. 극관절와절흔에서 포착된 경우에는 극하근 약화를 일으키나 일반적으로 통증은 없다. 가장 흔한 원인은 급성 외상, 염증반응(예, 상완신경염), 극관절와절흔 낭종, 회전근개 파열 및 과사용 등이다.[1] 극관절와절흔 낭종 및 견갑상신경 포착의 경우 수술적 치료에 가장 잘 반응하고 과사용이나 바이러스성 질환에 의한 경우 보존적 치료에 의해 잘 치료된다.[2] 견갑상절흔에서의 신경차단술은 이 질환의 보존적 치료로서 그리고 어깨 수술 후 통증[3], 뇌졸중 후 통증[4], 및 유착관절낭염에[5] 대한 치료로써 활용된다. 견간상신경포착으로 인한 어깨 통증의 치료에 있어서 맹검 주사법에 비해 초음파 유도하 견갑상 신경블록은 좀 더 안전하고 효과적인 치료로 알려져 있다.[7]

적응증	ICD-10 code
Suprascapular neuropathy	56.80

관련해부학: (그림 9-3)

환자 자세

• 진찰의자에 앉아서 팔을 진찰대에 올리게 하고 목은 정면을 향하게 한다.

해부학적 지표

1. 환자는 진찰의자에 앉게 하고 시술의사는 통증 증상이 있는 쪽 견갑골 뒤에 선다.
2. 견봉 끝과 견갑극 내측의 중간 지점을 찾아서 잉크 펜으로 표시한다.
3. 오훼돌기를 찾아 잉크 펜으로 표시한다.
4. 위의 두 개의 선을 연결하는 선을 그리고 그 중간지점을 표시한다.
5. 이 부위를 움푹 들어간 볼펜 끝으로 강하게 누른다. 이 함몰 부위는 바늘이 삽입되는 지점을 나타낸다.
6. 해부학적 지표가 확인된 이후 환자는 손이나 손가락을 움직이지 않아야 한다.

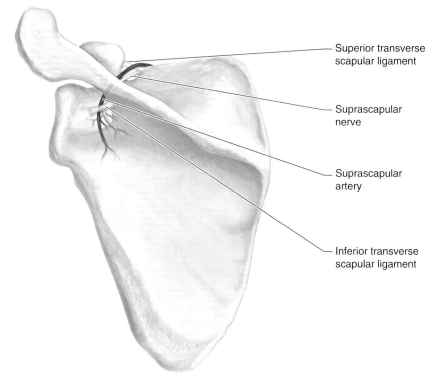

Superior transverse
scapular ligament

Suprascapular
nerve

Suprascapular
artery

Inferior transverse
scapular ligament

그림 9-3. ● 왼쪽 견갑골의 혈관과 신경

마취

• 국소 도포용 냉각 스프레이(topical vapocoolant spray)로 피부를 국소 마취한다

장비

• 국소 도포용 냉각 스프레이
• 3 mL 주사기
• 25 g, 1½ inch 바늘
• 에피네프린이 첨가되지 않은 1% 리도카인 1 mL
• 1 mL 스테로이드 용액(40 mg triamcinolone acetonide)
• 알코올 솜
• 베타딘 솜
• 소독된 거즈 솜
• 소독된 반창고

기법

1. 알코올과 베타딘으로 주사 부위를 소독한다.
2. 국소 도포용 냉각 스프레이로 국소 마취를 한다.

그림 9-4. ● 견갑상신경 주사

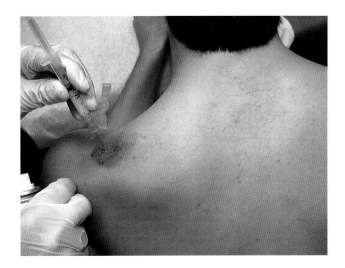

3. 바늘을 피부에 수직으로 하여 견갑상절흔을 향하게 한다.

4. no-touch technique을 활용하여 삽입점에 바늘을 자입한다(그림 9-4).

5. 극상근을 지나 극상와에 닿을 때가지 전진 했다가 다시 1-2 mm 후퇴한다.

6. 흡인을 통해 바늘 끝이 혈액역류가 되지 않음을 확인하다.

7. 리도카인과 스테로이드 혼합액을 견갑상신경 주변 근육으로 주입한다. 이부분은 천천히 주입하여야 한다. 저항이 높게 느껴지는 경우 바늘을 약간 더 전진하거나 후퇴한 후 다시 주입해본다.

8. 주사액 주입후 바늘을 뺀다.

9. 소독된 반창고를 감는다.

10. 환자 어깨를 외회전 및 외전의 가동범위 끝까지 움직이게 한다. 이러한 동작은 리도카인과 스테로이드 용액이 극상와에 전체적으로 잘 퍼지게 한다.

11. 5분 뒤 통증이 어깨부위 통증이 감소되는지 다시 검사해 본다.

시술 후 관리

- 과도한 외전, 외회전 및 머리위로 던지는 동작을 2주간 피하게 한다.
- 적응증이 된다면 NSAID, 얼음주머니, 또는 물리치료를 시행한다
- 2주 후에 추적 관찰한다.

CPT 코드:

- 64418-Introduction/injection of anesthetic agent (nerve block), diagnostic or therapeutic procedures on the somatic nerves
- 76942 (optional)-Ultrasonic guidance for needle placement with imaging supervision and interpretation with permanent recording

유의사항

- 기흉이나 혈관손상등의 위험성을 피하기 위한 안전성을 위하여 초음파 유도하 주사를 권고한다.
- 주사전에 견갑상 동맥내에 바늘의 위치가 있음을 피하기 위해서 항상 흡입해 본다.
- 통증 감소나 위약가의 호전이 없고 EMG검사상 확진이 되는 경우는 상하 횡견갑인대의 포착을 풀기 위해 수술적 방법도 고려해 보아야 한다.

참고문헌

1. Hill LJ, Jelsing EJ, Terry MJ, et al. Evaluation, treatment, and outcomes of suprascapular neuropathy: A 5-year review. *PM R* 2014;6(9):774–80. pii:S1934-1482(14)00071-9.
2. Antoniou J, Tae SK, Williams GR, et al. Suprascapular neuropathy. Variability in the diagnosis, treatment, and outcome. *Clin Orthop Relat Res* 2001;(386):131–8.
3. Jerosch J, Saad M, Greig M, et al. Suprascapular nerve block as a method of preemptive pain control in shoulder surgery. *Knee Surg Sports Traumatol Arthrosc* 2008;16(6):602–7.
4. Picelli A, Bonazza S, Lobba D, et al. Suprascapular nerve block for the treatment of hemiplegic shoulder pain in patients with long-term chronic stroke: A pilot study. *Neurol Sci* 2017;38(9):1697–701.
5. Adey-Wakeling Z, Crotty M, Shanahan EM. Suprascapular nerve block for shoulder pain in the first year after stroke: A randomized controlled trial. *Stroke* 2013;44(11):3136-41.
6. Jones DS, Chattopadhyay C. Suprascapular nerve block for the treatment of frozen shoulder in primary care: A randomized trial. *Br J Gen Pract.* 1999;49(438):39–41.
7. Aydın T, Şen Eİ, Yardımcı MY, et al. Efficacy of ultrasound-guided suprascapular nerve block treatment in patients with painful hemiplegic shoulder. *Neurol Sci* 2019;40(5):985–91

견갑흉부증후군
Scapulothoracic Syndrome

견갑흉부증후군은 일차진료 영역에서 비교적 드문 질환이다. 긴 시간 동안 상지를 편 상태로 일하는 직업을 가진 중년기의 환자들에게서 볼 수 있다. 또한 어깨에 기저질환이 있거나 견갑흉부 기능 이상이 있는 환자에게서 나타나기도 한다. 비정상적인 자세로 인해 견갑골과 그 아래의 흉벽 사이의 생체역학적 이상이 발생하고 결과적으로 윤활낭염이 발생하는 것이다. 견갑흉부증후군의 특징적인 통증은 견갑골의 위쪽 안쪽 경계 부에 국한되거나 목과 어깨로 방사되기도 한다. 비수술적 치료로서 견갑 안정화 운동, 자세운동, 또는 주사치료 등이 초기 치료로 운동이상, 양성의 비골성(non-osseous) 병변이 경우 효과가 좋다.[1] 하지만 이러한 치료법들이 해부학적인 이상구조물을 가진 환자에서는 수술적 요법에 비해 덜 효과적이다.[2] 해부학적으로 정상소견인 환자에서는 견갑골 내측 경계부에서 압통이 가장 심한 부위에 스테로이드를 주사하여 효과적으로 치료할 수 있다.[3] 초음파 유도하 견갑흉부 점액낭 주사는 안전하고 효과적인 방법이다.[4]

적응증	ICD-10 code
Scapulothoracic syndrome	G56.80
Scapulothoracic bursitis	M75.50

관련해부학: (그림 9-5)

환자자세

• 진찰의자에 앉아 동측 손을 반대쪽 어깨 위에 올린다.

해부학적 지표

1. 환자를 진찰의자에 앉게 하고 시술의사는 이환된 견갑골의 뒤에 앉거나 선다.
2. 통증이 가장 심한 부위를 촉지하고 잉크 펜으로 표시한다. 대게 견갑골 경계부의 안쪽 위쪽에 위치한다.
3. 이 부위를 움푹 들어간 볼펜 끝으로 강하게 누른다. 이 함몰 부위는 바늘이 삽입되는 지점을 나타낸다.
4. 해부학적 지표가 확인된 이후 환자는 움직이지 않아야 한다.

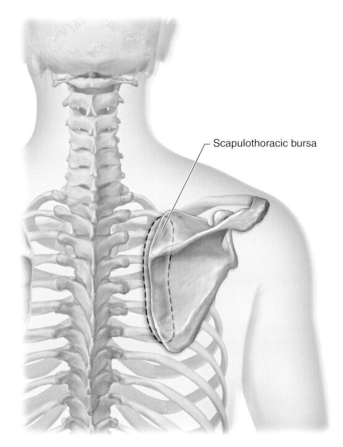

그림 9-5. ● 견갑흉부윤활낭

마취

- 국소 도포용 냉각 스프레이(topical vapocoolant spray)로 피부를 국소 마취한다.

장비

- 국소 도포용 냉각 스프레이
- 3 mL 주사기
- 25 G, 1½ inch 바늘
- 에피네프린이 첨가되지 않은 1% 리도카인 1 mL
- 1 mL 스테로이드 용액(40 mg triamcinolone acetonide)
- 알코올 솜
- 베타딘 솜
- 소독된 거즈 솜
- 소독된 반창고

기법

1. 알코올과 베타딘으로 주사 부위를 소독한다.
2. 국소 도포용 냉각 스프레이로 국소 마취를 한다.
3. 바늘을 피부에 20도 각도로 하여 견갑흉부 부위에서 압통이 가장 심한 부위로 향하게 한다.
4. no-touch technique으로 삽입점에 바늘을 삽입한다(그림 9-6).
5. 압통점으로 진입시킬 때 바늘을 견갑골 아랫면에 평행하게 하여 흉벽을 향하지 않게 한다.
6. 혈액 흡입이 없는지를 확인하기 위하여 주사기 실린지를 빼본다.
7. 최대 압통점에 리도카인/스테로이드 용액의 절반을 조금씩 주입하고 나머지는 견갑흉부 공간에 주입한다. 주사액이 부드럽게 주입되어 퍼져야 하며 만약 저항이 있으면 일단 주입을 멈추고 바늘을 더 전진하거나 후퇴한 이후 다시 주입한다.
8. 주사액 주입후 바늘을 뺀다.
9. 소독된 반창고를 감는다.
10. 환자의 어깨를 가동범위 끝까지 움직이게 하여 리도카인/스테로이드 용액이 잘 퍼지게 한다.
11. 5분 후 통증이 완화되었는지 다시 검사해 본다.

시술 후 관리

- 2주간 과도한 어깨 외전, 앞으로 뻗거나 밀고 당기는 동작 및 머리 위로 던지는 동작을 피하게 한다.
- 적응증이 된다면 NSAID, 얼음주머니, 또는 물리치료를 시행한다.
- 2주 후에 추적 관찰한다.

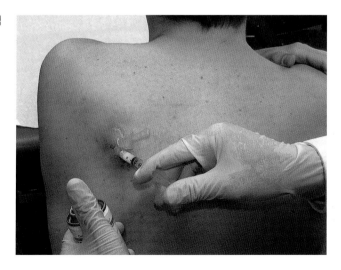

그림 9-6. ● 견갑흉부윤활낭염 주사치료

CPT 코드:

- 20610–Arthrocentesis, aspiration, and/or injection, major joint or bursa; without ultrasound guidance
- 20611–With ultrasound guidance, with permanent recording and reporting

유의사항

- 기흉 위험성이 있기 때문에 안전성 제고를 위해 초음파 사용을 권장한다.
- 바늘을 깊이 찌르면 기흉을 초래할 수 있으므로 주의한다.

참고문헌

1. Osias W, Matcuk GR Jr, Skalski MR, et al. Scapulothoracic pathology: Review of anatomy, pathophysiology, imaging findings, and an approach to management. *Skeletal Radiol* 2018;47(2):161-71.
2. Gaskill T, Millett PJ. Snapping scapula syndrome: Diagnosis and management. *J Am Acad Orthop Surg* 2013;21(4):214-24.
3. Boneti C, Arentz C, Klimberg VS. Scapulothoracic bursitis as a significant cause of breast and chest wall pain: Underrecognized and undertreated. *Ann Surg Oncol* 2010;17(Suppl 3):321-4.
4. Walter WR, Burke CJ, Adler RS. Ultrasound-guided therapeutic scapulothoracic interval injections. *J Ultrasound Med* 2019;38(7):1899-906.

천장관절
Sacroiliac Joint

천장관절에서 기인한 통증은 일차 진료시 흔히 마주칠 수 있다.[1] 천장관절염은 반복적 외상, 척추관절 병증, 퇴행성 관절염, 임신, 그리고 드물게 감염에 의해 발생할 수 있다. 천장관절 주사는 진단 및 치료의 두 가지 효과가 있다고 할 수 있다. 스테로이드 주사는 천장관절염에 있어서 효과적인 보존적 치료법이다.[2] 이는 안전하면서 효과적인 치료법으로서 해부학적 지표 유도 기법에 의해서도 영상 유도에 의한 경우와 비슷한 효과를 얻을 수 있는데 이는 사실상 천장관절 부위에서 관절외적인 통증요인이 많이 있으므로 관절주위 주사로도 동등한 효과를 얻을 수가 있기 때문이다.[3,4] 초음파를 활용하면 천장관절 주사에서 좀 더 정확도를 높일 수 있는 것으로 보고되며[5], 통증감소와 기능회복에 효과적으로 알려져 있다. 더불어 천장관절 주변의 위험한 혈관을 쉽게 확인할 수 있도록 하여 안전성을 향상시킬 수 있는 것으로 보고된다.[6] 혈소판풍부혈장(platelet rish plasma)[7], 보툴리눔 독소 주사나[8] 포도당액을 활용한 증식치료[9] 등도 천장관절 통증 치료법으로 활용 가능한 것으로 보인다.

적응증	ICD-10 code
SI pain	M53.3
Sacroiliitis	M46.1
Sacroilac joint arthritis	M47.818
Sacroiliac joint arthropathy	M47.818

관련해부학: (그림 9-7)

그림 9-7. ● 천장관절 해부학-
바늘 자입 각도에 주목

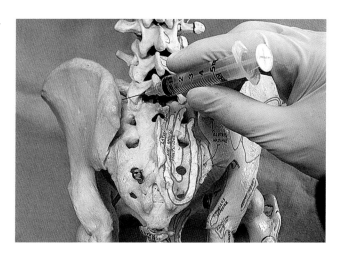

환자자세

- 등을 45도로 구부리고 진찰대에 팔과 손을 짚게 한다.

해부학적 지표

1. 환자는 서서 등을 구부리고 시술의사는 환자 뒤에 선다.
2. 천장관절의 압통을 확인하고 표시한다.
3. 천장관절의 압통 위치를 지속적으로 확인하면서 환자로 하여금 상체를 팔로 진찰대를 지지하여 버티게 하면서 앞쪽으로 등을 45도 구부리게 한다.
4. 잉크로 천장관절 부위를 표시한다.
5. 이부분에서 움푹 들어간 볼펜 끝으로 강하게 누른다. 이 함몰 부위는 바늘이 삽입되는 지점을 나타낸다.

마취

- 국소 도포용 냉각 스프레이(topical vapocoolant spray)를 사용하여 피부를 마취한다.

장비

- 국소 도포용 냉각 마취 스프레이
- 3 mL 주사기
- 25 G, 2 inch 바늘
- 에피네프린이 첨가되지 않은 1% 리도카인 1 mL
- 1 mL 스테로이드 용액(40 mg triamcinolone acetonide)
- 알코올 솜
- 베타딘 솜
- 소독된 거즈 솜
- 소독된 반창고

기법

1. 알코올과 베타딘으로 주사 부위를 소독한다.
2. 국소 도포용 냉각 스프레이로 국소 마취를 충분히 한다.
3. 시상면을 기준면을 기준으로 25 G, 2 inch 바늘을 시상면(sagittal plane)에서 30도 외측으로 그리고 횡단면(transverse plane)은 15도 하방으로 하여 천장관절을 향한다.
4. no-touch technique으로 삽입점에 바늘을 삽입한다(그림 9-8).
5. 바늘을 조심스럽게, 천천히 천장관절로 전진시킨다.
6. 혈액 역류가 없는지 주사기 실린지를 흡입해본다.

그림 9-8. ● 천장관절 주사

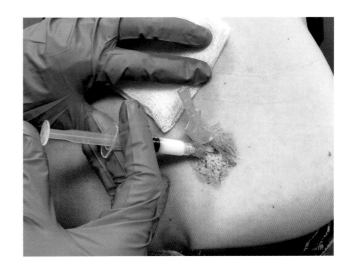

7. 메피바카인/스테로이드 혼합액을 천장관절로 주입한다. 주입속도는 천천히 부드럽게 관절내로 들어가도록 하여야 한다. 저항이 있으면 일단 주입을 멈추고 바늘을 더 전진하거나 후퇴한 이후 다시 주입한다.
8. 주사가 끝나면 바늘을 뺀다.
9. 소독된 반창고를 붙인다.
10. 5분 후 통증이 완화되었는지 다시 검사해 본다.

시술 후 관리

• 적응증이 된다면 NSAID, 얼음주머니, 또는 물리치료를 시행한다.
• 기저 질환이 있으면 치료한다.
• 2주 후에 추적 관찰한다.

CPT 코드:

• 20552−Injection of single or multiple trigger point(s) without imaging guidance
• 27096−Injection of SI joint using anesthetic agents and/or steroid, with imaging guidance and permanent recording

유의사항

• 정확한 위치를 파악하기 위해서 초음파 기기를 이용할 수 있다.
• 국소 도포용 냉각 스프레이는 안개분사형을 사용하는 것이 좋다. 에틸클로라이드나 스트림분사형의 경우 아래로 흘러내려 서혜부에 고여서 환자에게 불편감을 줄 수 있다.

참고문헌

1. Wu L, Varacallo M. Sacroiliac joint injection. *StatPearls* [Internet]. Treasure Island, FL: StatPearls Publishing, 2020 Jan. Available at http://www.ncbi.nlm.nih.gov/books/NBK513245/. Accessed on February 13, 2020.

2. Hawkins J, Schofferman J. Serial therapeutic sacroiliac joint injections: A practice audit. *Pain Med.* 2009;10(5):850–853.

3. Borowsky CD, Fagen G. Sources of sacroiliac region pain: Insights gained from a study comparing standard intra-articular injection with a technique combining intra- and peri-articular injection. *Arch Phys Med Rehabil.* 2008;89(11):2048–2056.

4. Hartung W, Ross CJ, Straub R, et al. Ultrasound-guided sacroiliac joint injection in patients with established sacroiliitis: Precise IA injection verified by MRI scanning does not predict clinical outcome. *Rheumatology (Oxford).* 2010;49(8):1479–1482.

5. De Luigi AJ, Saini V, Mathur R, et al. Assessing the accuracy of ultrasound-guided needle placement in sacroiliac joint injections. *Am J Phys Med Rehabil.* 2019;98(8):666–670.

6. Jee H, Lee JH, Park KD, et al. Ultrasound-guided versus fluoroscopy-guided sacroiliac joint intra-articular injections in the noninflammatory sacroiliac joint dysfunction: A prospective, randomized, single-blinded study. *Arch Phys Med Rehabil.* 2014;95(2):330–337.

7. Mohi Eldin M, Sorour OO, Hassan ASA, et al. Percutaneous injection of autologous platelet-rich fibrin versus platelet-rich plasma in sacroiliac joint dysfunction: An applied comparative study. *J Back Musculoskelet Rehabil.* 2019;32(3):511–518.

8. Lee JH, Lee SH, Song SH. Clinical effectiveness of botulinum toxin A compared to a mixture of steroid and local anesthetics as a treatment for sacroiliac joint pain. *Pain Med.* 2010;11(5):692–700.

9. Kim WM, Lee HG, Jeong CW, et al. A randomized controlled trial of intra-articular prolotherapy versus steroid injection for sacroiliac joint pain. *J Altern Complement Med.* 2010;16(12):1285–1290.

견봉하 공간 주사-후방접근법
Subacromial Space Injection-Posterior Approach

James W. McNabb

환자들은 주로 어깨통증의 원인을 알기 위해 일차 진료기관을 방문한다. 대부분의 어깨통증은 회전근개 주변의 주사치료만으로도 치료된다. 이러한 질환들은 급성 손상, 과사용 그리고 만성 퇴행성 변화와 관련되어 있는 경우가 많다. 견봉하 부위는 회전근개 복합체와 상완 이두근 힘줄의 근위부를 둘러싸고 있어 스테로이드 치료시 접근이 비교적 용이하다. 환자들중 오랜 기간동안 퇴행성 질환이 동반된 경우 견봉하낭은 주로 상완와관절로 열려서 두 구조물간의 소통이 생기게 된다. 이러한 경우 견봉하 공간에 적절하게 주사치료가 이루어지면 회전근개복합체와 어깨관절 그리고 이두근의 근위부쪽 통증이 효과적으로 조절될 수 있다.[1]

주사바늘 접근법으로는 외측, 전방, 후방 접근법의 세가지 경로가 사용될 수 있는데 이중 후방 접근법이 선호된다. 견봉하 부위의 후방 접근법은 가장 술기가 쉽기 때문에 환자들에게 흔히 사용된다. 시술시 환자들이 바늘을 볼 수 없기 때문에 불안감이 없다. 이러한 점에서 세 가지의 접근법중에서 전방 접근법과 측방 접근법보다 유리하다 하겠다. 후방 접근시 바늘은 극상근/힘줄의 머리방향으로 접근하여 이를 뚫고 견봉하공간으로 진입하여 견봉 바로 아래에 거치하게 된다. 이렇게 정확한 위치를 찾게 된다. 전방 또는 측방접근시에는 시술자는 극상근/힘줄 부위로의 정확한 스테로이드 주입을 자신할 수는 없다. 힘줄내의 부적절한 스테로이드 약제 주입으로 인해 건병증이나 파열이 발생할 수도 있다. 후방 접근법에는 보다 긴 바늘이 필요하다.[2] 이 시술에서 작은 직경의 바늘은 견봉하 부위로 국소마취제나 스테로이드 용액을 주입하기 적절하다. 견봉하공간은 용액이 모이는 곳이 아니기 때문에 굵은 바늘이 항상 필요하지는 않다.

많은 문헌보고에서 회전근개 질환[4,5]이나 유착성 피막염[6,7]에서 작은 용량을 이용한 견봉하 스테로이드 주사는[3] 단기(short term) 혹은 중기(medium term)의 효과를 보이는 것으로 알려져 있다.[4,5] 반면에, 메타분석 연구에서는 스테로이드 주사가 회전근개 병증 환자에서 일시적이거나 적은 통증 감소를 보이는 것으로 분석되기도 하였다.[8] 최적의 스테로이드 용량을 조사하기 위한 연구로서는 triamiconolone acetonide를 20 mg 사용한 것과 40 mg 사용한 것에서 특별한 차이를 보이지 않는 것으로 연구 발표되었다.[9,10] 안정성에 있어서도 견봉하 충돌증후군 환자에서의 스테로이드 주사도 회전근개 파열을 일으키지 않는 것으로 보고되었다.[11] 혈소판풍부 혈장 주사는 또하나의 새로운 치료방법으로 제시되고 있다.[12] 하이알루로닉산의 주입은 12주간 연구 되었고 효과적이었음을 보여준다.[13-16] 하지만 FDA는 무릎 골관절염이외의 사용은 인정하고 있지 않다. 임상적으로 중요하지는 않지만 초음파의 사용으로 보다 정확한 주입이 가능해졌고[17] 치료제의 효과도 증가시킬 수 있다는 보고가 있다.[18]

  스테로이드 없이 국소마취제 단독만으로의 견봉하 주사는 막연한 어깨 통증의 원인규명을 위해 사용된다. 주입된 메피바카인이 견봉하 충돌증후군과 같은 교란 원인을 배제한 채 환자의 어깨를 벌려봄으로써 회전근개 복합체의 정도를 평가할 수 있도록 해준다. 이것이 "impingement test"이다. 국소마취제 주입은 근력에 영향을 주지 않아 이 검사에 사용할 수 있다.[19]

적응증	ICD-10 code
Shoulder pain	M25.519
Shoulder impingement syndrome	M75.40
Rotator cuff tendonitis	M78.80

관련해부학: (그림 10-1, 2)

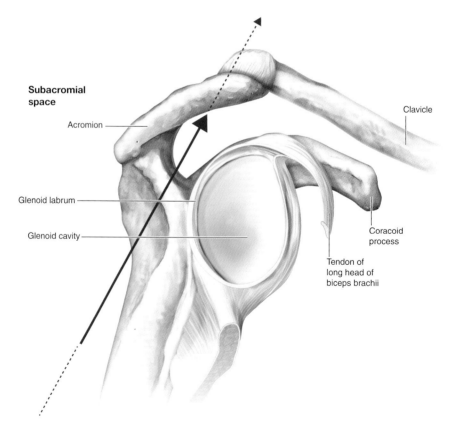

그림 10-1. ● 우측 어깨의 측면상(붉은화살표는 바늘이 지나는 길)

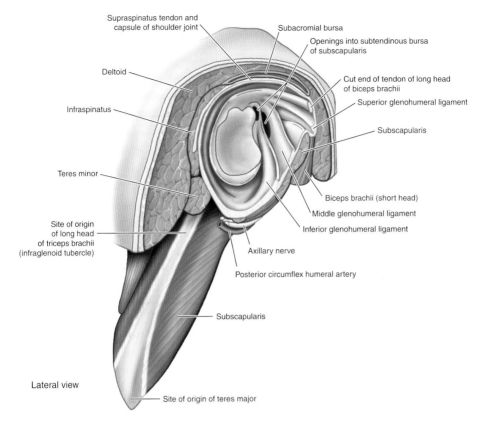

Supraspinatus tendon and
capsule of shoulder joint

Subacromial bursa

Openings into subtendinous bursa
of subscapularis

Deltoid

Cut end of tendon of long head
of biceps brachii

Superior glenohumeral ligament

Infraspinatus

Subscapularis

Teres minor

Biceps brachii (short head)

Middle glenohumeral ligament

Inferior glenohumeral ligament

Site of origin
of long head
of triceps brachii
(infraglenoid tubercle)

Axillary nerve

Posterior circumflex humeral artery

Subscapularis

Lateral view

Site of origin of teres major

그림 10-2. ● 우측 어깨의 안쪽 면

환자 자세

- 환자를 진찰대에 앉힌다.
- 환자의 손은 깍지 낀 상태로 무릎위에 놓는다.
- 이는 주사가 진행되는 동안 환자 어깨의 자세를 유지시켜 시술지표가 변하지 않도록 도와준다.

해부학적 지표

1. 환자를 진찰대에 앉힌 뒤 검사자는 이환된 어깨의 뒤쪽 가장자리에 선다
2. 견봉의 바깥쪽 끝을 찾아 잉크펜으로 표시한다.
3. 견봉의 뒤쪽 가장자리를 찾아 잉크펜으로 표시한다.
4. 견봉의 바깥쪽과 뒤쪽 가장자리를 찾았다면 가장자리가 만난 지점에서 수직선을 그어 2 cm지점을 표시한다.
5. 그 곳을 볼펜 끝으로 세게 눌러 표시하면 자입점이 된다
6. 안 쓰는 손의 두번째 손가락을 견봉쇄골관절의 뒤쪽을 겨냥하여 견봉 위쪽의 목표점에 위치한다. 만져보면서 견봉의 실제 너비와 길이 등을 가늠해 보아야 한다. 바늘 끝의 목표지점은 견봉의 가운데 지점이다(그림 10-3). 만일 두번째 손가락이 견봉의 꼭대기에

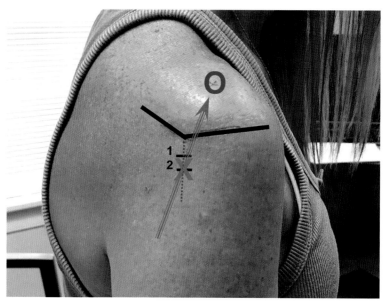

그림 10-3. ● 우측 어깨 주사부위 랜드마크

위치시키면 갑작스러운 바늘찔림으로부터 예방할 수 있다.

7. 지표가 확인되면 환자는 어깨나 팔을 움직이지 않는다.

마취

• 자입점의 바깥 부위로 닿는 부위 피부를 당겨 늘린 뒤 바늘을 재빨리 피부로 삽입한다. 국소 도포용 냉각 스프레이나 국소마취제 주사가 항상 필요한 것은 아니다

장비

• 5 mL 주사기
• 25 G, 2 inch 바늘(몸집에 따라 3.5 inch, 25 G 바늘이 필요할 수 있다.)
• 에피네프린을 포함하지 않은 1% lidocaine 3 mL
• 스테로이드 용액 1 mL (triamcinolone acetonide 40 mg)
• 알코올 함유 패드 1장
• Povidone-iodine 함유 패드 2장
• 소독된 거즈패드
• 소독된 반창고

기법

1. 자입 부위를 Povidone-iodine 패드로 소독후 알코올로 닦는다.
2. 견봉을 향해 바늘 끝을 머리쪽으로 거치한 뒤 30도 정도 각도에 바늘과 주사기를 위치한다.

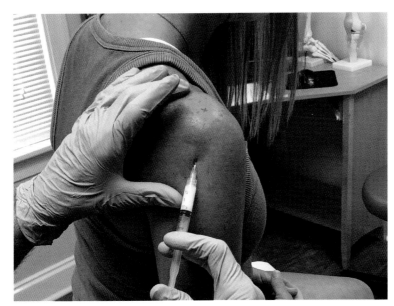

그림 10-4. ● 우측 어깨 견봉하공간 주사

3. no-touch technique을 이용하여 바늘을 자입점으로 진입시킨다(그림 10-4).

4. 바늘을 견봉 아래 방향으로 목표를 향해 견봉 아래 닿을 때까지 진입한다. 이후 바늘을 1-2 mm 정도 뒤로 뺀다.

5. 주사기 실린저를 뒤로 흡입해보아 혈액 역류가 없음을 확인한다.

6. 견봉하부위에 메피바케인/스테로이드 혼합용액을 일부 주사한다. 주입된 주사액은 공간으로 천천히 부드럽게 퍼져야 한다. 만일 저항이 느껴진다면 용액은 극상근이나 힘줄로 주입된 것이다. 이러한 경우 더 주입을 하기보다는 바늘을 조금 진입하던가 뒤로 조금씩 빼 보는 것이 좋다.

7. 용액 주입이 끝나면 주사기를 뺀다.

8. 소독된 반창고를 붙인다.

9. 환자에게 어깨를 전체적으로 움직여보도록 지시한다. 이렇게 움직임은 스테로이드 용액이 견봉하 공간으로 더 잘 퍼지도록 한다.

10. 통증이 사라지면 5분 후 어깨 검사를 다시 시행한다.

시술 후 관리

• 주사후 2주간은 과도한 어깨의 사용은 피하도록 한다.

• 팔걸이의 사용도 고려해볼 수 있다.

• NSAID, 얼음찜질, 물리치료가 도움이 될 수 있다.

• 2주 후 외래 경과 관찰 및 재평가한다.

CPT 코드:

• 20610-Arthrocentesis, aspiration and/or injection, major joint or bursa; without ultrasound guidance

- 20611−With ultrasound guidance, with permanent recording and reporting

유의사항

- 견봉의 해부학적 지표를 정확히 찾아내는 것은 많은 일차 진료의에게 생각보다 어렵다. 주사치료 전 시간을 가지고 해부학적 지표를 다시 체크해보는 것도 중요하다.
- 견봉의 위치를 촉지할 때 검지, 중지, 약지의 끝을 사용하여 먼곳에서 가까운 곳의 방향으로 부드럽고 단계적으로 사용한다. 손가락으로 뼈를 촉지한 뒤 표시한다.
- 주사 시 2 inch, 25 G 바늘을 사용한다.
- 목표 손가락을 향해 바늘을 진입하기 전에 바늘이 견봉 아래에 있는지 확인한다.
- 손가락이 바늘에 찔리는 사고가 발생하지 않도록 목표 손가락을 항상 견봉위에 위치한다.

참고문헌

1. Gofeld M, Hurdle MF, Agur A. Biceps tendon sheath injection: An anatomical conundrum. *Pain Med.* 2019;20(1):138-142.
2. Sardelli M, Burks RT. Distances to the subacromial bursa from 3 different injection sites as measured arthroscopically. *Arthroscopy.* 2008;24(9):992-996.
3. Boonard M, Sumanont S, Arirachakaran A, et al. Short-term outcomes of subacromial injection of combined corticosteroid with low-volume compared to high-volume local anesthetic for rotator cuff impingement syndrome: A randomized controlled non-inferiority trial. *Eur J Orthop Surg Traumatol.* 2018;28(6):1079-1087.
4. Gialanella B, Prometti P. Effects of corticosteroids injection in rotator cuff tears. *Pain Med.* 2011;12(10):1559-1565.
5. Karthikeyan S, Kwong HT, Upadhyay PK, et al. A double-blind randomised controlled study comparing subacromial injection of tenoxicam or methylprednisolone in patients with subacromial impingement. *J Bone Joint Surg Br.* 2010;92(1):77-82.
6. Shin SJ, Lee SY. Efficacies of corticosteroid injection at different sites of the shoulder for the treatment of adhesive capsulitis. *J Shoulder Elbow Surg.* 2013;22(4):521-527.
7. Oh JH, Oh CH, Choi JA, et al. Comparison of glenohumeral and subacromial steroid injection in primary frozen shoulder: A prospective, randomized short-term comparison study. *J Shoulder Elbow Surg.* 2011;20(7):1034-1040.
8. Mohamadi A, Chan JJ, Claessen FM, et al. Corticosteroid injections give small and transient pain relief in rotator cuff tendinosis: A meta-analysis. *Clin Orthop Relat Res.* 2017;475(1):232-243.
9. Hong JY, Yoon SH, Moon DJ, et al. Comparison of high- and low-dose corticosteroid in subacromial injection for periarticular shoulder disorder: A randomized, triple-blind, placebo-controlled trial. *Arch Phys Med Rehabil.* 2011;92(12):1951-1960.
10. Carroll MB, Motley SA, Smith B, et al. Comparing corticosteroid preparation and dose in the improvement of shoulder function and pain: A randomized, single-blind pilot study. *Am J Phys Med Rehabil.* 2018;97(6):450-455.
11. Bhatia M, Singh B, Nicolaou N, et al. Correlation between rotator cuff tears and repeated subacromial steroid injections: A case-controlled study. *Ann R Coll Surg Engl.* 2009;91(5):414-416.
12. Šmíd P, Hart R, Komzák M, et al. Treatment of the shoulder impingement syndrome with PRP injection. *Acta Chir Orthop Traumatol Cech.* 2018;85(4):261-265.
13. Jiménez I, Marcos-García A, Muratore-Moreno G, et al. Subacromial sodium hyaluronate injection for the treatment of chronic shoulder pain: A prospective series of eighty patients. *Acta Ortop Mex.*

2018;32(2):70-75.

14. Kim YS, Park JY, Lee CS, et al. Does hyaluronate injection work in shoulder disease in early stage? A multicenter, randomized, single blind and open comparative clinical study. *J Shoulder Elbow Surg.* 2012;21(6):722-727.

15. Merolla G, Bianchi P, Porcellini G. Ultrasound-guided subacromial injections of sodium hyaluronate for the management of rotator cuff tendinopathy: A prospective comparative study with rehabilitation therapy. *Musculoskelet Surg.* 2013;97(Suppl 1):49-56.

16. Noël E, Hardy P, Hagena FW, et al. Efficacy and safety of Hylan G-F 20 in shoulder osteoarthritis with an intact rotator cuff. Open-label prospective multicenter study. *Joint Bone Spine.* 2009;76(6):670-673.

17. Daley EL, Bajaj S, Bisson LJ, et al. Improving injection accuracy of the elbow, knee, and shoulder: Does injection site and imaging make a difference? A systematic review. *Am J Sports Med.* 2011;39(3):656-662.

18. Messina C, Banfi G, Orlandi D, et al. Ultrasound-guided interventional procedures around the shoulder. *Br J Radiol.* 2016;89(1057):20150372.

19. Farshad M, Jundt-Ecker M, Sutter R, et al. Does subacromial injection of a local anesthetic influence strength in healthy shoulders? A double-blinded, placebo-controlled study. *J Bone Joint Surg Am.* 2012;94(19):1751-1755

상완와관절-후방 접근법
Glenohumeral Joint-Posterior Approach

상완와관절은 대부분 일차진료의들에게는 상대적으로 흔한 주사 부위는 아니다. 상완와 관절염뿐 아니라 유착성 피막염의 치료방법으로 주로 이용된다. 전방 및 후방 접근법이 사용된다. 후방 전접근법이 더 선호되는데 앞장에서 소개된 사용이유와 안전성의 문제 그리고 상완와관절의 전면부(이두근 장두의 근위부분과 견갑하근 인대)에서 기인한 통증의 원인을 배제하기 위한 목적으로 선호된다. 견봉하주사 접근 장에서도 이의 이용에 대한 자세한 설명이 있다. 상완이두근 장두의 기시부가 관절강 내에 있으므로 이 부분의 대안 주사치료 방법으로 이를 사용할 수도 있다.[1]

관절강내 주사는 장기간의 효과는 없지만 더 짧은 기간(8-12주)에서는 통증감소에 효과적이고 운동력의 회복과[2] 전반적인 기능회복을 보인다고 알려져 있다.[3] 스테로이드 적절 용량을 찾기 위하 연구에서는 triamcinolone acetonide의 20 mg와 40 mg 연구군에서는 통증과 기능에 특별한 차이가 없는 것으로 보고되었다.[4] 따라서 적은 용량을 사용하는 것이 추천된다. 치료의사는 특히 통증이 주 증상인 유착성 피막염의 초기 단계에서는 스테로이드 주사 사용을 추천한다.[5] 관절 부위 내로의 코르티코스테로이드 주입 시 작은 직경의 바늘이 적절하다. 관절 부위 내로 다량의 주입이 필요한 것은 아니기 때문에 굵은 직경의 바늘은 불필요하다. 이외에도 혈소판풍부혈장[6], 그리고 다른 생물학적 제재[7]의 사용에 관한 효능을 제시하는 문헌들도 증가하고 있다. 초음파 사용으로 정확성과[8] 주사제의 효능을 높일 수 있다.[9]

적응증	ICD-10 code
Shoulder pain	M25.519
Shoulder adhesive capsulitis	M75.00
GH joint arthritis, unspecified	M19.019
GH joint osteoarthritis, primary	M19.019
GH joint osteoarthritis, posttraumatic	M19.119
GH joint arthrosis, secondary	M19.219

관련해부학: (그림 10-5, 6)

환자 자세

- 환자를 진찰대에 앉힌다.
- 환자의 손은 깍지 낀 상태로 무릎 위에 놓는다.

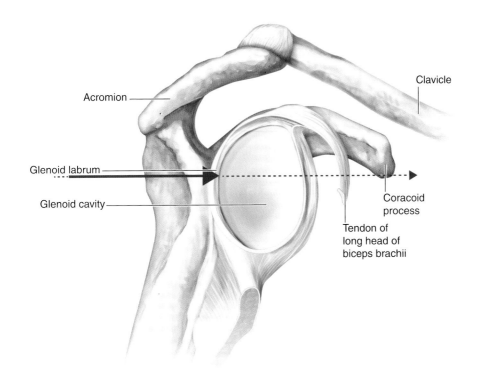

그림 10-5. ● 우측어깨의 측면상(붉은 화살표는 바늘이 지나가는 길)

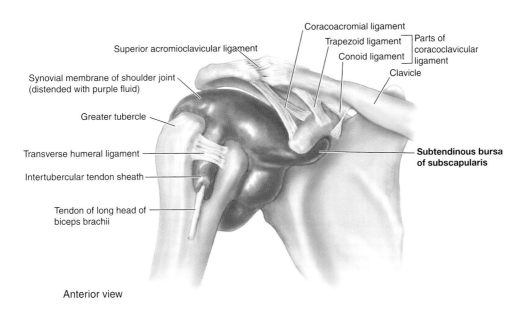

Anterior view

그림 10-6. ● 우측상완과관절낭

- 이런 자세를 함으로써 어깨쪽 해부학적 지표 위치가 움직이지 않는 효과를 가져와서 주사할 때 정확한 위치 파악을 용이하게 해준다.

해부학적 지표

1. 환자를 진찰 침대에 앉게 하고 치료의사는 증상이 있는 어깨의 측방, 후면으로 선다.
2. 견봉의 외측 모서리를 찾은 후에 잉크로 표시한다.
3. 견봉의 후방 경계면을 찾은 후에 표기한다.
4. 견봉의 외측 모서리 끝 부분을 확인한 채로, 외측 코너부분에서 수직으로 2 cm 아래로 선을 긋는다.
5. 그 지점을 강하게 피부를 누르고 볼펜끝으로 움푹 눌러 표시한다. 그 부분이 바늘 끝이 자입되는 지점이다.
6. 다음으로 부리돌기 위로 쓰지 않는 손 집게 손가락을 짚어서 부위를 확인하다. 이부분이 마지막 바늘끝이 도달한 위치이다.
7. 해부학적 지표 식별이 끝난뒤에 환자는 팔이나 어깨를 움직이지 않아야 한다.

마취

- 자입점의 바깥 부위로 닿는 부위 피부를 당겨 늘린 뒤 바늘을 재빨리 피부로 삽입한다. 국소 도포용 냉각 스프레이나 국소마취제 주사는 대부분 불필요하다.

장비

- 3 mL 주사기
- 25 G, 1½ inch 바늘
- 에피네프린을 포함하지 않은 1% lidocaine 1 mL
- 스테로이드 용액 1 mL (triamcinolone acetonide 40 mg)
- 알코올 함유 패드 1장
- Povidone-iodine 함유 패드 2장
- 소독된 거즈패드
- 소독된 반창고

기법

1. 자입 부위를 Povidone-iodine 패드로 소독후 알코올로 닦는다
2. 부리돌기(coracoid process)을 향해 바늘 끝을 앞쪽으로 향해 수직으로 바늘과 주사기를 위치한다.
3. no-touch technique을 사용하여 바늘을 자입점으로 삽입한다(그림 10-7).
4. 바늘이 상완골두에 닿을 때까지 목표점을 향해 진입한다. 이후 바늘을 1-2 mm 정도 뒤로 뺀다.

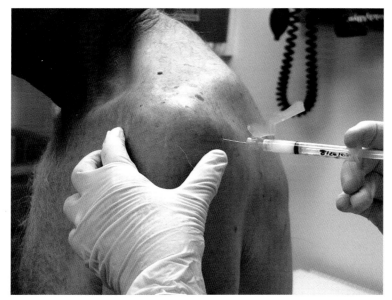

그림 10-7. ● 상완와관절주사-후방접근법

5. 주사기의 실린지를 흡입해보고 혈액 역류가 없음을 확인한다.

6. 상완와관절로 메피파카인/스테로이드 용액을 주사한다. 이때 주입된 주사액은 공간으로 부드럽게 퍼져야 한다. 만일 저항이 느껴진다면 더 주입을 하기보다는 바늘을 조금 진입하던가 뒤로 조금씩 빼보는 것이 좋다.

7. 주사가 끝난후는 바늘을 뺀다.

8. 소독된 반창고를 붙인다.

9. 환자에게 어깨를 전체적으로 움직여보도록 지시한다. 이러한 움직임은 코르티코스테로이드 용액이 견봉하 공간으로 더 잘 퍼지도록 한다.

10. 통증이 사라지면 5분 후 어깨 검사를 다시 시행한다.

시술 후 관리

- 주사후 2주간은 과도한 어깨의 사용은 피하도록 한다.
- 팔걸이의 사용도 고려해 볼 수 있다.
- NSAID, 얼음찜질, 물리치료가 도움이 될 수 있다.
- 2주 후 이학적 검사를 고려한다.

CPT 코드:

- 20610−Arthrocentesis, aspiration and/or injection, major joint or bursa; without ultrasound guidance
- 20611−With ultrasound guidance, with permanent recording and reporting

유의사항

- 견봉의 해부학적 지표를 정확히 찾아내는 것은 많은 일차 진료의에게 생각보다 어렵다. 주사 치료전 시간을 가지고 해부학적 지표를 다시 체크해보는 것도 중요하다.
- 견봉의 위치를 촉지할 때 검지, 중지, 약지의 끝을 사용하여 먼곳에서 가까운 곳의 방향으로 일열의 가상의 선을 만든다. 원위부에서 근위부로 천천히 누르면서 움직여본다. 손가락으로 뼈를 촉지한 뒤 표시한다.

참고문헌

1. Gofeld M, Hurdle MF, Agur A. Biceps tendon sheath injection: An anatomical conundrum. *Pain Med.* 2019;20(1):138-142.
2. Wang W, Shi M, Zhou C, et al. Effectiveness of corticosteroid injections in adhesive capsulitis of shoulder: A meta-analysis. *Medicine (Baltimore).* 2017;96(28):e7529.
3. Ranalletta M, Rossi LA, Bongiovanni SL, et al. Corticosteroid injections accelerate pain relief and recovery of function compared with oral NSAID in patients with adhesive capsulitis: A randomized controlled trial. *Am J Sports Med.* 2016;44(2):474-481.
4. Yoon SH, Lee HY, Lee HJ, et al. Optimal dose of intra-articular corticosteroids for adhesive capsulitis: A randomized, triple-blind, placebo-controlled trial. *Am J Sports Med.* 2013;41(5):1133-1139.
5. Koh KH. Corticosteroid injection for adhesive capsulitis in primary care: A systematic review of randomised clinical trials. *Singapore Med J.* 2016;57(12):646-657.
6. Barman A, Mukherjee S, Sahoo J, et al. Single intra-articular platelet-rich plasma versus corticosteroid injections in the treatment of adhesive capsulitis of the shoulder: A cohort study. *Am J Phys Med Rehabil.* 2019;98(7):549-557.
7. Carr JB II, Rodeo SA. The role of biologic agents in the management of common shoulder pathologies: Current state and future directions. *J Shoulder Elbow Surg.* 2019;28(11):2041-2052.
8. Daley EL, Bajaj S, Bisson LJ, et al. Improving injection accuracy of the elbow, knee, and shoulder: Does injection site and imaging make a difference? A systematic review. *Am J Sports Med.* 2011;39(3):656-662.
9. Messina C, Banfi G, Orlandi D, et al. Ultrasound-guided interventional procedures around the shoulder. *Br J Radiol.* 2016;89(1057):20150372.

견봉쇄골관절
Acromioclavicular Joint

견봉쇄골 관절주사는 일차 진료의에겐 흔치 않은 주사이다. 위치가 아주 피하에 있지만 정확한 부위 확인이 어렵고 생각보다 주사가 쉽지 않다.[1] 임상적으로도 견봉쇄골관절의 스테로이드 주사효과는 미미하고 연구가 많지 않다.[2] 관절공간이 아주 좁고 작은 크기이기 때문에 아주 작은 바늘을 자입시켜 주사하기 때문인 것으로 추정된다.[3] 여러 연구에서 이 주사는 성공적으로 시술하기 어렵다고 한다. 단지 40%정도에서 목표한 관절강 내로 시술이 이루어졌다.[4] 초음파를 사용하면 정확도를 거의 100% 까지 향상시킬 수 있다고 효과적으로 통증 감소와 기능 개선을 가지고 왔다는 연구결과가 있다.[5] 각광받는 새로운 기술로 견봉쇄골 관절 병변에서 15% dextrose용액을 사용한 초음파 유도하 주사방법이 소개되었다.[7]

적응증	ICD-10 code
AC joint pain	M25.519
AC joint arthritis, unspecified	M12.9
AC joint osteoarthritis, primary	M19.019
AC joint osteoarthritis, posttraumatic	M19.119
AC joint osteoarthritis, secondary	M19.219

관련해부학: (그림 10-8)

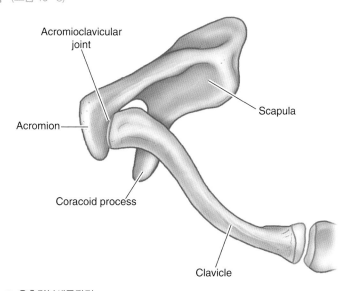

그림 10-8. ● 우측견봉쇄골관절

환자 자세

- 환자를 진찰대에 앉힌다.
- 환자의 손은 깍지 낀 상태로 무릎 위에 놓는다.
- 이는 주사가 진행되는 동안 환자 어깨의 자세를 유지시켜 시술지표가 변하지 않도록 도와준다.
- 환자의 머리를 시술 반대편으로 돌리도록 한다. 그러므로 불안과 통증을 최소화할 수 있다.

해부학적 지표

1. 환자를 진찰대에 앉히거나 눕힌 뒤 검사자는 이환된 어깨 바깥쪽 앞쪽으로 선다.
2. 견봉쇄골관절을 찾는다. 안쪽에서 바깥쪽으로 쇄골을 촉지한다. 쇄골의 바깥 부위에서 부드럽게 약간 쏙 들어가는 부위를 찾는다.
3. 자입점은 바로 견봉쇄골관절 부위이다. 이 지점에서 볼펜끝으로 피부를 세게 누른다. 이 자국이 바늘의 자입점이 된다.
4. 해부학적 지표가 확인되면 환자는 가슴이나 어깨를 움직이지 않는다

마취

- 국소 도포용 냉각 스프레이를 국소마취제로 사용한다.

장비

- 국소 도포용 냉각 마취 스프레이
- 3 mL 주사기
- 25 G, 5/8 inch 바늘
- 에피네프린을 포함하지 않은 1% 리도카인 0.5 mL
- 스테로이드 용액 0.5 mL (triamcinolone acetonide 20 mg)
- 알코올 함유 패드 1장
- Povidone-iodine 함유 패드 2장
- 소독된 거즈패드
- 소독된 반창고

기법

1. 자입 부위를 Povidone-iodine 패드로 소독후 알코올로 닦는다.
2. 국소 도포용 냉각 스프레이를 사용하여 국소마취를 시행한다.
3. 바늘과 주사기를 피부에 수직으로 세운 뒤 바늘 끝을 꼬리방향으로 향하게 한다.
4. 손을 대지 않고 바늘을 자입점으로 진입한다(그림 10-9).

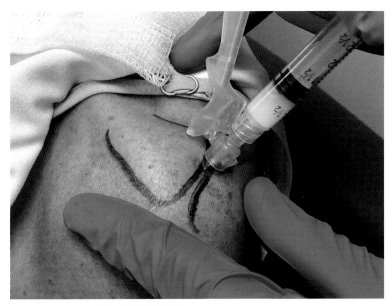

그림 10-9. ● 랜드마크를 이용한 견봉쇄골관절 주사

5. 바늘을 견봉쇄골관절 내로 진입시킨다. 만일 바늘이 견봉쇄골관절 내로 쏙 들어가는 것이 없다면 바늘로 주변을 탐지하여 쏙 들어가는 부분을 찾는다.
6. 주사기 실린지를 당겨서 혈액 흡입이 없는 것을 확인한다.
7. 견봉쇄골관절 내로 메피바카인/ 스테로이드 용액을 주사한다. 이때 주입된 주사액은 공간으로 부드럽게 퍼져야 한다. 만일 저항이 느껴진다면 더 주입을 하기보다는 바늘을 조금 진입하던가 뒤로 조금씩 빼 보는 것이 좋다. 만일 바늘이 관절 내로 들어가지 않는다면 관절주위로 주사한다.
8. 주사 용액 주입이 끝나면 바늘을 뺀다.
9. 소독된 반창고를 붙인다.
10. 환자에게 어깨를 전체적으로 움직여보도록 지시한다. 이러한 움직임은 주사용액이 견봉쇄골 관절공간으로 더 잘 퍼지도록 한다.
11. 통증이 사라지면 5분 후 어깨 검사를 다시 시행한다.

시술 후 관리

• 주사후 2주간은 과도한 어깨의 사용은 피하도록 한다.
• 팔걸이의 사용도 고려해 볼 수 있다.
• NSAID, 얼음찜질, 물리치료가 도움이 될 수 있다.
• 2주 후 이학적 검사를 고려한다.

CPT 코드:

• 20605−Arthrocentesis, aspiration and/or injection, intermediate joint or bursa; without ultrasound guidance

- 20606−With ultrasound guidance, with permanent recording and reporting

유의사항

- 견봉쇄골관절은 얕은 부위에 있다. 피하조직의 스테로이드 침착은 피부의 위축이나 색소침착 저하의 부작용이 생긴다. 따라서 스테로이드 주사 시 피하 팽진 발생은 피하도록 한다.
- 외측상과염(lateral epicondylitis)절에서 기술한 "집어들어올리기 기술"(pinch technique)을 사용한다.

참고문헌

1. Scillia A, Issa K, McInerney VK, et al. Accuracy of in vivo palpation-guided acromioclavicular joint injection assessed with contrast material and fluoroscopic evaluations. *Skeletal Radiol*. 2015;44(8):1135-1139.
2. van Riet RP, Goehre T, Bell SN. The long term effect of an intra-articular injection of corticosteroids in the acromioclavicular joint. *J Shoulder Elbow Surg*. 2012;21(3):376-379.
3. Javed S, Sadozai Z, Javed A, et al. Should all acromioclavicular joint injections be performed under image guidance? *J Orthop Surg (Hong Kong)*. 2017;25(3):2309499017731633.
4. Wasserman BR, Pettrone S, Jazrawi LM, et al. Accuracy of acromioclavicular joint injections. *Am J Sports Med*. 2013;41(1):149-152.
5. Sabeti-Aschraf M, Lemmerhofer B, Lang S, et al. Ultrasound guidance improves the accuracy of the acromioclavicular joint infiltration: A prospective randomized study. *Knee Surg Sports Traumatol Arthrosc*. 2011;19(2):292-295.
6. Park KD, Kim TK, Lee J, et al. Palpation versus ultrasound-guided acromioclavicular joint intra-articular corticosteroid injections: A retrospective comparative clinical study. *Pain Physician*. 2015;18(4):333-341.
7. Hsieh PC, Chiou HJ, Wang HK, et al. Ultrasound-guided prolotherapy for acromial enthesopathy and acromioclavicular joint arthropathy: A single-arm prospective study. *J Ultrasound Med*. 2019;38(3):605-612.

흉쇄관절
Sternoclavicular Joint

흉쇄관절주사는 일차 진료의에겐 흔치 않은 주사이다. 관절 공간이 매우 작기 때문에 성공하기 힘든 주사이다. 사체에서 초음파 유도하에 정확한 술기에 관해 기술한 연구 보고가 유일하다.[1] CT를 사용하여 시술한 한 가지 연구가 추가적으로 보고되고 있다.[2] 이 연구에서는 2/3의 환자에서 단기간 통증 감소효과를 보였으며 장기간 통증 감소는 의미있는 결과는 보이지 않았다.

적응증	ICD-10 code
SC joint pain	M25.519
SC joint subluxation	S43.203
SC joint arthritis, unspecified	M19.019
SC joint osteoarthritis, primary	M19.119
SC joint osteoarthritis, posttraumatic	M19.119
SC joint osteoarthritis, secondary	M19.219

관련해부학: (그림 10-10)

그림 10-10. ● 흉쇄관절

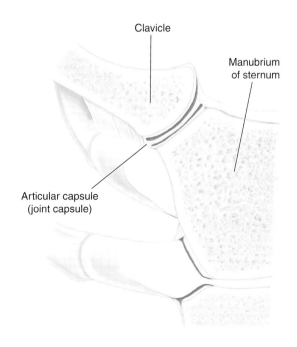

Clavicle

Manubrium of sternum

Articular capsule (joint capsule)

환자 자세

- 환자를 진찰대에 바로 눕힌다.
- 환자의 손은 깍지 낀 상태로 무릎 위에 놓는다.
- 환자의 머리를 시술 반대편으로 돌리도록 한다. 그리하여 주사 시 불안과 통증을 최소화할 수 있다.

해부학적 지표

1. 환자를 진찰대에 눕힌 뒤 검사자는 환자의 통증이 있는 쪽 옆에 선다.
2. 흉쇄관절을 찾는다. 바깥쪽에서 안쪽으로 쇄골을 촉지한다. 쇄골의 안쪽 부위에서 부드럽게 약간 쏙 들어가는 부위를 찾는다.
3. 흉쇄관절을 보다 쉽게 찾기 위해서 동측 어깨를 회전시키는 것이 도움이 된다.
4. 자입점은 바로 흉쇄관절 부위이다. 이 지점에서 볼펜 끝으로 피부를 세게 누른다. 다른 방법으로는 손톱이나 클립 등으로 흉쇄관절 위를 가볍게 눌러 자국을 만들어 확인한다. 이 자국이 바늘의 자입점이 된다.
5. 해부학적 지표가 확인되면 환자는 가슴이나 어깨를 움직이지 않는다.

마취

- 국소 도포용 냉각 스프레이를 국소마취제로 사용한다.

장비

- 국소 도포용 냉각 스프레이
- 3 mL 주사기
- 25 G, 1 inch 바늘
- 에피네프린을 포함하지 않은 1% 리도카인 0.5 mL
- 스테로이드 용액 0.5 mL (triamcinolone acetonide 20 mg)
- 알코올 함유 패드 1장
- Povidone-iodine 함유 패드 2장
- 소독된 거즈패드
- 소독된 반창고

기법

1. 자입 부위를 Povidone-iodine 패드로 소독 후 알코올로 닦는다.
2. 국소 도포용 냉각 스프레이를 사용하여 국소마취를 시행한다.
3. 바늘과 주사기를 피부에 수직으로 세운 뒤 바늘 끝을 뒤쪽 방향으로 향하게 한다.
4. 손을 대지 않고 바늘을 자입점으로 진입한다(그림 10-11).

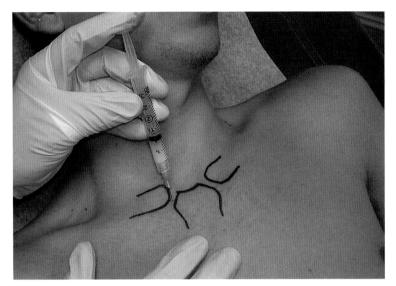

그림 10-11. ● 랜드마크를 이용한 흉쇄관절주사

5. 바늘을 흉쇄관절 내로 진입시킨다.
6. 주사기 실린지를 흡인해 보면서 혈액 역류가 없는지 확인한다.
7. 흉쇄관절 내로 메피바카인/스테로이드 용액을 주사한다. 이때 주입된 주사액은 공간으로 부드럽게 퍼져야 한다. 만일 저항이 느껴진다면 용액은 극상근이나 힘줄로 주입된 것이다. 이러한 경우 더 주입을 하기보다는 바늘을 조금 진입하던가 뒤로 조금씩 빼 보는 것이 좋다.
8. 용액주입이 끝나면 바늘을 뺀다.
9. 소독된 반창고를 붙인다.
10. 환자에게 어깨를 전체적으로 움직여보도록 지시한다. 이러한 움직임은 스테로이드 용액이 견봉쇄골관절공간으로 더 잘 퍼지도록 한다.
11. 통증이 사라지면 5분 후 어깨 검사를 다시 시행한다.

시술 후 관리

• 주사후 2주간은 과도한 어깨의 사용은 피하도록 한다.
• 팔걸이 사용도 고려해 볼 수 있다.
• NSAID, 얼음찜질, 물리치료가 도움이 될 수 있다.
• 2주 후 이학적 검사를 고려한다.

CPT 코드:

• 20605−Arthrocentesis, aspiration and/or injection, intermediate joint or bursa; without ultrasound guidance
• 20606−With ultrasound guidance, with permanent recording and reporting

유의사항

- 흉쇄관절은 얕은 부위에 있다. 피하조직의 스테로이드 침착은 피부의 위축이나 색소침착저하의 부작용이 생긴다. 따라서 스테로이드 주사시 피하 팽진 발생은 피하도록 한다.
- 외측상과염(lateral epicondylitis)절에서 기술한 "집어들어올리기 기술(pinch technique)"을 사용한다.

참고문헌

1. Pourcho AM, Sellon JL, Smith J. Sonographically guided sternoclavicular joint injection: Description of technique and validation. *J Ultrasound Med.* 2015;34(2):325-331.
2. Peterson CK, Saupe N, Buck F, et al. CT-guided sternoclavicular joint injections: Description of the procedure, reliability of imaging diagnosis, and short-term patient responses. *AJR Am J Roentgenol.* 2010;195(6):W435-W439.

이두근-장두건
Biceps Tendon-Long Head

일차진료 영역에서 이두근 건초염으로 인한 통증을 호소하는 환자는 흔히 볼 수 있다. 이는 염증성 및 퇴행성 질환으로 주로 상완두갈래근 짧은갈래근(short head)보다는 장두건(long head)에 자주 발생한다. 원인으로는 직접적인 손상이나 던지기 동작을 반복하는 운동선수나 일반인에서 만성적으로 이두근을 반복적으로 수축되게 하는 동작을 과하게 시행했을 때 나타난다. 전완부위를 반복적으로 사용하거나 머리 위로 들어올리는 동작을 하는 등의 반복적인 이두근의 수축운동을 유발시키는 동작을 하는 운동선수나 일반인들에서 이른바 만성 과사용, 직접적인 외상 등에 의해서 흔히 발생한다. 이두근 건초염은 어깨 병변의 충돌증후군(impingement syndrome)이나 견관절 와순 파열(labral tear) 같은 관절병변에 따른 이차성 병변이 흔히 동반되어 있다. 국소적인 압통점이 상완 이두근 구(biceps groove)에서 관찰된다. 이두근 건초염에 대한 보존적 치료방법으로는 휴식, 냉찜질, 경구 진통제, 물리치료, 그리고 스테로이드 주사 요법등을 들 수 있다.

문헌에서 보고된 것처럼 통증 치료 의사들이 상완 이두근의 장두 근을 포함한 결절사이고랑(intertubercular groove)을 정확히 짚어 내기는 쉽지 않다고 한다. 실제 위치는 표면해부학적으로 짚어낸 위치보다는 훨씬 안쪽에 위치한다고 한다.[1] 따라서 이두근 건초내 주사 시는 임상적으로 만져서 주사하는데 이 경우 주의를 요한다. 초음파를 사용한다면 훨씬 더 정확성을 높일 수 있고[2] 임상적 효과를 증가시키는 것으로 알려져 있다.[3,4]

적응증	ICD-10 code
Biceps tenosynovitis	M75.20

관련해부학: (그림 10-12)

환자 자세

- 검사 테이블에 앙와위(supine)로 눕고 테이블 머리 부분을 약 30도 정도 들어준다.
- 환자의 팔을 약간 외회전(external rotation) 상태에서 외전(supination) 시킨다.
- 환자의 불안과 통증에 대한 공포를 최소화하기 위해 환자의 시선을 주사 놓는 반대편으로 향하도록 한다.

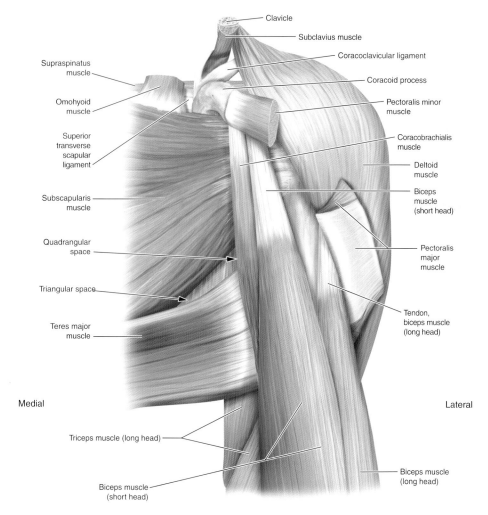

그림 10-12. ● 왼쪽전완부근육

해부학적 지표

1. 환자는 검사 테이블에 앙와위로 누워 있게 한 후 시술자는 환측의 외측, 뒤쪽에 서도록 한다.
2. 환자에게 팔꿈치를 구부려 이두근을 수축시키도록 한다.
3. 이두근의 장두건의 주행을 상완부의 전면부에서 만져보면서 확인한다.
4. 대흉근의 외측 아래에 부분에 존재하는 최대 압통점을 표시한다. 이 부위를 움푹 들어간 볼펜끝으로 강하게 눌러 잉크로 표시한다.
5. 이 함몰 부위는 바늘이 삽입되는 지점을 나타낸다.
6. 주사할 부위가 결정되면, 환자가 팔이나 어깨를 움직이지 않게 교육한다.

마취

• 국소 도포용 냉각 스프레이로 피부를 국소마취한다.

장비

- 국소 도포용 냉각 스프레이
- 3 mL 주사기
- 25 G, 1½ inch 바늘
- 에피네프린이 첨가되지 않은 1% 리도카인 1 mL
- 0.5–1.0 mL 스테로이드 용액(20–40 mg triamcinolone acetonide)
- 알코올 솜
- 베타딘 솜
- 소독된 거즈 솜
- 소독된 반창고

기법

1. 알코올과 베타딘으로 주사 부위를 소독한다.
2. 국소 도포용 냉각 스프레이로 국소마취를 한다.
3. 바늘끝을 안쪽으로 하고 바늘과 주사기를 피부에 약 45도의 각도로 위치시킨다.
4. no-touch technique으로 삽입점에 바늘을 삽입한다(그림 10-13).
5. 바늘끝이 인대에 닿을 때까지 진입시킨다(저항이 느껴지는 지점이 있을 것이다). 저항이 느껴지면 1–2 mm 정도 뒤로 뺀다.
6. 주사기 실린지를 뒤로 빼서 혈액 흡인이 없는 것을 확인한다.
7. 리도카인/스테로이드 용액을 이두근 주변에 조금씩 주사한다. 주사액은 인대막 사이 건초내도 천천히 퍼져야 한다. 저항이 느껴지면 바늘을 약간 밀어넣거나 후퇴시켜서 위치를 조절하도록 한다.

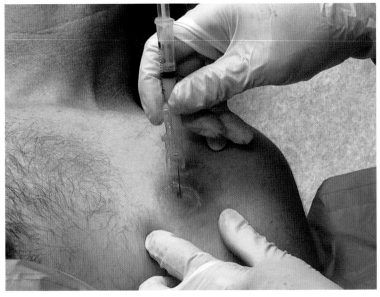

그림 10-13. ● 이두근 장두의 인대 주사

8. 주사한 후에는 바늘을 빼도록 한다.

9. 소독 밴드를 붙인다.

10. 환자에게 이두근과 어깨를 최대 운동법위로 움직여 보도록 한다. 이 움직임으로 인해 용액이 인대막 사이로 잘 퍼지게 될 것이다.

11. 5분 후에 통증이 완화되는 것을 재검사하도록 한다.

시술 후 관리

- 환자에게 2주 정도 과도한 사용을 금하도록 한다.
- 적응증이 된다면 NSAID, 얼음주머니, 또는 물리치료를 시행한다.
- 2주 후에 추적 관찰한다.

CPT 코드:

- 20550—Injection(s): single tendon sheath, or ligament, aponeurosis
- 76942 (optional)—Ultrasonic guidance for needle placement with imaging supervision and interpretation with permanent recording

유의사항

- 초기에 이 병변을 잘 진단하지 못하면 이두근 장두건이 파열되는 경우도 있다.
- 주사 시에 인대 주변에 약이 잘 뿌려질 수 있도록 하지 않으면 퇴행성 변화가 심하게 된 경우 인대에 주사시에는 파열을 일으키 수 있다.
- 견봉하나 견관절 스테로이드 주사가 지속적인 이두근 건초염 시 권고되는 치료방법이다.

참고문헌

1. Gazzillo GP, Finnoff JT, Hall MM, et al. Accuracy of palpating the long head of the biceps tendon: An ultrasonographic study. *PM R*. 2011;3(11):1035-1040.
2. Hashiuchi T, Sakurai G, Morimoto M, et al. Accuracy of the biceps tendon sheath injection: Ultrasound guided or unguided injection? A randomized controlled trial. *J Shoulder Elbow Surg*. 2011;20(7):1069-1073.
3. Zhang J, Ebraheim N, Lause GE. Ultrasound-guided injection for the biceps brachii tendinitis: Results and experience. *Ultrasound Med Biol*. 2011;37(5):729-733.
4. Petscavage-Thomas J, Gustas C. Comparison of ultrasound-guided to fluoroscopy-guided biceps tendon sheath therapeutic injection. *J Ultrasound Med*. 2016;35(10):2217-2221.

주관절터널 증후군
Cubital Tunnel Syndrome

주관절터널 증후군은 일차 진료를 담당하는 의사에게 흔한 질환이 아니다. 주관절터널 증후군은 척골신경(Ulnar nerve)이 내측상과(medial epicondyle) 후방에 위치한 팔꿈굴 (cubital tunnel)에서 포착될 때 발생한 다. 비수술적 치료방법으로 팔꿈치 위부분의 척골 신경의 압박과 견인을 목표로 하는 치료법들이 경증의 신경기능 이상의 환자에서는 반응이 좋다.[1] 원인이 되는 반복적인 움직임을 피하고, 밤 동안 팔꿈치 보조기를 착용하며 보존적 방법등을 사용한다. 치료의사들은 주의깊게 일부 선정된 환자들에 한해서 통증 감소 목적으로 스테로이드 주사를 시도해 볼 수 있다. 아쉽게도 이러한 주사치료에 관해서 단일 무작위 대조 연구에서는 초음파 유도하 스테로이드 주사가 위조군에 비해 더 나은 효과는 보이지 않는다고 보고되었다.[2] 성공적인 치료로 내측상과 위로 신경의 위치를 바꿔주는 수술적 치료가 필요할 수도 있다.

적응증	ICD-10 code
Cubital tunnel syndrome	G56.20

관련해부학: (그림 10-14)

환자 자세

- 검사 테이블에 앙와위(supine)로 눕고 테이블 머리 부분을 약 30도 정도 들어준다.
- 어깨를 30도 외전 시킨 상태에서 최대로 외회전 시킨다.
- 환측 팔꿈치관절을 90도 굴곡시킨다.
- 손목은 중립 상태로 놓아 둔다.
- 팔꿈치 아래에 받침대나 수건을 넣어서 지지해준다.
- 환자의 불안과 통증에 대한 공포를 최소화 하기 위해 환자의 시선을 주사놓는 반대편 으로 향하도록 한다.

해부학적 지표

1. 환자는 검사 테이블에 앙와위로 누워 있게 한 후 시술자는 환측의 옆에 서도록 한다.
2. 상완골의 내측상과를 확인하고 표시한다.
3. 내측상과 후방의 척골고랑에서 척골신경의 주행 경로를 확인하고 표시한다.

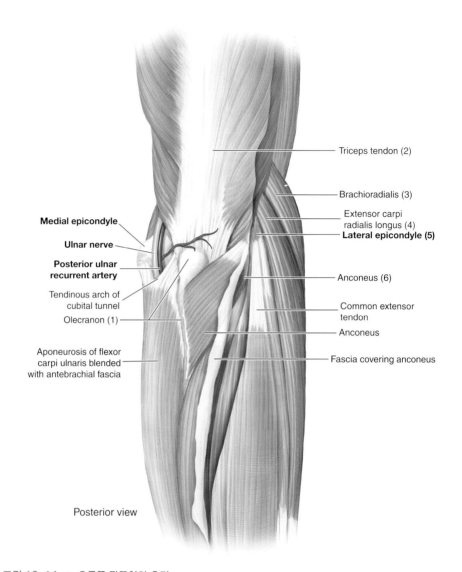

Triceps tendon (2)

Brachioradialis (3)

Extensor carpi radialis longus (4)

Lateral epicondyle (5)

Medial epicondyle

Ulnar nerve

Posterior ulnar recurrent artery

Tendinous arch of cubital tunnel

Olecranon (1)

Aponeurosis of flexor carpi ulnaris blended with antebrachial fascia

Anconeus (6)

Common extensor tendon

Anconeus

Fascia covering anconeus

Posterior view

그림 10-14. ● 오른쪽 팔꿈치의 후면

4. 척골신경에서 최대 압통점을 표시한다. 이는 대부분 내측상과 후방부에 위치한다.

5. 이 부위를 볼펜 끝으로 강하게 누른다. 이 함몰 부위는 바늘이 삽입되는 지점을 나타낸다.

6. 주사할 부위가 결정되면, 환자가 팔꿈치를 움직이지 않게 교육한다.

마취

• 국소 도포용 냉각 스프레이로 피부를 국소마취한다.

장비

- 국소 도포용 냉각 스프레이
- 3 mL 주사기
- 25 G, 1 inch 바늘
- 에피네프린이 첨가되지 않은 1% 리도카인 1 mL
- 1 mL 스테로이드 용액(40 mg triamcinolone acetonide)
- 알코올 솜
- 베타딘 솜
- 소독된 거즈 솜
- 소독된 접착붕대
- 깨끗한 받침용 수건

기법

1. 알코올과 베타딘으로 주사 부위를 소독한다.
2. 냉각 스프레이로 국소마취를 한다.
3. 주사기의 바늘을 피부에서 30도 각도로 척골신경을 따라 주사기 끝이 원위부로 향하게 놓는다.
4. no-touch technique으로 삽입점에 바늘을 삽입한다(그림 10-15).
5. 천천히 바늘을 척골신경 측면을 따라서 전진시킨다.
6. 만약 통증이나, 감각 이상, 저린 느낌이 발생하면 바늘을 뒤로 약간 후진시킨 후 바늘 끝의 방향을 약간 다른 각도로 바꿔 준다.

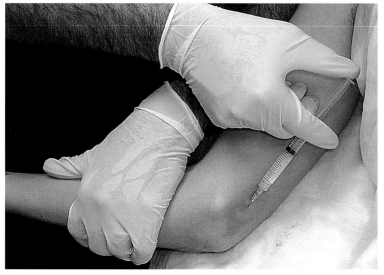

그림 10-15. ● 우측 팔꿈굴 주사

7. 바늘이 척골신경을 따라서 위치되었을 때 한 번에 신경 주위로 스테로이드 주사액을 천천히 주입한다.

8. 이 부위에 일정한 속도로 리도카인/스테로이드 용액을 조금씩 주입한다. 만약 저항이 증가한다면 약물을 주 입하기 전 바늘을 전진시키거나 약간 뒤로 빼서 주입해야 한다.

9. 스테로이드 용액을 주입한 후 바늘을 뺀다.

10. 소독된 반창고를 사용하도록 한다.

11. 환자에게 팔꿈치를 최대 운동범위로 움직이도록 한다. 이렇게 해서 리도카인/스테로이드 용약이 척골신경을 따라서 팔꿉굴에서 충분히 퍼지도록 한다.

12. 5분 후 통증이 완화되었는지 검사하고 국소마취제로 인하여 척골신경 분포지역에 감각저하가 발생하였는지 확인한다.

시술 후 관리

- 환자에게 추가 손상을 피하도록 교육한다.
- 환자에게 밤 동안 과도한 팔꿈치굴곡(굽힘)을 예방하기 위해 팔꿈치신전(폄) 보조기를 사용하게 한다.
- 적응증이 된다면 NSAID, 얼음주머니, 또는 물리치료를 시행한다.
- 2주 후에 추적 관찰한다

CPT 코드:

- 64450−Injection, nerve block, therapeutic, other peripheral nerve or branch
- 76942 (optional)−Ultrasonic guidance for needle placement with imaging supervision and interpretation with permanent recording

참고문헌

1. Staples JR, Calfee R. Cubital tunnel syndrome: Current concepts. *J Am Acad Orthop Surg.* 2017;25(10):e215-24.
2. vanVeen KE, Alblas KC, Alons IM, et al. Corticosteroid injection in patients with ulnar neuropathy at the elbow: A randomized, double-blind, placebo-controlled trial. *Muscle Nerve.* 2015;52(3):380-5.

팔꿈치 관절에 대한 흡인과 주사는 대부분의 일차 진료 현장에서 흔한 치료는 아니다. 요골두(radial head) 골절이 발생하여 팔꿈치 관절내에 혈종이 과다하게 축척되어 팔꿈치 부위가 부어 오르게 된다. 흡인 후 통증은 상당히 호전된다. 팔꿈치의 관절염은 류마티스관절염, 통풍과 골관절염의 결과로 가장 흔히 발생한다. 이러한 질환들에 의한 경우 스테로이드 주사에 반응을 보일 수 있지만 이런 흡인, 주사치료가 항상 추천되지는 않는다.

팔꿈치 관절에 대한 주사 접근법은 두가지가 있다. 상완척골관절(humero-ulnar)이나 상완요골관절(radio-humeral)을 이용할 수 있다. 척골과 상완부위의 관절 공간은 비교적 넓어서 주사바늘이 접근하기가 상완요골관절에 비해 용이하여 성공율도 높다고 할 수 있다. 고해상도 초음파를 사용하면 관절주변이나 관절강내 주사하는데 있어서 핵심 구조물 파악을 용이하게 하여 정확성을 높일 수 있다.[1]

적응증	ICD-10 code
Elbow pain	M25.529
Elbow joint arthritis, unspecified	M19.029
Elbow joint osteoarthritis, primary	M19.029
Elbow joint osteoarthritis, posttraumatic	M19.129
Elbow joint osteoarthritis, secondary	M19.229

관련해부학: (그림 10-16)

환자 자세

- 검사 테이블에 앙와위(supine)로 눕고 테이블 머리 부분을 약 30도 정도 들어준다.
- 팔꿈치는 45도 신전시킨다.
- 손목은 중립 위치로 놓는다.
- 환측 팔꿈치 아래에 패드나 수건을 넣어서 지지해 준다.
- 환자의 불안과 통증에 대한 공포를 최소화하기 위해 환자의 시선을 주사 놓는 반대편으로 향하도록 한다.

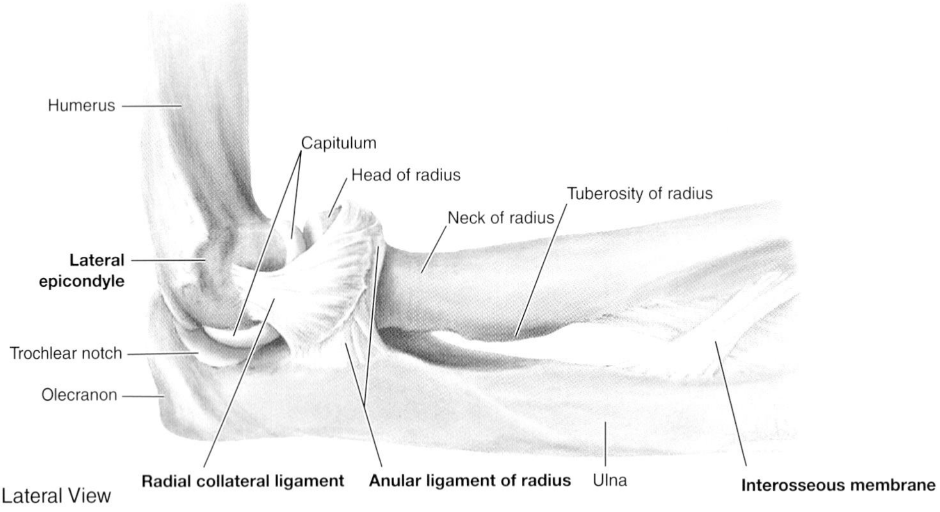

그림 10-16. ● 우측 팔꿈치 외측면

해부학적 지표

1. 환자는 검사 테이블에 앙와위로 누워 있게 한 후 시술자는 환측의 옆에 서도록 한다.

2. (상완척골관절) 이 부분 접근법은 팔꿈치 관절주사에 있어서 비교적 쉽게 접근할 수 있는 부분이다. 외측 상과를 확인한다. 이후 손가락끝을 피부에서 미끄러져 내려가면서 척골과 만나는 움푹 파인 홈 같은 지점을 확인한다. 가장 깊은 부분을 찾아 볼펜 잉크로 표시한다.

3. (상완요골관절) 교대로 손목을 회외(뒤침; supination)를 시키면서 팔꿈치 외측을 촉진하여 요골 골두(radial head)를 확인한다. 요골골두(radial head) 근위부 바로 위의 함몰부를 찾아 잉크로 표시한다.

4. 확인한 지점에서 볼펜끝으로 깊숙히 눌러 자국을 만든다. 이지점이 바늘이 자입할 지점이다.

5. 해부학적 지표가 확인된 후에 환자가 팔꿈치를 움직이지 않도록 교육한다

마취

• 국소 도포용 냉각 스프레이등으로 피부 마취할 수 있다

장비

• 국소 도포용 냉각 스프레이

• 3 mL 주사기

• 10 mL 주사기-흡인용

• 25 G, 1 inch 바늘

• 20 G, 1 inch 바늘-흡인용

- 에피네프린이 첨가되지 않은 1% 리도카인 0.5 mL
- 0.5 mL 스테로이드 용액(20 mg triamcinolone acetonide)
- 알코올 솜
- 베타딘 솜
- 소독된 거즈
- 소독된 접착붕대
- 깨끗한 받침대용 수건이나 타월

기법

1. 알코올과 베타딘으로 주사 부위를 소독한다.
2. 국소 도포용 냉각 스프레이로 국소마취를 한다.
3. 바늘 끝이 팔꿈치관절의 내측으로 향하게 하여 피부에 수직으로 하여 주사기를 위치 시킨다.
4. no-touch technique으로 삽입점에 바늘을 삽입한다(그림 10-17).
5. 관절 내로 바늘을 전진시킨다. 이때 바늘은 외측 상완골와(humeral lateral condyle)와 요골골두 (radial head) 사이에 위치하게 된다.
6. 흡인 시 10 mL 주사기에 20 G, 1 inch 바늘을 사용하여 관절내액을 흡인한다.
7. 만약 흡인 후 스테로이드를 주사하여야 할 경우에는 바늘을 견고히 잡고 20 G 바늘에서 10 mL 주사기를 제거한 후 다시 스테로이드와 리도카인 혼합물로 채운 3 mL 주사기를 바늘에 바꿔 끼워 사용한다.
8. 만약 주사만 시행하는 경우는 메피바카인/스테로이드 혼합액을 25 G, 1 inch 바늘, 3 mL 주사기를 사용한다.

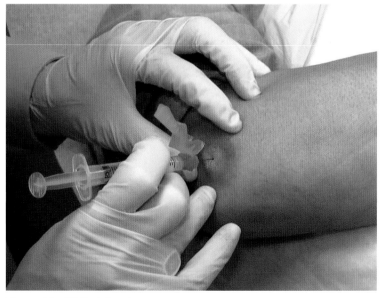

그림 10-17. ● 좌측 팔꿈치 관절 주사

9. 메피바카인/스테로이드 주사액을 팔꿈치 관절로 조금씩 주입하다. 만약 저항이 느껴지면 약물을 주입하기 전 바늘을 전진시키거나 약간 뒤로 빼서 주입해야 한다.

10. 주사가 끝나면 바늘을 뺀다.

11. 소독된 접착붕대를 감는다.

12. 환자의 팔꿈치 관절을 최대운동범위로 움직이도록 한다. 이 움직임은 스테로이드 용액이 관절 내에서 퍼지도록 해준다.

13. 5분 후 통증이 완화되었는지 다시 검사해 본다.

시술 후 관리

• 팔꿈치 보호대를 채우거나 쉬는 것보다 일상 생활을 하도록 한다. 최근 연구에서 스테로이드 주사 후 제한 없이 일상생활을 정상적으로 한 환자에 비해 48시간 동안 팔꿈치 보호대를 착용하고 고정한 환자에서 활액막염의 재발률이 현저하게 높게 나타남을 보여주었다.

• 팔꿈치 보호 보조기 사용을 고려해본다.

• 환자에게 2주간 과도한 팔꿈치 사용을 피하게 한다.

• 적응증에 따라서 NSAID, 얼음주머니, 또는 물리치료를 시행한다.

• 2주 후에 추적 관찰한다

CPT 코드:

• 20605−Arthrocentesis, aspiration and/or injection, intermediate joint or bursa; without ultrasound guidance

• 20606−With ultrasound guidance, with permanent recording and reporting

유의사항

• 요골두 부위에서 관절 공간은 팔꿈치 신전으로 노출시킬 수 있다.

• 팔꿈치 관절은 좁기 때문에 흡인 시 18 G 대신 20 G 바늘을 사용한다.

• 골절이 의심된 경우에는 스테로이드를 주사하지 않는다.

참고문헌

1. Sussman WI, Williams CJ, Mautner K. Ultrasound-guided elbow procedures. *Phys Med Rehabil Clin N Am.* 2016;27(3):573-87.
2. Weitoft T, Forsberg C. Importance of immobilization after intraarticular glucocorticoid treatment for elbow synovitis: A randomized controlled study. *Arthritis Care Res (Hoboken).* 2010;62(5):735-7.

주두(팔꿈치머리) 점액낭염은 일차 진료를 담당하는 의사에게 상대적으로 흔하게 흡인과 주사를 하는 질환이다. 주두점액낭의 위치는 비교적 명확하기에 쉽게 흡인을 시행할 수 있다. 피하의 주두점액낭은 반복적인 과다한 마찰이나 압박이 있을 때 염증을 일으키거나 체액이 모이게 된다. 체액은 급성 외상 후에는 혈액으로 이루어지게 되고, 반복적인 손상 시에는 단백성 점액상액(mucoid fluid)으로, 그리고 감염 시에는 화농액으로 구성 되어지 게 된다. 대부분의 경우에는 감염성과 비감염성 점액낭염을 구분하기 위한 주사치료에 후 에 보존치료를 권고한다.[1] 흡인은 비교적 쉽게 시행 가능한데 점액낭이 비교적 표면에 위 치하여 쉽게 확인할 수 있기 때문이다. 최근 연구에서는 주두점액낭염의 보존치료에 대한 효과 비교결과 압박붕대 및 진통소염제 복용, 흡인, 그리고 흡인과 스테로이드 주사등의 치료들이 큰 차이가 없음을 보고하고 있다.[2] 통풍이나 류마티스 관절염 환자에서 동반된 염증성 주두점액낭염 환자에서는 신중하게 스테로이드 주사를 고려하여야 한다. 하지만 화농성 관절염에서의 스테로이드 주사는 금기사항이다.

적응증	ICD-10 code
Olecranon bursitis	M70.20

관련해부학: (그림 10-18)

환자 자세

- 검사 테이블에 앙와위로 눕고 테이블 머리 부분을 약 30도 정도 들어준다.
- 환측 팔꿈치 관절을 최대로 굽힌다.
- 팔꿈치 아래에 받침대나 수건을 넣어 지지해준다.
- 환자의 불안과 통증에 대한 공포를 최소화하기 위해 환자의 시선을 주사 놓는 반대편 으로 향하도록 한다.

해부학적 지표

1. 환자는 검사 테이블에 앙와위로 누워 있게 한 후 시술자는 환측의 옆에 서도록 한다.
2. 체액이 가장 많이 모인 부분을 확인한다.
3. 이 부위를 볼펜 끝으로 강하게 누른다. 이 함몰 부위는 바늘이 삽입되는 지점을 나타 낸다.

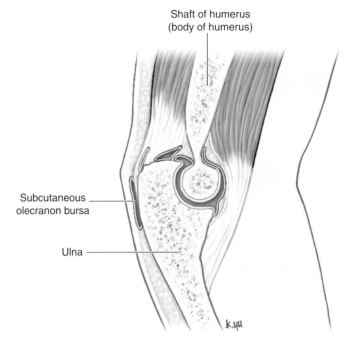

그림 10-18. ◉ 우측 팔꿈치의 외측면

4. 주사치료 할 부위가 결정되면 환자가 팔꿈치를 움직이지 않도록 교육한다.

마취

• 국소 도포용 냉각 스프레이등으로 피부 마취할 수 있다.

장비

• 국소 도포용 냉각 스프레이

• 20 mL 주사기－흡인용

• 3 mL 주사기－주사용

• 18 G, 1½ inch 바늘

• 에피네프린이 첨가되지 않은 1% 리도카인 1 mL－주사용

• 0.5 mL 스테로이드 용액(40 mg triamcinolone acetonide)－주사용

• 알코올 솜

• 베타딘 솜

• 소독된 거즈 솜

• 소독된 접착붕대

• 손목 받침대용 수건이나 타월

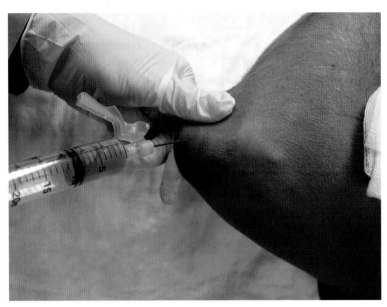

그림 10-19. ● 주두 점액낭 흡입

기법

1. 알코올과 베타딘으로 주사 부위를 소독한다.

2. 냉각 스프레이로 국소마취를 한다.

3. 점액낭 주머니를 엄지와 집게손가락을 이용하여 집어들고 사용하지 않는 손은 환자의 상완부를 잡아 고정시켜 주사 바늘 자입이 용이하게 한다.

4. 18 G 주사기의 바늘을 최대로 체액이 집적된 부위를 향해 위치시킨다.

5. no-touch technique으로 삽입점에 바늘을 삽입한다(그림 10-19).

6. 바늘을 점액낭 중심부로 전진시킨다.

7. 흡인은 쉽게 이루어질 수 있다. 삼출액이 많으면 여러 개의 주사기를 사용한다.

8. 만약 흡인 후 주사가 계획되어 있다면, 주사기 바늘의 허브(hub)를 잡고 큰 주사기를 분리시킨 후 스테로이드 주사액으로 채운 3 mL 주사기와 바늘을 연결시킨다.

9. 주사액은 부드럽게 공간 안으로 주사되어야 한다. 만약 저항이 증가한다면 약물을 더 주입하기 전 바늘을 전진시키거나 약간 뒤로 빼서 주입해야 한다.

10. 완벽하게 흡인한 후 스테로이드 용액을 주입 후에 바늘을 제거한다.

11. 소독된 접착밴드를 부착 후 탄력붕대로 압박을 한다.

시술 후 관리

- 환자에게 2주간 과도한 팔꿈치 사용을 피하게 한다.
- 팔꿈치 보호대나 압박용 탄력붕대 사용을 고려해 본다.
- 적응증에 따라서 NSAID, 얼음주머니, 또는 물리치료를 시행한다.
- 2주 후에 추적 관찰한다.

CPT 코드:

- 20605-Arthrocentesis, aspiration and/or injection, intermediate joint or bursa; without ultrasound guidance
- 20606-With ultrasound guidance, with permanent recording and reporting

유의사항

- 만약 주두점액낭염이 감염이나 급성 출혈에 의해 발생하였다면 흡인 후 스테로이드 용액을 주사를 하지 않는다.
- 대부분 스테로이드 주사는 점액낭염 재발을 대비해 보류해둔다.

참고문헌

1. Baumbach SF, Lobo CM, Badyine I. Prepatellar and olecranon bursitis: Literature review and development of a treatment algorithm. *Arch Orthop Trauma Surg.* 2014;134(3):359-370.
2. Kim JY, Chung SW, Kim JH. A randomized trial among compression plus nonsteroidal anti-inflammatory drugs, aspiration, and aspiration with steroid injection for nonseptic olecranon bursitis. *Clin Orthop Relat Res.* 2016;474(3):776-783.

외측상과염은 일차 진료 의사가 치료하는 가장 흔한 연부조직 질환 중의 하나이다. 이는 잘못된 명칭이며 사실 콜라겐 비정렬을 동반한 비염증성 건증 특히 단요측수근신근 (extensor carpi radialis brevis (ECRB))이 관련 있다. 외측상과염은 손목 신전근과 회외근 (supinator) 기시부의 과다 사용에 의한 손상의 결과인데 이로 인해서 손목부위와 상완골 원위부의 외측 상과에서 기인하는 회내전에 관연하는 전완근육의 기시점부위의 혈액순환 감소 및 퇴행성 미세손상등의 기전과 연관이 있다.

이러한 질병을 치료하기 위해 다양한 물질들의 주사가 문헌에서 광범위하게 보고되고 있다. 스테로이드 주사가 오랫동안 사용되어 왔지만 이러한 주사는 짧은 기간 동안에 효과적인 것으로 나타났다.[1,2] 장기 효과는 플라시보 효과 보다 나을 것이 없고 사실 더 나쁠 수도 있다.[3,4] 덧붙여서, 테니스 엘보우 치료를 위한 스테로이드 주사는 전신전인 부작용이 보고되고 있고 자세히 설명된 피부위축[5], 색소침착[6] 등이 보고되고 있다.

실제적으으로 외측 상과염 환자에서 중장기적으로 치료 효과를 일정하게 보이는 주사 치료나 물리치료등의 중재적 요법은 보고된 바 없다.[7-9] 장기적으로 보면, 혈소판 풍부 혈장 주사가 통증감소와 기능 개선 효과에 있어서 스테로이드 주사법에 비해 더 나은 결과를 보였다는 연구결과도 있다.[10,11] 하지만, 모든 연구가 좋은 결과를 보고하지는 않았다.[12] 보톡스 주사역시 좋은 결과를 기대한다는 보고도 있다.[13-15] 좀더 다양한 연구에서 외측 상과염 치료에 사용되는 정형외과적 생물학 제재의 효과에 대한 분석이 필요하다고 할 수 있겠다.[16]

스테로이드 주사 용량을 줄여서 사용한 효과에 대한 효과판정의 근거 논문을 기대하지만 아쉽게도 아직 증례보고 된 바는 없다.[17,18] 연구에서 스테로이드 자체의 효과에 대한 개별적인 치료효과보다는 다양한 조합을 통한 효과 분석이 필요하다고 발표하고 있다.

적응증	ICD-10 code
Lateral epicondylitis	M77.10

관련해부학: (그림 10-20)

환자 자세

- 검사 테이블에 앙와위로 눕고 테이블 머리 부분을 약 30도 정도 들어준다.
- 환측 팔꿈치관절을 약간 굽힌다.

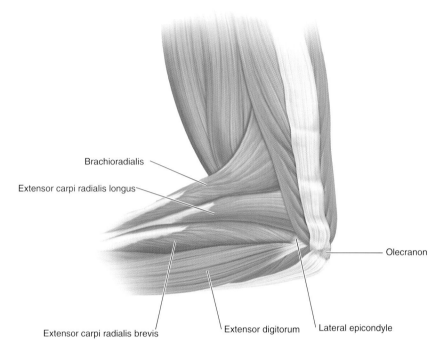

Brachioradialis

Extensor carpi radialis longus

Olecranon

Extensor carpi radialis brevis

Extensor digitorum

Lateral epicondyle

그림 10-20. ● 좌측 팔꿈치의 근육구조 외측면

- 손목은 중립위치에서 약간 회내(pronation)시킨다.
- 팔꿈치 아래에 받침대나 수건을 놓아 지지시킨다.
- 환자의 불안과 통증에 대한 공포를 최소화하기 위해 환자의 시선을 주사 놓는 반대편 으로 향하도록 한다

해부학적 지표

1. 환자는 검사 테이블에 앙와위로 누워 있게 한 후 시술자는 환측의 옆에 서도록 한다.
2. 외측상과(lateral epicondyle) 주변에서 가장 통증이 심한 압통점을 찾는다.
3. 이 부위를 볼펜 끝으로 강하게 누른다. 이 함몰 부위는 바늘이 삽입되는 지점을 나타 낸다.
4. 주사치료 할 부위가 결정되면 환자가 팔꿈치를 움직이지 않도록 교육한다

마취

- 국소 도포용 냉각 스프레이등으로 피부 마취할 수 있다.

장비

- 국소 도포용 냉각 스프레이
- 3 mL 주사기

- 25 G, 1 inch 바늘
- 에피네프린이 첨가되지 않은 1% 리도카인 1 mL
- 0.5-1.0 mL 스테로이드 용액(20 mg triamcinolone acetonide)
- 알코올 솜
- 베타딘 솜
- 소독된 거즈 솜
- 소독된 접착붕대
- 깨끗한 손목 받침대나 타월

기법

1. 알코올과 베타딘으로 주사 부위를 소독한다.
2. 냉각 스프레이로 국소마취를 한다.
3. 주사바늘을 외측상과에 내측으로 향하게 하여 피부에 수직으로 주사기를 위치시킨다.
4. no-touch technique으로 삽입점에 바늘을 삽입한다(그림 10-21).
5. 바늘을 외측상과 부위 뼈까지 전진시킨다.
6. 바늘을 1-2 mm 뒤로 뺀다.
7. 집어올리기 기법을 이용한다(다음 유의사항에 설명 참조).
8. 주사기 실린지를 잡아빼서 혈액 흡인이 없음을 확인한다.
9. 이 부위에 일정한 속도로 천천히 리도카인/스테로이드 용액을 주사한다. 만약 저항이 증가한다면 약물을 더 주입하기 전 바늘을 전진시키거나 약간 뒤로 빼서 주입해야 한다.

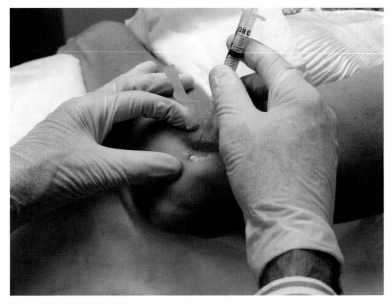

그림 10-21. ● 좌측 외측 상과 주사

10. 스테로이드 용액을 주입한 후에 주사바늘을 뺀다.

11. 소독 반창고를 부착한다.

12. 환자의 팔꿈치와 손목을 최대운동범위로 움직이게 해 본다.

13. 5분 후 통증이 완화되었는지 팔꿈치를 다시 검사해 본다.

시술 후 관리

- 환자에게 2주간 과도한 손목 신전이나 회외전을 피하게 한다.
- 팔꿈치 보호대나 압박용 탄력붕대 사용을 고려해 본다.
- 손목 신전을 제한하기 위해 손목 보조기 사용을 고려해 본다
- 적응증에 따라서 NSAID, 얼음주머니, 또는 물리치료를 시행한다.
- 2주 후에 추적 관찰한다
- 효과가 없는 경우는 다른 치료방법들을 고려해본다.

CPT 코드:

- 20551—Injection; single tendon origin/insertion
- 76942 (optional)—Ultrasonic guidance for needle placement with imaging supervision and interpretation with permanent recording

유의사항

- 팔꿈치와 아래팔(forearm)에서 요골신경 분지의 포착(entrapment)은 외측 상과염과 혼동될 수 있다. 요골관증후군(radial tunnel syndrome)은 대부분 요골신경 깊은 분지가

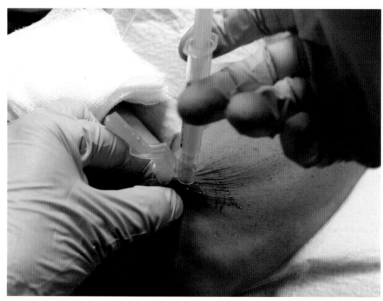

그림 10-22. ● 연부 조직을 살짝 들어올려 주사해서 피하조직에 스테로이드 주입이 되지 않도록 주의한다.

arcade of Frohse 지점 에서 회외근(supinator muscle)을 통과할 때 포착되어 유발된다. 이때 통증은 외측상과의 원위 4 cm와 내측 부위에서 발생한다.

- 특히 마른 환자에 있어서 외측상과염 주사 치료 시 피부 표층에 주입될 수 있다. 피하조 직에 스테로이드가 침전되는 것은 피부 위축과 색소침착저하증을 일으킬 수 있다. 이런 특정 형태로 주입되는 것은 위와 같은 합병증을 발생시키므로 바람직하지 않다. 모든 스테로이드 용액을 주사할 때 진피하 팽진(wheal)이 생기지 않도록 주의한다.

- 위와 같은 합병증을 예방하기 위해 집어 올리기 기술(pinch 기술)을 사용할 수 있다(그림 10-22). 주사기의 삽입 후 부드럽게 바늘 양 옆의 피부를 주사기를 향해 잡아서 들어 올린다. 이 방법은 피부와 실제 주사 부위와의 거리를 넓혀서, 피부 위축이나 색소침착 저하증 같은 합병증의 발생을 최소화 하는데 도움이 된다.

참고문헌

1. Krogh TP, Fredberg U, Stengaard-Pedersen K, et al. Treatment of lateral epicondylitis with platelet-rich plasma, glucocorticoid, or saline: A randomized, double-blind, placebo-controlled trial. *Am J Sports Med.* 2013;41(3):625-35.
2. Coombes BK, Bisset L, Vicenzino B. Efficacy and safety of corticosteroid injections and other injections for management of tendinopathy: A systematic review of randomised controlled trials. *Lancet.* 2010;376(9754):1751-67.
3. Sardelli M, Burks RT. Distances to the subacromial bursa from 3 different injection sites as measured arthroscopically. *Arthroscopy.* 2008;24(9):992-96.
4. Coombes BK, Bisset L, Brooks P, et al. Effect of corticosteroid injection, physiotherapy, or both on clinical outcomes in patients with unilateral lateral epicondylalgia: A randomized controlled trial. *JAMA.* 2013;309(5):461-9.
5. Pace CS, Blanchet NP, Isaacs JE. Soft tissue atrophy related to corticosteroid injection: Review of the literature and implications for hand surgeons. *J Hand Surg Am.* 2018;43(6):558-63.
6. Freire V, Bureau NJ. Injectable corticosteroids: Take precautions and use caution. *Semin Musculoskelet Radiol.* 2016;20(5):401-8.
7. Gao B, Dwivedi S, DeFroda S, et al. The therapeutic benefits of saline solution injection for lateral epicondylitis: A meta-analysis of randomized controlled trials comparing saline injections with nonsurgical injection therapies. *Arthroscopy.* 2019;35(6):1847-59.e12.
8. Krogh TP, Bartels EM, Ellingsen T, et al. Comparative effectiveness of injection therapies in lateral epicondylitis: A systematic review and network meta-analysis of randomized controlled trials. *Am J Sports Med.* 2013;41(6):1435-46.
9. Wolf JM, Ozer K, Scott F, et al. Comparison of autologous blood, corticosteroid, and saline injection in the treatment of lateral epicondylitis: A prospective, randomized, controlled multicenter study. *J Hand Surg Am.* 2011;36(8):1269-72.
10. Li A, Wang H, Yu Z, et al. Platelet-rich plasma vs corticosteroids for elbow epicondylitis: A systematic review and meta-analysis. *Medicine (Baltimore).* 2019;98(51):e18358.
11. Xu Q, Chen J, Cheng L. Comparison of platelet rich plasma and corticosteroids in the management of lateral epicondylitis: A meta-analysis of randomized controlled trials. *Int J Surg.* 2019;67:37-46.
12. Franchini M, Cruciani M, Mengoli C, et al. Efficacy of platelet-rich plasma as conservative treatment in orthopaedics: A systematic review and meta-analysis. *Blood Transfus.* 2018;16(6):502-13.
13. Galván Ruiz A, Vergara Díaz G, Rendón Fernández B, et al. Effects of ultrasound-guided administration of botulinum toxin (IncobotulinumtoxinA) in patients with lateral epicondylitis. *Toxins (Basel).* 2019;11(1):46.
14. Kalichman L, Bannuru RR, Severin M, et al. Injection of botulinum toxin for treatment of chronic lateral epicondylitis: Systematic review and meta-analysis. *Semin Arthritis Rheum.* 2011;40(6):532-38.
15. Lin C, Tu YK, Chen SS, et al. Comparison between botulinum toxin and corticosteroid injection in the

treatment of acute and subacute tennis elbow: A prospective, randomized, double-blind, active drug-controlled pilot study. *Am J Phys Med Rehabil.* 2010;89(8):653-59.

16. Calandruccio JH, Steiner MM. Autologous blood and platelet-rich plasma injections for treatment of lateral epicondylitis. *Orthop Clin North Am.* 2017;48(3):351-57.

17. Fujihara Y, Huetteman HE, Chung TT, et al. The effect of impactful articles on clinical practice in the united states: Corticosteroid injection for patients with lateral epicondylitis. *Plast Reconstr Surg.* 2018;141(5):1183-91.

18. Vicenzino B, Britt H, Pollack AJ, et al. No abatement of steroid injections for tennis elbow in Australian General Practice: A 15-year observational study with random general practitioner sampling. *PLoS One.* 2017;12(7):e0181631.

내측상과염은 일차 진료를 담당하는 의사가 역시 흔히 만나는 연부 조직의 병적 상태이다. 병태생리 학적으로 외측상과염과 유사하게도 이러한 상태 또한 콜라겐 비정렬에 의한 비염증성 건증이 연관되어 있다. 내측상과염은 보통 손목 굽힘근과 회내근(pronator)의 저혈관성 기시부의 과다 사용으로 인한 손 상의 결과이다. 외측상과염과 마찬가지로, 주사 가능한 약이나 시술과 같은 치료를 유도할 만한 정립된 의학적 논문은 없다. 한 논문이 코르티코스테로이드만 사용한 단기적 효과를 제시하였다.[1] 일단 증상이 생기게 되면 굽힘이나 뒤집은 근육에 관여하는 재활치료에 집중하여 손상을 방지하는데 집중해야 한다.[2]

적응증	ICD-10 code
Lateral epicondylitis	M77.10

관련해부학: (그림 10-23)

환자 자세

- 검사 테이블에 앙와위(supine)로 눕고 테이블 머리 부분을 약 30도 정도 들어준다.
- 어깨를 30도 외전 상태에서 최대로 외회전(external rotation)시킨다.
- 환측 팔꿈치를 90도 굽힌다. 상태에서 손목은 회외(supination)시킨다.
- 손목은 중립 위치에 놓는다.
- 팔꿈치 아래에 받침대나 수건을 놓아 지지시킨다.
- 환자의 불안과 통증에 대한 공포를 최소화하기 위해 환자의 시선을 주사 놓는 반대편으로 향하도록 한다.

해부학적 지표

1. 환자는 검사 테이블에 앙와위로 누워 있게 한 후 시술자는 환측의 옆에 서도록 한다.
2. 내측상과 주변에서 가장 통증이 심한 압통점을 찾는다.
3. 이 부위를 볼펜 끝으로 강하게 누른다. 이 함몰 부위는 바늘이 삽입되는 지점을 나타낸다.
4. 환자는 검사 테이블에 앙와위로 누워 있게 한 후 시술자는 환측의 옆에 서도록 한다.

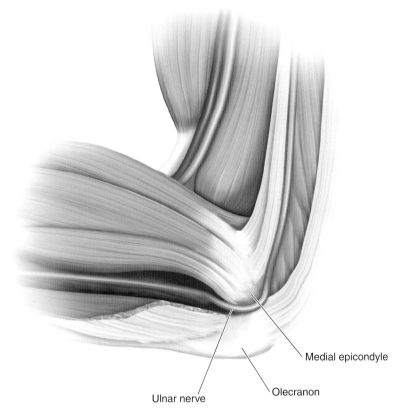

Medial epicondyle

Ulnar nerve

Olecranon

그림 10-23. ● 우측 팔꿈치 관절 근육구조의 안측면

마취

● 국소 도포용 냉각 스프레이등으로 피부 마취할 수 있다.

장비

● 국소 도포용 냉각 스프레이

● 3 mL 주사기

● 25 G, 1 inch 바늘

● 에피네프린이 첨가되지 않은 1% 리도카인 1 mL

● 0.5-1.0 mL 스테로이드 용액(20 mg triamcinolone acetonide)

● 알코올 솜

● 베타딘 솜

● 소독된 거즈 솜

● 소독된 접착밴드

● 받침대용 수건이나 타월

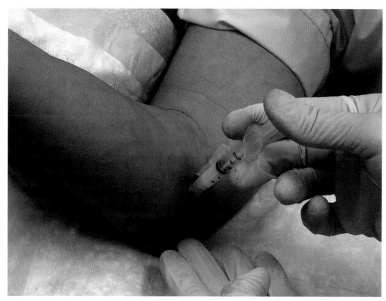

그림 10-24. ● 우측 내측상과 주사

기법

1. 알코올과 베타딘으로 주사 부위를 소독한다.
2. 냉각 스프레이로 국소마취를 한다.
3. 바늘 끝을 내측상과의 외측을 향해 놓은 후 피부에 수직으로 주사기를 위치시킨다.
4. no-touch technique으로 삽입점에 바늘을 삽입한다(그림 10-24).
5. 바늘을 내측상과 부위 뼈까지 전진시킨다.
6. 바늘을 1-2 mm 뒤로 뺀다.
7. 주사기 실린지를 뒤로 배서 혈액 흡인이 되지 않음을 확인한다.
8. 이 부위에 일정한 속도로 리도카인/스테로이드 용액을 주입한다. 만약 저항이 증가한다면 약물을 더 주입하기 전 바늘을 전진시키거나 약간 뒤로 빼서 주입해야 한다.
9. 스테로이드 용액을 주입한 후 바늘을 빼낸다.
10. 소독된 접착붕대를 감은 후 탄력붕대로 압박을 한다.
11. 환자의 팔꿈치와 손목을 최대운동범위로 움직이게 해 본다.
12. 5분 후 통증이 완화되었는지 팔꿈치를 다시 검사해 본다

시술 후 관리

• 환자에게 2주간 과도한 손목 굴곡이나 회내 동작을 피하게 한다.
• 팔꿈치용 보호대나 압박용 탄력붕대 사용을 고려해 본다.
• 손목 굽힘을 제한하기 위해 손목 보조기 사용을 고려해 본다.
• 적응증에 따라서 NSAID, 얼음주머니, 또는 물리치료를 시행한다.
• 2주 후에 추적 관찰한다.

CPT 코드:

- 20551—Injection; single tendon origin/insertion
- 76942 (optional)—Ultrasonic guidance for needle placement with imaging supervision and interpretation with permanent recording

유의사항

- 척골신경(ulnar nerve)이 주사 부위에 인접해 주행한다. 신경은 내측상과의 후하방을 지난다. 경우 에 따라서 국소마취제가 주사 부위에서 퍼져나가 척골신경에 영향을 줄 수 있다. 환자에게 손의 외측 면뿐만 아니라 제4, 5수지의 무감각이 일시적으로 발생할 수 있다고 알려주어야 한다.

참고문헌

1. Stahl S, Kaufman T. The efficacy of an injection of steroids for medial epicondylitis: A prospective study of sixty elbows. *J Bone Joint Surg Am.* 1997;79(11):1648–1652.
2. Amin NH, Kumar NS, Schickendantz MS. Medial epicondylitis: Evaluation and management. *J Am Acad Orthop Surg.* 2015;23(6):348–355.

요골신경포착
Radial Nerve Entrapment

전완의 요골관증후군의 치료를 위해 환자들이 일차 진료소를 내원하는 경우는 흔하지 않다. 이 증후군은 arcade of Frohse(후로세 아케이드)에서 회외근으로 들어가는 요골 신경의 심부 분지(posterior interosseous nerve; 후골간신경)의 포착에 의해 발생한다. 후골간신경의 압박이나 상처 반흔은 신전/회외 근육의 탈신경과 요골 감각신경의 분포지역에서 감각 이상 이나 저린 느낌을 발생시킨다. 그 결과로 통증과 근력 약화, 기능이상이 나타날 수 있다. 이러한 상태에서의 통증은 외측상과에서 약 4 cm 원위부에서 발생한다. 국소마취제를 이용한 신경 차단 주사는 진단을 확진하는 데 도움을 줄 수 있고 스테로이드는 보존적 치료를 위해 첨가될 수 있다. 성공적인 치료를 위해 외과적 수술이 종종 필요하기도 하다.

적응증	ICD-10 code
Radial nerve entrapment syndrome	G56.30

관련해부학: (그림 10-25)

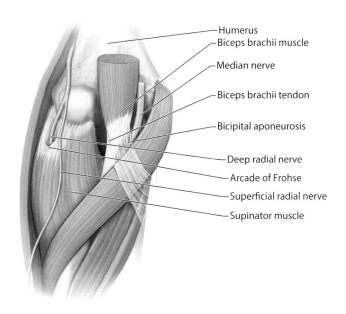

그림 10-25. ● 오른쪽팔꿈치의 전완부

환자 자세

- 검사 테이블에 앙와위로 눕고 테이블 머리 부분을 약 30도 정도 들어준다.
- 환측 팔꿈치관절을 약간 굽힌다.
- 손목은 중립위치에서 약간 회내시킨다.
- 팔꿈치 아래에 받침대나 수건을 놓아 지지시킨다.
- 환자의 불안과 통증에 대한 공포를 최소화하기 위해 환자의 시선을 주사 놓는 반대편으로 향하도록 한다.

해부학적 지표

1. 환자는 검사 테이블에 앙와위로 누워 있게 한 후 시술자는 환측의 옆에 서도록 한다.
2. 외측상과를 확인한다.
3. 최대 압통점은 보통 외측상과에서 내측 4 cm 원위부에 보통 존재한다.
4. 최대 압통점을 확인하고 표시한다.
5. 이 부위를 볼펜 끝으로 강하게 누른다. 이 함몰 부위는 바늘이 삽입되는 지점을 나타낸다.
6. 주사치료 할 부위가 결정되면 환자가 팔꿈치를 움직이지 않도록 교육한다.

마취

- 국소 도포용 냉각 스프레이등으로 피부 마취할 수 있다.

장비

- 국소 도포용 냉각 스프레이등
- 3 mL 주사기
- 25 G, 1 inch 바늘
- 에피네프린이 첨가되지 않은 1% 리도카인 1 mL
- 1 mL 스테로이드 용액(40 mg triamcinolone acetonide)
- 알코올 솜
- 베타딘 솜
- 소독된 거즈 솜
- 소독된 접착밴드
- 깨끗한 받침대용 수건이나 타월

기법

1. 알코올과 베타딘으로 주사 부위를 소독한다.
2. 냉각 스프레이로 국소마취를 한다.

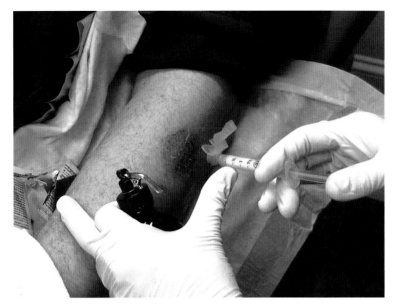

그림 10-26. ● 좌측 요골신경촉부위 주사

3. 바늘 끝을 후방을 향해 놓은 후 피부에 수직으로 주사기를 위치시킨다.

4. no-touch technique으로 삽입점에 바늘을 삽입한다(그림 10-26).

5. 요골신경에 주사할 부위에 바늘 끝이 도달할 때까지 주사 바늘을 천천히 전진시킨다.

6. 만약 통증이나, 감각 이상, 저린 느낌이 발생하면 바늘을 약간 뺀다.

7. 바늘이 요골신경을 따라서 위치되었을 때 주사기 실린지를 잡아 빼서 혈액 흡인이 없음을 확인한다.

8. 신경 주위로 리도카인/스테로이드 주사액을 천천히 조금씩 주입한다.

9. 만약 저항이 증가한다면 약물을 더 주입하기 전 바늘을 전진시키거나 약간 뒤로 빼서 주입해야 한다.

10. 스테로이드 용액을 주입한 후 바늘을 빼낸다.

11. 소독된 접착밴드를 부착한다.

12. 환자의 팔꿈치와 손목을 최대운동범위로 움직이게 해 본다.

13. 5분 후 통증이 완화되었는지 검사하고 국소마취제로 인하여 요골신경 분포지역에 감각저하가 발생하였는지 확인한다.

시술 후 관리

• 환자에게 2주간 과도한 손목 신전이나 회외 동작을 피하게 한다.

• 적응증에 따라서 NSAID, 얼음주머니, 또는 물리치료를 시행한다.

• 2주 후에 추적 관찰한다.

CPT 코드:

- 64450−Injection, nerve block, therapeutic, other peripheral nerve or branch
- 76942 (optional)−Ultrasonic guidance for needle placement with imaging supervision and interpretation with permanent recording

유의사항

- 팔꿈치와 전완 내 요골신경의 분지의 포착(entrapment)는 외측상과염의 통증 양상과 비슷할 수 있어 감별진단을 요한다.

참고문헌

1. Carter GT, Weiss MD. Diagnosis and treatment of work-related proximal median and radial nerve entrapment. *Phys Med Rehabil Clin N Am*. 2015;26(3):539-49.
2. Anandkumar S. Effect of dry needling on radial tunnel syndrome: A case report. *Physiother Theory Pract*. 2019;35(4):373-82.

교차증후근
Intersection Syndrome

교차증후군 환자에서 스테로이드 주사는 일차진료영역에서는 흔하지 않다. 이 질환은 손목의 Lister's 결절(Lister's tubercle)[1] 지점으로부터 손목관절부위의 4 cm 근위부지점에서 전완부의 등쪽 지점에 통증을 유발하는데 이 지점은 손목의 장무지외전근(abductor pollicis longus, APL)과 단무지신근(extensor pollicis brevis, EPB)이 단요측 수근신근(extensor carpi radialis longus, ECRL)과 단요측 수근신근(extensor carpi radialis brevis, ECRB) 위 부분에서 교차하면서 통증을 유발시킨다. 주요 병태생리로는 운동선수나 산업노동자등에서 반복적인 손목의 저항성 신전 움직임에 의한 손상을 기전으로 한다. 환자들은 전형적으로 통증과 부분적 부종, 그리고 쥐어짜는 듯한 양상의 통증이 손목을 반복적으로 뻗을 때 느껴진다고 한다.

휴식이나 활동 조절 그리고 보조기나 NSAID등의 약제 복용등의 보존치료가 있다. 다른 방법으로는 초음파 유도하 생리식염수를 이용한 수력분리술[2] 과 스테로이드 주사치료법등이 있다.

적응증	ICD-10 code
Intersection syndrome	M65.839

관련해부학: (그림 10-27)

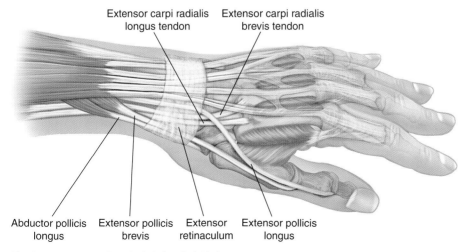

그림 10-27. ● 교차증후군과 연관된 근육과 인대들

환자 자세

- 검사 테이블에 앙와위로 눕고 테이블 머리 부분을 약 30도 정도 들어준다.
- 손목은 중립위치를 시킨다. 엄지손가락은 회의와 회내의 중간정도의 자세를 취한다.
- 손목은 타월이나 패드를 깔고 지지시킨다.
- 환자의 불안과 통증에 대한 공포를 최소화하기 위해 환자의 시선을 주사 놓는 반대편으로 향하도록 한다.

해부학적 지표

1. 환자는 검사 테이블에 앙와위로 누워 있게 한 후 시술자는 환측의 옆에 서도록 한다.
2. Lister's 결절[3] 지점으로부터 4 cm 정도 손목관절 근위부로 떨어진 지점, 즉 장무지외전근(abductor pollicis longus, APL)과 단무지신근(extensor pollicis brevis, EPB)이 단요측 수근신근(extensor carpi radialis longus, ECRL)과 단요측 수근신근(extensor carpi radialis brevis, ECRB) 위부분에서 교차하는 지점을 확인한다.
3. 환자에게 엄지손가락을 이용하여 반복적으로 작은 원을 만들게 하거나 손목 신전을 시키면 이 지점의 근육 움직임이 확인되어 파악하는데 용이하다. 이부위가 가장 통증이 심하고 파열음이 느껴지는 지점임을 확인한다.
4. 이 부위를 볼펜 끝으로 강하게 눌러서 함몰되게 한다. 이 함몰 부위는 바늘의 끝이 목표로 하는 지점을 나타낸다.
5. 그 점에서 1 cm 원위부로 떨어진 지점을 표시한다.
6. 이 부위를 볼펜 끝으로 강하게 누른다. 이 함몰 부위는 바늘이 삽입되는 지점을 나타낸다.
7. 주사치료 할 부위가 결정되면 환자가 손목이나 엄지손가락을 움직이지 않도록 교육한다.

마취

- 국소 도포용 냉각 스프레이등으로 피부 마취할 수 있다.

장비

- 국소마취용 냉각스프레이
- 3 mL 주사기
- 25 G, 1 inch 바늘
- 에피네프린이 첨가되지 않은 1% 리도카인 0.5 mL
- 0.25-0.5 mL 스테로이드 용액(20 mg triamcinolone acetonide)
- 알코올 솜
- 베타딘 솜

- 소독된 거즈 솜
- 소독된 접착밴드
- 받침대용 수건이나 타월

기법

1. 자입 부위를 Povidone-iodine 패드로 소독후 알코올로 닦는다.
2. 냉각 스프레이로 국소마취를 한다.
3. 표시해 둔 지점보다 1 cm 정도 바깥쪽에서 주사기 바늘을 위치시키고 피부에 45도 각도로 바늘을 자입한다.
4. no-touch technique으로 바늘을 자입지점에 진입시킨다(그림 10-28).
5. 피부에서 1 cm 깊이 정도에 위치해 있는 목표지점으로 바늘을 진입시킨다.
6. 주사기 실린지를 빼봐서 혈액 흡인이 없는 것을 확인한다.
7. 천천히 리도카인/스테로이드 혼합액을 건초내로 주입한다.
8. 주사가 끝난후 바늘을 뺀다.
9. 소독반창고를 붙인다.
10. 환자에게 최대 운동각도로 엄지와 손목을 움직여보도록 한다. 이러한 움직임은 주입된 스테로이드용액이 충분히 퍼지게 한다.
11. 주사치료 후 5분 뒤에 손과 손목의 통증이 완화되었지 확인한다.

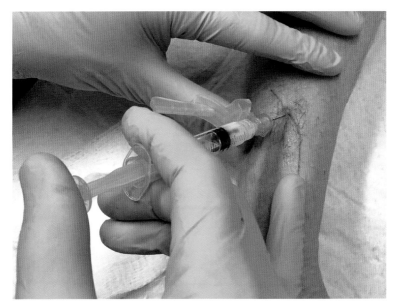

그림 10-28. ● 교차증후군 주사

시술 후 관리

- 2주동안은 주사 후 손목이나 엄지손가락의 과도한 신전과 외전을 하지 않도록 주의시키고 필요한 경우 손목보호대를 착용시킨다.
- 적응증에 해당하면 NSAID나 열마사지, 물리치료 등을 실시한다.
- 2주 후 외래 경과관찰한다.

CPT 코드:

- 20550−Injection(s); single tendon sheath, or ligament, aponeurosis
- 76942 (optional)−Ultrasonic guidance for needle placement with imaging supervision and interpretation with permanent recording

유의사항

- 더 흔한 질환인 드퀘르뱅 건초염과 감별진단에 주의하여야 한다.
- 초음파를 이용하면 해부학적 지표 이용 주사법보다 훨씬 더 정확성을 올릴 수 있다.

참고문헌

1. Lee RP, Hatem SF, Recht MP. Extended MRI findings of intersection syndrome. *Skeletal Radiol.* 2009;38(2):157-63.
2. Skinner TM. Intersection syndrome: The subtle squeak of an overused wrist. *J Am Board Fam Med.* 2017;30(4):547-51.
3. Lee RP, Hatem SF, Recht MP. Extended MRI findings of intersection syndrome. *Skeletal Radiol.* 2009;38(2):157-63.

드퀘르뱅 건초염
de Quervain's Tenosynovitis

드퀘르뱅 건초염은 일차 진료를 담당하는 의사들이 흔히 스테로이드 주사요법을 이용하여 치료하는 근골격계질환 중의 하나이다. 드퀘르뱅 건초염은 요골쪽 손목의 첫번째 구획 (compartment)의 협착성 건초염이다. 손목의 지신근(extensor pollicis brevis)과 장무지굴근(abductor pollicis longus)의 건은 서로 평행하게 주행하며 동일한 건초를 지나게 된다. 엄지손가락의 반복적인 신전과 외전을 필요로 하는 움직임의 과도한 사용은 이러한 협착성 건초염 상태를 만들게 된다. 임신기나 산후기에 흔하게 이러한 상태가 동반되기도 한다.

    병변에 스테로이드 주사는 특별한 부작용 없이 단기간 혹은 장기간의 좋은 개선 효과를 가져온다는 보고가 되고 있다.[1-3] 초음파 연구상 약 28%에서 52%의 빈도로 손목의 지신근과 장무지굴근을 분리시키는 얇은 근, 인대 막이 존재하는 것으로 알려져 있다.[4,5] 이러한 작은 구획들을 만드는 막들이 재발을 일으키는 주요 원인으로 파악 된다.[6,7] 초음파를 사용하게 되면 이러한 막들을 잘 관찰할 수 있게 되고 각각의 구획에 주사 치료를 가능 하게 함으로써 임상 효과를 좋게 할 수 있다는 연구 결과가 있다.[8,9]

적응증	ICD-10 code
Intersection syndrome	M65.839

관련해부학: (그림 10-29)

환자 자세

- 환자 머리부분이 약 30 도 정도 올린 검사 테이블에 앙와위로 눕게 한다.
- 환측 손목과 손을 중립 위치로 놓는다. 엄지손가락은 회내와 회외의 중간 위치에서 위를 향하게 한다.
- 팔목은 부드러운 패드나 수건으로 받친다.
- 환자 얼굴은 주사하는 반대방향으로 돌리게 해서 주사에 대한 공포와 통증을 경감시키도록 한다.

해부학적 지표

1. 환자는 앙와위로 누워 있게 하고 시술자는 환측의 옆에 서도록 한다.

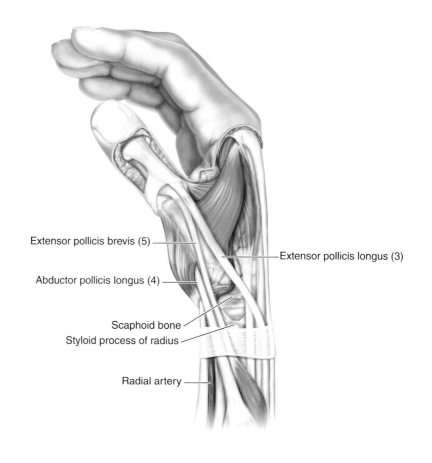

Extensor pollicis brevis (5)

Extensor pollicis longus (3)

Abductor pollicis longus (4)

Scaphoid bone
Styloid process of radius

Radial artery

Lateral view

그림 10-29. ● 우측 수부 해부학

2. 손목의 지신근과 장무지굴근이 있는 건초에서 가장 아픈 위치를 확인한다.

3. 바늘이 삽입되는 위치는 이 두 건의 사이이다. 종종 환자에게 작은 원을 엄지손가락과 검지로 만들게 하면 두 인대가 잘 식별된다. 검사자의 손을 두 인대와 평행하게 배치하면 두 인대의 움푹 파인 지점을 식별할 수 있고 이 부분이 바늘의 자입점이 된다.

4. 해부학적 지표가 식별된 후에 환자는 손목이나 엄지손가락은 고정된 채 움직이지 않아야 한다.

마취

• 국소 도포용 냉각 스프레이등으로 피부 마취할 수 있다.

장비

• 국소도표용 마취스프레이
• 3 mL 주사기

- 25 G, 5/8 inch 바늘
- 에피네프린이 첨가되지 않은 1% 리도카인 0.5 mL
- 0.25−0.5 mL 스테로이드 용액(10−20 mg triamcinolone acetonide)
- 알코올 솜
- 베타딘 솜
- 소독거즈와 밴드
- 손목 받침대용 수건

기법

1. 알코올과 베타딘으로 주사부위를 소독한다.
2. 국소 도포용 냉각 스프레이로 국소마취를 한다.
3. 바늘과 주사기를 피부에 30 도 각도가 되게 한다. 바늘끝은 근위부를 향하도록 한다.
4. no−touch technique으로 삽입점에 바늘을 삽입한다(그림 10−30).
5. 두 건의 사이로 조심스럽게 바늘을 전진시킨다. 지신근과 장무지굴근이 합해지는 곳을 향하여 조심스럽게 진입하여 바늘이 두건의 사이에 위 치할 때까지 전진시킨다.
6. 주사기 실린지를 흡입하여 혈액 흡인이 되지 않는 것을 확인한다.
7. 건초 내로 리도카인/스테로이드 주사액을 천천히 침착하게 주사한다. 소시지 형태로 건초가 작게 팽윤 될 것이다.
8. 주사액을 주입한 후 바늘을 빼도록 한다.
9. 소독된 밴드를 붙인다.

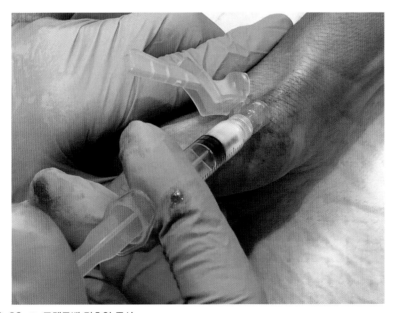

그림 10−30. ● 드쿼르뱅 건초염 주사

10. 환자에게 엄지손가락을 최대운동범위로 움직이도록 한다. 이 움직임은 리도카인/스테로이드 용액이 건초내에서 충분히 퍼지도록 한다.

11. 5분 정도 후에 통증이 완전히 소실되는지 손과 손목을 다시 검사한다.

시술 후 관리

- 손목 부위 보조기를 처방하여 2주 이상 손목의 과도한 굽힘이나 회내를 예방한다.
- 적응증이 된다면 NSAID, 얼음주머니, 또는 물리치료를 시행한다.
- 2주 후에 추적 관찰한다

CPT 코드:

- 20550−Injection (s); single tendon sheath, or ligament, aponeurosis
- 76942 (optional)−Ultrasonic guidance for needle placement with imaging supervision and interpretation with permanent recording

유의사항

- 흔하지 않는 교차증후군 그리고 엄지 손가락 관절의 통증 질환등과 감별이 신중하게 선행되어야 한다.
- 특히 마른 환자에 있어서 드쿼르뱅 건초염에 대한 주사 치료는 피부표층에서 이루어 진다. 피하조직에 코르티코스테로이드가 침전되는 것은 피부위축과 색소침착증을 일으킬 수 있기 때문에 치료과정에 이에 대한 충분한 주의가 요한다. 코르티코스테로이드 용액을 주사할 때 피부내 팽진이 생기지 않도록 주의하여야 한다.

참고문헌

1. Peters-Veluthamaningal C, van der Windt DAWM, Winters JC, et al. Corticosteroid injection for de Quervain's tenosynovitis. *Cochrane Database Syst Rev.* 2009;(3):CD005616.
2. Cavaleri R, Schabrun SM, Te M, et al. Hand therapy versus corticosteroid injections in the treatment of de Quervain's disease: A systematic review and meta-analysis. *J Hand Ther.* 2016;29(1):3-11.
3. Abi-Rafeh J, Kazan R, Safran T, et al. Conservative management of de Quervain's stenosing tenosynovitis: Review & presentation of treatment algorithm. *Plast Reconstr Surg.* 2020;146(1):105-126.
4. Mirzanli C, Ozturk K, Esenyel CZ, et al. Accuracy of intrasheath injection techniques for de Quervain's disease: a cadaveric study. *J Hand Surg Eur Vol.* 2012;37(2):155-160.
5. McDermott JD, Ilyas AM, Nazarian LN, et al. Ultrasound-guided injections for de Quervain's tenosynovitis. *Clin Orthop Relat Res.* 2012;470(7):1925-1931.
6. Karthikeyan S, Kwong HT, Upadhyay PK, et al. A double-blind randomised controlled study comparing subacromial injection of tenoxicam or methylprednisolone in patients with subacromial impingement. *J Bone Joint Surg Br.* 2010;92(1):77-82.
7. De Keating-Hart E, Touchais S, Kerjean Y, et al. Presence of an intracompartmental septum detected by ultrasound is associated with the failure of ultrasound-guided steroid injection in de Quervain's syndrome. *J Hand Surg Eur Vol.* 2016;41(2):212-219.
8. Kume K, Amano K, Yamada S, et al. In de Quervain's with a separate EPB compartment, ultrasoundguided steroid injection is more effective than a clinical injection technique: A prospective

open-label study. *J Hand Surg Eur Vol.* 2012;37(6):523-527.

9. Kang JW, Park JW, Lee SH, et al. Ultrasound-guided injection for De Quervain's disease: Accuracy and its influenceable anatomical variances in first extensor compartment of fresh cadaver wrists. *J Orthop Sci.* 2017;22(2):270-274.

손목굴증후군-선호되는 노쪽손목굽힘근 접근법
Carpal Tunnel Syndrome-Preferred Flexor Carpi Radialis Approach

손목굴증후군은 1차진료에서 만나는 매우 흔한 질환이다. 정중신경이 손목의 손목굴을 통과할 때 이에 대한 압박성 손상이 나타난다. 이는 일반적으로 손으로 쥐는 행위를 반복하여 발생한 과사용 손상이나 여러 질병 과정에서 손목굴 내용물을 압박한 결과로 발생한다. 유발 인자는 이전의 부상, 임신, 당뇨병, 갑상선기능저하증, 류마티스 관절염, 아밀로이드증을 포함할 수 있다. 손목굴 주사 치료는 일차 진료 의사에게는 효과적이지만 활용도가 낮은 치료 옵션이다.

전통적인 접근법에서는 바늘을 손목 주름에서 몸쪽(proximal) 1cm 및 긴손바닥근(palmaris longus) 힘줄에서 척골쪽 1cm 위치에 삽입한 후 수평의 30도 각도로 요골쪽 및 먼쪽(distal) 방향으로 향한다. 이 보다 선호되는 요측손목굽힘근(flexor carpi radialis, FCR) 접근법은 바늘을 FCR 힘줄의 자쪽 경계에서 손목 주름의 몸쪽 1 cm에 삽입하여, 수평에 대해 20도 각도로 척골쪽 및 먼쪽 방향으로 향한다. 전통적인 접근법의 경우 먼쪽 손목주름 부근에서 정중 신경이 붓고 납작해져 있을 가능성이 있을 뿐만 아니라 이 신경과 척골 동맥이 시술부위와 가까워서 이들이 손상될 위험이 더 높다는 것이 시신 해부연구를 통해 보고되었다.[1-3] FCR 접근법은 가장 높은 정확도를 제공하고 가장 안전한 주사 위치를 제공한다.[4] 초음파 유도는 이 시술의 안전성과[5] 유효성을 더욱 증가시킨다.[6,7]

손목굴의 몸쪽에서의 코르티코스테로이드 단회 국소 주사는 매우 안전한 시술이다.[8] 표준적인 보존 요법보다[9] 효과적이며 치료를 받은 환자의 적어도 절반 이상에서 지속적인 개선 효과가 있다.[10-13] 두 번째 코르티코스테로이드 주사는 적어도 첫 번째 코르티코스테로이드 주사만큼은 효과적인 것으로 보인다.[14] 유리한 예후 인자로는 증상 지속 기간이 짧고, 이전에 주사를 받은 적이 없으며[15], 전기진단적으로 가벼운 질환[16], 낮은 증상 심각도 점수, 그리고 콩알뼈(pisiform bone) 단면 초음파상에서 정중신경 단면적 영역이 작은 경우 등이 포함된다.[17]

코르티코스테로이드 주사 후 객관적으로 측정 가능한 변화는 정중 신경의 붓기 감소[18], 정중 신경의 먼쪽 운동잠복기 개선[19], 손목굴 내용물의 초음파 탄력성 개선[20], 먼쪽 손목 주름에서 정중 신경의 혈관성분포 감소를 포함한다.[21]

경도에서 중등도의 특발성 손목굴증후군의 유망한 대체 요법으로는 혈소판풍부혈장[23,24] 및 포도당 주사[25] 뿐만 아니라 신경 수력분리술[22] 등이 있다.

적응증	ICD-10 Code
Carpal tunnel syndrome	G56.00

관련해부학: (그림 10-31, 32)

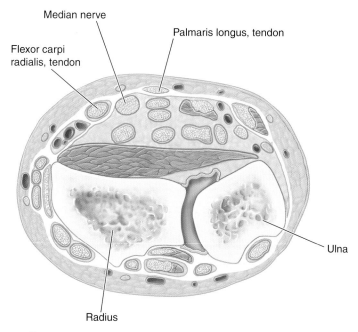

그림 10-31. ● 요척골관절 수준의 오른쪽 손목 단면(Modified from Gest TR. Lippincott Atlas of Anatomy, 2nd Ed. Philadelphia, PA: Wolters Kluwer, 2019.)

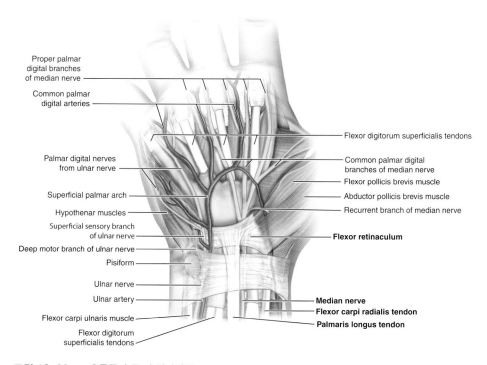

그림 10-32. ● 오른쪽 손목-손발바닥쪽

환자 자세

- 침대 머리를 30도 각도로 올린 상태에서 진찰대 위에 바로누운자세로 눕는다.
- 손목을 회외시킨 상태로 팔꿈치를 살짝 굽힌다.
- 그 후 회외시킨 손목 아래에 받침대용 수건이나 타월을 받히고 약간의 과다폄 상태로 손목을 배치한다.
- 환자의 머리를 주입 중인 쪽에서 반대로 돌린다. 이는 불안과 고통 인식을 최소화한다.

해부학적 지표

1. 환자가 진찰대에 반듯이 누운 상태에서 임상의는 이환된 쪽의 가측 옆으로 선다.
2. 그림과 같이 먼쪽 손바닥 주름을 확인하고 표시한다(그림 10-33).
3. 긴손바닥근 및 FCR 힘줄의 경로를 식별하고 표시한다(그림 10-34).
4. FCR의 자쪽 가장자리에 먼쪽 손바닥 주름에서 몸쪽 1 cm 지점을 표시한다. 여기가 바늘이 삽입되는 지점이다.
5. 바늘이 삽입되는 지점과 목표 지점 모두를 볼펜 끝으로 강하게 누른다.
6. 해부학적 지표가 식별된 후에는 환자가 손목을 움직이지 않도록 해야 한다.

마취

- 국소 도포용 냉각 스프레이를 이용한 피부 국소 마취

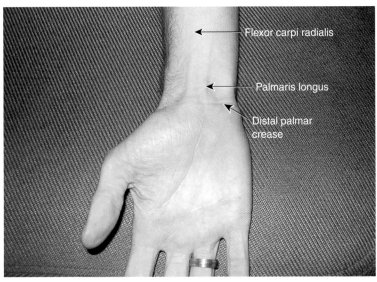

그림 10-33. ● 오른손 손목굴 주사 표면해부학

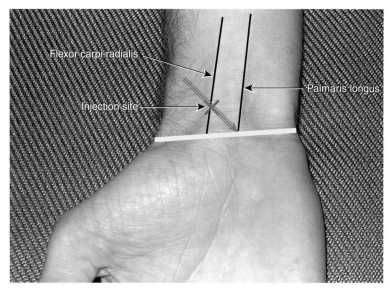

그림 10-34. ● 오른손 손목굴 주사 표면 해부학적 지표

장비

- 국소 도포용 냉각 스프레이
- 3 mL 주사기
- 25 G, 1 inch 바늘
- 에피네프린을 섞지 않은 1% 리도카인 1 mL
- 스테로이드 용액 1 mL (트리암시놀론 아세토나이드 40 mg)
- 알코올 솜
- 포비돈 아이오딘 솜
- 소독된 거즈 솜
- 소독된 반창고
- 깨끗한 받침대용 수건

기법

1. 알코올과 포비돈-아이오딘으로 주사 부위를 소독한다.
2. 국소 도포용 냉각 스프레이로 국소 마취를 충분히 한다.
3. 바늘 끝이 자쪽 및 먼쪽으로 향하도록 바늘과 주사기를 피부에 20도 각도로 놓는다.
4. no-touch technique을 사용하여 바늘 삽입 부위에 바늘을 진행한다(그림 10-35).
5. 바늘을 1.5 cm 가량 매우 천천히 전진시킨다.
6. 통증, 감각이, 저림 등이 있을 경우 바늘의 진행을 중지하고 1-2 mm 후퇴시킨다.
7. 주사기의 플런저를 당겨 혈액이 나오지 않음을 확인한다.
8. 리도카인/코르티코스테로이드 용액을 정중신경 주위에 천천히 조금씩 주입한다.

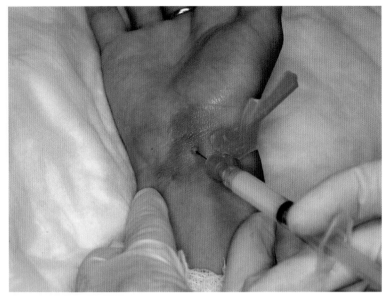

그림 10-35. ● 오른쪽 손목굴 주사-선호되는 FCR 접근법

9. 저항이 증가하면 추가 주입을 시도하기 전에 바늘을 약간 후퇴시킨다.

10. 주사 후 바늘을 뺀다.

11. 소독된 반창고를 감다.

12. 5분 내에 손을 다시 검사하여 통증 완화 또는 국소마취에 의한 정중 신경 분포 부위의 저린감을 평가한다.

시술 후 관리

- 추가적인 손상의 과사용 기전을 피한다.
- 손목의 굽힘과 폄을 방지하기 위해 자는 도중 손목굴 보호대를 착용한다.
- 적응증에 따라 NSAID, 얼음 또는 물리치료를 사용한다.
- 2주 후 추시검사를 고려한다.

CPT 코드:

- 20526-Injection, therapeutic, of carpal tunnel
- 76942 (optional)-Ultrasonic guidance for needle placement with imaging supervision and interpretation with permanen

유의사항

- 여기에 설명된 선호되는 FCR 접근법은 수행하기 쉽고 부작용이 거의 없다.
- 이 주사는 스테로이드 용액을 손목굴의 바로 몸쪽에 놓는다. 주사가 손목굴로 들어가는 것 자체가 정중신경을 손상시킬 수 있다.

- 이 접근법을 사용할 때 환자에게 정중신경에 접촉될 수 있음을 경고해야 한다.
- 환자에게 통증이나 전기 충격이 오면 팔을 비틀어 빼지 않고 침착하게 이야기하도록 한다. 이런 일이 일어나면 침착하게 바늘 전진을 중지하고 바늘을 주사부위에서 1 mm에서 2 mm 후퇴시킨다.
- 대안적으로 초음파 유도가 이 주사의 안전성과 정확성을 향상시키기 위해 사용될 수 있다.

참고문헌

1. Kim DH, Jang JE, Park BK. Anatomical basis of ulnar approach in carpal tunnel injection. *Pain Physician.* 2013;16(3):E191-8.
2. Dubert T, Racasan O. A reliable technique for avoiding the median nerve during carpal tunnel injections. *Joint Bone Spine.* 2006;73(1):77-9.
3. MacLennan A, Schimizzi A, Meier KM. Comparison of needle position proximity to the median nerve in 2 carpal tunnel injection methods: A cadaveric study. *J Hand Surg Am.* 2009;34(5):875-9.
4. Ozturk K, Esenyel CZ, Sonmez M, et al. Comparison of carpal tunnel injection techniques: A cadaver study. *Scand J Plast Reconstr Surg Hand Surg.* 2008;42(6):300-4
5. Gofeld M, Hurdle MF, Agur A. Biceps tendon sheath injection: An anatomical conundrum. *Pain Med.* 2019;20(1):138-42.
6. Babaei-Ghazani A, Roomizadeh P, Forogh B, et al. Ultrasound-guided versus landmark-guided local corticosteroid injection for carpal tunnel syndrome: A systematic review and meta-analysis of randomized controlled trials. *Arch Phys Med Rehabil.* 2018;99(4):766-75.
7. Chen PC, Wang LY, Pong YP, et al. Effectiveness of ultrasound-guided vs direct approach corticosteroid injections for carpal tunnel syndrome: A double-blind randomized controlled trial. *J Rehabil Med.* 2018;50(2):200-8.
8. Kaile E, Bland JDP. Safety of corticosteroid injection for carpal tunnel syndrome. *J Hand Surg Eur Vol.* 2018;43(3):296-302.
9. Chesterton LS, Blagojevic-Bucknall M, Burton C, et al. The clinical and cost-effectiveness of corticosteroid injection versus night splints for carpal tunnel syndrome (INSTINCTS trial): An open-label, parallel group, randomised controlled trial. *Lancet.* 2018;392(10156):1423-33.
10. Marshall S, Tardif G, Ashworth N. Local corticosteroid injection for carpal tunnel syndrome. *Cochrane Database Syst Rev.* 2007;(2):CD001554.
11. Ly-Pen D, Andréu JL, Millán I, et al. Comparison of surgical decompression and local steroid injection in the treatment of carpal tunnel syndrome: 2-year clinical results from a randomized trial. *Rheumatology (Oxford).* 2012;51(8):1447-54.
12. Peters-Veluthamaningal C, Winters JC, Groenier KH, et al. Randomised controlled trial of local corticosteroid injections for carpal tunnel syndrome in general practice. *BMC Fam Pract.* 2010;11:54.
13. Dammers JW, Roos Y, Veering MM, et al. Injection with methylprednisolone in patients with the carpal tunnel syndrome: A randomised double blind trial testing three different doses. *J Neurol.* 2006;253(5):574-7.
14. Ashworth NL, Bland JD. Effectiveness of second corticosteroid injections for carpal tunnel syndrome. *Muscle Nerve.* 2013;48(1):122-6.
15. Jerosch-Herold C, Shepstone L, Houghton J, et al. Prognostic factors for response to treatment by corticosteroid injection or surgery in carpal tunnel syndrome (palms study): A prospective multicenter cohort study. *Muscle Nerve.* 2019;60(1):32-40.
16. Visser LH, Ngo Q, Groeneweg SJ, et al. Long term effect of local corticosteroid injection for carpal tunnel syndrome: A relation with electrodiagnostic severity. *Clin Neurophysiol.* 2012;123(4):838-41.
17. Meys V, Thissen S, Rozeman S, et al. Prognostic factors in carpal tunnel syndrome treated with a corticosteroid injection. *Muscle Nerve.* 2011;44(5):763-8.
18. Lee YS, Choi E. Ultrasonographic changes after steroid injection in carpal tunnel syndrome. *Skeletal Radiol.* 2017;46(11):1521-30.

19. Milo R, Kalichman L, Volchek L, et al. Local corticosteroid treatment for carpal tunnel syndrome: a 6-month clinical and electrophysiological follow-up study. *J Back Musculoskelet Rehabil*. 2009;22(2):59-64.

20. Miyamoto H, Siedentopf C, Kastlunger M, et al. Intracarpal tunnel contents: Evaluation of the effects of corticosteroid injection with sonoelastography. *Radiology*. 2014;270(3):809-15.

21. Cartwright MS, White DL, Demar S, et al. Median nerve changes following steroid injection for carpal tunnel syndrome. *Muscle Nerve*. 2011;44(1):25-9.

22. Wu YT, Chen SR, Li TY, et al. Nerve hydrodissection for carpal tunnel syndrome: A prospective, randomized, double-blind, controlled trial. *Muscle Nerve*. 2019;59(2):174-80.

23. Senna MK, Shaat RM, Ali AAA. Platelet-rich plasma in treatment of patients with idiopathic carpal tunnel syndrome. *Clin Rheumatol*. 2019;38(12):3643-54.

24. Malahias MA, Chytas D, Mavrogenis AF, et al. Platelet-rich plasma injections for carpal tunnel syndrome: A systematic and comprehensive review. *Eur J Orthop Surg Traumatol*. 2019;29(1):1-8.

25. Wu YT, Ho TY, Chou YC, et al. Six-month efficacy of perineural dextrose for carpal tunnel syndrome: A prospective, randomized, double-blind, controlled trial. *Mayo Clin Proc*. 2017;92(8):1179-89.

손목굴증후군-전통적 접근법
Carpal Tunnel Syndrome-Traditional Approach

손목굴증후군은 1차진료에서 만나는 매우 흔한 질환이다. 정중신경이 손목의 손목굴을 통과할 때 이에 대한 압박성 손상이 나타난다. 이는 일반적으로 손으로 쥐는 행위를 반복하여 발생한 과사용 손상이나 여러 질병 과정에서 손목굴 내용물을 압박한 결과로 발생한다. 소인 인자는 이전의 부상, 임신, 당뇨병, 갑상선기능저하증, 류마티스 관절염, 아밀로이드증을 포함할 수 있다. 손목굴 코르티코스테로이드 주사는 일차 진료 제공자에 의한 효과적이지만 활용도가 낮은 치료 옵션이다.

이 표준적인 기술은 손목굴 주사에 가장 일반적으로 수행되는 접근법이다. 선호되는 FCR 접근법에 비해 수행하기가 다소 어색하다. 또한 척골동맥과 정중 신경에 직접적인 바늘 부상을 입을 위험이 더 높다.

앞 장에 제시된 손목터널 주입에 관한 세부사항을 읽어보기 바란다.

적응증	ICD-10 Code
Carpal tunnel syndrome	G56.00

관련해부학: (그림 10-27; 이전 장을 볼 것)

환자 자세

- 침대 머리를 30도 각도로 올린 상태에서 진찰대 위에 바로 눕는다.
- 손목을 회외시킨 상태로 팔꿈치를 살짝 굽힌다.
- 그 후 회외시킨 손목 아래에 받침대용 수건이나 타월을 받히고 약간의 과다폄 상태로 손목을 배치한다.
- 환자의 머리를 주입 중인 쪽에서 반대로 돌린다. 이는 불안과 고통 인식을 최소화한다.

해부학적 지표

1. 환자가 진찰대에 반듯이 누운 상태에서 임상의는 이환된 쪽의 가측 옆으로 서 있는다.
2. 그림과 같이 먼쪽 손바닥 주름을 확인하고 표시한다(그림 10-33).
3. 긴손바닥근 힘줄과 먼쪽 손바닥 주름의 교차점을 확인하고 표시한다(그림 10-36).
4. 이 지점에서 몸쪽 1 cm 및 척골쪽 1 cm 지점을 표시한다.
5. 이 부위를 움푹 들어간 (펜촉이 없는) 볼펜 끝으로 강하게 누른다. 이 함몰 부위는 바늘이 삽입되는 지점을 나타낸다.

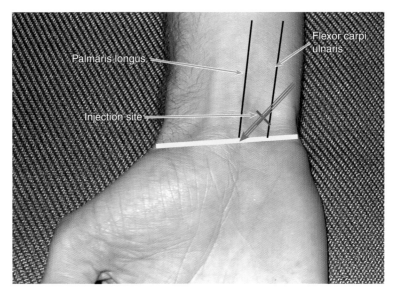

그림 10-36. ● 오른쪽 손목굴 주사의 해부학적 지표들

6. 해부학적 지표가 식별된 후에는 환자가 손목을 움직이지 않도록 해야 한다.

마취

• 국소 도포용 냉각 스프레이를 이용한 피부 국소 마취

장비

• 국소 도포용 냉각 스프레이

• 3 mL 주사기

• 25 G, 1 inch 바늘

• 에피네프린을 섞지 않은 1% 리도카인 1 mL

• 스테로이드 용액 1 mL (트리암시놀론 아세토나이드 40 mg)

• 알코올 솜

• 포비돈 아이오딘 솜

• 소독된 거즈 솜

• 소독된 반창고

• 깨끗한 받침대용 수건

기법

1. 알코올과 포비돈-아이오딘으로 주사 부위를 소독한다.

2. 국소 도포용 냉각 스프레이로 국소 마취를 충분히 한다.

3. 바늘 끝이 엄지손가락 밑쪽으로 향하도록 바늘과 주사기를 손목 피부에 30도 각도로 놓는다.

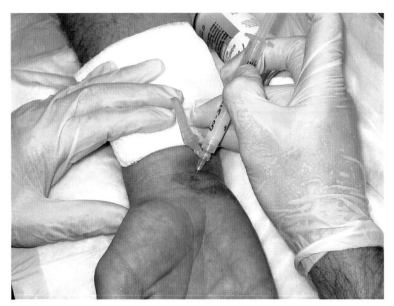

그림 10-37. ● 오른쪽 손목굴 주사 – 전통적 접근법

4. no-touch technique을 사용하여 바늘 삽입 부위에 바늘을 진입시킨다(그림 10-37).

5. 바늘을 엄지손가락 밑을 향해 1 cm 가량 매우 천천히 전진시킨다.

6. 통증, 감각이상, 저림 등이 있을 경우 바늘의 진행을 중지하고 1-2 mm 후퇴시킨다.

7. 주사기의 플런저를 당겨 혈액이 나오지 않음을 확인한다.

8. 리도카인/코르티코스테로이드 용액을 정중신경 주위에 천천히 한번에 주입한다.

9. 저항이 증가하면 추가 주입을 시도하기 전에 바늘을 약간 후퇴시킨다.

10. 주사 후 바늘을 뺀다.

11. 소독된 반창고를 감는다.

12. 5분 내에 손을 다시 검사하여 통증 완화 또는 국소마취에 의한 정중신경 분포 부위의 저린감을 평가한다.

시술 후 관리

• 추가적인 손상을 예방하기 위해 과사용을 피한다.

• 손목의 굽힘과 폄을 방지하기 위해 자는 도중 손목굴 보호대를 착용한다.

• 적응증에 따라 NSAID, 얼음 또는 물리치료를 사용한다.

• 2주 후 추시검사를 고려한다.

CPT 코드:

• 20526-Injection, therapeutic, of carpal tunnel

• 76942 (optional)-Ultrasonic guidance for needle placement with imaging supervision and interpretation with permanent recording

유의사항

- 여기에 설명된 접근법은 수행하기 쉽고 부작용이 거의 없다.
- 그러나 전통적 접근법에서는 신경이 손목에 의해 제 위치에 "고정"되어 있기 때문에 정중신경에 대한 바늘찔림손상 가능성이 더 크다.
- 이 접근법을 사용할 때 환자에게 정중신경에 접촉될 수 있음을 경고해야 한다.
- 환자에게 통증이나 전기 충격이 오면 팔을 비틀어 빼지 않고 침착하게 이야기하도록 다. 이런 일이 일어나면 침착하게 바늘 전진을 중지하고 바늘을 주사부위에서 1 mm에서 2 mm 후퇴시킨다.
- 대안적으로 초음파 유도가 이 주사의 안전성과 정확성을 향상시키기 위해 사용될 수 있다.

손목 관절
Wrist Joint

손목 관절 주사는 일차 진료에서 비교적 흔치 않은 술기이다. 손목의 통증과 부종은 외상, 골관절염, 감염성 병인 또는 류마티스 관절염과 같은 염증성 질환으로 인해 발생할 수 있다. 생물학적 제제를 포함한 장기 치료중인 류마티스 관절염을 가진 상당수의 환자가 윤활막 증식 및 관절병성 변화때문에 손목의 통증을 호소한다. 코르티코스테로이드 주사는 통증 조절, 기능 개선, 윤활막 절제술(synovectomy) 또는 관절 성형술(joint arthroplasty) 등의 수술 예방 또는 지연을 위해 여러 차례 안전하게 사용될 수 있다. 경우에 따라 제거해야 할 활액이 조금 고여 있을 수 있다. 코르티코스테로이드 주사의 성공률은 초음파 유도를 통해 크게 개선 가능하다.

적응증	ICD-10 Code
Wrist pain	M25.539
Wrist joint arthritis, unspecified	M19.039
Wrist joint osteoarthritis, primary	M19.039
Wrist joint osteoarthritis, posttraumatic	M19.139
Wrist joint osteoarthritis, secondary	M19.239

관련해부학: (그림 10-38)

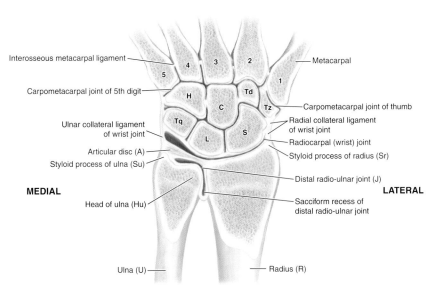

그림 10-38. ● 손목의 관상단면(From Gest TR. Lippincott Atlas of Anatomy, 2nd Ed. Philadelphia, PA: Wolters Kluwer, 2019.)

환자 자세

- 진찰대에 앙와위로 눕고 침대 머리를 30도 올린다.
- 팔꿈치는 손목을 내전시킨 상태의 중립위에서 살짝 구부린다.
- 깨끗한 받침대용 수건을 이용해 손목을 받친다.
- 주사하는 쪽의 반대 방향으로 환자 머리를 돌린다. 이는 환자의 불안과 통증을 최소화한다.

해부학적 지표

1. 환자는 진찰대에 앙와위(supine)로 누운 상태에서 임상의는 주사할 손목의 측면에 선다.
2. 손목 관절의 등면 위로 압통 및/또는 부기가 최대인 영역을 확인하고 표시한다.
3. 이 부위를 움푹 들어간(펜촉이 없는) 볼펜 끝으로 강하게 누른다. 이 함몰 부위는 바늘이 삽입되는 지점을 나타낸다.
4. 해부학적 지표 확인 후 환자가 손목을 움직이지 않도록 한다.

마취

- 국소 도포용 냉각 스프레이로 피부를 국소 마취한다.

장비

- 국소 도포용 냉각 스프레이
- 3 mL 주사기
- 5 mL 주사기−선택적 흡인을 위해
- 25 G, 5/8 inch 또는 1 inch 바늘−약물 주입을 위해
- 20G, 1 inch 바늘−선택적 흡인을 위해
- 에피네프린을 섞지 않은 1% 메피바카인 0.5 mL
- 스테로이드 용액(triamcinolone acetonide 20mg) 0.5 mL
- 알코올 솜
- 포비돈−아이오딘 솜
- 소독된 거즈 솜
- 소독된 반창고
- 깨끗한 받침대용 수건

기법

1. 알코올과 포비돈−아이오딘으로 주사 부위를 소독한다.
2. 국소 도포용 냉각 스프레이로 국소 마취를 충분히 한다.

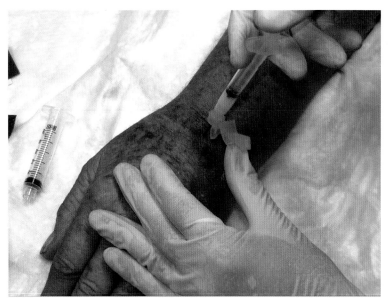

그림 10-39. ● 왼쪽 등쪽 손목 관절 주사

3. 바늘 끝이 후방을 향하도록 바늘과 주사기를 피부에 수직으로 놓는다.

4. no-touch technique을 사용하여 삽입 부위에 바늘을 진입시킨다(그림 10-39).

5. 바늘을 손목 관절 속으로 밀어 넣는다.

6. 흡인하는 경우 20 G, 1 inch 바늘과 5 mL 주사기를 사용하여 액체를 빼내고 동일한 바늘을 통해 주사한다.

7. 주사만 하는 경우 2 5G, 5/8 inch 또는 1 inch 바늘과 3 mL 주사기를 사용한다.

8. 흡인 후 주사를 선택한 경우 20 G 바늘에서 큰 주사기를 떼어낸 다음 메피바카인/코르티코스테로이드 용액이 채워진 3 mL 주사기를 부착한다.

9. 메피바카인/코르티코스테로이드 용액을 손목 관절에 한번에 주사한다. 주입된 용액은 공간으로 원활하게 흘러 들어가야 한다. 저항이 느껴진다면 추가 주입을 시도하기 전에 바늘을 약간 전진시키거나 후퇴시킨다.

10. 주입 후 바늘을 뺀다.

11. 소독된 반창고를 붙인다.

12. 환자에게 손목을 최대한 움직이도록 지시한다. 이 동작은 메피바카인/코르티코스테로이드 용액이 관절 전체에 퍼지게 한다.

13. 5분후 손목을 재검사하여 통증 완화를 평가한다.

시술 후 관리

• 손목 보호대 사용을 고려한다.

• 시술 후 2주간 손목의 과도한 사용을 피한다.

• 적응증에 맞는 NSAID, 얼음찜질, 및/또는 물리치료

- 2주 후 추적검사를 고려한다.

CPT 코드:

- 20605—Arthrocentesis, aspiration and/or injection, intermediate joint or bursa; without ultrasound guidance
- 20606—With ultrasound guidance, with permanent recording and reporting

유의사항

- 손목 관절 복합체 내에는 여러 파티션을 만드는 중격이 있다. 활액막염의 정도가 증가하면 손목의 모든 구획으로의 흐름이 더 억제된다. 따라서 손목 근위부 표준 주사 부위에 대한 주사가 한번만으로 관절 전체에 분포되어 치료효과를 낸다고 가정할 수 없다.[6] 성공적인 코르티코스테로이드 투여를 위해서는 정밀하게 정확한 부위에 주사 해야 할뿐만 아니라 동일한 외래 방문 중에 여러 번 주사해야 할 수 있다.
- 초음파 유도를 통해 정확도를 향상시킬 수 있다.
- 손목의 등쪽면에서 시술을 진행한다. 손바닥 쪽에는 요골 동맥, 정중 신경 및 척골 동맥이 포함된다. 이들은 반드시 모두 피해야한다.
- 여러 번 주사하는 경우 외래 방문 1회에 스테로이드 용액(triamcinolone 40 mg)을 1 mL 이상 투여하지 않는다.

참고문헌

1. Fukui A, Yamada H, Yoshii T. Effect of intraarticular triamcinolone acetonide injection for wrist pain in rheumatoid arthritis patients: A statistical investigation. *J Hand Surg Asian Pac Vol.* 2016;21(2):239-245.
2. Dubreuil M, Greger S, LaValley M, et al. Improvement in wrist pain with ultrasound-guided glucocorticoid injections: A meta-analysis of individual patient data. *Semin Arthritis Rheum.* 2013;42(5):492-497.
3. Smith J, Brault JS, Rizzo M, et al. Accuracy of sonographically guided and palpation guided scaphotrapeziotrapezoid joint injections. *J Ultrasound Med.* 2011;30(11):1509-15.
4. Cunnington J, Marshall N, Hide G, et al. A randomized, double-blind, controlled study of ultrasoundguided corticosteroid injection into the joint of patients with inflammatory arthritis. *Arthritis Rheum.* 2010;62(7):1862-9.
5. Lohman M, Vasenius J, Nieminen O. Ultrasound guidance for puncture and injection in the radiocarpal joint. *Acta Radiol.* 2007;48(7):744-7.
6. Boesen M, Jensen KE, Torp-Pedersen S, et al. Intra-articular distribution pattern after ultrasound-guided injections in wrist joints of patients with rheumatoid arthritis. *Eur J Radiol.* 2009;69(2):331-8.

등쪽 손목 신경절 낭종
Dorsal Wrist Ganglion Cyst

손목 신경절 낭종 흡인은 1차 진료 제공자가 흔히 하는 시술이다. 신경절은 투명한 점액질의 젤라틴 액체를 포함하는 낭종이다. 이는 손목 관절이나 힘줄집(tendon sheaths)에서 유래할 수 있다. 손목 관절의 등쪽을 지나는 단요측수근신근(extensor carpi radialis brevis, ECRB)을 따라 흔히 발생한다. 신경절 낭종은 손목에서 가장 흔하지만 다른 관절에서도 발생할 수 있다. 손목 관절의 등쪽 표면에 위치한 낭종에 대해 일반적으로 바늘 흡인이 시행되며 드물게 코르티코스테로이드가 쓰인다.

의학 문헌에 보고된 극소수의 연구에서는 단일 흡인 시도에 대한 반응률이 좋지 않으며, Richman[1]이 보고한 성공률은 27%, Dias[2]는 42%에 불과했다. 코르티코스테로이드 주사와 병행된 흡인 성공률은 38.5%에 불과했다.[3] Zubowicz[4]의 연구에 따르면 최대 3회의 별개의 흡인 시 85%의 회복률을 보였다. 저자는 전체 반응률이 좋지 않은 이유가 흡인시 신경절 낭종의 내용물을 완전히 빼내지 못했기 때문이라 추측한다. 그래서 그는 구멍이 큰 바늘로 흡인 후 손목을 구부린 상태에서 낭종을 단단히 압박하는 "매시 기법"(Mash technique)을 개발했다. 코르티코스테로이드는 주사하지 않는다. 이 기술을 사용한 이래로 15년 이상의 기간 동안 그는 이 보존적 치료에 실패한 환자가 두 명뿐임을 알고 있다. 둘 다 만성적으로, 직경이 1 cm 이상의 큰 등쪽 손목 신경절 낭종을 가진 젊은 여성이었다(출판되지 않은 일화).

손목의 손바닥쪽 면을 포함하는 신경절 낭종은 요골 동맥과 밀접하게 연관되어 있다. 컬러 도플러 모니터링을 통한 초음파 유도 없이 흡인을 시도해서는 안 되며 외과 의뢰를 통해 가장 잘 관리된다.

적응증	ICD-10 Code
Ganglion cyst of wrist	M67.439

관련해부학: (그림 10-40)

환자 자세

- 진찰대에 앙와위로 눕고 침대 머리를 30도 올린다.
- 등쪽면의 신경절 낭종에서는 손목을 내전시킨 상태에서 살짝 구부린다.
- 깨끗한 받침대용 수건을 이용해 손목을 받친다.
- 주사하는 쪽의 반대 방향으로 환자 머리를 돌린다. 이는 환자의 불안과 통증 인식을 최소화한다.

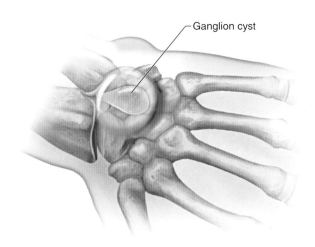

Ganglion cyst

그림 10-40. ● 등쪽 손목 신경절 낭종

해부학적 지표

1. 환자는 진찰대에 앙와위로 누운 상태에서 임상의는 주사할 손목의 측면에 선다.
2. 손목을 구부린다.
3. 손목의 등쪽면 위로 낭종성 구조물을 확인한다.
4. 낭종 바로 위에서 주입한다.
5. 이 부위를 움푹 들어간(펜촉이 없는) 볼펜 끝으로 강하게 누른다. 이 함몰 부위는 바늘이 삽입되는 지점을 나타낸다.
6. 해부학적 지표 확인 후 환자가 손목을 움직이지 않도록 한다.

마취

• 국소 도포용 냉각 스프레이로 피부를 국소 마취한다.

장비

• 국소 도포용 냉각 스프레이
• 3 mL 주사기
• 18 G, 1½ inch 바늘
• 알코올 솜
• 포비돈-아이오딘 솜
• 소독된 거즈 솜
• 소독된 반창고
• 깨끗한 받침대용 수건

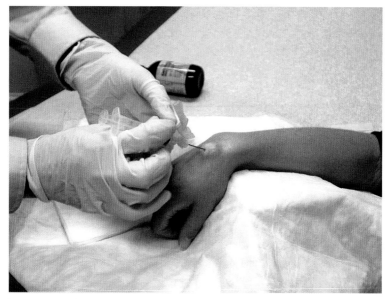

그림 10-41. ● 오른쪽 손목 등쪽 신경절 낭종 흡인

기법

1. 알코올과 포비돈-아이오딘으로 주사 부위를 소독한다.
2. 국소 도포용 냉각 스프레이로 국소 마취를 충분히 한다.
3. 바늘 끝이 손바닥을 향하도록 바늘과 주사기를 피부에 수직으로 놓는다.
4. no-touch technique을 사용하여 삽입 부위에 바늘을 진입시킨다(그림 10-41).
5. 바늘을 신속하고 조심스럽게 낭종 속으로 밀어 넣는다.

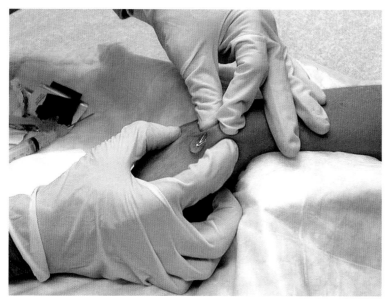

그림 10-42. ● 신경절 낭종을 흡인한 후 남아있는 체액을 주변 조직에 직접 압력을 가하여 배출하는 "매시 기법(Mash technique)"

6. 주사기를 통해 소량으로 예상되는 투명한 체액을 빼낸다.

7. 흡인 후 바늘을 뺀다.

8. 장갑 낀 손가락으로, 천공된 낭종 주변 조직에 매우 강한 압력을 가한다. "매시 기법 (Mash technique)". 멸균되지 않은 장갑을 끼고 주사 부위를 만지지 않는다. 소독된 거즈 솜으로 압출된 투명한 체액(gel)을 제거한다(그림 10-42).

9. 소독된 반창고를 붙인다.

시술 후 관리

- 2주간 부목으로 손목을 고정하는 것을 고려한다.
- 2주 후 추적검사를 고려한다.

CPT 코드:

- 20612-Aspiration and/or injection of ganglion cyst(s) any location
- 76942 (optional)-Ultrasonic guidance for needle placement with imaging supervision and interpretation with permanent recording

유의사항

- 손목의 손바닥 부분에 있는 신경절 낭종을 치료할 때는 극도로 주의해야 한다. 이 경우 요골동맥(radial artery) 바로 옆 부위까지 침범하는 경우가 흔하다. 우발적으로 이 동맥을 18G 바늘로 손상시킨 경우 결과는 참담할 수 있다.
- 증상이 있는 신경절 낭종의 초기 치료로는 보통 낭종 흡인과 나머지 내용물에 대한 수동압출이 필요하다.
- 3주 동안 손목을 고정하면 치료 성공률이 향상될 수 있다.[5]
- 숙련된 기술을 사용하더라도 신경절 낭종은 자주 재발하며 확실한 관리를 위해 외과적 의뢰가 필요할 수 있다.

참고문헌

1. Richman JA, Gelberman RH, Engber WD, et al. Ganglions of the wrist and digits: Results of treatment by aspiration and cyst wall puncture. *J Hand Surg Am.* 1987;12:1041-3.
2. Dias JJ, Dhukaram V, Kumar P. The natural history of untreated dorsal wrist ganglia and patient reported outcome 6 years after intervention. *J Hand Surg Eur Vol.* 2007;32(5):502-8.
3. Limpaphayom N, Wilairatana V. Randomized controlled trial between surgery and aspiration combined with methylprednisolone acetate injection plus wrist immobilization in the treatment of dorsal carpal ganglion. *J Med Assoc Thai.* 2004;87(12):1513-7.
4. Zubowicz VN. Management of ganglion cysts of the hand by simple aspiration. *J Hand Surg Am.* 1987;12A(4):618.
5. Gofeld M, Hurdle MF, Agur A. Biceps tendon sheath injection: An anatomical conundrum. *Pain Med.* 2019;20(1):138-42.

엄지손목손허리관절
Thumb Carpometacarpal Joint

엄지손목손허리관절(carpometacarpal, CMC)은 대부분의 일차 의료 의사에게 있어 상대적으로 흔한 주사 부위이다. 이 관절은 큰마름뼈(trapezium)와 엄지손가락의 첫번째 손허리뼈를 연결한다. 또 손에서 골관절염이 가장 잘 발생하는 부위이다. CMC 골관절염의 진단은 국소적 통증, 압통, 영상학적 소견뿐만 아니라 신체 검진 상의 불안정성 등의 증상에 기반한다.

의학 문헌을 검토했을 때, 코티코스테로이드 주사가 단기적으로[1,2], 아마도 중장기적인 치료[3,4]에도 사용을 지지한다. 통증, 악력, 그리고 전체적인 손의 기능이 호전되었다. 치료 효과는 중등도와 중증의 골관절염보다 경증의 골관절염에서 더 이득이 있었다.[5,6] 히알루론산 점성보충제는 이 상태에서 향후 중요한 역할을 할 수 있다.[7,8] 자가 지방 이식은 특히 이 관절의 초기 골관절염에서 흥미로운 대안이 될 수 있다.[9] 초음파를 사용하면 엄지손가락 CMC 주입 정확도는 크게 향상될 수 있다.[10] 지속적이고 다루기 힘든 증상은 외과적 치료가 도움이 될 수 있다.

적응증	ICD-10 code
Pain of hand joint	M25.549
CMC joint arthritis, unspecified	M18.10
CMC joint osteoarthritis, primary	M18.10
CMC joint osteoarthritis, posttraumatic	M18.30
CMC joint osteoarthritis, secondary	M18.50

관련해부학: (그림 10-43)

환자 자세

- 침대 머리를 30도 올리고 진찰대에 바로눕는다.
- 이환된 손을 회내시킨다.
- 손목은 깨끗한 받침대용 수건을 사용하여 지지한다.
- 환자의 머리는 주사되는 손의 반대편으로 돌린다. 이것은 불안과 통증 인식을 최소화시킨다.

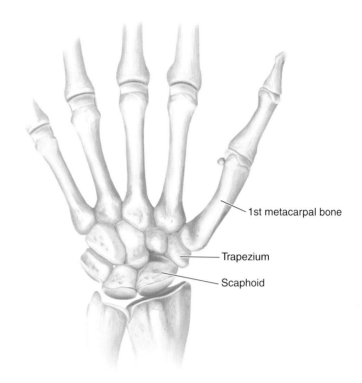

1st metacarpal bone

Trapezium

Scaphoid

그림 10-43. ● 왼손의 손등면

해부학적 지표

1. 환자는 진찰대에 앙와위로 눕고, 의사는 이환된 손 옆에 선다.
2. 원위부에서 근위부까지 엄지손가락 손허리뼈를 촉진하여 CMC 관절을 찾는다. 첫번째 손허리뼈의 근위부에서 검사자의 손가락이 지나갈 때 압통이 발생하고 이후 CMC 관절로 떨어진다. 이것은 첫번째 손허리뼈와 큰마름뼈 사이에 위치한다. 환자는 이 관절에서 압통을 호소할 것이다.
3. CMC 관절 바로 위에 자입점을 표시한다.
4. 이 부위를 볼펜 끝으로 강하게 누른다. 이 함몰 부위는 바늘이 삽입되는 지점을 나타낸다.
5. 해부학적 지표를 확인한 후, 환자는 손이나 엄지 손가락을 움직이면 안된다.

마취

• 국소 도포용 냉각 스프레이로 피부에 국소 마취 한다.

장비

• 국소 도포용 냉각 스프레이

- 3 mL 주사기
- 25 G, 5/8 inch 바늘
- 에피네프린 없는 1% 메피바카인 0.25 mL
- 스테로이드 용액 0.25–0.5 mL (트리암시놀론 10–20 mg)
- 알코올 솜
- 포비돈–아이오딘 솜
- 소독된 거즈 솜
- 소독된 반창고
- 깨끗한 받침대용 수건

기법

1. 삽입 부위를 알코올과 포비돈–아이오딘 솜으로 준비한다.
2. 국소 도포용 냉각 스프레이를 사용하여 우수한 국소마취를 달성한다.
3. 바늘 끝이 첫번째 CMC 관절 뒤쪽을 향하도록 바늘과 주사기를 피부에 수직하게 위치한다.
4. no–touch technique을 사용하여 삽입 부위에 바늘을 삽입한다(그림 10–44).
5. 바늘을 손바닥 방향으로 관절로 진입시킨다.
6. 주사기의 플런저를 뒤로 빼면서 혈액이 나오지 않는 것을 확인한다.
7. 메피바카인/코티코스테로이드 용액을 관절에 한번에 주입한다. 주입된 용액은 공간 안으로 부드럽게 들어가야한다. 만약 저항의 증가가 발생하면, 추가 주입을 시도하기 전에 바늘을 약간 전진시키거나 후퇴시킨다.

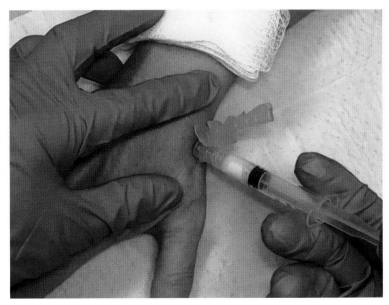

그림 10–44. ● 왼손–엄지손가락 엄지손목손허리 관절 주사

8. 주입 후 바늘을 뺀다.

9. 소독된 반창고를 붙인다.

10. 환자에게 엄지손가락을 최대 범위로 움직이도록 지시한다. 이 움직임은 메피바카인/코
    티코스테로이드 용액이 엄지손목손허리 관절 전체에 퍼지도록 한다.

11. 5분 후에 재평가하여 통증 완화를 평가한다.

시술 후 관리

- 2주 동안은 엄지손가락의 과도한 사용 피하기
- 스피카 부목의 사용을 고려
- NSAID, 냉찜질, 필요하다면 물리치료
- 2주 후에 추적 검사 고려

CPT 코드:

- 20600—Arthrocentesis, aspiration and/or injection, small joint or bursa; without ultrasound guidance
- 20604—With ultrasound guidance, with permanent recording and reporting

유의사항

- 이 상태를 드퀘르뱅(de Quervain's) 건초염과 구별하기 위해 주의해야 한다.
- 엄지손가락을 원위 방향으로 견인력을 작용하면 관절에 바늘이 들어갈 공간을 여는데 도움이 된다.

참고문헌

1. Maarse W, Watts AC, Bain GI. Medium-term outcome following intra-articular corticosteroid injection in first CMC joint arthritis using fluoroscopy. *Hand Surg*. 2009;14(2-3):99-104.
2. Joshi R. Intraarticular corticosteroid injection for first carpometacarpal osteoarthritis. *J Rheumatol*. 2005;32(7):1305-6.
3. Swindells MG, Logan AJ, Armstrong DJ, et al. The benefit of radiologically-guided steroid injections for trapeziometacarpal osteoarthritis. *Ann R Coll Surg Engl*. 2010;92(8):680-4.
4. Bahadir C, Onal B, Dayan VY, et al. Comparison of therapeutic effects of sodium hyaluronate and corticosteroid injections on trapeziometacarpal joint osteoarthritis. *Clin Rheumatol*. 2009;28(5):529-33.
5. Meenagh GK, Patton J, Kynes C, et al. A randomised controlled trial of intra-articular corticosteroid injection of the carpometacarpal joint of the thumb in osteoarthritis. *Ann Rheum Dis*. 2004;63(10):1260-3.
6. Day CS, Gelberman R, Patel AA, et al. Basal joint osteoarthritis of the thumb: A prospective trial of steroid injection and splinting. *J Hand Surg Am*. 2004;29(2):247-51.
7. Bahadir C, Onal B, Dayan VY, et al. Comparison of therapeutic effects of sodium hyaluronate and corticosteroid injections on trapeziometacarpal joint osteoarthritis. *Clin Rheumatol*. 2009;28(5):529-33.
8. Koh SH, Lee SC, Lee WY, et al. Ultrasound-guided intra-articular injection of hyaluronic acid and ketorolac for osteoarthritis of the carpometacarpal joint of the thumb: A retrospective comparative study. *Medicine (Baltimore)*. 2019;98(19):e15506.

9. Herold C, Rennekampff HO, Groddeck R, et al. Autologous fat transfer for thumb carpometacarpal joint osteoarthritis: A prospective study. *Plast Reconstr Surg.* 2017;140(2):327-35.

10. To P, McClary KN, Sinclair MK, et al. The accuracy of common hand injections with and without ultrasound: An anatomical study. *Hand (N Y).* 2017;12(6):591-6.

손허리손가락 관절
Metacarpophalangeal Joint

손의 손허리손가락(MCP) 관절들은 대부분의 일차 의료 의사에게 있어 흔하지 않은 주사 부위이다. 손허리손가락 관절은 골관절염, 염증성 관절염 또는 패혈성 관절염에 의해 염증이 생길 수 있다. 코리코스테로이드의 관절강 내 주사는 중, 단기적인 효과를 보여준다.[1,2]

이 기술은 일반적으로 손허리손가락 관절 내로 스테로이드 용액을 주입할 때만 사용되기 때문에, 작은 직경의 바늘을 사용한다. 많은 양의 관절 삼출액을 제거할 필요는 없다.

적응증	ICD-10 Code
MCP joint pain	M25.549
MCP joint arthritis, unspecified	M19.049
MCP joint osteoarthritis, primary	M19.049
MCP joint osteoarthritis, posttraumatic	M19.149
MCP joint osteoarthritis, secondary	M19.249

관련해부학: (그림 10-45)

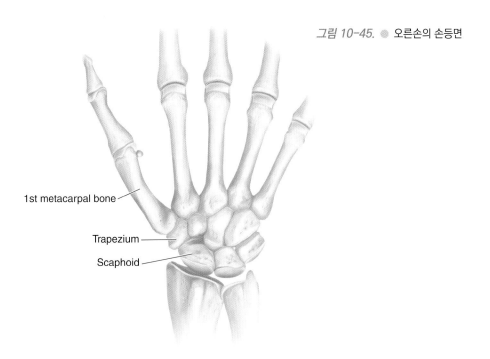

그림 10-45. ● 오른손의 손등면

1st metacarpal bone

Trapezium

Scaphoid

환자 자세

- 환자는 진찰대에 앙와위로 눕고, 의사는 이환된 손 옆에 선다.
- 이환된 손은 중립 자세로 놓는다. 손목은 회내시키고, 환자는 "느슨한 주먹"을 만들기 위해 손허리손가락 관절은 가볍게 구부린다.
- 손은 받침대용 수건을 놓아 지지한다.
- 환자의 머리를 주사되는 쪽 반대편으로 돌린다. 이것은 불안과 통증 인식을 최소화한다.

해부학적 지표

1. 환자는 진찰대에 앙와위로 눕고, 의사는 이환된 손 옆에 선다.
2. 이환된 손허리손가락 관절을 찾는다.
3. 진입 지점은 손허리손가락 관절의 바로 위에 위치하며, 요골 또는 척골에서 신근 힘줄 쪽에 있다.
4. 그 부위를 움푹 들어간 (펜촉이 없는) 볼펜 끝으로 강하게 누른다. 이 함몰 부위는 바늘이 삽입되는 지점을 나타낸다.
5. 해부학적 지표를 확인한 후, 환자는 손과 손가락을 움직이면 안된다.

마취

- 국소 도포용 냉각 스프레이를 이용하여 피부를 국소 마취

장비

- 국소 도포용 냉각 스프레이
- 3 mL 주사기
- 25 G, 5/8 inch 바늘
- 에피네프린 없는 1% 메피바카인 0.25 mL
- 스테로이드 용액 0.25 mL (트리암시놀론 10 mg)
- 알코올 솜
- 포비돈-아이오딘 솜
- 소독된 거즈 솜
- 소독된 반창고
- 깨끗한 받침대용 수건

기법

1. 삽입 부위를 알코올 솜과 포비돈-아이오딘 솜으로 소독한다.
2. 국소 도포용 냉각 스프레이를 사용하여 국소마취한다.
3. 바늘 끝이 손허리손가락 관절을 향해 손바닥 방향으로 향하도록 바늘과 주사기를 피부에 수직하게 놓는다.

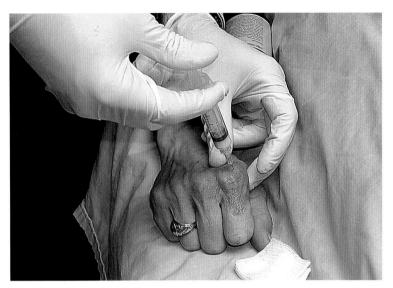

그림 10-46. ● 손허리손가락 관절 주사

4. no-touch technique을 사용하여 삽입 부위에 바늘을 삽입한다(그림 10-46).

5. 바늘을 관절을 향해 아래로 진입시킨다.

6. 주사기의 플런저를 뒤로 빼면서 혈액이 나오지 않는 것을 확인한다.

7. 메피바카인/코티코스테로이드 용액을 관절에 한번에 주입한다. 주입된 용액은 공간 안으로 부드럽게 들어가야한다. 만약 저항의 증가가 발생하면, 추가 주입을 시도하기 전에 바늘을 약간 전진시키거나 후퇴시킨다.

8. 주입 후 바늘을 뺀다.

9. 소독된 반창고를 붙인다.

10. 환자에게 손허리손가락 관절을 최대 범위로 움직이도록 지시한다. 이 움직임은 메피바카인/코티코스테로이드 용액이 관절 전체에 퍼지도록 한다.

11. 5분 후에 손허리손가락 관절을 재평가하여 통증 완화를 평가한다.

시술 후 관리

• 2주 동안은 이환된 손과 손가락의 과도한 사용 피하기

• 장측 손목 보조기(volar wrist splint)의 사용을 고려

• NSAID, 냉찜질, 필요하다면 물리치료

• 2주 후에 추적 검사 고려

CPT 코드:

• 20600-Arthrocentesis, aspiration and/or injection, small joint or bursa; without ultrasound guidance

• 20604-With ultrasound guidance, with permanent recording and reporting

유의사항

- 손허리손가락 관절의 손등쪽으로 접근하지만, 바늘이 신근 힘줄을 지나 삽입되는 것을 피한다.
- 이환된 손가락을 원위 방향으로 견인력을 작용하면 관절에 바늘이 들어갈 공간을 여는 데 도움이 된다.
- 주입하는 동안 피하 팽진이 발생하는 것을 피한다. 이것은 국소적인 피부 위축과 저색소 침착을 일으킬 수 있는 스테로이드 용액의 침착을 일으킬 수 있다.

참고문헌

1. Wang S, Wang X, Liu Y, et al. Ultrasound-guided intra-articular triamcinolone acetonide injection for treating refractory small joints arthritis of rheumatoid arthritis patients. *Medicine (Baltimore)*. 2019;98(33):e16714.
2. Furtado RNV, Machado FS, Luz KRD, et al. Intra-articular injection with triamcinolone hexacetonide in patients with rheumatoid arthritis: Prospective assessment of goniometry and joint inflammation parameters. *Rev Bras Reumatol Engl Ed*. 2017;57(2):115-21.

방아쇠손가락
Trigger Finger

협착성 건초염 또는 방아쇠손가락이란 용어는 손가락 굽힘건의 건증(tendinosis)을 의미한다. 결절(nodule) 형성과 관련된 이 건병증(tendinopathy)은 반복적인 압박 손상의 결과로 발생한다. 이는 당뇨 환자나 류마티스 관절염 환자에게 더 흔하게 발병한다. 방아쇠수지에서 결절은 흔히 굽힘건이 중수골골두를 지날 때 발생하며, 흔하지는 않지만 엄지 손가락의 중수수지관절을 지날 때에도 발생할 수 있다. 초음파를 이용한 연구에서 두꺼워진 A1 활차와 손바닥판이 관찰된 바 있다. 손가락을 굽힌 상태에서 결절은 건초의 두꺼워진 A1 활차 근위부를 지나게 되고 이때 결절은 포착되게 된다.[3]

1차 진료를 담당하는 의사에게 매우 흔한 비수술적 치료의 하나로서, 통증이 유발되는 결절을 잘 촉지하여 코르티코스테로이드를 정확하게 주사한다면 이 질환을 효과적으로 치료하는 일차적인 방법이 될 수 있다.[4,5] Dala-Ali 등의 연구에서는 한번의 주사로써 66%의 성공률을 보였고[6], Dardas는 두번째 및 세번째 주사 시 39%에서 장기간 효과를 보였다고 하였다.[7] 초음파 유도하에 A1 활차 부위에서 건초 밖에 주사하는 것도 건초 안에 주사하는 것과 같은 효과를 보인 바 있으므로[8] 초음파가 꼭 필요한 것은 아니라고 할 수 있다. Schultz는 경도 내지 중등도의 증상을 보이는 환자들이 중등도 내지 중증의 환자들 보다 더 큰 효과를 보였다고 보고 하였다.[9] 재발과 관련된 인자는 젊은 나이, 인슐린 의존성 당뇨[10], 여러 손가락에 발생한 경우, 상지의 기타 건병증 과거력 등이다.[11]

코르티코스테로이드 주사는 경도 내지 중등도의 방아쇠손가락을 보이는 환자들에게 적용 가능한 1차 치료로서 비수술적 치료를 선호하는 환자들에게 단회 및 반복주사를 시행해 볼 수 있다. 증상이 심하거나 불량한 예후인자가 있는 경우에는 스테로이드 주사 성공 가능성이 낮아 조기에 수술적 치료를 시행하는 것도 고려되어야 한다.

적응증	ICD-10 code
Trigger finger	M65.30
Trigger thumb	M65.319

관련해부학: (그림 10-47)

환자 자세

- 진찰대의 머리 쪽을 30도 가량 높게 하고 앙와위로 눕게 한다.
- 이환된 손목을 중립 위치에서 최대로 회외시킨다.

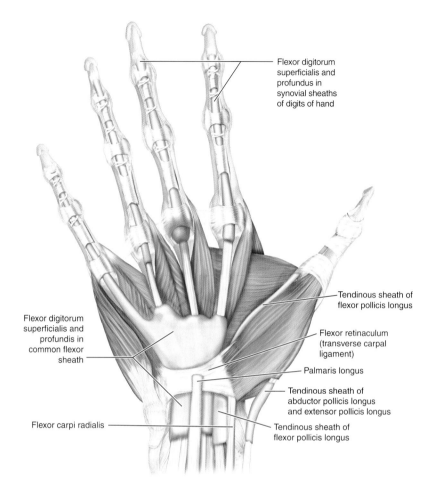

Flexor digitorum superficialis and profundus in synovial sheaths of digits of hand

Tendinous sheath of flexor pollicis longus

Flexor retinaculum (transverse carpal ligament)

Palmaris longus

Tendinous sheath of abductor pollicis longus and extensor pollicis longus

Tendinous sheath of flexor pollicis longus

Flexor digitorum superficialis and profundis in common flexor sheath

Flexor carpi radialis

그림 10-47. ● 손가락 긴굽힘근 건초. 염증성 결절이 가운데 손가락 굽힘건에 있다.

- 손 아래에 패드나 수건을 받쳐둔다.
- 환자의 얼굴을 시술부위 반대로 돌리게 하면 불안 및 통증 감소에 도움이 될 수 있다.

해부학적 지표

1. 환자가 시술대에 앙와위로 누운 상태에서 시술자는 이환된 손의 전방에 선다.
2. 손가락 굽힘건과 건초에 위치한 통증성 결절을 확인하고 표시한다. 이는 대게 중수골 골두에 위치한다.
3. 결절로부터 1 cm 원위부를 표시한다
4. 이 부위를 움푹 들어간 (펜촉이 없는) 볼펜 끝으로 강하게 누른다. 이 함몰 부위는 바 늘이 삽입되는 지점을 나타낸다.
5. 해부학적 지표가 확인된 이후 환자는 손이나 손가락을 움직이지 않아야 한다.

마취

- 국소 도포용 냉각 스프레이(topical vapocoolant spray)로 피부를 국소 마취한다.

장비

- 국소 도포용 냉각 스프레이
- 3 mL 주사기
- 25G, 5/8 inch 바늘
- 에피네프린이 첨가되지 않은 1% 리도카인 0.5 mL
- 0.5 mL 스테로이드 용액(20 mg triamcinolone acetonide)[12]
- 알코올 솜
- 포비돈-아이오딘 솜
- 소독된 거즈 솜
- 소독된 반창고
- 깨끗한 받침대용 수건

기법

1. 알코올과 포비돈-아이오딘으로 주사 부위를 소독한다.
2. 국소 도포용 냉각 스프레이로 국소 마취를 충분히 한다.
3. 결절에서 주사기와 바늘을 피부에 약 45도 각도로 하여 바늘 끝이 근위부를 향하게 위치시킨다.
4. no-touch technique으로 자입점에서 바늘을 삽입한다(그림 10-48).

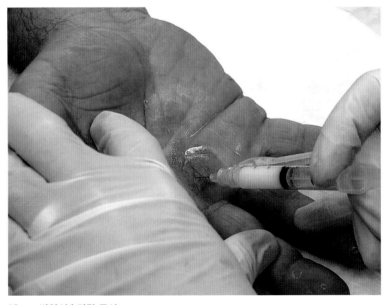

그림 10-48. ● 방아쇠손가락 주사

5. 바늘 끝이 건 결절에 위치할 때까지 전진 했다가 다시 1–2 mm 후퇴한다.

6. 주사기의 플런저를 잡아당겨 혈액이 역류되지 않음을 확인한다.

7. 천천히 리도카인/스테로이드 용액을 결절 주위의 건초 안으로 주사한다. 건초는 소시지 형태로 작게 팽윤될 것이다.

8. 저항이 있는 경우 일단 주입을 멈추고 바늘을 더 전진하거나 후퇴한 이후 다시 주입한다.

9. 주사 후 바늘을 제거한다.

10. 소독된 반창고를 감는다.

11. 환자 손가락을 가동범위 끝까지 움직이게 하여 스테로이드 용액이 건초 내에서 잘 퍼지게 한다.

12. 5분 후 손의 통증이 완화되었는지 다시 검사해 본다.

시술 후 관리

• 환자에게 2주간 반복적이고 과도하게 손을 쥐는 활동을 피하게 한다.

• 적응증이 된다면 NSAID, 얼음주머니 또는 물리치료를 시행한다.

• 2주 후에 추적 관찰한다.

CPT 코드:

• 20550–Injection(s); single tendon sheath, or ligament, aponeurosis

• 76942 (optional)–Ultrasonic guidance for needle placement with imaging supervision and interpretation with permanent recording

유의사항

• 굽힘건의 결절은 근위부나 원위부에서 접근할 수 있다. 그러나 원활한 주사를 위해서는 원위부에서 근위부 쪽으로 접근하는 것이 쉽다.

참고문헌

1. Tanaka Y, Gotani H, Yano K, et al. Sonographic evaluation of effects of the volar plate on trigger finger. *J Orthop Sci.* 2015;20(6):999-1004.

2. Ma S, Wang C, Li J, et al. Efficacy of corticosteroid injection for treatment of trigger finger: A meta-analysis of randomized controlled trials. *J Invest Surg.* 2019;32(5):433-41.

3. Peters-Veluthamaningal C, van der Windt DA, Winters JC, et al. Corticosteroid injection for trigger finger in adults. *Cochrane Database Syst Rev.* 2009;(1):CD005617.

4. Dala-Ali BM, Nakhdjevani A, Lloyd MA, et al. The efficacy of steroid injection in the treatment of trigger finger. *Clin Orthop Surg.* 2012;4(4):263-8.

5. Dardas AZ, VandenBerg J, Shen T, et al. Long-term effectiveness of repeat corticosteroid injections for trigger finger. *J Hand Surg Am.* 2017;42(4):227-35.

6. Mardani-Kivi M, Karimi-Mobarakeh M, Babaei Jandaghi A, et al. Intra-sheath versus extra-sheath ultrasound guided corticosteroid injection for trigger finger: A triple blinded randomized clinical trial. *Phys Sportsmed.* 2018;46(1):93-7.

7. Shultz KJ, Kittinger JL, Czerwinski WL, et al. Outcomes of corticosteroid treatment for trigger finger by stage. *Plast Reconstr Surg*. 2018;142(4):983-90.

8. Chang CJ, Chang SP, Kao LT, et al. A meta-analysis of corticosteroid injection for trigger digits among patients with diabetes. *Orthopedics*. 2018;41(1):e8-14.

9. Rozental TD, Zurakowski D, Blazar PE. Trigger finger: prognostic indicators of recurrence following corticosteroid injection. *J Bone Joint Surg Am*. 2008;90(8):1665-72.

10. Kosiyatrakul A, Loketkrawee W, Luenam S. Different dosages of triamcinolone acetonide injection for the treatment of trigger finger and thumb: A randomized controlled trial. *J Hand Surg Asian Pac Vol*. 2018;23(2):163-9.

손발가락점액낭종
Digital Mucous Cyst

손발가락점액낭종을 보이는 환자는 1차 진료시 종종 만날 수 있다. 이와 같은 결절성 또는 점액성 낭종은[1] 손발가락 끝의 등쪽 부위 즉 손톱 주변부에 잘 발생하며 투명한 점액을 담고 있다. 일반적으로 원위지간관절의 골관절염이 동반되어 있다. 등쪽 뼈겉돌기에 의해 약해진 관절낭을 통해 수액이 흘러 나오게 되는데, 그 줄기가 손톱주름의 근위부에 이르러서 낭종 모양을 형성하게 되는 것이다. 시간이 지나면서 낭종이 커짐에 따라 손톱기질에 압력이 가해지게 되어 손톱이 함몰된다.[2] 손발가락점액낭종은 흔히 반복적인 흡인 또는 천자로 치료하지만 재발률이 높다.[3] 최근 보고에 따르면, 수술이 가장 높은 완치율을 보여 (95%) 다른 치료법들 즉, 경화요법(77%), 냉동요법(72%), 코르티코스테로이드 주사(61%) 낭종 짜기(39%) 등 보다 성공적인 것으로 나타났다.[4] 재발하는 경우 외과적 낭종제거와 함께 전진회전피판법을 시행하는 것이 가장 좋은 방법이다.[5]

적응증	ICD-10 code
Digital mucous cyst	M67.449

관련해부학: (그림 10-49, 50)

환자 자세

- 진찰대의 머리 쪽을 30도 가량 높게 하고 앙와위로 눕게 한다.
- 손목을 회내 상태로 한다.

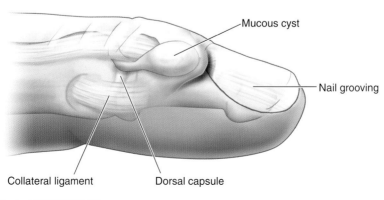

그림 *10-49.* ● 손발가락점액낭종

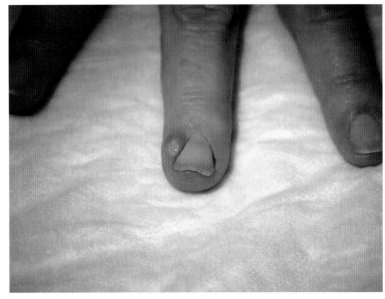

그림 10-50. ● 손발가락점액낭종

- 손 아래에 패드나 수건을 받쳐둔다.
- 환자의 얼굴을 시술부위 반대로 돌리게 하면 불안 및 통증 감소에 도움이 될 수 있다.

해부학적 지표

- 환자를 진찰대에 앙와위로 눕게 하고 시술자는 이환된 손의 외측에 선다.
- 손가락의 등쪽, 손톱주름 바로 위에서 낭종을 확인한다.
- 자입부위는 낭종 바로 위이다.
- 환자의 손이 움직이지 않게 해야 한다.

마취

- 1% 리도카인을 이용한 수지차단 마취(제 7장 참조)

장비

- 국소 도포용 냉각 스프레이
- 3 mL 주사기
- 18 G, 1½ inch 바늘
- 알코올 솜
- 포비돈−아이오딘 솜
- 소독된 거즈 솜
- 소독된 반창고
- 깨끗한 받침대용 수건

기법

1. 수지차단 마취를 충분히 시행한다.
2. 알코올과 포비돈-아이오딘으로 주사 부위를 소독한다.
3. 바늘을 피부에 수직이 되게 하고 낭종의 중앙부위를 향하게 한다.
4. no-touch technique으로 삽입점에 바늘을 삽입한다(그림 10-51).
5. 바늘을 빠르게 그러나 조심스럽게 낭종안으로 진입시킨다.
6. 주사기에 음압을 가하여 투명한 젤을 빼낸다.
7. 바늘을 제거한다.
8. 바늘 몸통 또는 장갑낀 손가락을 이용하여 구멍 난 낭종 주변 조직에 압박을 가함으로써 투명한 젤이 더 나오게 하고 소독된 거즈 솜으로 닦아 낸다(그림 10-52).
9. 스테로이드 용액 주입은 별로 도움이 되지 않는다.
10. 소독된 반창고를 감는다.

시술 후 관리

• 2주 후에 추적 관찰한다.

CPT 코드:

• 20612-Aspiration and/or injection of ganglion cyst(s) any location
• 76942 (optional)-Ultrasonic guidance for needle placement with imaging supervision and interpretation with permanent recording

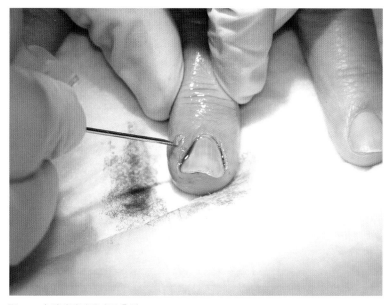

그림 10-51. ● 손발가락점액낭종 흡인

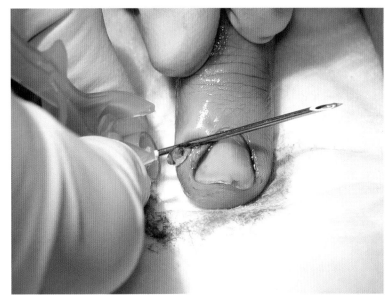

그림 10-52. ● 낭종 흡인 이후 주변조직을 압박함으로써 남은 젤을 짜내는 모습

유의사항

- 증상이 있는 손발가락점액낭종의 초기 치료는 대부분 낭종을 흡인한 후 압박하여 젤을 충분히 짜내는 것만으로 충분하다.
- 반복적인 흡인/천자에도 재발하는 낭종에 대해 코르티코스테로이드를 주입하는 것은 효과적이지 못하다.
- 능숙한 테크닉으로 시술했다 하더라도 재발하는 경우가 빈번하므로 수술적 치료가 필요할 수도 있다.

참고문헌

1. Lin YC, Wu YH, Scher RK. Nail changes and association of osteoarthritis in digital myxoid cyst. *Dermatol Surg.* 2008;34(3):364-9.
2. Gofeld M, Hurdle MF, Agur A. Biceps tendon sheath injection: An anatomical conundrum. *Pain Med.* 2019;20(1):138-42.
3. Epstein E. A simple technique for managing digital mucous cysts. *Arch Dermatol.* 1979;115(11):1315-6.
4. Jabbour S, Kechichian E, Haber R, et al. Management of digital mucous cysts: A systematic review and treatment algorithm. *Int J Dermatol.* 2017;56(7):701-8.
5. Johnson SM, et al. A reliable surgical treatment for digital mucous cysts. *J Hand Surg Eur Vol.* 2014;39(8):856-60.

고관절-측방접근법
Hip Joint-Preferred Lateral Approach

James W. McNabb

고관절염은 1차 진료 현장에서 흔히 접하게 되는 질환이다. 이는 종종 골관절염, 외상 후 관절염 및 류마티스 관절염에 의한 결과로 발생한다. 환자들은 대게 중년 이상인 경우가 많다. 소아에서 감염성 관절염은 인플루엔자나 폐렴균에 대한 백신이 발달함에 따라 거의 발생하지 않게 되었다. 관절강내 또는 관절주변에 국소마취제를 이용한 진단적 주사나 치료적 주사를 하는 것은 고관절 통증 치료 알고리듬의 중요한 일부가 되었다.

주사약제의 선택과 임상적 상황이 무엇보다 중요하다. 진단적 주사의 경우 메피바케인만 사용하면 된다. 코르티코스테로이드가 오랫동안 사용되어 오기는 하나, 상당한 위험이 수반되는 것도 사실이다. 코르티코스테로이드를 관절내 주사한 환자에서 골관절염의 급격한 진행, 연골밑 부전골절 관절, 골괴사, 급격한 관절 파괴, 뼈 소실 등 심각한 구조적 이상 소견이 발견되어 왔다.[1,2] 이와 같은 잠재적 위험을 고려하여, 코르티코스테로이드 주사는 심각한 통증을 호소하거나[3] 고관절 전치환술을 앞두고 있는 환자[4] 또는 암성 고관절 통증을 호소하는 환자[5] 등의 경우 이외에는 자제하는 것이 좋다. 고관절 골관절염 환자에서 효과가 기대되는 다른 치료법으로는 tenazumab[6], 혈소판풍부혈장[7], 히알유론산[8] 등이 있다. 이런 요법들의 치료 효용성과 안전성을 증명하기 위한 추가적인 연구가 필요하겠다.

고관절은 접근하기 어렵고, 혈관천자에 대한 두려움과 고관절두의 무혈성 괴사의 위험성 때문에 1차 진료를 담당하는 의사들은 고관절 내로의 스테로이드 주입을 거의 하지 않는다. 사실은 고관절로의 접근법은 간단하다. 전방접근법과 측방접근법이 보고되었는데, 전자의 경우 60%에서 93%[9,10], 후자의 경우 후자의 경우 80% 가량의 성공률을 보인다.[1,11] 그러나 전방접근법은 대퇴동맥과 대퇴신경 관련 위험성이 측방접근법보다 높다.[1,3] 따라서 영상유도 하 시술이 불가능한 경우 측방접근법이 선호되는 것이다. 두 방법 모두 초음파 유도 하에서 안전성과 성공률이 높아진다.[12,13] 영상유도는 비만 환자, 진행된 골관절염으로 관절강이 심하게 좁아진 경우, 그리고 굴곡 변형이 있는 경우 특히 중요한 의미를 갖는다.[14]

적응증	ICD-10 code
Hip joint pain	M25.559
Hip capsulitis	M76.899
Hip arthritis, unspecified	M16.10
Hip osteoarthritis, primary	M16.10
Hip osteoarthritis, posttraumatic	M16.50
Hip osteoarthritis, secondary	M16.7

관련해부학: (그림 11-1)

환자 자세

• 건측 고관절이 아래를 향하도록 하여 측와위로 진찰대에 눕힌다.

해부학적 지표

1. 건측 고관절이 아래를 향하도록 하여 측와위로 진찰대에 눕히고 시술의사는 이환된 고관절 뒤에 선다.
2. 대퇴부의 전자를 확인한다.

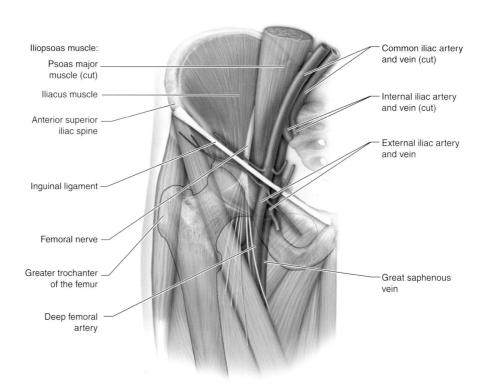

그림 11-1. ● 오른쪽 고관절 부위 및 대퇴삼각(From Tank PW, Gest TR. Lippincott Williams & Wilkins Atlas of Anatomy. Philadelphia, PA: Lippincott Williams & Wilkins, 2009.)

3. 대퇴부 대전자의 근위부 상방 1 cm에 점을 표시한다.

4. 경우에 따라 초음파를 이용한다.

5. 이 부위를 움푹 들어간 (펜촉이 없는) 볼펜 끝으로 강하게 누른다. 이 함몰 부위는 바늘이 삽입되는 지점을 나타낸다.

6. 해부학적 지표가 확인된 이후 환자는 고관절을 움직이지 않아야 한다.

마취

- 국소 도포용 냉각 스프레이(topical vapocoolant spray)로 피부를 국소 마취한다.

장비

- 국소 도포용 냉각 스프레이
- 20 mL 주사기–흡인용
- 3 mL 주사기–코르티코스테로이드/국소마취제 혼합물 주사용
- 25 G, 1½ inch 바늘 (마른 환자) 또는 3½ inch (보통 환자) 척추천자 바늘(주사용)
- 20 G, 1½ inch 바늘 (마른 환자) 또는 3½ inch (보통 환자) 척추천자 바늘(흡인 및 주사용)
- 에피네프린이 첨가되지 않은 1% 메피바케인 1 mL
- 1 mL 스테로이드 용액(40 mg triamcinolone acetonide)
- 알코올 솜
- 포비돈–아이오딘 솜
- 소독된 거즈
- 소독된 반창고
- 깨끗한 받침대용 수건

기법

1. 초음파를 사용하는 경우, 바늘 자입부위가 아닌 바로 옆 쪽에서 스캔하여 오염시키지 않으면서 영상을 얻을 수 있다. 다른 방법으로 스캔 부위까지 함께 무균 소독하고 멸균 처리된 초음파 젤을 사용하기도 한다.

2. 알코올과 베타딘으로 주사 부위를 소독한다.

3. 국소 도포용 냉각 스프레이로 국소 마취를 충분히 한다.

4. no–touch technique으로 바늘을 삽입점에서 피부에 수직으로 넣어 고관절에 닿을 때까지 내측으로 진입하였다가 다시 1–2 mm 정도 뒤로 뺀다(그림 11–2).

5. 주사기의 플런저를 잡아당겨 혈액이 역류되지 않음을 확인한다.

6. 고관절낭 내로 메피바케인/코르티코스테로이드 용액을 한번에 주입한다. 이때 주입된 용액은 큰 저항 없이 부드럽게 주입되어야 한다. 만약 저항이 증가한다면 약물을 주입하기 전 바늘을 전진시키거나 약간 뒤로 빼서 주입해야 한다.

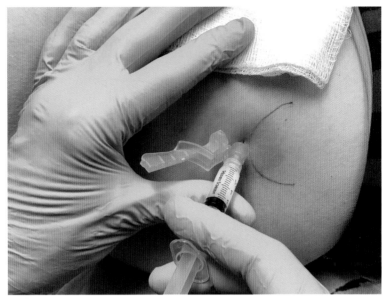

그림 11-2. ● 고관절강내 주사치료-측방접근법

7. 주사 후 바늘을 제거한다.

8. 소독된 부착 거즈를 붙인다.

9. 고관절을 가동범위 끝까지 움직이게 하여 메피바케인/코르티코스테로이드 용액이 관절 내에서 잘 퍼지게 한다.

10. 통증의 경감을 확인하기 위해 5분 후 다시 고관절을 검사한다.

시술 후 관리

• 다음 2주간 고관절의 지나친 하중이나 고관절 움직임은 피해야 한다.

• 적응증에 따라서 NSAID 또는 물리치료를 한다.

• 2주 후에 추적 관찰한다.

CPT 코드:

• 20610-Arthrocentesis, aspiration and/or injection, major joint or bursa; without ultrasound guidance

• 20611-With ultrasound guidance, with permanent recording and reporting

유의사항

• 비만 환자, 진행된 골관절염으로 관절강이 심하게 좁아진 경우, 그리고 굴곡 변형이 있는 경우 영상유도 하에 시행하는 것이 더욱 중요하다.

참고문헌

1. Kompel AJ, Roemer FW, Murakami AM, et al. Intra-articular corticosteroid injections in the hip and knee: perhaps not as safe as we thought? *Radiology*. 2019;293(3):656-63.

2. Simeone FJ, Vicentini JRT, Bredella MA, et al. Are patients more likely to have hip osteoarthritis progression and femoral head collapse after hip steroid/anesthetic injections? A retrospective observational study. *Skeletal Radiol*. 2019;48(9):1417-26.

3. van Middelkoop M, Arden NK, Atchia I, et al. The OA Trial Bank: meta-analysis of individual patient data from knee and hip osteoarthritis trials show that patients with severe pain exhibit greater benefit from intra-articular glucocorticoids. *Osteoarthritis Cartilage*. 2016;24(7):1143-52.

4. Pereira LC, Kerr J, Jolles BM. Intra-articular steroid injection for osteoarthritis of the hip prior to total hiparthroplasty: is it safe? a systematic review. *Bone Joint J*. 2016;98-B(8):1027-35.

5. Rakesh N, Magram YC, Shah JM, et al. Localized corticosteroid injections for malignant joint pain in the oncologic population: a case series. *A A Pract*. 2019;13(1):27-30.

6. Schnitzer TJ, Easton R, Pang S, et al. Effect of Tanezumab on joint pain, physical function, and patient global assessment of osteoarthritis among patients with osteoarthritis of the hip or knee: a randomized clinical trial. *JAMA*. 2019;322(1):37-48.

7. De Luigi AJ, Blatz D, Karam C, et al. Use of platelet-rich plasma for the treatment of acetabular labral tear of the hip: a Pilot study. *Am J Phys Med Rehabil*. 2019;98(11):1010-7.

8. Clementi D, D'Ambrosi R, Bertocco P, et al. Efficacy of a single intra-articular injection of ultra-high molecular weight hyaluronic acid for hip osteoarthritis: a randomized controlled study. *Eur J Orthop Surg Traumatol*. 2018;28(5):915-2.

9. Leopold SS, Battista V, Oliverio JA. Safety and efficacy of intraarticular hip injection using anatomic landmarks. *Clin Orthop Relat Res*. 2001;(391):192-7.

10. Mei-Dan O, McConkey MO, Petersen B, et al. The anterior approach for a non-image-guided intra-articular hip injection. *Arthroscopy*. 2013;29(6):1025-33.

11. Ziv YB, Kardosh R, Debi R, et al. An inexpensive and accurate method for hip injections without the use of imaging. *J Clin Rheumatol*. 2009;15(3):103-5.

12. Gilliland CA, Salazar LD, Borchers JR. Ultrasound versus anatomic guidance for intra-articular and periarticular injection: a systematic review. *Phys Sportsmed*. 2011;39(3):121-31.

13. Lynch TS, Oshlag BL, Bottiglieri TS, et al. Ultrasound-guided hip injections. *J Am Acad Orthop Surg*. 2019;27(10):e451-61.

14. Kurup H, Ward P. Do we need radiological guidance for hip joint injections? *Acta Orthop Belg*. 2010;76(2):205-7.

고관절-전방 접근법
Hip Joint-Anterior Approach

고관절염은 1차 진료 현장에서 흔히 접하게 되는 질환이다. 이는 종종 골관절염, 외상 후 관절염 및 류마티스 관절염에 의한 결과로 발생한다. 환자들은 대게 중년 이상인 경우가 많다. 소아에서 감염성 관절염은 인플루엔자나 폐렴균에 대한 백신이 발달함에 따라 거의 발생하지 않게 되었다. 관절강내 또는 관절주변에 국소마취제를 이용한 진단적 주사나 치료적 주사를 하는 것은 고관절 통증 치료 알고리듬의 중요한 일부가 되었다.

　고관절은 접근하기 어렵고, 혈관천자에 대한 두려움과 고관절두의 무혈성 괴사의 위험성 때문에 1차 진료를 담당하는 의사들은 고관절 내로의 스테로이드 주입을 거의 하지 않는다. 사실은 고관절로의 접근법은 간단하다. 전방접근법과 측방접근법이 보고되었는데, 전자의 경우 60%에서 93%[1,2], 후자의 경우 후자의 경우 80% 가량의 성공률을 보인다.[3,4] 그러나 전방접근법은 대퇴동맥과 대퇴신경 관련 위험성이 측방접근법보다 높다.[3,5] 따라서 영상유도 하 시술이 불가능한 경우 측방접근법이 선호되는 것이다. 두 방법 모두 초음파 유도 하에서 안전성과 성공률이 높아진다.[6,7] 영상유도는 비만 환자, 진행된 골관절염으로 관절강이 심하게 좁아진 경우, 그리고 굴곡 변형이 있는 경우 특히 중요한 의미를 갖는다.[8]

적응증	ICD-10 code
Hip joint pain	M25.559
Hip capsulitis	M76.899
Hip arthritis, unspecified	M16.10
Hip osteoarthritis, primary	M16.10
Hip osteoarthritis, posttraumatic	M16.50
Hip osteoarthritis, secondary	M16.7

관련해부학: (그림 11-3)

환자 자세
• 진찰대의 머리 쪽을 약간 가량 높게 하고 앙와위로 눕게 한다.

해부학적 지표
1. 환자를 진찰대에 앙와위로 눕게 하고 시술의사는 이환된 고관절 옆에 선다.
2. 고관절부 전방에서 2개의 수직선 즉, 전상장골극으로부터 시상면으로 그은 선과 대전자의 위쪽 끝에서 수평으로 그은 선이 만나는 점을 표시한다. 이는 대퇴동맥으로부터

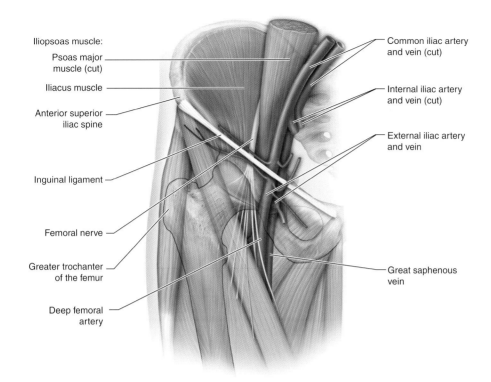

Iliopsoas muscle:
Psoas major muscle (cut)
Iliacus muscle
Anterior superior iliac spine
Inguinal ligament
Femoral nerve
Greater trochanter of the femur
Deep femoral artery

Common iliac artery and vein (cut)
Internal iliac artery and vein (cut)
External iliac artery and vein
Great saphenous vein

그림 11-3. ● 오른쪽 고관절 및 대퇴삼각(Modified from Gest TR. Lippincott Atlas of Anatomy, 2nd Ed. Philadelphia, PA: Wolters Kluwer, 2019.)

3 cm 바깥쪽이며 고관절의 바로 윗부분이다.

3. 경우에 따라 초음파를 이용한다.

4. 이 부위를 움푹 들어간 (펜촉이 없는) 볼펜 끝으로 강하게 누른다. 이 함몰 부위는 바늘이 삽입되는 지점을 나타낸다.

5. 해부학적 지표가 확인된 이후 환자는 고관절을 움직이지 않아야 한다.

마취

• 국소 도포용 냉각 스프레이(topical vapocoolant spray)로 피부를 국소 마취한다.

장비

• 국소 도포용 냉각 스프레이

• 20 mL 주사기-흡인용

• 3 mL 주사기-코르티코스테로이드/국소마취제 혼합물 주사용

• 25 G, 1½ inch (마른 환자) 또는 3½ inch (보통 환자)바늘(주사용)

• 20 G, 1½ inch (마른 환자) 또는 3½ inch (보통 환자)바늘(흡인 및 주사용)

• 에피네프린이 첨가되지 않은 1% 메피바케인 1 mL

• 1 mL 스테로이드 용액(40 mg triamcinolone acetonide)

- 알코올 솜
- 포비돈–아이오딘 솜
- 소독된 거즈
- 소독된 반창고
- 깨끗한 받침대용 수건

기법

1. 초음파를 사용하는 경우, 바늘 자입부위가 아닌 바로 옆 쪽에서 스캔하여 오염시키지 않으면서 영상을 얻을 수 있다. 다른 방법으로 스캔 부위까지 함께 무균 소독하고 멸균 처리된 초음파 젤을 사용하기도 한다.
2. 알코올과 포비돈–아이오딘으로 주사 부위를 소독한다.
3. 국소 도포용 냉각 스프레이로 국소 마취를 충분히 한다.
4. no-touch technique으로 바늘을 삽입점에서 수직으로 아래를 향해 진입하여 대퇴경부와 골두가 만나는 지점에 닿을 때까지 전진하였다가 다시 1–2 mm 정도 뒤로 뺀다 (그림 11–4).
5. 주사기의 플런저를 잡아당겨 혈액이 역류되지 않음을 확인한다.
6. 고관절낭 내로 메피바케인/코르티코스테로이드 용액을 한번에 주입한다. 이때 주입된 용액은 큰 저항 없이 부드럽게 주입되어야 한다. 만약 저항이 증가한다면 약물을 주입하기 전 바늘을 전진시키거나 약간 뒤로 빼서 주입해야 한다.
7. 주사 후 바늘을 제거한다.
8. 소독된 거즈를 붙인다.

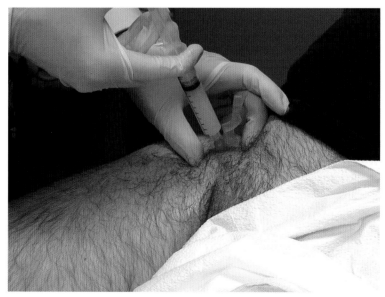

그림 11–4. ● 고관절강내 주사치료–전방접근법

9. 고관절을 가동범위 끝까지 움직이게 하여 메피바케인/코르티코스테로이드 용액이 고관절 내에서 잘 퍼지게 한다.

10. 통증의 경감을 확인하기 위해 5분 후 다시 고관절을 검사한다.

시술 후 관리

- 다음 2주간 고관절의 지나친 하중이나 고관절 움직임은 피해야 한다.
- 적응증에 따라서 NSAID 또는 물리치료를 한다.
- 2주 후에 추적 관찰한다.

CPT 코드:

- 20610–Arthrocentesis, aspiration and/or injection, major joint or bursa; without ultrasound guidance
- 20611–With ultrasound guidance, with permanent recording and reporting

유의사항

- 비만 환자, 진행된 골관절염으로 관절강이 심하게 좁아진 경우, 그리고 굴곡 변형이 있는 경우 영상유도 하에 시행하는 것이 더욱 중요하다.

참고문헌

1. Leopold SS, Battista V, Oliverio JA. Safety and efficacy of intraarticular hip injection using anatomic landmarks. *Clin Orthop Relat Res*. 2001;(391):192-7.
2. Mei-Dan O, McConkey MO, Petersen B, et al. The anterior approach for a non-image-guided intra-articular hip injection. *Arthroscopy*. 2013;29(6):1025-33.
3. Kompel AJ, Roemer FW, Murakami AM, et al. Intra-articular corticosteroid injections in the hip and knee: perhaps not as safe as we thought? *Radiology*. 2019;293(3):656-63.
4. Ziv YB, Kardosh R, Debi R, et al. An inexpensive and accurate method for hip injections without the use of imaging. *J Clin Rheumatol*. 2009;15(3):103-5.
5. van Middelkoop M, Arden NK, Atchia I, et al. The OA Trial Bank: meta-analysis of individual patient data from knee and hip osteoarthritis trials show that patients with severe pain exhibit greater benefit from intra-articular glucocorticoids. *Osteoarthritis Cartilage*. 2016;24(7):1143-52.
6. Gilliland CA, Salazar LD, Borchers JR. Ultrasound versus anatomic guidance for intra-articular and periarticular injection: a systematic review. *Phys Sportsmed*. 2011;39(3):121-31.
7. Lynch TS, Oshlag BL, Bottiglieri TS, et al. Ultrasound-guided hip injections. *J Am Acad Orthop Surg*. 2019;27(10):e451-61.
8. Kurup H, Ward P. Do we need radiological guidance for hip joint injections? *Acta Orthop Belg*. 2010;76(2):205-07.
9. Schnitzer TJ, Easton R, Pang S, et al. Effect of Tanezumab on joint pain, physical function, and patient global assessment of osteoarthritis among patients with osteoarthritis of the hip or knee: a randomized clinical trial. *JAMA*. 2019;322(1):37-48.

이상근증후군
Piriformis Syndrome

드물긴 하지만 이상근증후군을 의심해 보아야 할 환자를 일차진료 현장에서 만나게 될 수 있다. 요하지통을 호소하는 환자의 6-8%에서 나타나는데 간과되는 경우가 많다. 비정상적으로 단단해진 이상근이 좌골신경을 누름으로써 나타나는 일종의 압박 신경병증으로 생각된다. 외상, 심한 운동, 발달 이상, 또는 종양이나 고관절 전치환술 이후에 나타날 수 있다. 이상근의 비대, 경련, 구축, 염증 및 흉터형성 등의 병리 경로에 의해 좌골신경의 충돌이 일어나게 되는 것으로 생각된다. 진단은 좌골신경통의 다른 원인을 배제하고, 비정상적으로 단단해진 압통성 이상근을 촉지하며 figure-four 검사상 양성을 확인 함으로써 가능하다. 치료로는 이상근 신전, 물리치료, 국소 코르티코스테로이드 주사[1,2], 보툴리눔 독소 주사가 있고[3,4], 수력분리[5] 등이 있다. 주사치료 시 영상유도 하에서 시행하면 성공률을 높일 수 있다.[6,7] 잘 해결되지 않는 경우 수술적 치료를 하기도 한다.

적응증	ICD-10 code
Piriformis syndrome	G57.00

관련해부학: (그림 11-5)

환자 자세

- 일어선 자세에서 등을 전방으로 구부리고 진찰대에 팔과 손을 짚게 한다.
- 또는 진찰대에 측와위로 누운 상태에서 시행하기도 한다.

해부학적 지표

1. 환자가 등을 전방으로 구부리고 진찰대에 팔과 손을 짚게 한 상태에서 시술자는 바로 뒤에 선다.
2. 제 2천추 정중천골능선과 대퇴 전자 외측연의 위치를 확인한다.
3. 천골능선으로부터 3분의 1 또는 2분의 1 지점에서 이상근의 최대 압통점을 찾는다.
4. 이 부위를 움푹 들어간 (펜촉이 없는) 볼펜 끝으로 강하게 누른다. 이 함몰 부위는 바늘이 삽입되는 지점을 나타낸다.
5. 해부학적 지표가 확인된 이후 환자는 움직이지 않아야 한다.

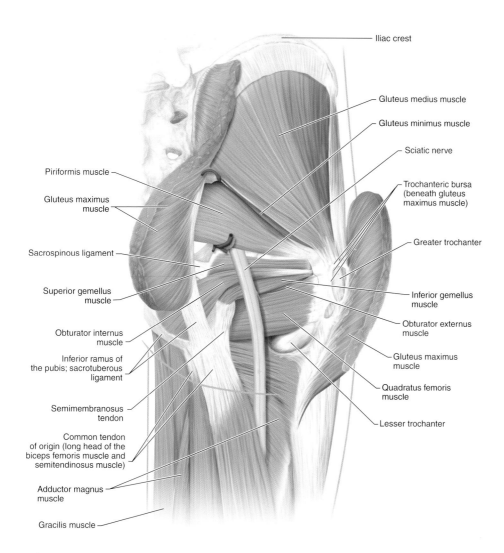

- Iliac crest
- Gluteus medius muscle
- Gluteus minimus muscle
- Sciatic nerve
- Trochanteric bursa (beneath gluteus maximus muscle)
- Greater trochanter
- Inferior gemellus muscle
- Obturator externus muscle
- Gluteus maximus muscle
- Quadratus femoris muscle
- Lesser trochanter

- Piriformis muscle
- Gluteus maximus muscle
- Sacrospinous ligament
- Superior gemellus muscle
- Obturator internus muscle
- Inferior ramus of the pubis; sacrotuberous ligament
- Semimembranosus tendon
- Common tendon of origin (long head of the biceps femoris muscle and semitendinosus muscle)
- Adductor magnus muscle
- Gracilis muscle

그림 11–5. ● 중간 깊은 층의 엉덩이 근육과 좌골신경(From Tank PW, Gest TR. Lippincott Williams & Wilkins Atlas of Anatomy. Philadelphia, PA: Lippincott Williams & Wilkins, 2009.)

마취

- 국소 도포용 냉각 스프레이(topical vapocoolant spray)로 피부를 국소 마취할 수 있겠으나 대부분 필수적인 것은 아니다.

장비

- 국소 도포용 냉각 스프레이
- 3 mL 주사기
- 25 G, 2 inch 바늘
- 에피네프린이 첨가되지 않은 1% 리도카인 1 mL
- 1 mL 스테로이드 용액(40 mg triamcinolone acetonide)

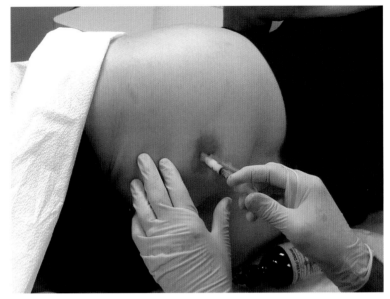

그림 11-6. ● 이상근 주사치료

- 알코올 솜
- 포비돈–아이오딘 솜
- 소독된 거즈 솜
- 소독된 반창고

기법

1. 알코올과 포비돈–아이오딘으로 주사 부위를 소독한다.
2. 국소 도포용 냉각 스프레이로 국소 마취를 충분히 한다.
3. no-touch technique으로 삽입점에 바늘을 삽입한다. 바늘을 피부에 수직으로 하여 전방을 향해 전진시킨다(그림 11-6).
4. 바늘을 전진하면서 저항의 증가가 느껴지는 부분을 찾는데 이는 이상근 연축이나 섬유화에 의한 것이다. 만약 갑작스런 전격통이 다리까지 나타난다면 이는 바늘이 좌골신경에 접촉되어 나타난 것일 수 있으므로 증상이 없을 때까지 수 mm 후퇴한다.
5. 흡인하여 혈액이 역류되지 않음을 확인하고 주사기내의 약물을 연부조직내로 주입한다. 이때 약물이 부드럽게 주입되어야 한다. 만약 저항 증가가 느껴진다면 바늘을 약간 더 진입 또는 후퇴한 이후 다시 주입한다.
6. 주사 후 바늘을 제거한다.
7. 소독된 반창고를 붙인다.
8. 환자의 고관절을 가동범위 끝까지 움직이게 하여 리도카인/코르티모스테로이드 용액이 이상근에 전체적으로 잘 퍼지게 한다.
9. 5분 후 통증이 완화되었는지 이상근을 다시 검사해 본다.

시술 후 관리

- 2주간 고관절의 과도한 움직임을 피하게 한다.
- 적응증이 된다면 NSAID, 얼음주머니, 또는 물리치료를 시행한다.
- 2주 후에 추적 관찰한다.

CPT 코드:

- 20552−Injection of single or multiple trigger point(s), 1 or 2 muscles
- 76942 (optional)−Ultrasonic guidance for needle placement with imaging supervision and interpretation with permanent recording

참고문헌

1. Terlemez R, Erçalık T. Effect of piriformis injection on neuropathic pain. Agri. 2019;31(4):178-82.
2. Masala S, Crusco S, Meschini A, et al. Piriformis syndrome: long-term follow-up in patients treated with percutaneous injection of anesthetic and corticosteroid under CT guidance. *Cardiovasc Intervent Radiol.* 2012;35(2):375-82.
3. Waseem Z, Boulias C, Gordon A, et al. Botulinum toxin injections for low-back pain and sciatica. *Cochrane Database Syst Rev.* 2011;(1):CD008257.
4. Santamato A, Micello MF, Valeno G, et al. Ultrasound-guided injection of botulinum toxin type A for piriformis muscle syndrome: a case report and review of the literature. *Toxins (Basel).* 2015;7(8):3045-56.
5. Burke CJ, Walter WR, Adler RS. Targeted ultrasound-guided perineural hydrodissection of the sciatic nerve for the treatment of piriformis syndrome. *Ultrasound Q.* 2019;35(2):125-9.
6. Kompel AJ, Roemer FW, Murakami AM, et al. Intra-articular corticosteroid injections in the hip and knee: perhaps not as safe as we thought? *Radiology.* 2019;293(3):656-63.
7. Chang KV, Wu WT, Lew HL, et al. Ultrasound imaging and guided injection for the lateral and posterior hip. *Am J Phys Med Rehabil.* 2018;97(4):285-91.

넓적다리뒤힘줄과 좌골낭
Hamstring Tendon and Ischial Bursa

환자들은 때때로 엉덩이를 펴고 하지를 굽힐 때 엉덩이와 허벅지 뒤쪽의 통증을 평가하고 치료하기 위해 일차 치료 기관에 내원한다. 반막모양근(semimembranosus), 반힘줄근(semitendinosus) 및 대퇴이두근/힘줄은 좌골결절에서 경골 및 비골의 근위 측면까지 이어진다. 넓적다리뒤근육 부상은 거의 항상 근위 근건 접합부에서 발생한다. 급성 부상이나 만성적인 과사용은 건염, 건병증 또는 넓적다리뒤힘줄 파괴를 유발할 수 있다. 대퇴이두근이 가장 흔히 손상된다. 주된 증상은 일반적으로 허벅지 뒤쪽의 넓적다리뒤근육을 따라 방사되는 둔근 또는 좌골 부위의 통증이다. 통증은 좌골 결절과 근위 힘줄을 직접적 촉진하거나, 수동적 스트레칭 및 수축에 대한 저항으로 증가한다. 몸쪽 넓적다리뒤건병증 통증 및 기능 장애는 종종 오래 지속되며 운동 및 일상 활동을 제한한다. 해부학적 병리와 손상 정도를 기술하기 위해 초음파 또는 MRI를 이용한 영상 촬영이 필요할 수 있다.

만성 건병증의 치료는 길고 어려울 수 있다. 물리치료는 치료의 기본이다. Zissen의 연구에서 코르티코스테로이드 주사를 받은 환자의 50%가 1개월 이상 지속되는 증상 호전을 보였고 환자의 24%는 6개월 이상 증상 완화를 보였다.[1] 초음파 유도는 이 주사의 정확성과 효능을 향상시킨다.[2] 혈소판 풍부 혈장[3,4] 및 경피 바늘 창냄술[5]은 통증과 기능의 개선을 보여준다. 보존적 치료에 반응하지 않는 경우 넓적다리뒤근육 부상은 외과적 조직 제거 및 재부착으로 치료할 수 있다.[6]

적응증	ICD-10 Code
Hamstring tendonitis	M76.899
Enthesopathy of the hip	M76.899
Ischial bursitis	M70.70

관련해부학: (그림 11-7)

환자 자세

- 진찰대에 엎드려 눕도록 한다.
- 고관절은 신전상태가 되도록 한다.

해부학적 지표

1. 환자가 검사 테이블에 엎드린 상태에서 의사는 반대쪽 엉덩이 옆으로 선다.

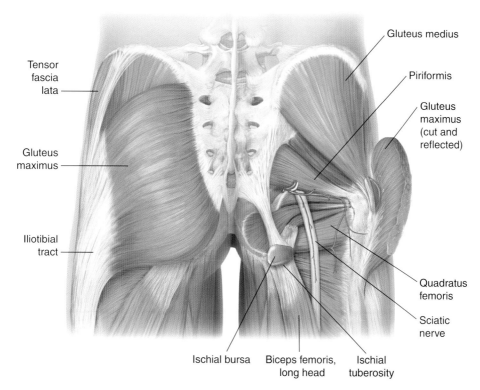

Tensor
fascia
lata

Gluteus
maximus

Iliotibial
tract

Gluteus medius

Piriformis

Gluteus
maximus
(cut and
reflected)

Quadratus
femoris

Sciatic
nerve

Ischial bursa   Biceps femoris,   Ischial
long head   tuberosity

그림 11-7. ● 좌골낭

2. 좌골 결절을 찾아 넓적다리뒤힘줄의 기시 부위를 확인할 때까지 환자의 고관절을 신전
시킨 상태에서 단단히 촉진한다.

3. 좌골결절과 넓적다리뒤힘줄의 기시부위에서 최대 압통 부위를 확인하고 펜으로 표시한다.

4. 이 부위를 움푹 들어간 (펜촉이 없는) 볼펜 끝으로 강하게 누른다. 이 함몰 부위는 바
늘이 삽입되는 지점을 나타낸다.

5. 해부학적 표지가 확인 된 후 환자는 고관절을 움직이지 않아야 한다.

마취

● 국소 도포용 냉각 스프레이를 이용한 피부 국소마취 시행

장비

● 국소 도포용 냉각 스프레이

● 3 mL 주사기

● 25 G, 1 inch 바늘

● 에피네프린이 포함되지 않은 1% 리도카인 1mL

● 스테로이드 솔루션 1 mL [40 mg의 트리암시놀론 아세토니드(triamcinolone acetonide)]

● 알코올 솜

- 포비돈–아이오딘 솜
- 소독된 거즈 솜
- 소독된 반창고

기법

1. 알코올과 포비돈–아이오딘으로 주사부위를 소독한다.
2. 국소 도포용 냉각 스프레이로 국소 마취를 충분히 한다.
3. 바늘 끝이 앞쪽을 향하도록 바늘과 시린지를 피부에 수직으로 놓는다.
4. no–touch technique으로 바늘을 삽입 부위에 삽입한다(그림 11–8).
5. 바늘이 좌골결절과 힘줄의 교차점에 위치하도록 전진하되 힘줄 자체에는 놓이지 않도록 한다.
6. 혈액이 역류하지 않는지 주사기 플랜저를 당겨본다.
7. 넓적다리뒤힘줄과 윤활낭 주위에 리도카인/코르티코스테로이드 용액을 주입한다. 주입된 용액은 공간 내에 원활하게 흘러들어가야 한다. 저항이 증가하면 추가 주입을 시도하기 전에 바늘을 약간 전진시키거나 후퇴 시킨다.
8. 주사 후 바늘을 뺀다.
9. 멸균 반창고를 붙인다.
10. 환자에게 해당 부위를 마사지하고 고관절을 구부리거나 펴도록 지시한다. 이 움직임은 넓적다리뒤힘줄과 좌골낭을 따라 리도카인/코르티코스테로이드 용액이 잘 분포 되게 한다.
11. 통증 완화를 평가하기 위해 5분 안에 해당 부위를 재검사한다.

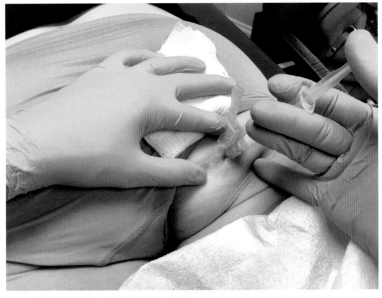

그림 11–8. ● 넓적다리뒤힘줄 기시부와 좌골낭 주사

시술 후 관리

- 시술 후 2주동안 고관절과 허벅지의 과도한 움직임 피하기—고관절 신전과 하지 굴곡(특히 달리기/전력질주)
- 물리치료 프로그램
- NSAID, 냉·온찜질
- 1주 후 추적검사 고려

CPT 코드:

- 20551—Injection; single tendon origin/insertion—for hamstring tendonitis
- 20610—Arthrocentesis, aspiration and/or injection, major joint or bursa; without ultrasound guidance—for ischial bursitis
- 76942 (optional)—Ultrasonic guidance for needle placement with imaging supervision and interpretation with permanent recording

참고문헌

1. Zissen MH, Wallace G, Stevens KJ, et al. High hamstring tendinopathy: MRI and ultrasound imaging and therapeutic efficacy of percutaneous corticosteroid injection. *AJR Am J Roentgenol*. 2010;195(4):993-8.
2. Chang KV, Wu WT, Lew HL, et al. Ultrasound imaging and guided injection for the lateral and posterior hip. *Am J Phys Med Rehabil*. 2018;97(4):285-91.
3. Davenport KL, Campos JS, Nguyen J, et al. Ultrasound-guided intratendinous injections with plateletrich plasma or autologous whole blood for treatment of proximal hamstring tendinopathy: a double-blind randomized controlled trial. *J Ultrasound Med*. 2015;34(8):1455-63.
4. Wetzel RJ, Patel RM, Terry MA. Platelet-rich plasma as an effective treatment for proximal hamstring injuries. *Orthopedics*. 2013;36(1):e64-70.
5. Jacobson JA, Rubin J, Yablon CM, et al. Ultrasound-guided fenestration of tendons about the hip and pelvis: clinical outcomes. *J Ultrasound Med*. 2015;34(11):2029-35.
6. Startzman AN, Fowler O, Carreira D. Proximal hamstring tendinosis and partial ruptures. *Orthopedics*. 2017;40(4):e574-82.

대퇴감각이상증
Meralgia Paresthetica

일차 진료현장에서 만나는 환자 중에는 외측 대퇴부의 타는 듯한 통증과 무감각 또는 이상감각을 호소하는 경우가 가끔 있다. 대퇴감각이상증은 순수 감각신경인 가쪽넙다리피부신경의 압박 신경병증으로 인해 발생하는 경우가 가장 많은데, 이는 해당 신경이 서혜인대의 외측 부착부와 전상장골극에 의해 형성되는 터널을 지날 때 발생하게 되며 당뇨환자와 비만 환자에서 더 흔하다. 전상장골극의 바로 전방에서 이 터널을 통해 신경을 타진하거나 하지를 뒷쪽으로 신전시킬 때 증상이 재현되거나 악화된다. 보존적 치료로서 만성적 신경압박 해소, 체중 감량, 그리고 신경병성통증 치료제 복용 등의 방법이 있다. 신경압박 부위에 대한 코르티코스테로이드 주사치료는 초음파 유도 하에서 높은 성공률을 보인다.[1,2] 다른 치료로는 초음파 유도하 수력분리술 (hydrodisscetion)[3], 수술적 감압술[4] 또는 신경절단술이 있다.

적응증	ICD-10 code
Meralgia paresthetica	G57.10

관련해부학: (그림 11-9, 10)

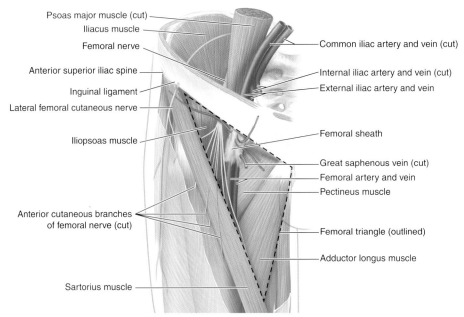

그림 11-9. ● 오른쪽 고관절 전방부 신경혈관 구조물(Modified from Gest TR. Lippincott Atlas of Anatomy, 2nd Ed. Philadelphia, PA: Wolters Kluwer, 2019.)

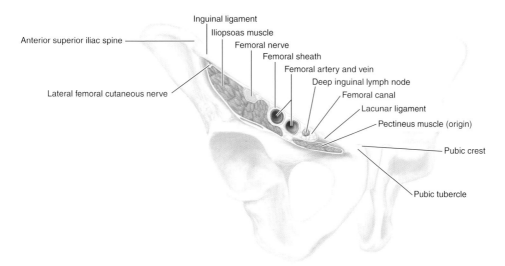

그림 *11-10.* ● 대퇴혈관신경집의 단면(From Gest TR. Lippincott Atlas of Anatomy, 2nd Ed. Philadelphia, PA: Wolters Kluwer, 2019)

환자 자세

- 진찰대에 앙와위로 눕게 한다.
- 환자의 얼굴을 시술부위 반대로 돌리게 하면 불안 및 통증 감소에 도움이 될 수 있다.

해부학적 지표

1. 환자가 시술대에 앙와위로 누운 상태에서 시술자는 이환된 쪽에 선다.
2. 전상장골극과 치골을 찾는다.
3. 이 두 가지 구조물을 연결하는 서혜인대를 촉지한다.
4. 가쪽넙다리피부신경은 전상장골극의 2 cm 하방 및 내측에서 서혜인대 아래로 가로질러 다리로 내려간다. 이 부위를 타진하거나 압박하면 불편감이 유발되는데 이 지점을 표시한다.
5. 이 부위를 움푹 들어간 (펜촉이 없는) 볼펜 끝으로 강하게 누른다. 이 함몰 부위는 바늘이 삽입되는 지점을 나타낸다.
6. 해부학적 지표가 확인된 이후 환자는 엉덩이나 다리를 움직이지 않아야 한다.

마취

- 국소 도포용 냉각 스프레이로 피부를 국소 마취할 수 있겠으나 대부분 필수적인 것은 아니다.

장비

- 국소 도포용 냉각 스프레이

- 3 mL 주사기
- 25G, 1½ inch 바늘
- 에피네프린이 첨가되지 않은 1% 리도카인 2 mL
- 1 mL 스테로이드 용액(40 mg triamcinolone acetonide)
- 알코올 솜
- 포비돈–아이오딘 솜
- 소독된 거즈 솜
- 소독된 반창고

기법

1. 알코올과 베타딘으로 주사 부위를 소독한다.
2. 국소 도포용 냉각 스프레이로 국소 마취를 충분히 한다.
3. no-touch technique으로 삽입점에 바늘을 삽입한다. 바늘을 피부에 수직으로 하여 후방을 향해 접근한다(그림 11-11).
4. 바늘을 2–3 cm 진입하면 그 끝은 서혜인대 아래에 위치하게 된다.
5. 주사기의 플런저를 잡아당겨 혈액이 역류되지 않음을 확인한다.
6. 주사기내의 약물을 한번에 주입한다. 이때 약물이 부드럽게 주입되어야 한다. 만약 저항 증가가 느껴진다면 바늘을 약간 더 진입 또는 후퇴한 이후 다시 주입한다.
7. 주사 후 바늘을 제거한다.
8. 소독된 반창고를 감는다.
9. 고관절을 가동범위 끝까지 움직이게 하여 스테로이드 용액이 해당 영역에 잘 퍼지게 한다.

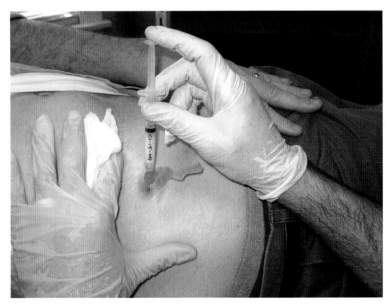

그림 11-11. ● 대퇴감각이상증 주사치료

시술 후 관리

- 압박을 해소하는 것이 치료의 목표이며 옷을 느슨하게 입거나 체중을 감량하는 것도 필요하다.
- 2주 후에 추적 관찰한다.

CPT 코드:

- 64450—Injection, nerve block, therapeutic, other peripheral nerve or branch
- 76942 (optional)—Ultrasonic guidance for needle placement with imaging supervision and interpretation with permanent recording

참고문헌

1. Hurdle MF, Weingarten TN, Crisostomo RA, et al. Ultrasound-guided blockade of the lateral femoral cutaneous nerve: technical description and review of 10 cases. *Arch Phys Med Rehabil*. 2007;88(10):1362-4.
2. Tagliafico A, Serafini G, Lacelli F, et al. Ultrasound-guided treatment of meralgia paresthetica (lateral femoral cutaneous neuropathy): technical description and results of treatment in 20 consecutive patients. *J Ultrasound Med*. 2011;30(10):1341-6.
3. Mulvaney SW. Ultrasound-guided percutaneous neuroplasty of the lateral femoral cutaneous nerve for the treatment of meralgia paresthetica: a case report and description of a new ultrasound-guided technique. *Curr Sports Med Rep*. 2011;10(2):99-104.
4. Siu TL, Chandran KN. Neurolysis for meralgia paresthetica: an operative series of 45 cases. *Surg Neurol*. 2005;63(1):19-23.

대전자통증증후군
Greater Trochanteric Pain Syndrome

대전자통증증후군은 고관절 외측부의 통증을 뜻하는 용어이다. 이 국소통증증후군은 전자윤활낭염으로 인한 통증을 의미하지만 종종 근막통증증후군, 퇴행성 관절 질환, 좌골신경통과 척추병증 등으로 인한 다른 통증과도 유사하다. 중둔근 및 소둔근의 힘줄증이나 힘줄파열에 의한 증상과 비슷한 점도 있다. 여성, 요추질환이 있는 환자, 골관절염, 엉덩정강뼈 환(iliotibial band) 압통, 그리고 비만 환자에서 더 잘 발생한다. 증상으로 고관절 외측부의 지속적인 통증과 대퇴부 외측을 따라 무릎까지 그리고 가끔 엉치로 방사되는 통증이 나타난다. 이학적 검사상 대전자 후외측에 뚜렷한 압통점을 발견할 수 있다.[1]

보존적 치료로 신전, 치료적 운동요법, 허리/골반 코어와 천장관절에 중점을 둔 물리요법 등이 있다. 최대 압통 부위에 국소 코르티코스테로이드를 주사하는 것도 효과적이고 안전한 것으로 알려져 있다.[2-4] 대체요법으로 혈소판풍부혈장[5], 경피 주사침 힘줄 천공술[6], 단순 자입법(dry-needling)[7] 등이 있다. 대부분의 경우 초음파 유도가 필요하지 않으며 더 비싸고 비용효율이 낮다. 해부학적 지표에 근거한 주사법이 일차선택 기법이라 할 수 있고 초음파 유도하 시술은 심한 비만환자나 주사 실패시에 활용하는 것이 좋다.[8] 호전이 잘 안되는 경우에는 저에너지 충격파치료(shockwave therapy)[9], 엉덩정강뼈 환 유리(iliotibial band release), 둔부아래 활액낭절제술(subgluteal bursectomy), 넙다리돌기 축소절제술(reduction osteotomy) 등을 시행할 수도 있다.

적응증	ICD-9 code
Greater trochanteric pain syndrome	M25.559
Trochanteric bursitis	70.60

관련해부학: (그림 11-12)

환자 자세

• 진찰대 위에 건측 고관절을 아래로 하여 측와위로 눕는다.

해부학적 지표

1. 진찰대 위에 건측 고관절을 아래로 하여 측와위로 눕게 하고 시술의사는 환자 뒤에 선다.
2. 전자위의 최대 압통점을 확인한다.
3. 이 부위를 움푹 들어간 (펜촉이 없는) 볼펜 끝으로 강하게 누른다. 이 함몰 부위는 바

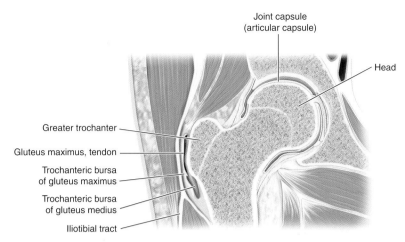

Joint capsule
(articular capsule)

Head

Greater trochanter

Gluteus maximus, tendon

Trochanteric bursa
of gluteus maximus

Trochanteric bursa
of gluteus medius

Iliotibial tract

그림 11-12. ● 오른쪽 고관절 전방 및 넙다리돌기 구조물

늘이 삽입되는 지점을 나타낸다.

4. 해부학적 지표가 확인된 이후 환자는 엉덩이를 움직이지 않아야 한다

마취

- 국소 도포용 냉각 스프레이(topical vapocoolant spray)로 하는 국소피부 마취를 할 수
  있다.

장비

- 국소 도포용 냉각 스프레이
- 3 mL 주사기
- 25 G, 2 inch 바늘
- 에피네프린이 첨가되지 않은 1% 리도카인 3 mL
- 1 mL 스테로이드 용액(40 mg triamcinolone acetonide)
- 알코올 솜
- 포비돈-아이오딘 솜
- 소독된 거즈 솜
- 소독된 반창고

기법

1. 알코올과 베타딘으로 주사 부위를 소독한다.
2. 국소 도포용 냉각 스프레이로 국소 마취를 충분히 한다.
3. no-touch technique으로 20 G 척수바늘을 삽입점에 수직으로 넣으면서 대전자의 뼈
   에 닿을 때까지 내측으로 바늘을 전진시킨다.

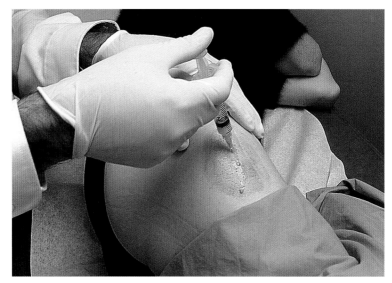

그림 11-13. ● 넙다리돌기 윤활낭염 주사치료

4. 바늘을 1-2 mL정도 뒤로 뺀다.

5. 주사기의 플런저를 잡아당겨 혈액이 역류되지 않음을 확인한다.

6. 넙다리돌기 윤활낭내로 스테로이드 용약을 천천히 한번에 주사한다. 이때 주사액이 부드럽게 주입되어야 한다. 만약 저항이 증가한다면 약물을 주입하기 전 바늘을 전진시키거나 약간 뒤로 빼서 주입해야 한다.

7. 필요에 따라 주변의 압통 부위에도 반복한 후 바늘을 제거한다.

8. 소독된 부착거즈를 댄다.

9. 고관절을 가동범위 끝까지 움직이게 하여 스테로이드 용액이 넙다리돌기 윤활낭에 잘 퍼지게 한다.

10. 통증의 경감을 확인하기 위해 5분 후 다시 검사한다(그림 11-13).

시술 후 관리

• 2주간 지나친 고관절 움직임은 피하도록 한다.

• 적응증에 따라서 NSAID, 얼음주머니, 뜨거운 찜질, 그리고/또는 물리치료를 한다.

• 2주 후에 추적 관찰한다.

CPT 코드:

• 20610-Arthrocentesis, aspiration and/or injection, major joint or bursa; without ultrasound guidance

• 20611-With ultrasound guidance, with permanent recording and reporting

유의사항

- 더 넓은 부위로 코르티코스테로이드가 퍼지게 하기 위해 부채꼴 모양으로 주사를 주입하는 것을 고려해야 한다.

참고문헌

1. Williams BS, Cohen SP. Greater trochanteric pain syndrome: a review of anatomy, diagnosis and treatment. *Anesth Analg*. 2009;108(5):1662-70.
2. Torres A, Fernández-Fairen M, Sueiro-Fernández J. Greater trochanteric pain syndrome and gluteus medius and minimus tendinosis: nonsurgical treatment. *Pain Manag*. 2018;8(1):45-55.
3. Brinks A, van Rijn RM, Willemsen SP, et al. Corticosteroid injections for greater trochanteric pain syndrome: a randomized controlled trial in primary care. *Ann Fam Med*. 2011;9(3):226-34.
4. McEvoy JR, Lee KS, Blankenbaker DG, et al. Ultrasound-guided corticosteroid injections for treatment of greater trochanteric pain syndrome: greater trochanter bursa versus subgluteus medius bursa. *AJR Am J Roentgenol*. 2013;201(2):W313-17.
5. Fitzpatrick J, Bulsara MK, O'Donnell J, et al. The effectiveness of platelet-rich plasma injections in gluteal tendinopathy: a randomized, double-blind controlled trial comparing a single platelet-rich plasma injection with a single corticosteroid injection. *Am J Sports Med*. 2018;46(4):933-9.
6. Jacobson JA, Yablon CM, Henning PT, et al. Greater trochanteric pain syndrome: percutaneous tendon fenestration versus platelet-rich plasma injection for treatment of gluteal tendinosis. *J Ultrasound Med*. 2016;35(11):2413-20.
7. Brennan KL, Allen BC, Maldonado YM. Dry needling versus cortisone injection in the treatment of greater trochanteric pain syndrome: a noninferiority randomized clinical trial. *J Orthop Sports Phys Ther*. 2017;47(4):232-9.
8. Mitchell WG, Kettwich SC, Sibbitt WL, et al. Outcomes and cost-effectiveness of ultrasound-guided injection of the trochanteric bursa. *Rheumatol Int*. 2018;38(3):393-401.
9. Simeone FJ, Vicentini JRT, Bredella MA, et al. Are patients more likely to have hip osteoarthritis progression and femoral head collapse after hip steroid/anesthetic injections? A retrospective observational study. *Skeletal Radiol*. 2019;48(9):1417–26.

둔부 통증 증후군
Gluteal Pain Syndrome

중둔근과 소둔근은 고관절의 주요 외전근이다. 그들은 장골의 외부 표면에서 시작하여 대전자의 위쪽, 뒤쪽 측면으로 연결되어 있다. 둔부 통증 증후군은 건병증, 둔근 활액낭염을 포함하는 통증을 설명하는데 사용되는 용어로 현재는 측면 고관절의 주된 국소원인으로 인식되고 있다.[1] 이 질환은 급성 직접 외상, 반복적인 동작 손상으로 인한 활동 변화, 만성적인 과도한 고관절의 내전 또는 원위 구조를 포함한 상태에 의한 비정상적인 생체 역학에 의해 이차적으로 발생할 수 있다. 격렬한 운동프로그램을 시작하는 중년 여성에게 자주 나타난다. 통증은 일반적으로 걷기, 계단 오르기, 또는 차나 의자에서 내리는 것과 같은 고관절 굴곡 시 나타난다. 영향을 받는 쪽으로 누워있는 동안 나타나는 야간 통증은 아주 전형적이다. 때때로 고관절의 굴곡 또는 신전 시 측면 고관절에서 딸각소리가 난다. 진찰 상 대퇴 전자의 위쪽, 후외측면 촉진 시 통증이 발생하고, 고관절 외전 저항 시 통증은 증가한다. 둔부 점액낭액의 유무와, 건병증의 초음파소견, 중둔근 힘줄의 파열을 확인하기 위해 진단 초음파를 시행해 볼 수 있다.

관리방법에는 교육, 생활교정, 냉찜질, 열 치료, 초음파 치료, 물리치료 및 NSAID가 있다. 초음파 유도 유무와 관계없이 코르티코스테로이드 주사가 전통적으로 사용되어 왔지만 단기간, 중기간의 효과는 입증되지 않았다.[2] 초음파 유도 하 혈소판풍부혈장 주사는 코르티코스테로이드 주사보다 12주에 더 큰 임상적인 개선을 보였다.[3] 최근 잘 설계된 연구에서 초음파 유도 백혈구 풍부 혈소판 풍부 혈장 주사 후 2년 동안 통증이 지속적으로 개선되었음이 밝혀졌다.[4] 혈소판풍부혈장 주사와 비교하여 초음파 유도 둔부 힘줄 천공은 90일째 통증 점수에서 통계학적으로 유의미한 차이를 보이지 않았다.[5] 이러한 처치에 반응하지 않은 환자들은 중둔근 파열의 개방 또는 관절경적 수술을 시도해 볼 수 있다.[6]

적응증	ICD-10 Code
Tendinopathy of left gluteus medius	M67.952
Tendinopathy of right gluteus medius	M67.98

관련해부학: (그림 11-14)

환자 자세

- 손상되지 않은 고관절의 외측 와위 자세로 진찰대에 눕는다.

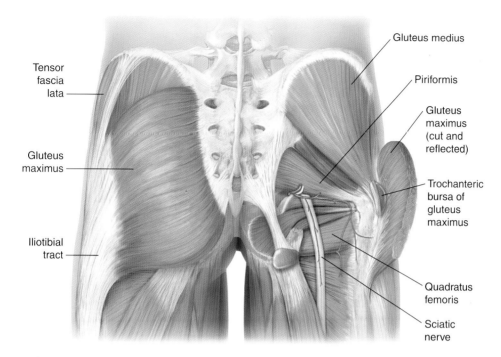

그림 11-14. ● 둔부 근육

해부학적 지표

1. 환자를 손상되지 않은 고관절의 외측 와위 자세로 진찰대에 눕히고 의사는 환자 뒤에 선다.
2. 대전자의 위쪽, 뒤쪽, 외측에서 최대 압통부위를 확인하고 표시한다.
3. 이 부위를 움축 들어간 (펜촉이 없는) 볼펜 끝으로 강하게 누른다. 이 함몰 부위는 바늘이 삽입되는 지점을 나타낸다.
4. 해부학적 지표를 확인 한 후 환자는 고관절을 움직이지 않아야 한다.

마취

● 국소 도포용 냉각 스프레이를 이용한 피부 국소마취 시행

장비

● 국소 도포용 냉각 스프레이
● 5 mL 주사기
● 25 G, 2 inch 바늘
● 에피네프린이 포함되지 않은 1% 리도카인 3 mL
● 스테로이드 용액 1 mL (40 mg triamcinolone acetonide)
● 알코올 솜
● 포비돈−아이오딘 솜

- 소독된 거즈 솜
- 소독된 반창고

기법

1. 알코올과 포비돈-아이오딘으로 주사부위를 소독한다.
2. 국소 도포용 냉각 스프레이로 국소 마취를 충분히 한다.
3. 바늘 끝이 안쪽을 향하도록 바늘과 시린지를 피부에 수직으로 놓는다.
4. no-touch technique으로 바늘을 삽입 부위에 삽입한다(그림 11-15).
5. 바늘 끝이 뼈에 닿을 때까지 바늘을 대퇴 전자 쪽으로 진입 시킨다. 바늘을 1-2 mm 뺀다.
6. 혈액이 역류하지 않는지 주사기 플랜저를 당겨본다.
7. 중둔근과 소둔근 힘줄 부위에 리도카인/코르티코스테로이드 용액을 천천히 주입한다. 주입된 용액은 공간 내에 원활하게 흘러들어가야 한다. 저항이 증가하면 추가 주입을 시도하기 전에 바늘을 약간 전진시키거나 후퇴시킨다.
8. 필요한 경우 인접한 다른 통증부위에 주사를 반복한다.
9. 주사 후 바늘을 뺀다.
10. 멸균 반창고를 붙인다.
11. 환자에게 해당 부위를 마사지하고 고관절을 전체 범위로 움직이도록 지시한다. 이 움직임은 둔부 힘줄과 윤활낭을 따라 리도카인/코르티코스테로이드 용액이 잘 분포 되게 한다.
12. 통증 완화를 평가하기 위해 5분 안에 해당 부위를 재검사한다.

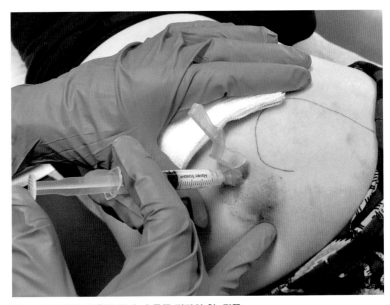

그림 11-15. ● 둔부 통증 증후군 주사-오른쪽 전자의 위, 뒤쪽

시술 후 관리

- 시술 후 2주동안 고관절의 과도한 움직임 피하기
- 필요시 NASID, 냉찜질, 열 치료, 물리치료
- 2주 후 추적검사 고려

CPT 코드:

- 20551−Injection; single tendon origin/insertion
- 76942 (optional)−Ultrasonic guidance for needle placement with imaging supervision and interpretation with permanent recording

유의사항

- 중둔근과 소둔군 힘줄을 따라 코르티코스테로이드 용액을 분산시키기 위해 부챗살로 주사(fanning)하는 것을 고려해 본다.

참고문헌

1. Grimaldi A, Mellor R, Hodges P, et al. Gluteal tendinopathy: a review of mechanisms, assessment and management. *Sports Med*. 2015;45(8):1107-19.
2. Bolton WS, Kidanu D, Dube B, et al. Do ultrasound guided trochanteric bursa injections of corticosteroid for greater trochanteric pain syndrome provide sustained benefit and are imaging features associated with treatment response? *Clin Radiol*. 2018;73(5):505.e9-505.e15.
3. Fitzpatrick J, Bulsara MK, O'Donnell J, et al. The effectiveness of platelet-rich plasma injections in gluteal tendinopathy: a randomized, double-blind controlled trial comparing a single platelet-rich plasma injection with a single corticosteroid injection. *Am J Sports Med*. 2018;46(4):933-9.
4. Fitzpatrick J, Bulsara MK, O'Donnell J, et al. Leucocyte-rich platelet-rich plasma treatment of gluteus medius and minimus tendinopathy: a double-blind randomized controlled trial with 2-year follow-up. *Am J Sports Med*. 2019;47(5):1130-7.
5. Jacobson JA, Yablon CM, Henning PT, et al. Greater trochanteric pain syndrome: percutaneous tendon fenestration versus platelet-rich plasma injection for treatment of gluteal tendinosis. *J Ultrasound Med*. 2016;35(11):2413-20.
6. LaPorte C, Vasaris M, Gossett L, et al. Gluteus medius tears of the hip: a comprehensive approach. *Phys Sportsmed*. 2019;47(1):15-20.

드물게 고관절 내전시 발생하는 통증의 평가와 치료를 위해 드물에 환자들은 일차 진료실에 내원한다. 두덩근, 장내전근, 대내전근, 중내전근은 대퇴골의 내측면과 치골을 연결한다. 급성 손상이나 만성적인 남용은 고관절 내전근의 건염이나 건병증을 유발할 수 있다. 장내전근이 가장 흔하게 손상되며 환자들은 전형적으로 근육 힘살과 근육 부착점 촉진, 수동적 스트레칭, 수축에 대한 저항 시 통증을 보인다. 만성 건병증의 경우 치료는 종종 길고 어려우며 물리치료가 치료의 기본이 된다. 환측 힘줄 주위에 적절한 코르티코스테로이드 주사 시 도움이 될 수 있다.

적응증	ICD-10 Code
Hip adductor tendonitis	M67.952
Enthesopathy of the hip	M67.98

관련해부학: (그림 11-16)

환자 자세

- 진찰대에 반듯이 눕힌다.
- 고관절을 굴곡외전과 외회전 시킨다.
- 환자의 머리를 주사하는 쪽 반대로 돌려 불안과 통증인식을 최소화 한다.

해부학적 지표

1. 환자를 진찰대에 반듯이 눕힌 상태에서 의사는 환측 부위의 고관절 측면 후방에 선다.
2. 치골결합을 찾아 고관절 내전근의 시작점을 만날 때까지 치골을 측면으로 단단히 촉지한다.
3. 힘줄 위의 최대 압통 부위를 결정하고 잉크 펜으로 표시한다.
4. 이 부위를 움죽 들어간 (펜촉이 없는) 볼펜 끝으로 강하게 누른다. 이 함몰 부위는 바늘이 삽입되는 지점을 나타낸다.
5. 해부학적 지표를 확인 한 후 환자는 고관절을 움직이지 않고 고정해야 한다.

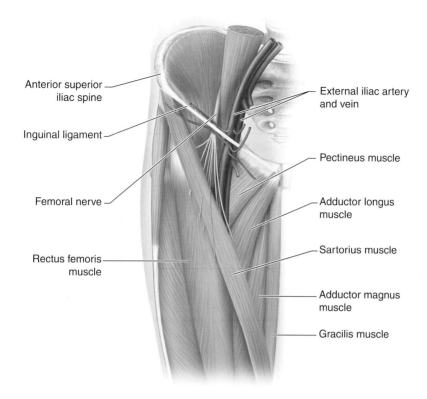

그림 11–16. ● 우측 허벅지와 대퇴 삼각 구조(Modified from Gest TR. Lippincott Atlas of Anatomy, 2nd Ed. Philadelphia, PA: Wolters Kluwer, 2019.)

마취

- 국소 도포용 냉각 스프레이를 이용한 피부 국소마취 시행

장비

- 국소 도포용 냉각 스프레이
- 3 mL 주사기
- 25 G, 2 inch 바늘
- 에피네프린이 포함되지 않은 1% 리도카인 1 mL
- 스테로이드 용액 1 mL (40 mg triamcinolone acetonide)
- 알코올 솜
- 포비돈–아이오딘 솜
- 소독된 거즈 솜
- 소독된 반창고

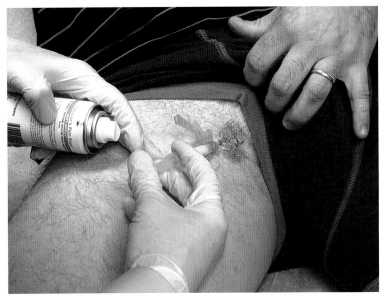

그림 11-17. ● 고관절 내전근건염 주사

기법

1. 알코올과 포비돈-아이오딘으로 주사부위를 소독한다.
2. 국소 도포용 냉각 스프레이로 국소 마취를 충분히 한다.
3. 바늘 끝이 치골을 향하도록 바늘과 시린지를 피부에 30도로 놓는다.
4. no-touch technique으로 바늘을 삽입 부위에 삽입한다(그림 11-17).
5. 바늘을 측 힘줄 주위에 위치하도록 진입시키되 힘줄안에는 넣지 않도록 한다.
6. 혈액이 역류하지 않는지 주사기 플랜저를 당겨본다
7. 내전근건 부위에 리도카인/코르티코스테로이드 용액을 주입한다. 주입된 용액은 공간 내에 원활하게 흘러들어가야 한다. 저항이 증가하면 추가 주입을 시도하기 전에 바늘을 약간 전진시키거나 후퇴 시킨다.
8. 주사 후 바늘을 뺀다.
9. 멸균 반창고를 붙인다.
10. 환자에게 해당 부위를 마사지하고 고관절을 전체 범위로 움직이도록 지시한다. 이 움직임은 내전근건을 따라 리도카인/코르티코스테로이드 용액이 잘 분포 되게 한다.
11. 통증 완화를 평가하기 위해 5분 안에 해당 부위를 재검사한다.

시술 후 관리

- 시술 후 2주동안 고관절의 과도한 사용 피하기-특히 고관절 내전과 외전
- 물리치료 프로그램 시작
- 필요시 NASID, 냉찜질, 열 치료
- 2주 후 추적검사 고려

CPT 코드:

- 20551-Injection; single tendon origin/insertion
- 76942 (optional)-Ultrasonic guidance for needle placement with imaging supervision and interpretation with permanent recording

유의사항

- 이 주사는, 특히 마른 사람의 경우에 깊지 않을 수 있다. 피하조직에 코르티코스테로이드가 침착 시 피부 위축 및 색소 침착의 합병증이 발생 할 수 있다. 코르티코스테로이드 용액의 주사 시 피하 팽진의 발생을 피한다.

무릎 관절 주사
Knee Joint Injections

일차 진료 시, 무릎관절의 흡인 및 주사는 흔하게 접할 수 있다. 이 시술은 단일관절염, 골관절염 및 염증성 관절염의 평가와 치료, 감염성 관절염의 감별, 외상에 의한 혈액 혹은 반응성 관절액의 제거시 흔하게 사용된다. 관절천자는 활액 검사, 혹은 통증 개선과 고유 감각 개선[1], 주사 물질의 희석을 최소화하기 위해 시행된다. 또한, 스테로이드[2], 히알루론 산 점성 윤활제[3,4], 혈소판 풍부 혈장[5], 증식치료[6], 생물학적 제재(etanercept)[7], 보톡스[8] 등 을 포함한 다양한 제제들이 주사에 사용된다.

대부분의 시술자들은 무릎관절의 흡인 및 주사에 4군데 중 한군데에 촉진-기반(palpation-based), 해부학적 표지(anatomic landmark-guided) 접근법 중 하나를 선택해 시술 한다. 그림 11-18A, B는 가장 흔하게 사용되는 무릎관절 접근법인 무릎 신전-슬개골 외측 상방 접근법, 무릎 신전-슬개골 외측중간 접근법, 무릎 굽힘-전내측, 무릎 굽힘-전외측 접근법을 보여준다. 무릎/다리 내측은 좁은 시술 공간과 환자의 시술을 위한 안정적인 자 세 유지, 그리고 시술의 정확성과 효과에 대한 연구가 부족하여 저자들은 내측슬개골상 방(medial suprapatellar) 및 내측슬개골중간접근법(medial midpatellar)을 잘 사용하지 않 는다. 아직까지 적절한 무릎관절의 주사 및 흡인 술기에 대한 전문가들 사이의 기술적인 면에서 합의가 부족하다. 하지만 이후 기술할 의학 문헌에서는 몇 가지 지침을 제공하기 도 한다. 외측상방 접근법과 외측중간 접근법이 다른 방법에 비해 이점을 가지고 것처럼 보이지만, 시술자는 과학적인 근거, 전문성, 성공률, 환자 관련 요인에 따라 시술법을 결정 해야 한다.

2013년 Maricar[9] 등은 주사의 정확도에 대한 종합적인 검토를 발표했다. 23개 발표된 자 료를 조사했을 때 슬개골 외측상방 접근법(lateral suprapatellar portal)(87%)이 가장 정확 했고, 슬개골 내측중간 접근법(medial midpatellar)(64%)과 전외측 접근법(anterolateral joint line sites)(70%)은 가장 낮았다. 게다가, 슬개골 외측상방, 슬개골 내측중간 접근법, 내측상방 접근법은 해부학적 표지보다 초음파를 사용하는 것이 더 정확했다.[9] 또 다른 체 계적 문헌고찰이 2010년 7월까지의 9개의 연구를 가지고 관절 내 다양한 주입 방법들의 정확성에 대해 발표되었다. Hermans 등은[10] 무릎 신전-슬개골 외측상방 접근법(91%)이 슬개골 외측중간 접근법(85%), 전내측 접근법(72%), 전외측 접근법(67%)에 비해 가장 정확 하다고 하였다.[10] 무릎관절에서 활액의 위치를 고려하면 이런 성공률은 설명된다. Hirsch[11] 등은 삼출액이 적은 경우 슬개골 측상방 주머니에서 다른 곳보다 더 잘 검출된 다는 것을 밝혔다. 통증이 있는 무릎관절염 환자에서 살펴보면, 활액은 무릎을 편 상태에 서 슬개골 측상방에 최대로 분포한다.[11] 게다가 Zhang 등은[12] "dry tap"비율이 앙와위로

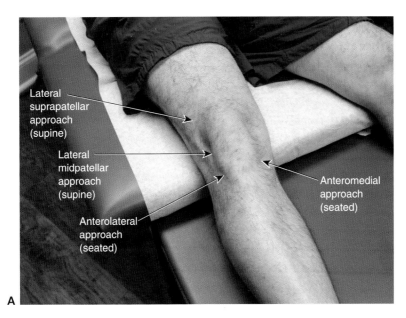

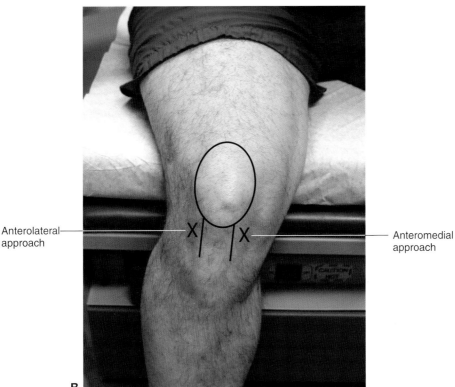

그림 11-18. ● A: 우측 무릎- 가장 흔하게 접근하는 부위. B: 무릎을 구부려 랜드마크 표기

다리를 편 자세에서 10%, 앉은 자세에서 25%된다고 하였다.

　Jackson 등은[13] 1½ inch, 21G 바늘을 사용한 연구에서 슬개골 외측중간 접근법(93%)이 전내측 접근법(75%), 전외측 접근법(71%)보다 의미 있게 정확하다고 보고하였다. Toda와

Tsukimura[14]는 원위부 무릎을 견인하는 무릎을 30도 구부린 채로 접근하는 방법(modified 30 degree flexed knee approach)(86%)가 1½ inch, 25 G 바늘을 사용한 전내측 접근법(62%)과 측상방 접근법(70%)보다 정확성이 높다고 하였다. Chavez−Chiang의 연구[15]에서는 2 inch, 21 G 바늘로 내측 대퇴 외과의 활막을 목표 지점으로 하여, 90도 각도로 무릎을 굽힌 상태에서 시행한 전외측 접근법은 97% 정확성을 보였다. 이 방법은, 검사대에 눕지 못하거나, 검사대로 이동할 수 없는 경우, 무릎을 펼 수 없거나 무릎에 굴곡을 가진 경우에 유용하다.

근골격계 초음파의 사용은 무릎 주사의 정확도를 증가시킨다. 많은 연구에서 초음파 유도 무릎 주사 시 정확도가 높아진다는 것을 보여주었다. 초음파를 사용하면 미숙련자가 시행할 경우에도, 성공률을 거의 100%로 증가시킨다고 보고되었다.[16] 중등도 골관절염을 가진 환자에 1½ inch, 25 G 바늘을 사용 여 시행한 초음파 유도 무릎 주사에 대한 연구에서 슬개골 외측상방 접근법으로는 100%, 슬개골 외측중간 접근법은 95%, 전내측 접근법은 75%의 정확성을 보였다.[17] 13개의 연구를 고찰한 보고에서 초음파 사용 시 무릎관절 내 주사의 정확성이 77.8%에서 95.8%로 향상되어 나타났다.(P<0.001)[18] 하방에서 슬개골을 앞과 아래쪽을 누르는 관절 압박법(joint cupping maneuver)를 하면 초음파상 삼출액의 영상이 개선되어 무릎관절 삼출액의 감지 및 제거가 향상될 수 있다.[19] 영상유도하 주사는 관절 삼출액이 없는 환자, 특히 무릎 골관절염 치료를 위해 관절강 내 점액 윤활제를 주사할 때 중요히다.[20] 표지 촉지에 의존한 주사법에 비해 초음파하 무릎 주사 시 단기간(2주) 통증감소와 기능 향상, 부작용 발생이 통계적으로 의의 있게 적었다. 이러한 영상 유도하 술기는 시술 시 적은 통증과 시술 시간의 단축, 높은 정확성으로 인해 비용 효율성을 향상시킨다고 보고되었다.[21,22,23]

무릎 신전−슬개골 외측상방 접근법은 초음파를 사용시 뼈의 방해 없이 더 쉽게 시행할 수 있고, 환자들이 잘 견딜 수 있으며 환자는 앙와위로 누워 있기 때문에 접근 바늘을 볼 수 없어 불안이 감소된다. 이러한 이유 및 연구를 기반으로, 무릎 신전−슬개골 외측상방 접근법은 저자들이 선호하는 술기이며, 강력히 추천하다.

참고문헌

1. Cho YR, Hong BY, Lim SH, et al. Effects of joint effusion on proprioception in patients with knee osteoarthritis: a single-blind, randomized controlled clinical trial. *Osteoarthritis Cartilage*. 2011;19(1):22–28.

2. Leung A, Liew D, Lim J, et al. The effect of joint aspiration and corticosteroid injections in osteoarthritis of the knee. *Int J Rheum Dis*. 2011;14(4):384–389.

3. Saito S, Kotake S. Is there evidence in support of the use of intra-articular hyaluronate in treating rheumatoid arthritis of the knee? A meta-analysis of the published literature. *Mod Rheumatol*. 2009;19(5):493–501.

4. Foti C, Cisari C, Carda S, et al. A prospective observational study of the clinical efficacy and safety of intra-articular sodium hyaluronate in synovial joints with osteoarthritis. *Eur J Phys Rehabil Med*. 2011;47(3):407–415.

5. Spaková T, Rosocha J, Lacko M, et al. Treatment of knee joint osteoarthritis with autologous platelet-rich plasma in comparison with hyaluronic acid. *Am J Phys Med Rehabil*. 2012;91(5):411–417.

6. Rabago D, Patterson JJ, Mundt M, et al. Dextrose prolotherapy for knee osteoarthritis: a randomized controlled trial. *Ann Fam Med.* 2013;11(3):229–237.

7. Liang DF, Huang F, Zhang JL, et al. A randomized, single-blind, parallel, controlled clinical study on single intra-articular injection of etanercept in treatment of inflammatory knee arthritis. *Zhonghua Nei Ke Za Zhi.* 2010;49(11):930–934.

8. Chou CL, Lee SH, Lu SY, et al. Therapeutic effects of intra-articular botulinum neurotoxin in advanced knee osteoarthritis. *J Chin Med Assoc.* 2010;73(11):573–580.

9. Maricar N, Parkes MJ, Callaghan MJ, et al. Where and how to inject the knee—a systematic review. *Semin Arthritis Rheum.* 2013;43(2):195–203

10. Hermans J, Bierma-Zeinstra SM, Bos PK, et al. The most accurate approach for intra-articular needle placement in the knee joint: a systematic review. *Semin Arthritis Rheum.* 2011;41(2):106–115. 11. Hirsch G, O'Neill T, Kitas G, et al. Distribution of effusion in knee arthritis as measured by high-resolution ultrasound. Clin Rheumatol. 2012;31(8):1243–1246.

12. Zhang Q, Zhang T, Lv H, et al. Comparison of two positions of knee arthrocentesis: how to obtain complete drainage. *Am J Phys Med Rehabil.* 2012;91(7):611–615.

13. Jackson DW, Evans NA, Thomas BM. Accuracy of needle placement into the intra-articular space of the knee. *J Bone Joint Surg Am.* 2002;84-A(9):1522–1527.

14. Toda Y, Tsukimura N. A comparison of intra-articular hyaluronan injection accuracy rates between three approaches based on radiographic severity of knee osteoarthritis. *Osteoarthritis Cartilage.* 2008;16(9):980–985.

15. Chavez-Chiang CE, Sibbitt WL Jr, Band PA, et al. The highly accurate anteriolateral portal for injecting the knee. *Sports Med Arthrosc Rehabil Ther Technol.* 2011;3(1):6.

16. Curtiss HM, Finnoff JT, Peck E, et al. Accuracy of ultrasound-guided and palpation-guided knee injections by an experienced and less-experienced injector using a superolateral approach: a cadaveric study. *PM R.* 2011;3(6):507–515.

17. Park Y, Lee SC, Nam HS, et al. Comparison of sonographically guided intra-articular injections at 3 different sites of the knee. *J Ultrasound Med.* 2011;30(12):1669–1676.

18. Berkoff DJ, Miller LE, Block JE. Clinical utility of ultrasound guidance for intra-articular knee injections: a review. *Clin Interv Aging.* 2012;7:89–95.

19. Uryasev O, Joseph OC, McNamara JP, et al. Novel joint cupping clinical maneuver for ultrasonographic detection of knee joint effusions. *Am J Emerg Med.* 2013;31(11):1598–1600.

20. Gilliland CA, Salazar LD, Borchers JR. Ultrasound versus anatomic guidance for intra-articular and periarticular injection: a systematic review. *Phys Sportsmed.* 2011;39(3):121–131.

21. Punzi L, Oliviero F. Arthrocentesis and synovial fluid analysis in clinical practice: value of sonography in difficult cases. *Ann N Y Acad Sci.* 2009;1154:152–158.

22. Wiler JL, Costantino TG, et al. Comparison of ultrasound-guided and standard landmark techniques for knee arthrocentesis. *J Emerg Med.* 2010;39(1):76–82.

23. Sibbitt WL Jr, Kettwich LG, Band PA, et al. Does ultrasound guidance improve the outcomes of arthrocentesis and corticosteroid injection of the knee? *Scand J Rheumatol.* 2012;41(1):66–72.

무릎-슬개골 측상방 접근법으로 선호되는 방법
Knee Joint-Preferred Lateral Suprapatellar Approach

무릎관절의 슬개골 측상방 접근법은 시행하기 쉽고, 환자들이 잘 견딜 수 있다. 환자는 앙와위로 누워 있어 바늘이 주입되는 것을 볼 수 없어 불안감이 줄어들게 된다. 또한 이 접근법에서 바늘이 들어가는 부 위에 주요한 혈관이나 신경이 없기 때문에 안전하다고 생각된다. 슬개골 상방으로 접근하기 때문에 바늘은 관절 부위의 바깥쪽에 있으나 관절강 내에 있게 되므로 바늘에 의한 관절연골의 직접적인 손상 없이 관절액을 제거하고 주사액을 주입할 수 있다. 국소마취제를 주입하여 혼란변수인 통증을 없앤 뒤 무릎 인대와 연골의 상태를 재평가하여 무릎 통증의 원인을 감별할 수 있다. 무릎-슬개골 외측상방 접근법 은 무릎관절의 흡인과 주사에서 선호된다.

적응증	ICD-10 code
Knee joint pain	M26.569
Knee arthritis, unspecified	M17.10
Knee osteoarthritis, primary	M17.10
Knee osteoarthritis, posttraumatic	M17.30
Knee osteoarthritis, secondary	M17.5

관련해부학: (그림 11-19)

환자 자세

- 환자를 진찰대에 앙와위로 눕히고 양 무릎을 펴게 하거나 무릎 아래에 수건이나 패드를 넣어 약간 구부리게 하여 환자가 편하게 한다.
- 환자의 머리를 주사하는 쪽과 반대로 돌리게 해서 불안과 통증을 최소화한다.

해부학적 지표

1. 환자를 진찰대 위에 똑바로 눕히고, 시술자는 환측 무릎의 옆쪽에 선다.
2. 슬개골의 위쪽을 찾는다.
3. 슬개골 윗쪽 가장자리 1 cm 위에서 수평으로 선을 긋는다(그림 11-20).
4. 다음으로 슬개골의 뒤쪽 가장자리를 따라 수직으로 선을 긋는다.
5. 위의 두 선이 만나는 지점을 확인한다.

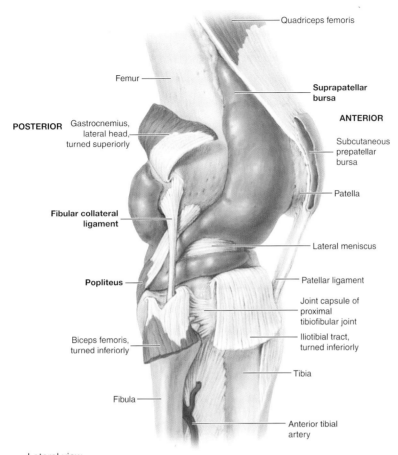

Quadriceps femoris

Femur

Suprapatellar bursa

ANTERIOR

POSTERIOR Gastrocnemius, lateral head, turned superiorly

Subcutaneous prepatellar bursa

Patella

Fibular collateral ligament

Lateral meniscus

Popliteus

Patellar ligament

Joint capsule of proximal tibiofibular joint

Biceps femoris, turned inferiorly

Iliotibial tract, turned inferiorly

Tibia

Fibula

Anterior tibial artery

Lateral view

그림 11-19. ● 우측 외측면에서 관찰한 무릎 관절 부위 관절낭들의 범위(보라색 부분)

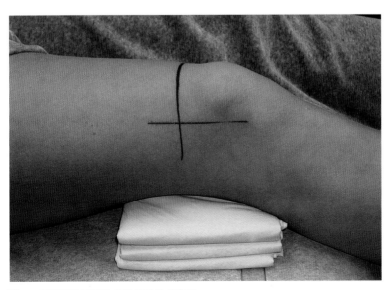

그림 11-20. ● 지입점이 그려진 우측 무릎의 외측면

6. 이 지점을 심이 들어간 볼펜 끝으로 강하게 누른다. 이 함몰 부위는 바늘이 삽입되는 지점을 나타낸다.

7. 삽입 지점 표시 후에 환자는 무릎을 움직이면 안 된다.

마취

- 국소도포용 냉각스프레이를 사용하여 피부에 국소마취를 시행한다.
- (선택사항)에피네프린이 포함된 1% 리도카인 2–4 mL 을 사용하여 피부와 연조직을 국소마취 할 수 있다.

장비

- 국소도포용 냉각마취스프레이
- 3 mL 주사기–메피바카인/리도카인 혼합액 주사용
- 25 G, 2 inch 바늘–메피바카인/리도카인 혼합액 주사용
- (선택사항) 흡인을 위한 10–60 mL 주사기
- (선택사항) 5 mL 주사기–국소마취위한 1% 에피네프린 포함 리도카인
- (선택사항) 25 G, 1½ inch–국소마취위한 1% 에피네프린 포함 리도카인 18 G 바늘 준비
- (선택사항) 흡인을 위한 18 G, 1½ inch 바늘
- (선택사항) 2–4 mL 1% 에피네프린 포함 리도카인 18 G 바늘준비–무릎 관절 피부용
- 에피네프린 포함 1% 메피바카인 1 mL
- 1 mL 스테로이드 용액(40 mg triamcinolone acetonide)
- (선택사항) 적응증에 따라 점성 윤활제를 선택
- 알코올 솜
- 베타딘 솜
- 소독된 거즈 솜
- 소독된 반창고
- 깨끗한 받침대용 수건

기법

1. (선택사항) 무릎관절 구조의 영상을 보기 위해 초음파를 사용한다(그림 11–21). 영상과 주사 부위를 다르게 하여 초음파 젤로 인한 오염이 없도록 한다. 다른 방법으로 전체 시술 부위를 무균적으로 소독하고 멸균 초음파 젤을 사용할 수도 있다(그림 11–22).

2. 알코올과 베타딘 솜으로 주사 부위를 소독한 뒤 완전히 마르도록 둔다.

3. 초음파상 심각한 관절강내 물이 차 있는게 보이지 않는 소견이 확인된다면 바로 메피바카인/스테로이드 혼합 용액을 주사한다(4단계). 만약 삼출액등의 액체 저류가 초음파상 확인한다면 9단계로 진행한다.

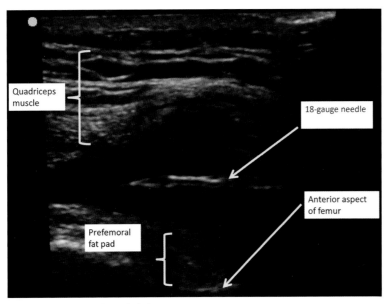

그림 11-21. ● 무릎관절의 초음파 이미지

4. 국소 도포용 냉각스프레이를 사용하여 국소마취한다.

5. 25 G, 2 inch 바늘의 주사기를 피부에 그어 두었던 두 개 선이 만나는 지점의 피부에 수직으로, 끝이 바닥과 평행하게 내측으로 삽입한다.

6. no-touch technique으로 바늘을 빠르게 삽입한다.

7. 25 G, 2 inch 바늘을 대퇴사두건 아래, 대퇴골 원위부 앞쪽으로 바늘 끝이 관절강 내에 위치할 때까지 전진시킨다. 바늘이 원 위부 대퇴골에 닿게 되면 약간 뒤로 빼서 대퇴골 위를 지나가며 관절강 내로 진입한다.

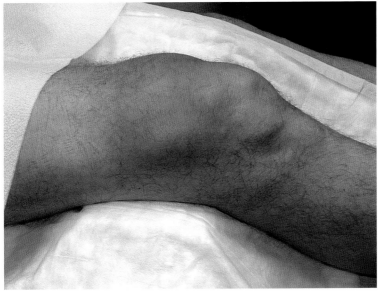

그림 11-22. ● 우측무릎관절- 관절강내액으로 부풀어 있다. 슬개골 근위부쪽의 관절낭의 부풀어진 소견을 관찰할 수 있다.

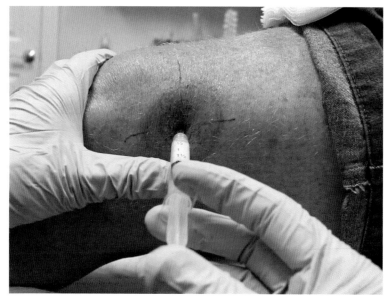

그림 11-23. ● 랜드마크를 이용한 좌측 무릎 스테로이드 주사

8. 주사기를 뒤로 잡아 빼서 혈액 흡인이 없음을 확인한다.

9. 메피바카인/스테로이드 혼합액을 무릎 관절강내로 조금씩 주입한다. 용액은 저항 없이 관절강 내로 부드럽게 들어가야 한다. 저항이 느껴진다면 바늘을 조금 진입시키거나 약간 뺀 후 관절액을 흡인해보고 확인 후 다시 주사한다(그림 11-23).

10. (선택사항) 피부를 냉각스프레이를 이용하여 국소마취한다.

11. no-touch technique으로 국소마취용 25 G, 1½ inch 바늘을 사용한다. 에피네프린을 포함한 1% 리도카인 2-4 mL을 사용하여 적절한 국소마취를 사용한다. 피부와 관절 캡슐안까지 깊숙이 마취한다.

12. 18 G, 1½ inch 바늘을 피부에 그어두었던 두 개 선이 만나는 지점의 피부에 수직으로, 끝이 바닥과 평행히게 내측으로 삽입한나.

13. no-touch technique으로 바늘을 빠르게 삽입한다.

14. 18 G, 1½ inch 바늘을 대퇴사두근 아래에서 시작하여 바늘끝이 관절 캡슐안 대퇴골 원위부 전면부에 닿을때까지 천천히 진입시킨다. (이 부분은 부은 관절캡슐이 있다면 1-2cm 정도만 바늘을 진입시키면 느껴진다.) 주사기로 흡인하면서 바늘을 진입하는데 흡인이 되면 진입을 멈춘다(그림 11-24). 대퇴골 원위부 자체에 바늘 끝이 닿을 수 있는데 이경우 진입을 멈춰야 한다. 이런 경우 약간 바늘을 빼서 뼈를 타고 미끄러져 들어가면 관절 캡슐 내로 들어간다.

15. 많은 삼출액이 있는 경우 주사기가 여러 개 필요하다.

16. 삼출액을 충분히 제거하고 나면 큰 주사기는 교체하고 메피바카인/스테로이드 주사액 주입을 위해 3 mL 주사기로 교체하거나(그림 11-23) 점성 윤활액 주사제가 담겨있는 주사용기로 교체한다(그림 11-25).

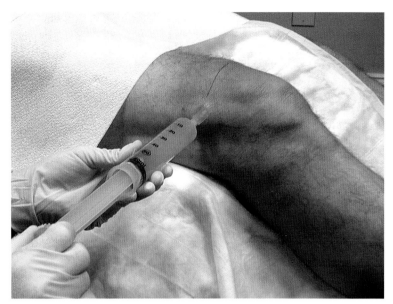

그림 11-24. ● 우측 관절부의 관절액 흡입, 선호되는 외측 슬개골 상연부 접근법

17. 메피바카인/스테로이드 혼합액이나 점성 윤활액 주사제를 천천히 조금씩 주입한다. 관절강내로 주사액은 천천히 스며들어가야 한다. 만약 저항이 느껴진다면 바늘을 더 전진하거나 잡아 빼서 더 용액을 주사하기 전에 관절액이 흡인되는 것을 확인하여야 한다(그림 11-23).

18. 약물 주입이 끝난 후에 바늘을 뺀다.

19. 소독된 반창고를 붙인다.

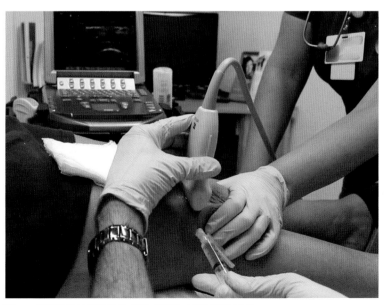

그림 11-25. ● 초음파 유도하에 우측 무릎 천자와 스테로이드 주사

20. 무릎을 최대운동범위로 움직여 주사 용액이 무릎관절 전체적으로 충분히 퍼질 수 있게 한다.

21. 5분 후 무릎을 다시 검사하여 통증 완화를 확인해본다.

시술 후 관리

- 2주간 환측 무릎의 무리한 사용을 피한다.
- 적응증에 따라 물리치료를 포함한 다른 보완적 치료 방법을 사용한다.
- 2주 후에 추적 관찰한다.

CPT 코드:

- 20610−Arthrocentesis, aspiration and/or injection, major joint or bursa; without ultrasound guidance
- 20611−With ultrasound guidance, with permanent recording and reporting

유의사항

- 외측 및 내측 접근법이 가능하지만, 외측 접근법이 선호된다. 이는 시술자에게 더 많은 공간을 제공하고 환자가 좀 더 편안하고 내측 접근시 환자가 의도치 않게 건측발로 시술자를 차는 것을 피할 수 있다.
- 국소 냉각스프레이를 사용하면 통증이 없이 시술할 수 있다. 그러나 18 G 바늘이 관절낭에 접촉되었을 때, 가끔 환자가 통증을 호소할 수도 있다. 이 경우, 바늘을 제거하고 1½ inch, 25 G 바늘을 동 일한 방향으로 삽입한다. 에피네프린이 섞인 1% 리도카인을 최대 10 mL까지 피하와 관절 주위 연부 조직내, 골막 위로 주입한다. 저자들의 경험에 의하면 통증이 있는 거의 모든 경우, 초음파에서 활막은 두꺼워지고 염증이 관찰되었다.
- 만일 시술자가 관절낭을 찾기가 어렵다면 다음과 같은 조작 중 하나를 시도해 볼 수 있다.
  - 슬개골을 앞과 아래쪽을 눌러 근위부쪽으로 움직이면 관절액이 이동하여 관절낭의 윗부분을 채우게 된다(cupping maneuver). (그림 11−25)[1]
  - 바늘을 슬개골의 밑면쪽 원위부를 향해 재조정해본다. 하지만 이 방법은 슬개골 연골의 손상을 가져올 수 있다.
- 삼출액이 감지되지 않거나 아주 비만한 경우, 초음파 유도 하에 흡인 및 주사를 시행한다. 초음파는 고가의 점성 윤활제를 무릎관절에 정확하게 주사하는데 유용하다.

참고문헌

1. Uryasev O, Joseph OC, McNamara JP, et al. Novel joint cupping clinical maneuver for ultrasonographic detection of knee joint effusions. *Am J Emerg Med*. 2013;31(11):1598-600.

무릎관절-슬개골 외측중간 접근법
Knee Joint-Lateral Midpatellar Approach

무릎관절의 무릎-슬개골 외측중간 접근법은 시행하기 쉽고, 환자들은 잘 견딜 수 있다. 앞서 언급한 것처럼 이 접근법은 높은 성공률을 가진다. 환자는 앙와위로 누워 있어 바늘이 주입되는 것을 볼 수 없기 때문에 불안감이 줄어든다. 이 접근법에서 바늘이 들어가는 부위에 주요 혈관이나 신경이 없기 때문에 안전하다고 여겨진다. 바늘 끝이 슬개 연골의 외측에 접촉하여 직접적 외상을 초래할 수 있지만, 관절면의 외측은 임상적으로 중요하지 않다. 국소마취제를 주입하여 혼란변수인 통증이 없앤 뒤 무릎 인대와 연골 상태를 재평가하여 무릎 통증의 원인을 감별할 수 있다.

적응증	ICD-10 code
Knee joint pain	M26.569
Knee arthritis, unspecified	M17.10
Knee osteoarthritis, primary	M17.10
Knee osteoarthritis, posttraumatic	M17.30
Knee osteoarthritis, secondary	M17.5

관련해부학: (그림 11-19)

환자 자세

- 진찰대 위에 똑바로 누워 양 무릎을 펴게 하거나 무릎 아래에 수건이나 패드를 넣어 약간 구부리게 하여 환자가 편하게 한다.
- 환자의 머리를 주사하는 쪽과 반대로 돌리게 해서 불안과 통증을 최소화한다.

해부학적 지표

1. 환자를 진찰대 위에 똑바로 눕히고, 시술자는 환측 무릎의 옆쪽에 선다.
2. 슬개골의 외측면을 찾는다.
3. 환자의 대퇴사두근을 이완시킨다. 슬개골 내측을 눌러 슬개골을 외측으로 위치시킨다.
4. 슬개골 중간에서 슬개골 외측 밑면과 대퇴골 외측 외과 사이의 고랑을 확인한다(그림 11-26).
5. 이 지점을 심이 들어간 볼펜 끝으로 강하게 누른다. 이 함몰 부위는 바늘이 삽입되는 지점을 나타낸다.

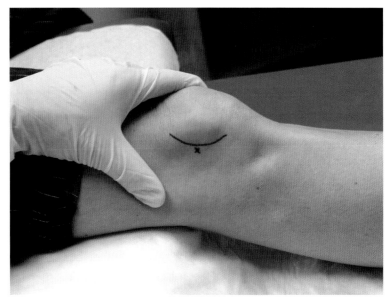

그림 11-26. ● 우측 무릎의 외측면, 슬개골 외측면이 그려져 있고 주사 부위가 표시되어 있다.

6. 삽입 지점 표시 후 환자는 무릎을 움직이면 안 된다.

마취

- 국소도포용 냉각스프레이를 사용하여 피부에 국소마취를 시행한다.
- (선택사항) 에피네프린이 포함된 1% 리도카인 2-4 mL을 사용하여 피부와 연조직을 국소마취 할 수 있다.

장비

- 국소도포용 냉각마취스프레이
- 3 mL 주사기-메피바카인/리도카인 혼합액 주사용
- 25 G, 2 inch 바늘-메피바카인/리도카인 혼합액 주사용
- (선택사항) 흡인을 위한 10-60 mL 주사기
- (선택사항) 5 mL 주사기- 국소마취위한 1% 에피네프린 포함 리도카인
- (선택사항) 25 G, 1½ inch - 국소마취위한 1% 에피네프린 포함 리도카인 18 G 바늘준비
- (선택사항) 흡인을 위한 18 G, 1½ inch 바늘
- (선택사항) 2-4 mL 1% 에피네프린 포함 리도카인 18 G 바늘준비 - 무릎 관절 피부용
- 에피네프린 포함 1% 메피바카인 1 mL
- 1 mL 스테로이드 용액(40 mg triamcinolone acetonide)
- (선택사항) 적응증에 따라 점성 윤활제를 선택
- 알코올 솜

- 베타딘 솜
- 소독된 거즈 솜
- 소독된 반창고
- 깨끗한 받침대용 수건

기법

1. (선택사항) 무릎관절 구조의 영상을 보기 위해 초음파를 사용한다. 영상과 주사 부위를 다르게 하여 초음파 젤로 인한 오염이 없도록 한다. 다른 방법으로 전체 시술 부위를 무균적으로 소독하고 멸균 초음파 젤을 사용할 수도 있다.

2. 알코올과 베타딘 솜으로 주사 부위를 소독한 뒤 완전히 마르도록 둔다.

3. 대퇴사두근의 긴장을 충분히 풀도록 하고 슬개골의 내측면을 바깥쪽으로 위치시키기 위해 천천히 압력을 가한다.

4. 초음파상 심각한 관절강내 물이 차있는게 보이지 않는 소견이 확인된다면 바로 메피바카인/스테로이드 혼합 용액을 주사한다(6단계). 만약 삼출액등의 액체 저류가 초음파상 확인한다면 10번으로 진행한다.

5. 국소 도포용 냉각스프레이를 사용하여 국소마취한다.

6. 25 G, 1½ inch 바늘의 주사기를 피부에 그어 두었던 두 개 선이 만나는 지점의 피부에 수직으로, 끝이 바닥과 평행하게 내측으로 삽입한다.

7. no-touch technique으로 바늘을 빠르게 삽입한다.

8. 25 G, 1½ inch 바늘을 대퇴사두건 아래 내측으로 대퇴골 원위부 앞쪽으로 바늘 끝이 관절강 내에 위치할 때까지 전진시킨다(그림 11-27).

9. 주사기 실린지를 잡아빼서 혈액 역류가 없음을 확인한다.

10. 메피바카인/스테로이드 혼합액을 무릎 관절강내로 조금씩 주입한다. 용액은 저항 없이 관절강 내로 부드럽게 들어가야 한다. 저항이 느껴진다면 바늘을 조금 진입시키거나 약간 뺀 후 관절액을 흡인해보고 확인 후 다시 주사한다.

11. (선택사항) 국소 도포용 냉각스프레이를 사용하여 국소마취한다.

12. no-touch technique으로 국소마취용 25 G, 1 inch 바늘을 사용한다. 에피네프린을 포함한 1% 리도카인 2-4 mL을 사용하여 적절한 국소마취를 사용한다. 피부와 관절캡슐안까지 깊숙이 마취한다.

13. 18 G, 1½ inch 바늘을 피부에 그어 두었던 두 개 선이 만나는 지점의 피부에 수직으로, 끝 이 바닥과 평행하게 내측으로 삽입한다.

14. no-touch technique으로 바늘을 빠르게 삽입한다.

15. 18 G, 1½ inch 바늘을 대퇴사두근 아래에서 시작하여 바늘끝이 슬개대퇴관절(patellofemoral articulation) 캡슐안 대퇴골 원위부 전면부에 닿을때까지 천천히 진입시킨다(그림 11-27). 주사기로 흡인하면서 바늘을 진입하는데 흡인이 되면 진입을 멈춘다.

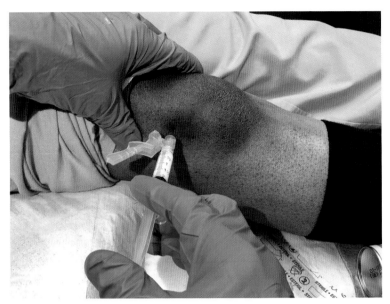

그림 11-27. ● 우측 무릎 외측 주사-슬개골 외측 중간 접근법 사용

16. 많은 삼출액이 있는 경우 주사기가 여러 개 필요하다.

17. 삼출액을 충분히 제거하고 나면 큰 주사기는 교체하고 메피바카인/스테로이드 주사액 주입을 위해 3 mL 주사기로 교체하거나 점성 윤활액주사제가 담겨있는 주사용기로 교체한다.

18. 메피바카인/스테로이드 혼합액이나 점성 윤활액 주사제를 천천히 조금씩 주입한다. 관절강내로 주사액은 천천히 스며들어가야 한다. 만약 저항이 느껴진다면 바늘을 더 전진하거나 잡아 빼서 더 용액을 주사하기 전에 관절액이 흡인되는 것을 확인하여야 한다.

19. 약물 주입이 끝난 후에 바늘을 뺀다.

20. 소독된 반창고를 붙인다.

21. 무릎을 최대운동범위로 움직여 주사 용액이 무릎관절 전체적으로 충분히 퍼질 수 있게 한다.

22. 5분 후 무릎을 다시 검사하여 통증 완화를 확인해본다.

시술 후 관리

- 2주간 환측 무릎의 무리한 사용을 피한다.
- 적응증에 따라 물리치료를 포함한 다른 보완적 치료 방법을 사용한다.
- 2주 후에 추적 관찰한다.

CPT 코드:

- 20610–Arthrocentesis, aspiration and/or injection, major joint or bursa; without ultrasound guidance

• 20611−With ultrasound guidance, with permanent recording and reporting

유의사항

• 외측 및 내측 접근법이 가능하지만, 선호되는 방법은 외측 접근법이다. 이는 시술자에게 더 많은 공간을 제공하며 환자의 안정된 자세를 유지할 수 있으며 내측 접근시 환자가 의도치 않게 건측발로 시술자를 차는 것을 피할 수 있다.

• 냉각스프레이를 사용하면 통증이 없이 시술할 수 있다. 그러나, 18 G 바늘이 관절낭에 접촉되었을 때, 가끔 환자가 통증을 호소할 수도 있다. 이 경우, 바늘을 제거하고 1 inch, 25 G 바늘을 동일 한 방향으로 삽입한다. 에피네프린이 섞인 1% 리도카인을 2−4 mL까지 피하와 관절 주위 연부조직 내, 골막 위로 주입한다.

• 만일 시술자가 관절낭을 찾기가 어렵다면 다음과 같은 조작 중 하나를 시도해 볼 수 있다.
  − 슬개골을 앞과 아래쪽을 눌러 근위부쪽으로 움직이면 관절액이 이동하여 관절낭의 윗부분을 채우게 된다(cupping maneuver).[1]
  − 이 접근법 대신 무릎−슬개골 측상방 접근법을 사용하거나 초음파를 사용해 볼 수 있다.

• 삼출액이 감지되지 않거나 아주 비만한 경우, 초음파 유도 하에 흡인 및 주사를 시행한다. 초음파는 고가의 점성 윤활제를 무릎관절에 정확하게 주사하는데 유용하다.

참고문헌

1. Uryasev O, Joseph OC, McNamara JP, et al. Novel joint cupping clinical maneuver for ultrasonographic detection of knee joint effusions. *Am J Emerg Med*. 2013;31(11):1598-600

무릎관절-전방내측 및 전방외측 접근법
Knee Joint-Anteromedial and Anterolateral Approaches

무릎관절내 흡인과 주사는 일차 진료를 담당하는 의사에게 흔한 시술법이다. 슬개골 하방 전내측 및 전외측 접근법은 다리신전-외측 접근법 보다 시행하기 어렵다. 이 방법은 환자가 앉은 상태에서 시행되므로 바늘이 삽입되는 것을 볼 수 있어 환자가 무서워 할 수 있다. 또한 환자의 불안감이 증가하고, 혈관 미주신경반응을 일으킨다면 검사대에서 떨어질 수 있어 다칠 위험이 증가한다. 다른 방법으로 환자를 눕히고 골반과 무릎을 굽혀 발바닥을 검사대에 붙여 시행할 수도 있다. 관절 내로 주사되기 때문에 18 G 바늘에 원위 대퇴부쪽 무릎연골이 직접적 손상을 받을 수 있다. 이런 이유와 상방 접근법보다 낮은 성공률로 인해 슬개골 하방 전내측 및 전외측 접근법은 이차적 대안방법으로 고려된다. 하지만 휠체어를 탄 환자나 진찰침대에 누울 수 없는 환자에서는 좋은 대안 접근 방법이라고 할 수 있다.

적응증	ICD-10 code
Knee joint pain	M26.569
Knee arthritis, unspecified	M17.10
Knee osteoarthritis, primary	M17.10
Knee osteoarthritis, posttraumatic	M17.30
Knee osteoarthritis, secondary	M17.5

관련해부학: (그림 11-19)

환자 자세

- 진찰대 위에 똑바로 누워 환측 무릎을 90도로 굽힌다.
- 다른 방법으로 검사대 혹은 휠체어에 환자를 앉히고 양 무릎을 90도로 굽히게 한다.
- 환자의 머리를 주사하는 쪽과 반대로 돌리게 해서 불안과 통증을 최소화한다

해부학적 지표

1. 환자를 진찰대 혹은 의자에 앉힐 경우, 시술자는 환자의 환측 무릎 앞쪽에 앉는다.
2. 환자를 진찰대에 눕힐 경우, 시술자는 환자의 환측 무릎의 내측 혹은 외측에 선다.
3. 슬개건을 찾기 위해 무릎의 앞측면을 만진다.

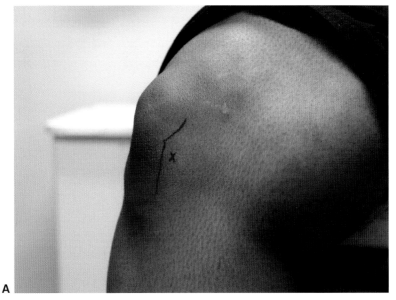

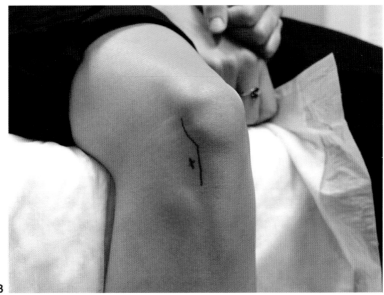

그림 11-28. ● A: 우측 무릎의 전내측면, 주사 부위가 표시되어있다. B: 우측 무릎의 전외측면, 주사 부위가 표시되어있다.

4. 슬개건의 중간에서 내측 혹은 외측으로 3 cm 이동한다. 그 지점에서 일반적으로 움푹 들어간 곳을 찾고 잉크로 표시한다.

5. 이 부위를 심이 들어간 볼펜 끝으로 강하게 누른다. 이 함몰 부위는 바늘이 삽입되는 지점을 나타낸다.

6. 삽입 지점 표시 후에 환자는 무릎을 움직이면 안 된다(그림 11-28A, B).

마취

- 국소도포용 냉각스프레이를 사용하여 피부에 국소마취를 시행한다.
- (선택사항) 에피네프린이 포함된 1% 리도카인 2–4 mL을 사용하여 피부와 연조직을 국소마취 할 수 있다.

장비

- 국소도포용 냉각마취스프레이
- 3 mL 주사기–메피바카인/리도카인 혼합액 주사용
- 25 G, 2 inch 바늘 – 메피바카인/리도카인 혼합액 주사용
- (선택사항) 흡인을 위한 10–60 mL 주사기
- (선택사항) 5 mL 주사기– 국소마취위한 1% 에피네프린 포함 리도카인
- (선택사항) 25 G, 1½ inch – 국소마취위한 1% 에피네프린 포함 리도카인
- (선택사항) 흡인을 위한 18 G, 1½ inch 바늘
- (선택사항) 2–4 mL 1% 에피네프린 포함 리도카인 18 G 바늘준비 – 무릎 관절 피부용
- 에피네프린 포함 1% 메피바카인 1 mL
- 1 mL 스테로이드 용액(40 mg triamcinolone acetonide)
- (선택사항) 적응증에 따라 점성 윤활제를 선택
- 알코올 솜
- 베타딘 솜
- 소독된 거즈 솜
- 소독된 반창고
- 깨끗한 받침대용 수건

기법

1. (선택사항) 무릎관절 구조의 영상을 보기 위해 초음파를 사용한다. 영상과 주사 부위를 다르게 하여 초음파 젤로 인한 오염이 없도록 한다. 다른 방법으로 전체 시술 부위를 무균적으로 소독하고 멸균 초음파 젤을 사용할 수도 있다.
2. 알코올과 베타딘 솜으로 주사 부위를 소독한 뒤 완전히 마르도록 둔다.
3. 초음파상 심각한 관절강내 물이 차있는게 보이지 않는 소견이 확인된다면 바로 메피바카인/스테로이드 혼합 용액을 주사한다(4 단계). 만약 삼출액등의 액체 저류가 초음파상 확인한다면 9번으로 진행한다.
4. 국소 도포용 냉각스프레이를 사용하여 국소마취한다.
5. 25 G, 2 inch 바늘의 주사기를 바늘끝이 45도 각도로 무릎의 중간부위를 향하게 하여 바닥과 평행하게 삽입한다.
6. no-touch technique으로 바늘을 빠르게 삽입한다.

7. 25 G, 2 inch 바늘을 바늘끝이 무릎 중심부로 향하게 진입시키면서 관절강 캡슐안에 들어가거나 혹은 대퇴골 원위부 앞쪽으로 바늘 끝이 관절강 내에 위치할 때까지 전진시킨다.

8. 주사기 실린지를 잡아 빼서 혈액 역류가 없음을 확인한다.

9. 메피바카인/스테로이드 혼합액을 무릎 관절강내로 조금씩 주입한다. 용액은 저항 없이 관절강 내로 부드럽게 들어가야 한다. 저항이 느껴진다면 바늘을 조금 진입시키거나 약간 뺀 후 관절액을 흡인해보고 확인 후 다시 주사한다.

10. (선택사항) 국소 도포용 냉각스프레이를 사용하여 국소 마취한다.

11. no-touch technique으로 국소마취용 25 G, 1½ inch 바늘을 사용하여 바늘 자입부분을 마취한다(그림 11-29). 에피네프린을 포함한 1% 리도카인 2-4 mL을 사용하여 적절한 국소마취를 사용한다. 피부와 관절캡슐안까지 깊숙이 마취한다.

12. 18 G, 1½ inch 바늘을 피부에 수직으로, 끝이 바닥과 평행하게 하여 무릎 중심을 향하게 하여 진입시킨다.

13. no-touch technique으로 바늘을 삽입한다.

14. 18 G, 1½ inch 바늘을 바늘끝이 무릎 관절 캡슐안 대퇴골 원위부 전면부에 닿을때까지 천천히 진입시킨다. 주사기로 흡인하면서 바늘을 진입하는데 흡인이 되면 진입을 멈춘다.

15. 많은 삼출액이 있는 경우 주사기가 여러 개 필요하다.

16. 삼출액을 충분히 제거하고 나면 18 G 바늘에 연결되었던 큰 주사기는 교체하고 메피바카인/스테로이드 주사액 주입을 위해 3 mL 주사기로 교체하거나 점성 윤활액 주사제가 담겨있는 주사용기로 교체한다.

17. 메피바카인/스테로이드 혼합액이나 점성 윤활액 주사제를 천천히 조금씩 주입한다. 관절강내로 주사액은 천천히 스며들어가야 한다. 만약 저항이 느껴진다면 바늘을 더 전진하거나 잡아 빼서 더 용액을 주사하기 전에 관절액이 흡인되는 것을 확인하여야 한다.

18. 약물 주입이 끝난 후에 바늘을 뺀다.

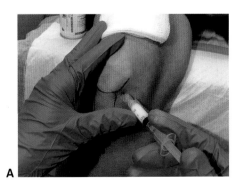
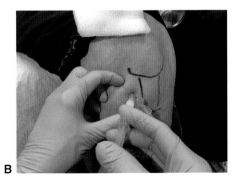

그림 11-29. ● A: 우측 무릎의 전내측면 주사 B: 우측 무릎의 전외측면 주사

19. 소독된 반창고를 붙인다.

20. 무릎을 최대운동범위로 움직여 주사 용액이 무릎관절 전체적으로 충분히 퍼질 수 있게 한다.

21. 5분 후 무릎을 다시 검사하여 통증 완화를 확인해본다.

시술 후 관리

- 2주간 환측 무릎의 무리한 사용을 피한다.
- 적응증에 따라 물리치료를 포함한 다른 보완적 치료 방법을 사용한다.
- 2주 후에 추적 관찰한다.

CPT 코드:

- 20610−Arthrocentesis, aspiration and/or injection, major joint or bursa; without ultrasound guidance
- 20611−With ultrasound guidance, with permanent recording and reporting

유의사항

- 바늘이 관절연골에 직접적인 손상을 줄 수 있기 때문에 슬개골 하방 접근법은 슬개골 상방 접근법을 시행할 수 없을 때에만 시행되어야 한다. 즉 검사대로 쉽게 이동할 수 없는 휠체어에 있는 환자나 국소적 연부조직염(봉와직염) 혹은 연부조직 손상이 있는 환자에 사용할 수 있다.
- 출액이 없거나 소량 있는 경우, 초음파 유도 하 흡인 및 주사를 시행한다. 초음파는 고가의 점성 윤활제를 무릎관절에 정확하게 주사하는데 유용하다.

무릎관절-슬와부낭종(베이커 낭종)
Knee Joint-Popliteal Synovial (Baker's) Cyst

무릎 슬와부의 베이커 낭종이라 불리우는 부위는 무릎 후면부를 덮고 있는 액체와 피브린 (fibrin)성분으로 구성되어 있다. 일차 진료영역에서는 흔히 볼 수 있는 병변이다. 슬와부 낭종의 발생은 무릎 관절강내에서 골관절염의 진행중에 발생한 과도한 관절윤활액이 원인 이 된다. 다른 원인으로는 염증성 활액막염 그리고 연골판 손상등이 있다. 저류된 액체의 압력으로 인해서 반막모양근-장딴지근 윤활주머니(gastrocnemiosemimembranosus bursa) 내에 있는 슬와부 부위의 약호를 가져오고 내측 아래쪽에 윤활액 주머니를 형성하 게 된다.[1] 낭종은 단일 밸브 모양의 구조로 관절강내와 교통하게 된다. 베이커 낭종은 전 형적으로 무릎 뒤쪽을 덮게 되는데 부풀어 오르면서 하지 부종과 무릎을 구부리는데 제 한을 일으키게 된다.

슬와부낭종은 보통 흡인과 스테로이드 주사로 잘 치료가 되는 편이다. 하지만 슬와동맥 이 비교적 큰 바늘을 사용하는 슬와부위에서 손상받을 가능성이 있기 때문에 항상 염두 해 두어야 하고 이부분의 중심부에 경골신경이 수직으로 지나가기 때문에 이 역시 염두해 두어야 한다. 바늘을 자입시에 이러한 구조물의 비교적 바깥쪽으로 항상 위치시키고 끝이 전방내측면을 향하도록 하는 것이 중요하다.

보통 증상치료로는 낭종을 흡인하거나 낭종 내에 직접 스테로이드 제재를 주사하는 방 법[2,3] 그리고 별도로 관절강내로 주사하는 방법이 있다.[4] 바늘을 이용하여 천공하는 것도 효과가 있는 것으로 알려져 있다.[5] 주사와 흡인치료는 보통 물리치료와 병행한다.[6] 초음파 를 사용하면 치료효과를 향상시키고 기능 장애를 개선시키는 것으로 알려져 있다.[7] 보존 치료에 반응하지 않는 낭종(이 경우는 단순, 복잡 낭종이 엉켜 있기 때문이다.)의 경우 수 술적 치료가 필요하다.

적응증	ICD-10 code
Popliteal synovial cyst	M71.20

관련해부학: (그림 11-30)

환자 자세

- 환자는 무릎을 편채로 침대에 엎드린다.

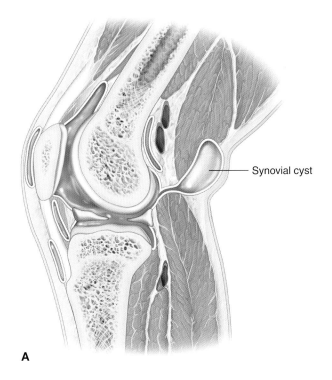

A

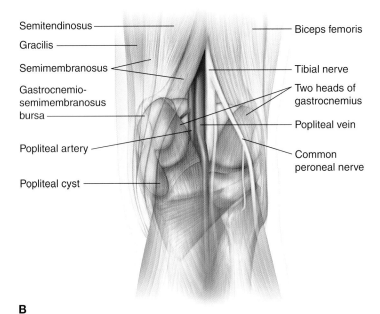

Semitendinosus

Gracilis

Semimembranosus

Gastrocnemio-
semimembranosus
bursa

Popliteal artery

Popliteal cyst

Biceps femoris

Tibial nerve

Two heads of
gastrocnemius

Popliteal vein

Common
peroneal nerve

Synovial cyst

B

그림 11-30. ● A: 슬와부 해부학- 시상면 B: 슬와부 해부학-관상면: 반막모양근-장딴지근 윤활주머니 (gastrocnemius semimembranosus bursa)가 표시되어 있다.

해부학적 지표

1. 환자는 진찰대에 누운 자세를 취하고 진료의사는 환측 무릎의 옆에 선다.

2. 가장 튀어나온 슬와부 낭종을 슬와부 내측 아래쪽에서 확인해 본다.

3. 이 지점에서 피부를 강하게 누르고 볼펜 끝으로 눌러 표시한다. 이부분이 바늘의 자입점이다.

4. 위치가 확인되면 환자는 무릎을 움직이지 않아야 한다.

마취

• 국소도포용 냉각스프레이를 사용하여 피부에 국소마취를 시행한다.

장비

• 국소도포용 냉각마취스프레이
• 10-20 mL 주사기-흡인용
• 베이커 낭종 흡인을 위한 18 G, 1½ inch 바늘
• 3 mL 주사기-메피바카인/리도카인 혼합액 주사용
• 에피네프린 포함 1% 메피바카인 1 mL
• 1 mL 스테로이드 용액(40 mg triamcinolone acetonide)
• 알코올 솜
• 베타딘 솜
• 소독된 거즈 솜
• 소독된 반창고
• 깨끗한 받침대용 수건

기법

1. (선택사항) 무릎관절 구조의 영상을 보기 위해 초음파를 사용한다(그림 11-31). 영상과 주사 부위를 다르게 하여 초음파 젤로 인한 오염이 없도록 한다. 다른 방법으로 전체 시술 부위를 무균적으로 소독하고 멸균 초음파 젤을 사용할 수도 있다.

2. 알코올과 베타딘 솜으로 주사 부위를 소독한 뒤 완전히 마르도록 둔다.

3. 국소 도포용 냉각스프레이를 사용하여 국소마취한다.

4. 18 G, 1½ inch 바늘과 주사기를 피부에 수직으로, 끝이 전내측을 향하게 한다.

5. no-touch technique으로 바늘을 삽입한다.

6. 주사기를 지속적으로 흡인하면서 바늘을 낭종 안쪽으로 위치시킨다.

7. 맑은 액체가 흡인되면 진입을 멈춘다. 그리고 낭종 내용물을 완전히 흡인한다.

8. 18 G 바늘에서 주사기를 빼고 메피바카인/리도카인 혼합액이 들어있는 3 mL 주사기를 연결한다.

9. 메피바카인/스테로이드 혼합액을 천천히 조금씩 주입한다. 관절강내로 주사액은 천천히 스며들어가야 한다. 만약 저항이 느껴진다면 바늘을 더 전진하거나 잡아 뺀다.

10. 흡인이 끝나면 바늘을 뺀다.

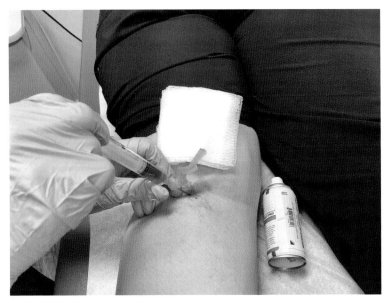

그림 11-31. ● 베이커낭종 흡인

11. 소독된 반창고를 붙인다.
12. 무릎을 최대운동범위로 움직여 주사 용액이 무릎 낭종안에 전체적으로 충분히 퍼질 수 있게 한다.
13. 5분 후 무릎을 다시 검사하여 통증 완화를 확인해본다.

시술 후 관리

- 2주간 환측 무릎의 무리한 사용을 피한다.
- 적응증에 따라 물리치료를 포함한 다른 보완적 치료 방법을 사용한다.
- 2주 후에 추적 관찰한다.

CPT 코드:

- 20610-Arthrocentesis, aspiration and/or injection, major joint or bursa; without ultrasound guidance
- 20611-With ultrasound guidance, with permanent recording and reporting

유의사항

- 바늘을 주사할 때 슬와동맥, 정맥 그리고 슬와부 중간부위를 지나가는 경골신경을 찌르지 않도록 주의하여야 한다.
- 바늘 끝을 전방 내측으로 향하게 하면 이러한 구조물을 피할 수 있다.
- 초음파가 항상 필요한 술기는 아니지만 사용한다면 구조 파악과 안전한 바늘위치 확인에 도움이 된다.

참고문헌

1. Herman AM, Marzo JM. Popliteal cysts: a current review. *Orthopedics*. 2014;37(8):e678-84.

2. Köroğlu M, Callıoğlu M, Eriş HN, et al. Ultrasound guided percutaneous treatment and follow-up of Baker's cyst in knee osteoarthritis. *Eur J Radiol*. 2012;81(11):3466-71.

3. Bandinelli F, Fedi R, Generini S, et al. Longitudinal ultrasound and clinical follow-up of Baker's cysts injection with steroids in knee osteoarthritis. *Clin Rheumatol*. 2012;31(4):727-31.

4. Di Sante L, Paoloni M, Ioppolo F, et al. Ultrasound-guided aspiration and corticosteroid injection of Baker's cysts in knee osteoarthritis: a prospective observational study. *Am J Phys Med Rehabil*. 2010;89(12):970-5.

5. Smith MK, Lesniak B, Baraga MG, et al. Treatment of Popliteal (Baker) cysts with ultrasound-guided aspiration, fenestration, and injection: long-term follow-up. *Sports Health*. 2015;7(5):409-14.

6. Di Sante L, Paoloni M, Dimaggio M, et al. Ultrasound-guided aspiration and corticosteroid injection compared to horizontal therapy for treatment of knee osteoarthritis complicated with Baker's cyst: a randomized, controlled trial. *Eur J Phys Rehabil Med*. 2012;48(4):561-7.

7. Çağlayan G, Özçakar L, Kaymak SU, et al. Effects of Sono-feedback during aspiration of Baker's cysts: A controlled clinical trial. *J Rehabil Med*. 2016;48(4):386-9.

전슬개낭염
Prepatellar Bursitis

전슬개낭염은 일차 진료를 담당하는 의사가 비교적 흔하게 흡인 및 주사할 수 있는 질환이다. 약 1/3 정도는 감염성이고 나머지 2/3 정도는 비감염성이다. 일반적인 보존치료로는 점액낭 흡인, NSAID 복용 그리고 보호대, 휴식, 얼음 찜질, 압박, 거상등이 있다. 흡인이 된 액체를 분석하는 것이 감염성을 구분해 내는데 필수적이다. 점액낭의 위치가 비교적 확인하기 쉬운 곳에 위치에 있어 흡인이 잘 된다. 피하부위 전슬개낭염은 빨갛게 부어 오르거나 지나친 압력이나 마찰이 반복되는 상황에서 피하에 있는 전슬개 점액낭에 염증이 발생하고 삼출액이 고이기도 한다. 급성 외상 후에는 혈액으로, 반복적인 손상시에는 단백질성 점액상액으로 체액이 고이기 때문에 직경이 큰 바늘이 필요하다. 비감염성 점액낭염이 확인된 운동선수나 작업 때문에 요구되는 환자의 경우에는 스테로이드 주사를 시행해 볼 수 있다. 감염이 의심되는 경우에는 항생제 치료가 필요하다. 중증의 심한 감염 소견이나 보존치료에 반응이 없는 경우 그리고 만성적으로 자주 재발하는 경우에는 배농이나 점액낭 절제술등의 수술적 치료가 필요하다.[1] 그러나, 주사 치료와 관련된 연구 문헌은 없는 실정이다.

적응증	ICD-10 code
Prepatellar bursitis	M70.40

관련해부학: (그림 11-32)

환자 자세

- 진찰대에 누워 환측 무릎을 펴거나 또는 무릎 밑에 수건 등으로 받쳐 놓아 약간 구부린 상태로 환자가 편안하게 한다.
- 주사하는 반대쪽으로 환자 고개를 돌리게 하여 환자의 불안과 통증을 최소화한다.

해부학적 지표

1. 환자를 진찰대 위에 똑바로 눕히고, 시술자는 환측 무릎의 옆쪽에 선다.
2. 가장 기복이 심한 지점을 확인한다.
3. 이 부위를 심이 들어간 볼펜 끝으로 강하게 누른다. 이 함몰 부위는 바늘이 삽입되는 지점을 나타낸다.
4. 삽입 지점 표시 후에 환자는 무릎을 움직이면 안 된다.

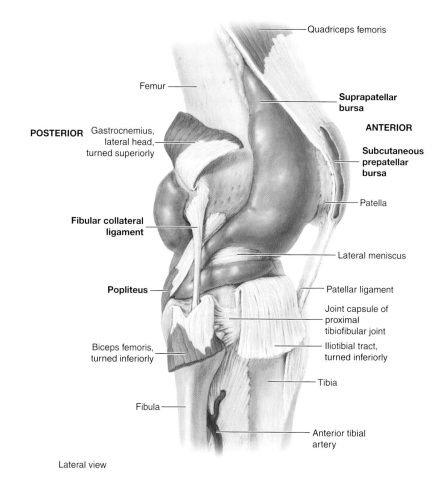

Lateral view

그림 11-32. ● 무릎을 편 자세에서의 우측 무릎 외측면 해부학, 보라색 부분은 무릎관절의 관절낭이다.

마취

- 국소도포용 냉각스프레이를 사용하여 피부에 국소마취를 시행한다.

장비

- 국소도포용 냉각마취스프레이
- 20 mL 주사기
- 마취를 위한 3 mL 주사기
- 흡인을 위한 18 G, 1½ inch 바늘
- 에피네프린이 첨가되지 않은 1% 리도카인 1 mL
- 1 mL 스테로이드 용액(40 mg triamcinolone acetonide)−필요시 선택
- 한 개의 알코올 솜
- 두 개의 베타딘 솜
- 소독된 거즈 솜

- 소독된 반창고
- 깨끗한 받침대용 수건

기법

1. 알코올과 베타딘 솜으로 주사 부위를 소독한 뒤 완전히 마르도록 둔다.
2. 냉각스프레이를 사용하여 피부를 국소 마취한다.
3. 주로 사용하지 않는 손을 이용하여 점액낭 주변의 피부를 쥐어 짜듯 집어서 액체가 한군데 모이게 한다.
4. 18 G 바늘 끝을 체액이 최대한 모인 곳을 향하도록 한다.
5. no-touch technique으로 바늘을 빠르게 삽입한다(그림 11-33).
6. 점액낭 중심을 향해 바늘을 밀어 넣는다.
7. 쉽게 흡인이 되어야 하고 삼출액이 많이 존재할 경우 윤활액을 모두 배액하기 위해 주사기가 여러 개 필요할 수 있다.
8. (선택사항) 흡인 후 주입하려면, 18 G 바늘에 주사기를 분리하고 리도카인/스테로이드 용액이 든 3 mL 주사기를 연결한다.
9. 주사액을 전슬개낭 내로 주사한다. 주사액은 저항 없이 관절강 내로 부드럽게 들어가야 한다. 저항이 느껴진다면 바늘을 조금 진입시키거나 약간 뺀 후 관절액을 흡인해보고 확인 후 다시 주사한다.
10. 흡인을 하고 주사액을 주입 후 바늘을 뺀다.
11. 소독된 거즈로 덮고 반창고를 붙인다.
12. 5분 후 무릎을 다시 검사하여 통증 완화를 확인해본다.

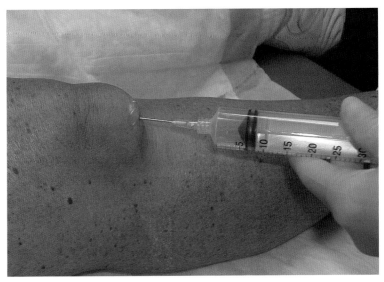

그림 11-33. ● 전슬개골 점액낭염의 주사흡인

시술 후 관리

- 2주간 환측 무릎의 과사용을 피한다.
- 무릎 압박용 랩을 사용할 수 있다.
- 적응증에 따라 NSAID, 얼음주머니, 또는 물리치료를 시행한다.
- 2주 후에 추적 관찰한다.

CPT 코드:

- 20610−Arthrocentesis, aspiration and/or injection, major joint or bursa; without ultrasound guidance
- 20611−With ultrasound guidance, with permanent recording and reporting

유의사항

- 급성 출혈성 사고나 감염에 인한 전슬개골 점액낭염이 발생하는 경우에는 흡인 후 스테로이드 주사는 피해야 한다.
- 스테로이드 주사는 재발이 잦은 점액낭인 경우에 시행한다.

참고문헌

1. Baumbach SF, Lobo CM, Badyine I, et al. Prepatellar and olecranon bursitis: literature review and development of a treatment algorithm. *Arch Orthop Trauma Surg.* 2014;134(3):359-70.

슬개골 인대
Patellar Tendon

일차진료영역에서 환자들은 흔히 슬개골 인대 주변의 통증으로 진단과 치료를 위해 방문한다. 이 슬개골 인대는 슬개골을 연결하고 있고 대퇴사두군을 경골 결절에 붙게 만든다. 대부분의 손상은 만성적인 과사용으로 인한 건염증이나 건병증 그리고 인대 파열등에 의한다. 위험인자로는 고령이나 당뇨, 콜라켄혈관질환, 스테로이드나 면역억제제 사용 환자 등이다.[1] 주요 증상으로는 슬개골 인대 부위의 직접적인 통증이다. 통증은 일반적으로 그 부위를 누르면 더 아프고 수동적 스트레칭이나 특히 점프등의 동작시 동반되는 무릎폄 동작에서 더욱 증가한다. 슬개골 인대병증은 대부분 장기가 지속되고 일상 생활 동작에 심각한 제한을 동반한다. 진단은 대부분 일반적으로 영상 검사 없이 증상과 이학적 검사 등으로 이루어진다.

만성적인 건병증에서는 치료는 더욱 지루하고 잘 되지 않는다. 등척성 운동(eccentric exercise)이[2] 물리치료의 주요 치료이다. Fredberg 등이[2] 발표한 연구에서는 초음파 유도하 인대주변 스테로이드 주사가 효과가 있음을 보여주지만 일반적으로 인대파열의 위험으로 잘 시행하지 않는다. 슬개골 인대 질환에서 혈소판풍부 혈장치료가 효과적이었다는[3] 연구에 대한 문헌적 근거는 아직까지 없다. 보존적 치료에 반응하지 않는 경우는 관절경이나 절개 수술이 필요하다.[4,5]

적응증	ICD-10 code
Patellar tendonitis	M76.50

관련해부학: (그림 11-34)

유의사항

• 스테로이드 주사는 전통적으로 인대 파열의 위험성 때문에 잘 시행하지 않는다.

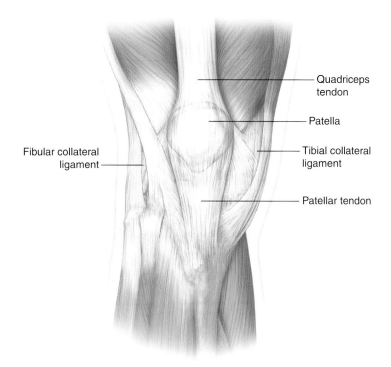

Quadriceps tendon

Patella

Fibular collateral ligament

Tibial collateral ligament

Patellar tendon

그림 11-34. ● 무릎 슬개골 인대

참고문헌

1. Alves C, Mendes D, Marques FB. Fluoroquinolones and the risk of tendon injury: a systematic review and meta-analysis. *Eur J Clin Pharmacol.* 2019;75(10):1431-43.
2. Fredberg U, Bolvig L, Pfeiffer-Jensen M, et al. Ultrasonography as a tool for diagnosis, guidance of local steroid injection and, together with pressure algometry, monitoring of the treatment of athletes with chronic jumper's knee and Achilles tendinitis: a randomized, double-blind, placebo-controlled study. *Scand J Rheumatol.* 2004;33(2):94–101.
3. Pas HIMFL, Moen MH, Haisma HJ, et al. No evidence for the use of stem cell therapy for tendon disorders: a systematic review. *Br J Sports Med.* 2017;51(13):996–1002.
4. Khan WS, Smart A. Outcome of surgery for chronic patellar tendinopathy: a systematic review. *Acta Orthop Belg.* 2016;82(3):610-326.
5. Stuhlman CR, Stowers K, Stowers L, et al. Current concepts and the role of surgery in the treatment of jumper's knee. *Orthopedics.* 2016;39(6):e1028-35.

거위발점액낭염
Pes Anserine Syndrome

일차 진료의가 거위발점액낭염 치료를 위해 스테로이드를 주사하는 경우는 드물다. 거위발은 봉공근(sartorius), 박근(gracilis), 반건양근(semitendinous) 등의 건이 함께 부착되는 부위를 지칭한다. 무릎관절 전내측의 2-5 cm 떨어진, 경골 근위부 내측에 위치한다. 병변을 일으키는 구조적 결함에 대해 알려진 바가 적고 활액낭염, 건염 또는 두 가지 모두의 형태를 나타내며 간략히 거위발증후군(pes anserine syndrome)이라고 통칭한다.[1] 무릎의 과사용 또는 지나친 외반 스트레스후 통증과 부종이 나타나게 된다. 과체중, 중년, 무릎 골관절염이 있는 노년의 여성에서 호발한다. 당뇨도 잘 알려진 위험인자이다. 거위발증후군은 흔히 심한 골관절염에 잘 동반되고 골관절염을 잘 유발하는 것으로 알려져 있다.[2,3] 체액이 고여 있는 곳이 아니므로 직경이 작은 바늘이 적당하다. 스테로이드 사용으로 치료가 될 수도 있으나 아직은 논란이 있다.[4-6]

적응증	ICD-10 code
Pes anserine bursitis	M70.50

관련해부학: (그림 11-35)

환자 자세

- 진찰대 위에 똑바로 누워 양 무릎을 펴게 하거나 무릎 아래에 수건이나 패드를 넣어 약간 구부리게 하여 환자가 편하게 한다.
- 주사하는 쪽과 환자의 머리를 반대로 돌리게 해서 불안과 통증을 최소화한다.

해부학적 지표

1. 환자를 진찰대 위에 똑바로 눕히고, 시술자는 환측 무릎의 옆쪽에 선다.
2. 경골 근위부의 전내측에서 최대의 압통이 있는 부위를 찾아낸다.
3. 이 지점을 심이 들어간 볼펜 끝으로 강하게 누른다. 이 함몰 부위는 바늘이 삽입되는 지점을 나타낸다.
4. 삽입 지점 표시 후에 환자는 무릎을 움직이면 안 된다.

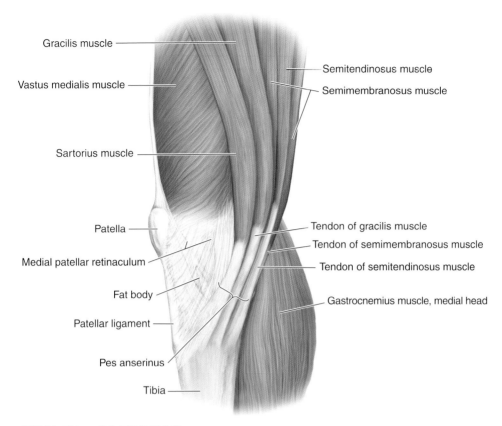

Gracilis muscle

Vastus medialis muscle

Sartorius muscle

Patella

Medial patellar retinaculum

Fat body

Patellar ligament

Pes anserinus

Tibia

Semitendinosus muscle

Semimembranosus muscle

Tendon of gracilis muscle

Tendon of semimembranosus muscle

Tendon of semitendinosus muscle

Gastrocnemius muscle, medial head

그림 11-35. ● 우측 무릎의 내측면

마취

• 국소도포용 냉각스프레이를 사용하여 피부에 국소마취를 시행한다.

장비

• 국소도포용 냉각마취스프레이

• 3 mL 주사기

• 25 G, 1 inch 바늘

• 에피네프린이 첨가되지 않은 1% 리도카인 1 mL

• 0.5-1 mL 스테로이드 용액(20-40 mg triamcinolone acetonide)

• 한 개의 알코올 솜

• 두 개의 베타딘 솜

• 소독된 거즈 솜

• 소독된 반창고

• 깨끗한 받침대용 수건

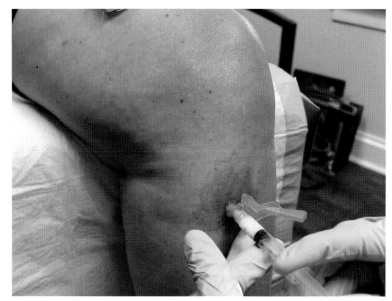

그림 11-36. ● 좌측 무릎의 거위발점액낭염 주사

기법

1. 알코올과 베타딘으로 주사 부위를 소독한다.
2. 국소도포용 냉각스프레이를 사용하여 피부를 국소 마취한다.
3. 바늘은 피부에 수직으로, 바늘 끝은 건 부착 부위의 최대 압통 부위를 향해 위치시킨다.
4. no-touch technique으로 바늘을 삽입한다(그림 11-36).
5. 바늘을 주사할 부위에 대고 넣은 다음, 경골 근위부 내측 뼈에 닿을때까지 밀어 넣은 뒤 바늘을 1-2 mm 뒤로 뺀다.
6. 주사기를 흡인하여 혈액 역류가 없음을 확인한다.
7. 리도카인/스테로이드 용액을 조금씩 주입한다. 만약 저항이 증가한다면 약물을 주 입하기 전 바늘을 전진시키거나 약간 뒤로 빼서 주입해야 한다.
8. 약물 주입이 끝난 뒤 바늘을 뺀다.
9. 소독된 거즈로 덮고 반창고를 붙인다.
10. 환자에게 이 부위를 마사지하게 하며 최대 운동 범위로 움직이게 하여 거위발점액낭과 관련된 건에 스테로이드가 퍼지도록 한다.
11. 5분 후 무릎을 다시 검사하여 통증 완화를 확인해본다

시술 후 관리

- 2주 동안 지나친 무릎 내전과 신전은 피하게 한다.
- 무릎 압박용 랩을 사용할 수 있다.
- 적응증에 따라 NSAID, 얼음주머니, 물리치료를 시행한다.
- 2주 후에 추적 관찰한다.

CPT 코드:

- 20610—Arthrocentesis, aspiration and/or injection, major joint or bursa; without ultrasound guidance
- 20611—With ultrasound guidance, with permanent recording and reporting

유의사항

- 거위발점액낭은 표층에 존재한다. 그러므로 주사 후에 피부의 위축이나 색소침착저하증이 발생할 수 있다. 스테로이드를 주사하는 동안 진피하 팽진이 생기지 않도록 주의해야 한다.
- 위의 진단은 드물기 때문에 내측 반월판이 찢어지거나, 연골 골절 혹은 경골의 골 괴사 등이 있는지 고려해 보아야 한다.

참고문헌

1. Helfenstein M Jr, Kuromoto J. Anserine syndrome. *Rev Bras Reumatol*. 2010;50(3):313-27.
2. Uysal F, Akbal A, Gökmen F, et al. Prevalence of pes anserine bursitis in symptomatic osteoarthritis patients: an ultrasonographic prospective study. *Clin Rheumatol*. 2015;34(3):529-33.
3. Kim IJ, Kim DH, Song YW, et al. The prevalence of periarticular lesions detected on magnetic resonance imaging in middle-aged and elderly persons: a cross-sectional study. *BMC Musculoskelet Disord*. 2016;17:186.
4. Vega-Morales D, Esquivel-Valerio JA, Negrete-López R, et al. Safety and efficacy of methylprednisolone infiltration in anserine syndrome treatment. *Reumatol Clin*. 2012;8(2):63-7.
5. Yoon HS, Kim SE, Suh YR, et al. Correlation between ultrasonographic findings and the response to corticosteroid injection in pes anserinus tendinobursitis syndrome in knee osteoarthritis patients. *J Korean Med Sci*. 2005;20(1):109-12.
6. Kang I, Han SW. Anserine bursitis in patients with osteoarthritis of the knee. *South Med J*. 2000;93(2):207-9.

장경인대 마찰증후군
Iliotibial Band Friction Syndrome

장경인대증후군은 흔히 달리기 선수나 사이클 선수, 신병들에서 과사용으로 인한 손상으로 인해 나타 난다. 이환된 환자들은 반복적인 움직임과 연관된 무릎 외측의 통증을 호소한다. 장경인대 마찰증후군의 원인으로 장경인대가 대퇴의 외측 관절융기 위를 통과하면서 발생되는 마찰, 장경인대 안쪽의 지방층과 결체조직의 압박, 그리고 장경인대 점액낭의 만성 염증 등이 제시되고 있다.[1] 다른 요인으로는 달리는 동작의 지원기(support phase) 동안 과다한 압박이 있다.[2] 급성일 경우 활동 조절, 냉각, NSAID약물 복용등을 사용하며 심한 통증과 부종이 있는 경우에는 스테로이드를 사용할 수 있다.[3] 그러나 스테로이드 사용에 대한 연구는 거의 없으며 단일, 소규모연구에서 스테로이드 사용이 유용하다 고 하였다.[4] 체액이 고이지 않는 곳이므로 직경이 작은 바늘이 적당하다. 보톡스를 사용하여 대퇴근막장근(tensor fascia lata)부위에 물리치료와 함께 한 주사용법이 장기적인 효과가 좋았다는 보고 연구가 있다.[5]

적응증	ICD-10 code
Iliotibial band syndrome	M76.30

관련해부학: (그림 11-37)

환자 자세

- 진찰대 위에 똑바로 누워 양 무릎을 펴게 하거나 무릎 아래에 수건이나 패드를 넣워 약간 구부리게 하여 환자가 편하게 한다.
- 주사하는 쪽과 환자의 머리를 반대로 돌리게 해서 불안과 통증을 최소화한다.

해부학적 지표

1. 환자를 진찰대 위에 똑바로 눕히고, 시술자는 환측 무릎의 옆쪽에 선다.
2. 대퇴 외측 관절융기 위에서 압통점이 가장 심한 곳을 찾는다.
3. 이 지점을 심이 들어간 볼펜 끝으로 강하게 누른다. 이 함몰 부위는 바늘이 삽입되는 지점을 나타낸다.
4. 삽입 지점 표시 후에 환자는 무릎을 움직이면 안 된다.

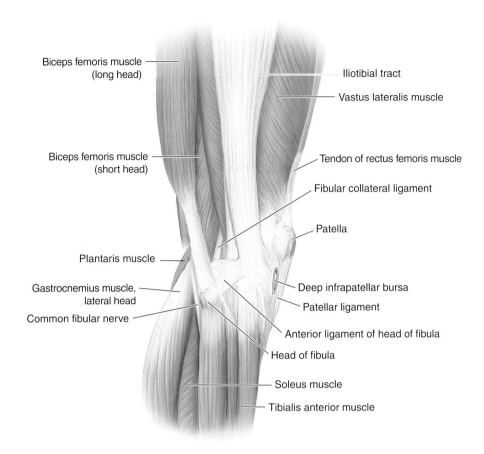

Biceps femoris muscle (long head)

Iliotibial tract

Vastus lateralis muscle

Biceps femoris muscle (short head)

Tendon of rectus femoris muscle

Fibular collateral ligament

Patella

Plantaris muscle

Gastrocnemius muscle, lateral head

Deep infrapatellar bursa

Patellar ligament

Common fibular nerve

Anterior ligament of head of fibula

Head of fibula

Soleus muscle

Tibialis anterior muscle

그림 11-37. ● 우측 무릎, 다리부분의 외측면

마취

• 국소도포용 냉각스프레이를 사용하여 피부에 국소마취를 시행한다.

장비

• 국소도포용 냉각마취스프레이

• 3 mL 주사기

• 25 G, 1 inch 바늘

• 에피네프린이 첨가되지 않은 1% 리도카인 1 mL

• 1 mL 스테로이드 용액(20-40 mg triamcinolone acetonide)

• 한 개의 알코올 솜

• 두 개의 베타딘 솜

• 소독된 거즈 솜

• 소독된 반창고

• 깨끗한 받침대용 수건

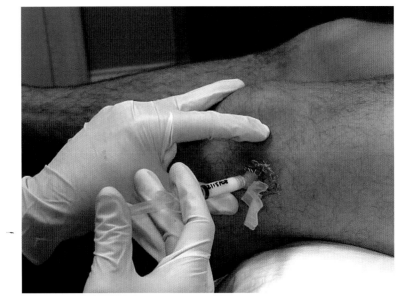

그림 11-38. ● 좌측 다리 장경인대주사

기법

1. 알코올과 베타딘솜으로 주사 부위를 소독한다.
2. 국소도포용 냉각스프레이를 사용하여 피부를 국소마취한다
3. 대퇴 외측 관절융기 위 최대 압통 부위에서 피부에 수직으로 바늘의 끝을 위치시킨다.
4. no-touch technique으로 바늘을 삽입한다(그림 11-38).
5. 바늘을 장경인대를 통과시켜 대퇴의 외측 관절융기에 닿을 때까지 밀어 넣고 나서 1-2 mm 뒤로 뺀다.
6. 주사기 실린지를 흡인하여 혈액 역류가 없음을 확인한다.
7. 일정한 속도로 리도카인/스테로이드 용액을 주입한다. 저항이 느껴진다면 약물을 주입하기 전 바늘을 전진시키거나 약간 뒤로 빼서 주입해야 한다.
8. 주사액 주입 후 바늘을 뺀다.
9. 소독된 반창고를 붙인다.
10. 환자에게 이 부위를 마사지할 것을 지시하고 최대 운동 범위로 움직이게 한다.
11. 5분 후 무릎을 다시 검사하여 통증 완화를 확인해본다.

시술 후 관리

• 최소 2주간 유발 활동을 피하고 적절한 휴식을 취하도록 한다.
• 환자에게 장경인대 스트레칭 운동을 하게 한다.
• 적응증에 따라 NSAID, 얼음주머니, 뜨거운 찜질 물리치료를 시행한다.
• 2주 후에 추적 관찰한다.

CPT 코드:

- 20550—Injecton(s); single tendon sheath, or ligament, aponeurosis
- 76942 (optional)—Ultrasonic guidance for needle placement with imaging supervision and interpretation with permanent recording

유의사항

- 장경인대는 특히 마른 사람에서 표층에 존재한다. 그러므로 주사 후에 피부의 위축이나 색소침착저하증이 발생할 수 있다. 스테로이드 주사 중 진피하 팽진이 생기지 않도록 주의해야 한다.

참고문헌

1. Strauss EJ, Kim S, Calcei JG, et al. Iliotibial band syndrome: evaluation and management. *J Am Acad Orthop Surg*. 2011;19(12):728-36.
2. Hamill J, Miller R, Noehren B, et al. A prospective study of iliotibial band strain in runners. *Clin Biomech (Bristol, Avon)*. 2008;23(8):1018–25.
3. Fredericson M, Weir A. Practical management of iliotibial band friction syndrome in runners. *Clin J Sport Med*. 2006;16(3):261–8.
4. Gunter P, Schwellnus MP. Local corticosteroid injection in iliotibial band friction syndrome in runners: a randomised controlled trial. *Br J Sports Med*. 2004;38(3):269–72.
5. Stephen JM, Urquhart DW, van Arkel RJ, et al. The use of sonographically guided botulinum toxin type A (Dysport) injections into the tensor fasciae latae for the treatment of lateral patellofemoral overload syndrome. *Am J Sports Med*. 2016;44(5):1195–202.

아킬레스인대 부위의 통증으로 인해 일차진료 현장에서 환자들은 흔히 방문하게 된다. 아킬레스인대는 후경골에 비복근(gastrocnemius muscle)과 가자미근(soleus muscles)을 연결한다. 급성 손상이나 만성 과사용을 인해 건염증이나 건병증 그리고 인대파열등이 유발될 수 있다. 흔하게 유발 관련 인자로는 고령, 요족, 회내된 발, 당뇨, 콜라겐성 혈관질환, 스테로이드 사용, 면역억제제등을 들 수 있다.[1] 주요 증상으로는 환자는 흔히 직접 인대 위를 만지면 하지의 후면부에 통증을 호소하고 수동 스트레칭 동작이나 발바닥을 굽혀보면 통증이 발생한다. 대개 아킬레스 건병증은 오랜 기간 지속되고 운동장애나 일상생활에도 장애를 초래한다. 이학적 검사와 함께 해부학적 이상이나 손상 정도를 파악하기 위해 초음파나 MRI등의 영상 검사가 필요하다.

만성 건병증에서는 치료는 대개 오래 걸리고 쉽게 치료되지 않는다. 물리치료가 주요 치료법이다. Wetke 등이[2] 발표한 바에 의하면 스테로이드 주사후에 통증이 감소하고 운동력이 회복되었다 하지만 일반적으로 스테로이드 주사는 인대 파열의 위험으로 잘 시행하지 않는다. Morath 등에 의한 체계적 고찰 결과에 의하면 혈소판 풍부 혈장 주사는 통증 감소나 인대 비후, 초음파 상 칼라도플러 감소 등의 호전을 보이지 않는다고 하였다.[3] 또한 혈소판 풍부 혈장주사 역시 급성 인대 파열 이후에 임상 결과 호전을 보이지 않는다고 보고되었다.[6] 보존적 치료에 반응하지 않는 경우는 아킬레스 인대 손상은 수술적 치료가 필요하다.

적응증	ICD-10 code
Achilles tendonitis	M76.60
Achilles tendinosis	M67.88

관련해부학: (그림 11-39)

유의사항

- 스테로이드 주사는 전통적으로 인대 파열의 심각한 결과를 가져올 수 있어 가급적 피하는 것으로 되어 있다.

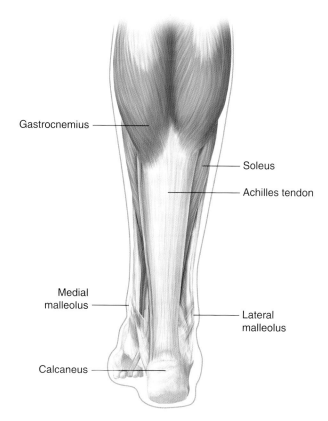

Gastrocnemius

Soleus

Achilles tendon

Medial malleolus

Lateral malleolus

Calcaneus

그림 11-39. ● 아킬레스인대

참고문헌

1. Alves C, Mendes D, Marques FB. Fluoroquinolones and the risk of tendon injury: a systematic review and meta-analysis. *Eur J Clin Pharmacol*. 2019;75(10):1431-43.

2. Wetke E, Johannsen F, Langberg H. Achilles tendinopathy: a prospective study on the effect of active rehabilitation and steroid injections in a clinical setting. *Scand J Med Sci Sports*. 2015;25(4):e392–9.

3. Morath O, Kubosch EJ, Taeymans J, et al. The effect of sclerotherapy and prolotherapy on chronic painful Achilles tendinopathy-a systematic review including meta-analysis. *Scand J Med Sci Sports*. 2018;28(1):4-15.

4. Lin MT, Chiang CF, Wu CH, et al. Meta-analysis comparing autologous blood-derived products (including platelet-rich plasma) injection versus placebo in patients with Achilles tendinopathy. *Arthroscopy*. 2018;34(6):1966.e5–75.e5.

5. Zhang YJ, Xu SZ, Gu PC, et al. Is platelet-rich plasma injection effective for chronic achilles tendinopathy? A meta-analysis. *Clin Orthop Relat Res*. 2018;476(8):1633–41.

6. Keene DJ, Alsousou J, Harrison P, et al. Platelet rich plasma injection for acute Achilles tendon rupture: PATH-2 randomised, placebo controlled, superiority trial. *BMJ* 2019;367:l6132

후경골근 건염
Tibialis Posterior Tendonitis

후경골근염에 대한 주사치료는 임상현장에서 흔하지 않다. 후경골근은 다리 근위부 1/3 지점의 경골후면과 골간막에서 기시한다. 내측 복사뼈 뒤로 주행하며 굴 근지대 밑을 통과하여 주상골의 결절에 부착된다. 후경골근은 발목을 발바닥쪽 굽히거나 발을 내번시키는 근육이다. 후경골근 건은 진행성 평발의 인식되지 않은 요인 중 하나이며 후족부에서 가장 흔하게 파열되는 부위이기도 하다. 후경골근 건의 염증은 발의 역학 변화, 급성 외상, 그리고 만성적 과사용 또는 류마티스성 관절염 등에 의해 생긴다. 환자는 통증, 보행장애, 내측 복사뼈와 족궁의 부종을 호소한다. 보장구, 스트레칭, 편심과 동심적 수동저항 운동 등의 보존적 치료를 한다.[1] 스테로이드의 주입은 통증을 줄여주고 운동을 가능하게 하는 부분적 이점이 있으나 이 치료법에 대한 문헌 근거는 거의 없는 실정이다. 건의 파열이 있는 경우에는 수술적 치료가 필요하다.

적응증	ICD-10 code
Tibialis posterior tendonitis	M76.829
Tibialis posterior tendinopathy	M67.979

관련해부학: (그림 11-40)

환자 자세

- 환자는 진찰대위에 앙와위에서 엉덩이는 최대한 외전시키고 무릎은 약간 굽힌 상태에서 발목을 중립 위치로 하고 눕는다.
- 그렇지 않으면 환측 무릎을 약간 굽히고 발목을 중립 되게 하여 검사 테이블 위에 놓는다.
- 주사하는 쪽과 반대로 환자 고개를 돌리게 하여 환자의 불안과 통증을 최소화한다.

해부학적 지표

1. 환자는 진찰대위에 눕고 시술의는 환측 발목 옆에 선다.
2. 경골의 내측 복사뼈를 촉진한다.
3. 후경골근 건은 내측 복사뼈 바로 뒤쪽, 아래에 위치한다.
4. 건을 따라 최대 압통점을 찾는다.

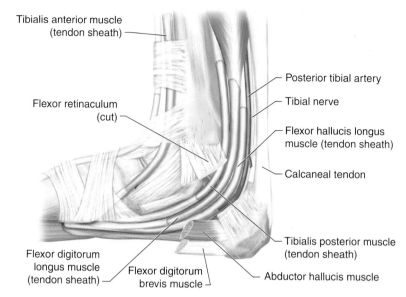

Tibialis anterior muscle
(tendon sheath)

Posterior tibial artery

Tibial nerve

Flexor retinaculum
(cut)

Flexor hallucis longus
muscle (tendon sheath)

Calcaneal tendon

Tibialis posterior muscle
(tendon sheath)

Flexor digitorum
longus muscle
(tendon sheath)

Flexor digitorum
brevis muscle

Abductor hallucis muscle

그림 11-40. ● 우측 발의 내측면

5. 최대 압통점의 원위부로 1 cm쯤 되는 부위를 잉크로 표시한다.

6. 이 부위를 심이 들어간 볼펜 끝으로 강하게 누른다. 이 함몰 부위는 바늘이 삽입되는 지점을 나타낸다.

7. 삽입 지점 표시 후에 환자는 발목을 움직여서는 안 된다

마취

• 국소도포용 냉각스프레이를 사용하여 피부에 국소마취를 시행한다.

장비

• 국소도포용 냉각마취스프레이

• 3 mL 주사기

• 25 G, 5/8 inch 바늘

• 에피네프린이 첨가되지 않은 1% 리도카인 0.5 mL

• 0.5 mL 스테로이드 용액(20 mg triamcinolone acetonide)

• 한 개의 알코올 솜

• 두 개의 베타딘 솜

• 소독된 거즈 솜

• 소독된 반창고

• 깨끗한 받침대용 수건

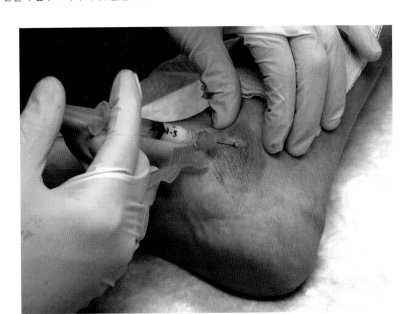

그림 11-41. ● 후경골근건 주사

기법

1. 알코올과 베타딘으로 주사 부위를 소독한다.
2. 국소도포용 냉각 스프레이로 피부에 국소마취한다.
3. 바늘 끝을 피부 표면과 30도 각도로 위치시킨다.
4. no-touch technique으로 바늘을 삽입한다(그림 11-41).
5. 5분 후 건 주위를 다시 검사하여 통증 완화를 확인해본다.

시술 후 관리

- 2주간 지나친 발 사용은 피한다.
- 물리 치료를 시작한다.
- 보장구를 사용하거나 과도한 회내 발이 있을 때는 움직임-조절 신발을 착용하도록 한다.
- 적응증이 된다면 NSAID, 뜨거운 찜질을 시행한다.
- 2주 후에 추적 관찰한다.

CPT 코드:

- 20550-Injection(s); single tendon sheath, or ligament, aponeurosis
- 76942 (optional)-Ultrasonic guidance for needle placement with imaging supervision and interpretation with permanent recording

유의사항

• 주사는 표층에 주입될 수 있다. 주사 후에 피부의 위축이나 색소침착저하증이 발생할 수 있다. 스테로이드 주사 중 진피하 팽진이 생기지 않도록 주의해야 한다.

참고문헌

1. Kulig K, Reischl SF, Pomrantz AB, et al. Nonsurgical management of posterior tibial tendon dysfunction with orthoses and resistive exercise: a randomized controlled trial. *Phys Ther.* 2009;89(1):26–37.

족근관증후군
Tarsal Tunnel Syndrome

족근관증후군은 일차 진료에서 흔히 접하는 질환은 아니다. 이 질환은 내측 복사뼈 근처에서 굴근건 지대 아래를 통과하는 후경골 신경 또는 후경골 신경 분지의 포착성 신경병증이다. 좌상, 긴장 부상, 골절, 전위, 그리고 심한 발목 염좌와 같은 외상에 의해 발생한다. 다른 원인으로는 운동 선수의 경우 과사용, 발의 외반 변형, 뼈융기의 압박, 당뇨, 갑상선 기능저하, 류마티스성 관절염 또는 아밀로이드증 등의 전신 질환이 있다. 전형적 증상으로 통증과 내측 발목에서 방사되는 이상감각이 나타난다. 내측 복사뼈 뒤쪽에 티넬 징후가 나타나기도 한다. 전기신경생리 검사상에서는 종종 위음성을 보인다.[1] 휴식, 물리치료, 보장구, 부목 등의 보존적 치료 방법이 유용하며 스테로이드 주입도 치료 방법이 될 수 있다. 그러나 주사 치료의 근거는 없는 실정이다. 지속적으로 증상을 호소하는 환자에 있어서는 수술적 족근관 감압이 필요하기도 하다.[2]

적응증	ICD-10 code
Tarsal tunnel syndrome	G57.50

관련해부학: (그림 11-42)

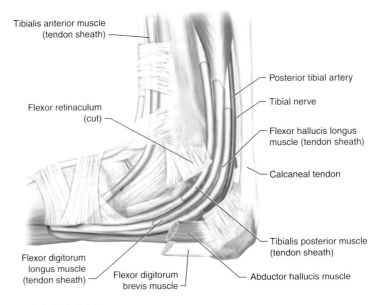

Tibialis anterior muscle (tendon sheath)

Posterior tibial artery

Tibial nerve

Flexor retinaculum (cut)

Flexor hallucis longus muscle (tendon sheath)

Calcaneal tendon

Tibialis posterior muscle (tendon sheath)

Flexor digitorum longus muscle (tendon sheath)

Flexor digitorum brevis muscle

Abductor hallucis muscle

그림 11-42. ● 우측 발의 내측면

환자 자세

- 진찰대 위에 엉덩이는 최대한 외회전시키고 무릎은 약간 굽힌 상태에서 발목을 중립 위치로 하고 눕힌다.
- 다른 방법으로는 환측 무릎을 약간 굽히고 발목을 중립되게 하여 검사 테이블 위에 놓는다.
- 주사하는 쪽과 반대로 환자 고개를 돌리게 하여 환자의 불안과 통증 인지를 최소화한다.

해부학적 지표

1. 환자는 진찰대 위에 눕고 시술의는 환측 발목 내측으로 선다.
2. 경골 복사뼈 내측과 종골의 아킬레스건 도입부를 찾는다.
3. 이 두 구조물 사이에서 후경골 동맥을 촉진한다.
4. 후경골 신경은 후경골 동맥에서 약 0.5 cm 뒤쪽에 위치하며 잉크로 표시한다.
5. 이 부위를 심이 들어간 볼펜 끝으로 강하게 누른다. 이 함몰 부위는 바늘이 삽입되는 지점을 나타낸다.
6. 삽입 지점 표시 후에 환자가 움직여서는 안 된다.

마취

- 국소도포용 냉각스프레이를 사용하여 피부에 국소마취를 시행한다.

장비

- 국소도포용 냉각마취스프레이
- 3 mL 주사기
- 25 G, 5/8 inch 바늘
- 에피네프린이 첨가되지 않은 1% 리도카인 1 mL
- 1 mL 스테로이드 용액(20 mg triamcinolone acetonide)
- 한 개의 알코올 솜
- 두 개의 베타딘 솜
- 소독된 거즈 솜
- 소독된 반창고
- 깨끗한 받침대용 수건

기법

1. 알코올과 베타딘으로 주사 부위를 소독한다.
2. 국소도포용 냉각스프레이로 피부를 국소마취를 한다.

그림 11-43. ● 족근관 주사

3. 바늘 끝을 피부 표면과 수직이면서 신경 바깥쪽을 향하도록 한다.

4. no-touch technique으로 바늘을 빠르게 삽입한다(그림 11-43).

5. 바늘을 1 cm 깊이로 전진시키고 만약 통증이나 감각이상, 또는 저림이 있을 때는 바늘을 1-2 mm 뒤로 뺀다.

6. 주사기 실린지를 잡아 빼서 혈액 역류가 없음을 확인한다.

7. 후경골 신경주위 또는 족근관 안쪽으로 천천히 주입하며 만약 저항이 증가한다면 약물을 주입하기 전 바늘을 전진시키거나 약간 뒤로 빼서 주입해야 한다.

8. 주사액 주입이 끝난 뒤 바늘을 뺀다.

9. 소독된 거즈로 덮고 반창고를 붙인다.

10. 환자에게 이 부위를 마사지할 것을 지시하고 최대 운동 범위로 움직이게 하여 족근관에 스테로이드가 퍼지도록 한다.

11. 5분 후에 증상 소실과 후경골 신경 지배 영역에 저림이 발생하였는지 발을 재검사한다.

시술 후 관리

- 2주간 지나친 발 사용은 피한다.
- 물리 치료를 시작한다.
- 보장구를 사용하거나 과도한 회내 발이 있을 때는 보조기 신발을 착용하도록 한다.
- 야간에는 부목을 고려한다.
- 적응증에 따라서 NSAID, 냉찜질, 뜨거운 찜질을 시행한다.
- 2주 후에 추적 관찰한다.

CPT 코드:

- 28899-Unlisted procedure, foot or toes or
- 64450-Injection, nerve block, therapeutic, other peripheral nerve or branch

- 76942 (optional)–Ultrasonic guidance for needle placement with imaging supervision and interpretation with permanent recording.

유의사항

- 환자에게 시술시 후경골 신경을 건드릴 수 있음을 주지 시켜야 한다. 족저 반사없이 통증 또는 전기 충격감각 등이 있는지 물어봐야 한다.
- 이 주사법은 표층에 하게 될 수 있다. 주사 후에 피부의 위축이나 색소침착저하증이 발생할 수 있다. 스테로이드 주사 중 진피하 팽진이 생기지 않도록 주의해야 한다.

참고문헌

1. Ahmad M, Tsang K, Mackenney PJ, et al. Tarsal tunnel syndrome: a literature review. *Foot Ankle Surg.* 2012;18(3):149–52.
2. Franson J, Baravarian B. Tarsal tunnel syndrome: a compression neuropathy involving four distinct tunnels. *Clin Podiatr Med Surg.* 2006;23(3):597–609.

발목관절-전방외측 접근
Ankle Joint-Anterolateral Approach

발목관절 주사는 일차진료에서 드문 시술이다. 발목관절 통증은 외상이나 골관절염, 통풍, 류마티스 관절염, 또는 기타 염증성 상황에서 발생할 수 있다. 골관절염이 있으면 체중감량, 물리치료, NSAID 복용, 보장기, 발목보조기 등의 보존적 치료를 시행한다.[1] 최근 연구에서 영상 투시하 접근을 이용한 주사법으로 치료하였을 때 효과가 있다고 보고되었다.[2] 발목관절에 스테로이드를 주사할 때 작은 직경의 바늘을 사용하는 것이 적절하다. 종종 소량의 관절액을 흡인해야 하는 경우도 있다.

스테로이드 주사의 단기, 중기 효과의 이점에 대한 결과를 보여주는 연구 결과들이 나오고 있다.[3-5] 하지만, 스테로이드 주사는 무릎 관절경수술[6] 후와 발목관절전치환술[7] 3개월 이전에는 시행하지 않는 것이 권고되고 있다. 히알루론산 제제를 주입하면 통증과 기능의 향상이 있다는 연구결과들이 계속 나오고 있다.[8,9] 그러나 이 책 출판 당시 미국의 식품안전청(FDA)의 승인을 받지는 못한 상태이다. 다른 치료방법으로는 혈소판풍부 혈장[10], 그리고 줄기세포[11] 등이 소개되고 있다. 보존치료에 반응하지 않는 경우 수술적 치료가 필요하다. 중증의 퇴행성 관절염에서 수술적 치료의 가장 인정받은 치료법은 관절고정술(arthrodesis) 이지만 전발목관절성형술 시행시 기능적 결과가 더 우수하다는 연구가 많이 발표되고 있다.[12]

적응증	ICD-10 code
Ankle joint pain	M25.579
Ankle arthritis, unspecified	M19.079
Ankle osteoarthritis, primary	M19.079
Ankle osteoarthritis, posttraumatic	M19.179
Ankle osteoarthritis, secondary	M19.279

관련해부학: (그림 11-44)

환자 자세

- 환자를 진찰대에 눕힌다.
- 환쪽 무릎을 90도로 굽히게 한다.
- 발바닥 쪽이 검사테이블을 덮고 있는 받침대용 수건과 완전히 닿을 수 있도록 발목을 약간 발바닥쪽 굽힘을 시킨다.
- 환자의 머리를 주사 반대쪽으로 하여 환자의 불안과 통증을 최소화한다.

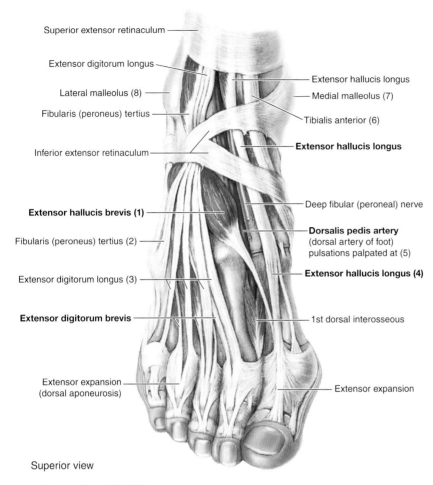

Superior extensor retinaculum

Extensor digitorum longus

Lateral malleolus (8)

Fibularis (peroneus) tertius

Inferior extensor retinaculum

Extensor hallucis brevis (1)

Fibularis (peroneus) tertius (2)

Extensor digitorum longus (3)

Extensor digitorum brevis

Extensor expansion
(dorsal aponeurosis)

Extensor hallucis longus

Medial malleolus (7)

Tibialis anterior (6)

Extensor hallucis longus

Deep fibular (peroneal) nerve

Dorsalis pedis artery
(dorsal artery of foot)
pulsations palpated at (5)

Extensor hallucis longus (4)

1st dorsal interosseous

Extensor expansion

Superior view

그림 11-44. ● 우측 발목의 전면부

해부학적 지표

1. 환자를 진찰대에 눕히고 시술의는 환측 발목의 외측 방향에 선다.
2. 비골과 원위 경골, 발목의 전외측에 걸쳐 있는 거골 사이의 접합점을 찾는다.
3. 발목관절 위에 표시를 한다. 보통은 움푹 들어가 있다.
4. 이 부위를 심이 들어간 볼펜 끝으로 강하게 누른다. 이 함몰 부위는 바늘이 삽입되는
   지점을 나타낸다.
5. 삽입 지점 표시 후에 환자는 발목을 움직여서는 안된다.

마취

● 국소도포용 냉각스프레이를 사용하여 피부에 국소마취를 시행한다.

장비

- 국소도포용 냉각마취스프레이
- 3 mL 주사기–주사용
- 10–20 mL 주사기–흡인하게 될 경우
- 25 G, 1½ inch 바늘–흡인하지 않을 경우
- 20 G, 1 inch 바늘–흡인하게 될 경우
- 에피네프린이 첨가되지 않은 1% 리도카인 1 mL
- 스테로이드 용액 1 mL (40 mg triamcinolone acetonide)
- 알코올솜 1개
- 베타딘 솜 2개
- 소독된 거즈
- 소독된 반창고
- 깨끗한 받침대용 수건

기법

1. 알콜과 베타딘으로 주사 부위를 소독한다.
2. 냉각 스프레이로 피부를 국소마취를 한다.
3. 바늘끝을 피부에 수직, 발목의 가운데로 향하도록 한다.
4. no–touch technique으로 바늘을 삽입한다(그림 11–45).
5. 바늘을 발목관절 안으로 진행시킨다. 원위 경골과 비골 사이 발목관절에 바늘이 위치하게 한다.

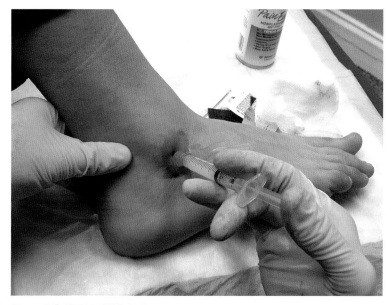

그림 11–45. ● 우측 발목의 전외측 주사

6. 메피바카인/스테로이드 주사만 하려면 25 G, 1½ inch 바늘 3 mL 주사기를 이용한다.

7. 흡인을 하려면 20 G의 1½ inch 바늘 20 mL 주사기를 이용하여 액체를 뽑아낸다.

8. 흡인 후에 주사를 하려면 20 G 바늘에서 주사기를 분리하고 메피바카인/스테로이드를 넣은 3 mL 주사기를 연결하여 사용한다.

9. 발목관절에 메피바카인/코르티코스테로이드 용액을 천천히 조금씩 주사한다. 주사한 용액은 공간내로 부드럽게 흘러야 한다. 만일 저항이 느껴진다면 바늘을 약간 더 진행하거나 빼내어서 시도한다.

10. 용액을 주사한 후에는 바늘을 뺀다.

11. 소독된 반창고를 붙인다.

12. 환자에게 발목을 최대 관절운동범위로 움직여보게 한다. 이 움직임을 통해 스테로이드 용액이 발목관절 전체에 퍼지게 한다.

13. 5분 정도 지난 후 환자의 통증이 완화되었는지 검사한다.

시술 후 관리

- 발목 보조기 사용을 고려한다.
- 2주 동안 환측 발목의 심한 사용을 피한다.
- 적응증에 따라 NSAID, 얼음주머니, 또는 물리치료를 시행한다.
- 2주 후에 추적 관찰한다.

CPT 코드:

- 20605−Arthrocentesis, aspiration and/or injection, intermediate joint or bursa; without ultrasound guidance
- 20606−With ultrasound guidance, with permanent recording and reporting

참고문헌

1. Khlopas H, Khlopas A, Samuel LT, et al. Current concepts in osteoarthritis of the ankle: review. *Surg Technol Int.* 2019;35:280-94.

2. Fox MG, Wright PR, Alford B, et al. Lateral mortise approach for therapeutic ankle injection: an alternative to the anteromedial approach. *AJR Am J Roentgenol.* 2013;200(5):1096–100.

3. Furtado RNV, Machado FS, Luz KRD, et al. Intra-articular injection with triamcinolone hexacetonide in patients with rheumatoid arthritis: prospective assessment of goniometry and joint inflammation parameters. *Rev Bras Reumatol Engl Ed.* 2017;57(2):115–21.

4. Ward ST, Williams PL, Purkayastha S. Intra-articular corticosteroid injections in the foot and ankle: a prospective 1-year follow-up investigation. *J Foot Ankle Surg.* 2008;47(2):138–44.

5. Vannabouathong C, Del Fabbro G, Sales B, et al. Intra-articular injections in the treatment of symptoms from ankle arthritis: a systematic review. *Foot Ankle Int.* 2018;39(10):1141–50.

6. Brand JC. Editorial commentary: big data suggest that because of a significant increased risk of postoperative infection, steroid injection is not recommended after ankle arthroscopy. *Arthroscopy.* 2016;32(2):355.

7. Uçkay I, Hirose CB, Assal M. Does intra-articular injection of the ankle with corticosteroids increase the

risk of subsequent periprosthetic joint infection (PJI) following total ankle arthroplasty (TAA)? If so, how long after a prior intra-articular injection can TAA be safely performed? *Foot Ankle Int*. 2019;40(1_ suppl):3S–4S.

8. Papalia R, Albo E, Russo F, et al. The use of hyaluronic acid in the treatment of ankle osteoarthritis: a review of the evidence. *J Biol Regul Homeost Agents*. 2017;31(4 suppl 2):91–102.

9. Lucas Y, Hernandez J, Darcel V, et al. Viscosupplementation of the ankle: a prospective study with an average follow-up of 45.5 months. *Orthop Traumatol Surg Res*. 2013;99(5):593–9.

10. Fukawa T, Yamaguchi S, Akatsu Y, et al. Safety and efficacy of intra-articular injection of platelet-rich plasma in patients with ankle osteoarthritis. *Foot Ankle Int*. 2017;38(6):596–604.

11. McIntyre JA, Jones IA, Han B, et al. Intra-articular Mesenchymal stem cell therapy for the human joint: a systematic review. *Am J Sports Med*. 2018;46(14):3550–63.

12. Grunfeld R, Aydogan U, Juliano P. Ankle arthritis: review of diagnosis and operative management. *Med Clin North Am*. 2014;98(2):267–89.

발목관절-전내측 접근
Ankle Joint-Anteromedial Approach

발목관절에 주사를 하는 것은 일차 진료에서 흔한 시술은 아니다. 발목관절통증은 외상이나 골관절염, 통풍, 류마티스관절염, 또는 기타 염증성 상황에서 발생할 수 있다. 골관절염의 치료로는 체중감소나 물리치료, 보장기, 발목보조기, NSAID 등의 보존적 치료를 시행한다.[1] 통증이 있는 발목 관절에 스테로이드 용액을 주사하기 위해 작은 직경의 바늘을 사용한다. 종종 관절액을 흡인하기도 한다.

스테로이드 주사의 효과에 대한 단기 및 중기 임상 효과를 보여주는 연구들이 보고되고 있다.[2-4] 하지만 스테로이드 주사는 발목관절경 수술 직후[5], 발목인공관절 치환술 3개월이전에는 시행하지 않기를 권고하고 있다.[6] 히알루론산 제제등의 관절 윤활제를 주입하면 통증과 기능의 향상이 있다는 연구결과들이 계속 나오고 있다.[7,8] 그러나 이 책 출판당시 미국의 식품안전청의 승인을 받지는 못한 상태이다. 다른 치료방법들로는 혈소판풍부 혈장[9], 그리고 줄기세포치료[10] 등이 보고되고 있다. 보존적 치료에 반응하지 않는 환자의 경우 수술적 치료가 필요하다. 중증의 말기 퇴행성 관절염에서 수술적 치료의 가장 인정받은 치료법은 관절고정술이지만 전발목관절성형술 시행이 기능적 결과가 더 우수하다는 연구가 많이 발표되고 있다.[11]

적응증	ICD-10 code
Ankle joint pain	M25.579
Ankle arthritis, unspecified	M19.079
Ankle osteoarthritis, primary	M19.079
Ankle osteoarthritis, posttraumatic	M19.179
Ankle osteoarthritis, secondary	M19.279

관련해부학: (그림 11-46)

환자 자세

- 환자를 진찰대에 눕힌다.
- 환쪽 무릎을 90도로 굽히게 한다.
- 발바닥 쪽이 검사테이블을 덮고 있는 받침대용 수건과 완전히 닿을 수 있도록 발목을 약간 발바닥쪽 굽히게 한다.
- 환자의 머리를 주사 반대쪽으로 하여 환자의 불안과 통증인지를 최소화한다.

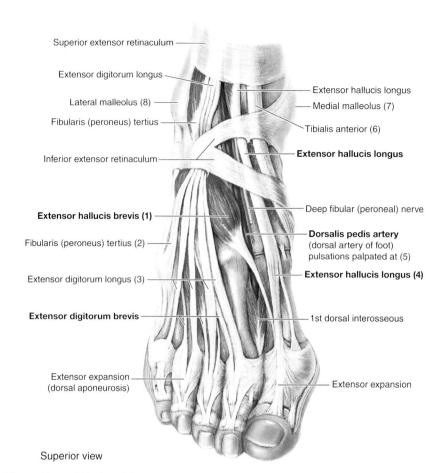

Superior extensor retinaculum

Extensor digitorum longus

Lateral malleolus (8)

Fibularis (peroneus) tertius

Inferior extensor retinaculum

Extensor hallucis brevis (1)

Fibularis (peroneus) tertius (2)

Extensor digitorum longus (3)

Extensor digitorum brevis

Extensor expansion
(dorsal aponeurosis)

Extensor hallucis longus

Medial malleolus (7)

Tibialis anterior (6)

Extensor hallucis longus

Deep fibular (peroneal) nerve

Dorsalis pedis artery
(dorsal artery of foot)
pulsations palpated at (5)

Extensor hallucis longus (4)

1st dorsal interosseous

Extensor expansion

Superior view

그림 11-46. ● 우측 발목 전면부

해부학적 지표

1. 환자를 진찰대에 눕히고 시술의는 환측 발목의 내측 방향에 선다.

2. 비골과 원위 경골, 발목의 전외측에 걸쳐 있는 거골 사이의 접합점을 찾는다.

3. 전경골건의 위치를 환자에게 발목을 굽혀보라고 해서 확인한다.

4. 장모지신근(extensor hallucis longus)과 건경골근(anterior tibialis tendons)사이에 있는 발목관절 부분을 확인한다. 대개 이부분이 부드럽게 움푹 들어간다.

5. 이 부위를 심이 들어간 볼펜 끝으로 강하게 누른다. 이 함몰 부위는 바늘이 삽입되는 지점을 나타낸다.

6. 삽입 지점 표시 후에 환자가 움직여서는 안된다.

마취

• 국소도포용 냉각스프레이를 사용하여 피부에 국소마취를 시행한다.

장비

- 국소도포용 냉각마취스프레이
- 3 mL 주사기-주사용
- 20 G, 1 inch 바늘-흡인용
- 25 G, 1½ inch 바늘-흡인하지 않고 주사용
- 에피네프린이 첨가되지 않은 1% 메피바카인 1 mL
- 스테로이드 용액 1 mL (20 mg triamcinolone acetonide)
- 알코올솜 1개
- 베타딘 솜 2개
- 소독된 거즈
- 소독된 반창고
- 깨끗한 받침대용 수건이나 패드

기법

1. 알콜과 베타딘으로 주사 부위를 소독한다.
2. 냉각 스프레이로 피부를 국소마취를 한다.
3. 바늘끝을 피부에 수직, 발목의 후방부로 향하도록 한다.
4. no-touch technique으로 바늘을 삽입한다(그림 11-47).
5. 바늘을 발목관절 안으로 진행시킨다. 원위 경골과 비골 사이 발목관절에 바늘이 위치하게 한다.
6. 흡인을 하려면 20 G의 1 inch 바늘 10-20 mL 주사기를 이용하여 액체를 뽑아낸다.

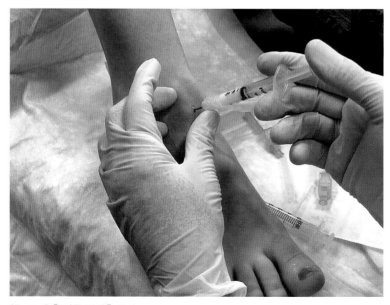

그림 11-47. ● 우측 발목 전내측 주사

7. 메피바카인/스테로이드 주사만 하려면 25 G, 1½ inch 바늘 3 mL 주사기를 이용한다.

8. 흡인 후에 주사를 하려면 20 G 바늘에서 주사기를 분리하고 메피바카인/스테로이드를 넣은 3 mL 주사기를 연결하여 사용한다.

9. 발목관절에 메피바카인/스테로이드 용액을 조금씩 천천히 주사한다. 주사한 용액은 공간내로 부드럽게 흘러야 한다. 만일 저항이 느껴진다면 바늘을 약간 더 진행하거나 빼내어서 시도한다.

10. 주사 용액의 주사 후 바늘을 빼낸다.

11. 소독된 반창고를 붙인다.

12. 환자에게 발목을 최대 관절운동범위로 움직여보게 한다. 이 움직임을 통해 스테로이드 용액이 발목 관절 전체에 퍼지게 한다.

13. 5분 정도 지난 후 환자의 통증이 완화되었는지 검사한다.

시술 후 관리

- 발목 보조기 사용을 고려한다.
- 2주 동안 환측 발목의 심한 사용을 피한다.
- 적응증에 따라 NSAID, 얼음주머니, 또는 물리치료를 시행한다.
- 2주 후에 추적 관찰한다.

CPT 코드:

- 20605—Arthrocentesis, aspiration and/or injection, intermediate joint or bursa; without ultrasound guidance
- 20606—With ultrasound guidance, with permanent recording and reporting

유의사항

- 바늘을 자입할 때 전경골동맥과 정맥 그리고 심비골신경 손상에 주의하여 내측으로 진입하여야 한다.

참고문헌

1. Khlopas H, Khlopas A, Samuel LT, et al. Current concepts in osteoarthritis of the ankle: review. *Surg Technol Int* 2019;35:280–94.

2. Furtado RNV, Machado FS, Luz KRD, et al. Intra-articular injection with triamcinolone hexacetonide in patients with rheumatoid arthritis: prospective assessment of goniometry and joint inflammation parameters. *Rev Bras Reumatol Engl Ed.* 2017;57(2):115–21.

3. Ward ST, Williams PL, Purkayastha S. Intra-articular corticosteroid injections in the foot and ankle: a prospective 1-year follow-up investigation. *J Foot Ankle Surg.* 2008;47(2):138–44.

4. Vannabouathong C, Del Fabbro G, Sales B, et al. Intra-articular injections in the treatment of symptoms from ankle arthritis: a systematic review. *Foot Ankle Int.* 2018;39(10):1141–50.

5. Brand JC. Editorial commentary: big data suggest that because of a significant increased risk of postoperative infection, steroid injection is not recommended after ankle arthroscopy. *Arthroscopy.* 2016;32(2):355.

6. Uçkay I, Hirose CB, Assal M. Does intra-articular injection of the ankle with corticosteroids increase the risk of subsequent periprosthetic joint infection (PJI) following total ankle arthroplasty (TAA)? If so, how long after a prior intra-articular injection can TAA be safely performed? *Foot Ankle Int.* 2019;40(1_suppl):3S–4S.

7. Papalia R, Albo E, Russo F, et al. The use of hyaluronic acid in the treatment of ankle osteoarthritis: a review of the evidence. *J Biol Regul Homeost Agents.* 2017;31(4 suppl 2):91–102.

8. Lucas Y, Hernandez J, Darcel V, et al. Viscosupplementation of the ankle: a prospective study with an average follow-up of 45.5 months. *Orthop Traumatol Surg Res.* 2013;99(5):593–99.

9. Fukawa T, Yamaguchi S, Akatsu Y, et al. Safety and efficacy of intra-articular injection of platelet-rich plasma in patients with ankle osteoarthritis. *Foot Ankle Int.* 2017;38(6):596–604.

10. McIntyre JA, Jones IA, Han B, et al. Intra-articular Mesenchymal stem cell therapy for the human joint: a systematic review. *Am J Sports Med.* 2018;46(14):3550–63.

11. Grunfeld R, Aydogan U, Juliano P. Ankle arthritis: review of diagnosis and operative management. *Med Clin North Am.* 2014;98(2):267–89

단비골근 건염
Fibularis Brevis Tendonitis

단비골근(fibularis brevis, 과거 peroneus brevis) 건염에 스테로이드 주사는 일차 진료에서는 흔한 시술은 아니다. 장비골근과 단비골근의 건은 발목 내번에 의한 염좌시 잘 손상된다. 이것은 건의 만성적 아탈구를 초래할 수 있다. 반복적인 강력한 발바닥쪽 굽힘과 발의 저항 외번으로 오는 과사용으로도 발생할 수 있다. 스테로이드 주사가 일반적인 치료법으로 선택된다. 초음파 유도하에 시행하면 청소년 특발성 관절염에서 안전하고 기술적으로 성공적인 주사방법이라는 연구 보고가 있다.[1] 가장 흔한 초음파 영상학적 특징으로는 인대주변 액체 저류와 건초 비후 소견을 들 수 있다. 또한, 한 연구에서는 초음파 유도하 건천공술이 효과적이었다는 증례보고도 있다.[2]

적응증	ICD-10 code
Peroneus brevis tendonitis	M76.70

관련해부학: (그림 11-48)

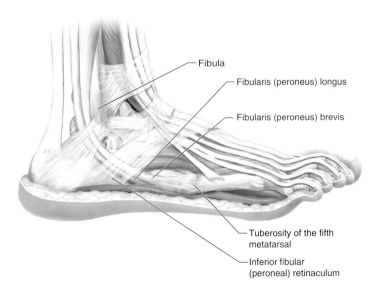

Fibula

Fibularis (peroneus) longus

Fibularis (peroneus) brevis

Tuberosity of the fifth metatarsal

Inferior fibular (peroneal) retinaculum

그림 11-48. ● 우측 발의 외측면

환자 자세

- 환자를 진찰대에 눕힌다.
- 환측 무릎과 발목의 아래쪽에 둥글게 만 수건들을 놓아서 지지한다.
- 발목은 중립 위치를 한다.
- 환자의 머리를 주사 반대쪽으로 하여 환자의 불안과 통증인지를 최소화한다.

해부학적 지표

1. 환자를 진찰대에 눕히고 시술의는 환측 발목의 외측 방향에 선다.
2. 발을 외번(eversion) 자세로 놓아 5번째 종족골두(metatarsal head)의 바로 근위부에서 압통을 확인한다.
3. 외측 복사뼈 후방 및 원위부에서 5번째 종족골두쪽으로 내려가면서 단비골근 건을 촉진한다.
4. 가장 압통이 심한 부위를 알아낸다.
5. 이 부위에 촉을 집어넣은 볼펜 끝으로 눌러 피부에 표시한다. 이 부위가 주사바늘이 들어갈 위치이다.
6. 삽입 지점 표시 후에 환자는 발목을 움직여서는 안 된다.

마취

- 국소도포용 냉각스프레이를 사용하여 피부에 국소마취를 시행한다.

장비

- 국소도포용 냉각마취스프레이
- 3 mL 주사기
- 25 G, 5/8 inch 바늘
- 에피네프린이 첨가되지 않은 0.5% 리도카인 0.5 mL
- 스테로이드 용액 0.5 mL (20 mg triamcinolone acetonide)
- 알코올솜 1개
- 베타딘 솜 2개
- 소독된 거즈
- 소독된 반창고
- 깨끗한 받침대용 수건이나 패드.

기법

1. 알콜과 베타딘으로 주사 부위를 소독한다.
2. 국소도포용 냉각 스프레이로 피부를 국소마취를 한다.

3. 5번째 종족골에 부착하는 부위의 단비골근의 건염을 치료하려면:
    a. 바늘을 피부와 수직이 되게 하고 바늘 끝이 내측을 향하게 한다.
    b. no-touch technique으로 바늘을 삽입한다.
    c. 바늘을 천천히 진행시켜서 바늘 끝이 건과 뼈의 결합 부위에 닿으면 1–2 mm 정도 빼낸다.
    d. 주사기 실린지를 잡아 빼서 혈액역류가 없음을 확인한다.
    e. 리도카인/스테로이드 주사를 조금씩 천천히 주사한다. 주사한 용액은 공간내로 부드럽게 흘러야 한다. 만일 저항 이 느껴진다면 바늘을 약간 더 진행하거나 빼내어 주사해본다.
4. 단비골근 건의 근위부쪽 건염을 치료하려면:
    a. 바늘을 피부와 45도 각이 되게 하고 바늘 끝이 내측을 향하게 한다.
    b. no-touch technique으로 바늘을 삽입한다(그림 11-49).
    c. 바늘을 천천히 진행시켜서 바늘의 끝이 건에 접촉하면 1–2 mm 정도 빼낸다.
    d. 주사기 실린지를 잡아 빼서 혈액역류가 없음을 확인한다.
    e. 리도카인/스테로이드 주사를 단비골근 건 주위로 한번에 천천히 주사한다. 건초에 내에서 소세지 모양이 약간 불룩하게 될 수 있다. 주사한 약물은 건–활액막 공간으로 부드럽게 들어가야 한다. 만일 저항이 느껴진다면 바늘을 약간 더 진행하거나 빼내어 주사해 본다.
5. 주사 용액을 주사한 뒤에 바늘을 빼낸다.
6. 소독된 반창고를 붙인다.
7. 환자에게 발목을 최대한 외번 및 내번하게 한다. 이 움직임을 통해 스테로이드 용액이 단비 골근 건초내 전체에 퍼지게 한다.

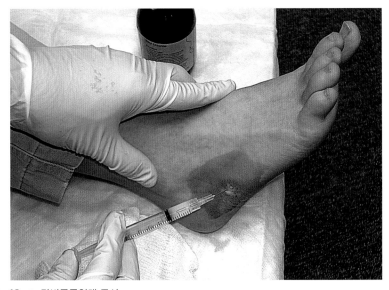

그림 11-49. ● 단비골근인대 주사

8. 5분 정도 지난 후 환자의 통증이 완화되었는지 재검사한다.

시술 후 관리

- 2주간 발목–발 보조기나 캐스트 등을 사용하여 환측 발목의 발바닥굽힘을 피하도록 한다.
- 적응증에 따라 NSAID, 얼음주머니 또는 물리치료를 시행한다.
- 2주 후에 추적 관찰한다.

CPT 코드:

- 20551–Injection; single tendon origin/insertion
- 76942 (optional)–Ultrasonic guidance for needle placement with imaging supervision and interpretation with permanent recording

유의사항

- 단비골근건은 표층에 존재한다. 그러므로 주사는 피부위축이나 색소침착저하증 발생할 수 있다. 스테로이드 주사 시에 피하 팽진이 발생하지 않도록 주의한다.

참고문헌

1. Peters SE, Laxer RM, Connolly BL, et al. Ultrasound-guided steroid tendon sheath injections in juvenile idiopathic arthritis: a 10-year single-center retrospective study. *Pediatr Rheumatol Online J.* 2017;15(1):22.
2. Sussman WI, Hofmann K. Treatment of insertional peroneus brevis tendinopathy by ultrasound-guided percutaneous ultrasonic needle tenotomy: a case report. *J Foot Ankle Surg.* 2019;58(6):1285-7

족저근막염
Plantar Fascia

족저근막염은 일차 진료영역에서 흔히 만나는 질환이다. 족저근막염은 종골 안쪽 결절에 있는 족저건막(plantar aponeurosis)의 기시부의 반복적 움직임에 의한 손상으로 인한 염증 상태라고 할 수 있다. 특히 편평발을 가진 사람에서 과도한 회내(pronation)에 의해 발생한다. 통증은 쉬고 난 다음 압력을 받을 때 가장 심하다. 보존적 치료로 휴식, 보조기, 스트레칭, 치료적 운동, 항염증제, 주사 치료 등이 있다. 표준치료법인 야간 보조기 보호대 착용이나 보조기 착용등은 큰 효과가 있지는 않은 것으로 보고되고 있다.[1]

스테로이드 주사가 주요한 치료이며 최소한 단기간 증상 개선에 효과가 있다고 보고되었다.[2,3] 초음파 유도하 시행하면 치료 효능은 증가한다.[4,5] 체계적 고찰결과에 의하면 다른 비침습적인 치료법인 물리치료나 충격파요법에 비해 3개월 이내 통증 감소에서는 스테로이드 주사가 좀 더 효과적인 것으로 보고되었다.[6] 게다가 스테로이드주사와 물리치료등을 같이 시행한 경우에는 각각의 치료를 한 것에 비해 단기, 장기적 통증 감소와 기능개선에 효과가 있는 것으로 보고되고 있다.[7]

스테로이드 주사와 비교해서 다른 주사치료 방법인 증식치료[8], 혈소판-풍부 혈장[9,10] 이나 보톡스 주사[11,12]가 통증 감소와 기능개선에 효과가 있는 것으로 보고되고 있다. 보존적 치료가 실패할 경우 수술 치료를 고려할 수 있다.

적응증	ICD-10 code
Plantar fasciitis	M72.2

관련해부학: (그림 11-50)

환자 자세

- 환자를 진찰대에 누워 고관절을 완전히 외회전시키고 무릎은 약간 굽히고 발목은 중립 자세로 한다.
- 다른 방법으로는 환측을 밑으로 하여 환측 무릎은 약간 구부리고, 발목은 중립자세로 하여 눕힌다.
- 주사하는 쪽과 반대로 환자머리를 회전시켜 환자의 불안과 통증인지를 최소화한다.

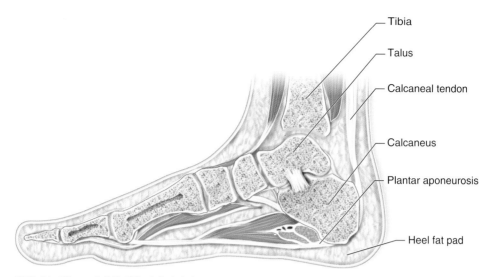

Tibia

Talus

Calcaneal tendon

Calcaneus

Plantar aponeurosis

Heel fat pad

그림 11-50. ● 우측발 내측면의 시상면

해부학적 지표

1. 환자를 진찰대에 눕히고, 시술의는 환측 발의 내측에 선다.
2. 발바닥에서 가장 압통이 심한 부위를 확인한다. 보통 종골 말단 정중앙 바로 내측에 위치해 있다.
3. 경골의 뒷면 경계선을 따라 수직선을 긋는다.
4. 발바닥위로 손가락 한마디 정도에서 수평선을 긋는다.
5. 이 두 선이 발의 내측에서 만나는 점을 표시하라.
6. 이 부위를 움푹 들어간 볼펜끝으로 강하게 누른다. 이 함몰 부위는 바늘이 삽입되는 지점을 나타낸다.
7. 삽입 지점 표시 후에 환자는 발이나 발목을 움직여서는 안 된다.

마취

• 국소도포용 냉각스프레이를 사용하여 피부에 국소마취를 시행한다.

장비

• 국소도포용 냉각마취스프레이
• 3 mL 주사기
• 25 G, 1½ inch 바늘
• 에피네프린이 첨가되지 않은 1% 메피바카인 1 mL
• 스테로이드 용액 1 mL (20 mg triamcinolone acetonide)
• 알코올솜 1개
• 베타딘 솜 2개

- 소독된 거즈
- 소독된 반창고
- 깨끗한 받침대용 수건이나 패드

기법

1. 알콜과 베타딘으로 주사 부위를 소독한다.
2. 국소 도포용 냉각 스프레이로 피부를 국소마취를 한다.
3. 바늘을 두 개의 표지가 만나는 점의 피부에 직각으로, 바늘의 끝을 외측으로 향하게 한다.
4. no-touch technique으로 바늘을 빠르게 삽입한다(그림 11-51).
5. 바늘의 끝이 족저 근막의 시작 부위에 위치할 때까지 종골의 안쪽 결절 방향으로 바늘을 천천히 진행시킨다.
6. 주사기 실린지를 잡아 빼서 혈액역류가 없음을 확인한다.
7. 리도카인/스테로이드 주사를 족저 근막의 시작 부위에 조금씩 천천히 주사한다. 주사한 약물은 공간으로 부드럽게 들어가야 한다. 만일 저항이 느껴진다면 바늘을 약간 더 진행하거나 빼내어 주사해 본다.
8. 주사 용액을 주사한 뒤에 바늘을 빼낸다.
9. 소독된 반창고를 붙인다.
10. 환자에게 주사 부위를 마사지한 뒤 몇 걸음 걸어보게 한다. 이 동작은 스테로이드 용액이 족저 근막에 잘 퍼지도록 할 것이다.
11. 5분 뒤에 검사하여 환자의 통증 완화를 확인한다.

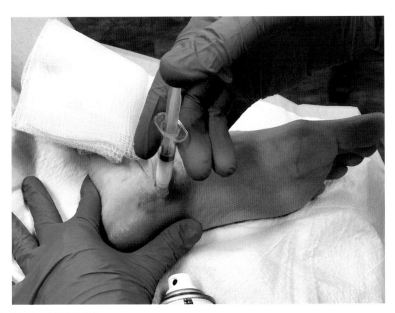

그림 11-51. ● 족저근막주사

시술 후 관리

- 적응증이 된다면 NSAID, 얼음주머니 또는 물리치료를 시행한다.
- 환자에게 발 스트레칭 운동을 하루에 4차례하도록 교육한다.
- 적응이 된다면 적절한 신발이나 보조기를 신도록 한다.
- 2주 후에 추적 관찰한다.

CPT 코드:

- 20550−Injection(s); single tendon sheath, or ligament, aponeurosis
- 76942 (optional)−Ultrasonic guidance for needle placement with imaging supervision and interpretation with permanent recording

유의사항

- 족저근막 주사는 꽤 통증이 심하다. 특히 발바닥 표면을 통해 주사할 경우 심하다. 위에 기술한 안쪽 접근은 통증을 최소화할 수 있다. 국소도포용 냉각스프레이를 반드시 사용한다.
- 해부학적으로 발바닥 지방패드의 두께를 확인해 본다. 주사는 이 부위의 지방 위축을 막기 위해 지방 패드 위에서 시행하여야 한다.

참고문헌

1. Trojian T, Tucker AK. Plantar Fasciitis. *Am Fam Physician*. 2019;99(12):744–50
2. Ball EM, McKeeman HM, Patterson C, et al. Steroid injection for inferior heel pain: a randomised controlled trial. *Ann Rheum Dis*. 2013;72(6):996–1002.
3. Whittaker GA, Munteanu SE, Menz HB, et al. Corticosteroid injection for plantar heel pain: a systematic review and meta-analysis. *BMC Musculoskelet Disord*. 2019;20(1):378.
4. Chen CM, Chen JS, Tsai WC, et al. Effectiveness of device-assisted ultrasound-guided steroid injection for treating plantar fasciitis. *Am J Phys Med Rehabil*. 2013;92(7):597–605.
5. McMillan AM, Landorf KB, Gilheany MF, et al. Ultrasound guided corticosteroid injection for plantar fasciitis: randomised controlled trial. *BMJ* 2012;344:e3260.
6. Chen CM, Lee M, Lin CH, et al. Comparative efficacy of corticosteroid injection and non-invasive treatments for plantar fasciitis: a systematic review and meta-analysis. *Sci Rep*. 2018;8(1):4033.
7. Johannsen FE, Herzog RB, Malmgaard-Clausen NM, et al. Corticosteroid injection is the best treatment in plantar fasciitis if combined with controlled training. *Knee Surg Sports Traumatol Arthrosc*. 2019;27(1):5–12.
8. Mansiz-Kaplan B, Nacir B, Pervane-Vural S. Effect of dextrose prolotherapy on pain intensity, disability, and plantar fascia thickness in unilateral plantar fasciitis: a randomized, controlled, double-blind study. *Am J Phys Med Rehabil*. 2020;99(4):318–24.
9. Ling Y, Wang S. Effects of platelet-rich plasma in the treatment of plantar fasciitis: a meta-analysis of randomized controlled trials. *Medicine (Baltimore)*. 2018;97(37):e12110.
10. Shetty SH, Dhond A, Arora M, et al. Platelet-rich plasma has better long-term results than corticosteroids or placebo for chronic plantar fasciitis: randomized control trial. *J Foot Ankle Surg*. 2019;58(1):42–6.
11. Díaz-Llopis IV, Gómez-Gallego D, Mondéjar-Gómez FJ, et al. Botulinum toxin type A in chronic plantar fasciitis: clinical effects 1 year after injection. *Clin Rehabil*. 2013;27(8):681-5.
12. Elizondo-Rodriguez J, Araujo-Lopez Y, Moreno-Gonzalez JA, et al. A comparison of botulinum toxin a and intralesional steroids for the treatment of plantar fasciitis: a randomized, double-blinded study. *Foot Ankle Int*. 2013;34(1):8-14

중족부관절
Midfoot Joints

중족부관절부위의 통증은 일차 진료현장에서 흔하지는 않다. 보통은 급성 외상, 골관절염, 통풍, 류마티스관절염, 그리고 다른 염증성 질환에서 동반된다. 보존적 치료로는 체중감소, 물리치료, 보조기나 보장구 착용 그리고 약제로 acetaminophen이나 NSAID 복용 등이 있다. 작은 직경의 바늘이 이 관절 주사에 스테로이드 주입을 위해 사용된다. 최근 연구에 의하면 스테로이드 주사는 단기, 중기 통증 감소에 좋은 치료법으로 소개된다. 비만이나 보통 체중의 환자에 비해서 다른 결과를 보이면서 보통 4개월 정도 의미있게 통증 감소를 보여주는 연구 보고가 있다.[1]

적응증	ICD-10 code
Foot joint pain	M25.579
Midtarsal joint arthritis	M19.079
Midtarsal joint osteoarthritis, primary	M19.079
Foot osteoarthritis, posttraumatic	M19.179
Foot osteoarthritis, secondary	M19.279

관련해부학: (그림 11-52)

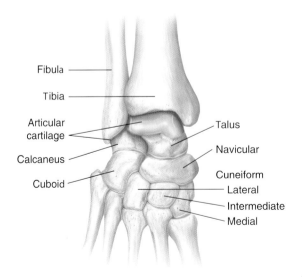

그림 11-52. ● 중족부관절

환자 자세

- 진찰대 위에 똑바로 눕게 한다.
- 통증이 있는 무릎은 90도 구부려서 자세를 취한다.
- 발목은 약간 발바닥을 구부린채로 자세를 취해서 발바닥면이 수건이나 침대면에 완전히 밀착되도록 한다.
- 환자의 머리를 주사하는 쪽과 반대로 돌리게 해서 불안과 통증을 최소화한다.

해부학적 지표

1. 환자를 진찰대에 똑바로 누운 자세를 취하게 하고, 시술자는 환자의 환측 발 앞쪽에 선다.
2. 중족부의 등쪽면에서 가장 통증이 느껴지는 관절면을 촉지한다.
3. 이 관절면의 지점을 확인한다. 보통 이 관절면이 살짝 누르면 들어간다.
4. 이 지점에서 심이 들어간 볼펜 끝으로 강하게 누른다. 이 함몰 부위는 바늘이 삽입되는 지점을 나타낸다.
5. 삽입 지점 표시 후에 환자는 발을 움직이면 안 된다.

마취

- 국소도포용 냉각스프레이를 사용하여 피부에 국소마취를 시행한다

장비

- 국소도포용 냉각마취스프레이
- 3 mL 주사기 – 주사용
- 25 G, 5/8 inch 바늘
- 에피네프린이 첨가되지 않은 1% 메피바카인 0.5 mL
- 스테로이드 용액 0.5 mL (20 mg triamcinolone acetonide)
- 알코올솜 1개
- 베타딘 솜 2개
- 소독된 거즈
- 소독된 반창고
- 깨끗한 받침대용 수건이나 패드

기법

1. 알콜과 베타딘으로 주사 부위를 소독한다.
2. 국소 도포용 냉각스프레이로 피부에 국소마취를 한다.
3. 주사기와 바늘을 피부에 직각으로 위치하고 바늘의 끝이 중족부 관절의 아래쪽을 향하게 한다.

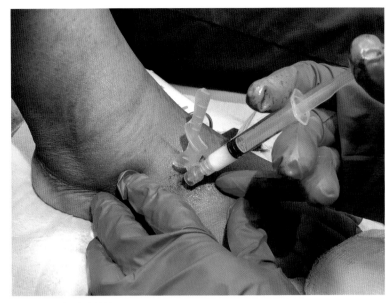

그림 11-53. ● 중족부관절 주사

4. no-touch technique으로 바늘을 삽입한다(그림 11-53).

5. 바늘의 끝이 중족부 관절로 들어가게 진입한다.

6. 주사기 실린지를 잡아 빼서 혈액역류가 없음을 확인한다.

7. 메피바카인/스테로이드 용엑을 중족부 관절로 조금씩 나누어 주사한다. 주사한 용엑 은 부드럽게 공간으로 흘러야 한다. 만일 저항이 느껴진다면 더 주사하기 전에 약간 빼거나 진행시켜 본다.

8. 용액 주사 후에 바늘을 빼낸다.

9. 소독된 반창고를 붙인다.

10. 환자에게 최대 각도로 발을 움직여 보도록 해본다. 이 동작은 스테로이드 용액이 관절 에 잘 퍼지도록 할 것이다.

11. 5분 후에 환자의 통증 완화를 확인하고 발을 다시 검사해 본다.

시술 후 관리

- 발목-발 보장구의 사용을 고려한다.
- 2주 동안은 발 관절의 과도한 움직임을 피한다.
- 적응증이 된다면 NSAID, 얼음주머니 또는 물리치료를 시행한다.
- 2주 후에 추적 관찰한다.

CPT 코드:

- 20600-Arthrocentesis, aspiration and/or injection, small joint or bursa; without ultrasound guidance

- 20604–With ultrasound guidance, with permanent recording and reporting

참고문헌

1. Protheroe D, Gadgil A. Guided intra-articular corticosteroid injections in the midfoot. *Foot Ankle Int*. 2018;39(8):1001–4

중족지관절
First Metatarsophalangeal Joint

엄지발가락 종족지절관절(First Metatarsophalangeal Joint, MTP)은 일차 진료 의사에서 상대적 으로 흔한 흡인 및 주사 부위이다. 진단 및 치료 목적으로 주사와 흡인은 흔히 시행할 수 있다. 엄지 발가락의 중족지관절은 가장 통풍에서 가장 흔히 이환되며 골관절염에서도 흔히 발병되는 부위이다. 골관절염의 보존적치료는 체중감소, 물리치료, 보조기 착용, 보장구 그리고 아세트아미노펜, NSAID등의 약물 사용이 있다. Sivera등은[1] 29 G 바늘을 이용하여 이 관절에서 성공적으로 흡인을 하였음을 기술하였다. 초음파를 사용하면 관절강내 주사의 정확성을 높일 수있다는 보고가 있다.[2] 스테로이드 주사 또한 경미한 족부무지증에서 유용하다.[3]

적응증	ICD-10 code
Pain of first MTP joint	M25.579
Acute gout involving toe	M10.9
First MTP joint arthritis, unspecified	M19.079
First MTP joint osteoarthritis, primary	M19.079
First MTP joint osteoarthritis, posttraumatic	M19.179
First MTP joint osteoarthritis, secondary	M19.279

관련해부학: (그림 11-54)

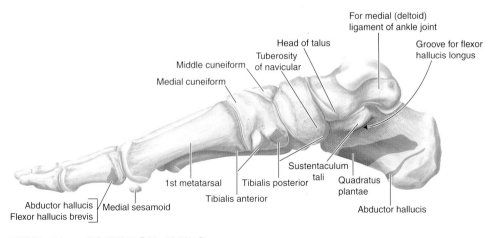

그림 11-54. ● 우측 발의 내측면- 뼈 해부학

환자자세

- 환자를 진찰대에 눕힌다.
- 환측 다리의 무릎을 90도 굴곡시킨다.
- 발목은 약간 발바닥굽힘 시켜 발바닥이 진찰대 받침대용 수건과 완전히 닿도록 한다.
- 환자의 불안과 통증을 최소화하기 위하여 환자의 머리를 주사 반대방향으로 회전시킨다.

해부학적 지표

1. 환자를 진찰대에 눕히고 시술자는 환측 발의 안쪽 방향에 선다.
2. 엄지발가락의 근위부의 굴곡 및 신전을 시키면서 촉진하여 엄지 종족지절관절의 위치를 확인한다. 촉진시 관절에 압통을 호소하거나 홍반, 부종이 있을 수도 있다.
3. 이 부위가 바로 엄지 종족지절관절 주변 주사 부위가 된다.
4. 심을 집어넣은 볼펜으로 세게 눌러서 바늘이 들어가게 될 부위를 표시한다.
5. 삽입 지점 표시 후에 환자는 발이나 발가락을 움직여서는 안 된다.

마취

- 국소도포용 냉각스프레이를 사용하여 피부에 국소마취를 시행한다.

장비

- 국소도포용 냉각마취스프레이
- 3 mL 주사기
- 3 mL 주사기-흡인하게 될 경우
- 25 G, 5/8 inch 바늘
- 에피네프린이 첨가되지 않은 1% 메피바카인 0.25−0.5 mL
- 스테로이드 용액 0.25−0.5 mL (10−20 mg triamcinolone acetonide)
- 알코올솜 1개
- 베타딘 솜 2개
- 소독된 거즈
- 소독된 반창고
- 깨끗한 받침대용 수건

기법

1. 알콜과 베타딘으로 주사 부위를 소독한다.
2. 국소 도포용 냉각 스프레이로 국소마취를 한다.
3. 주사기와 바늘을 두 개의 표지가 만나는 점에서 피부에 직각으로 위치하고 바늘의 끝

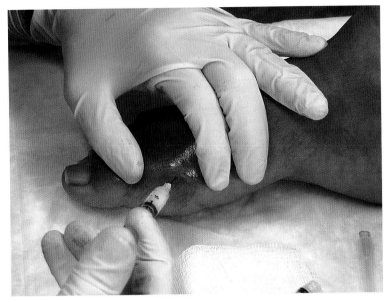

그림 11-55. ● 우측 첫번째 중족지 관절 주사

을 외측으로 향 하게 한다.

4. no-touch technique으로 바늘을 빠르게 삽입한다(그림 11-55).

5. 바늘의 끝이 관절 캡슐에 위치할 때까지 진행시킨다. 만일 바늘이 뼈나 연골에 닿으면 1-2 mm 바늘을 빼낸다.

6. 흡인을 하게 된다면 25 G, 5/8 inch 바늘의 3 mL 주사기를 사용하여 액체를 뽑아낸다.

7. 만일 흡인 후에 주사를 하게 된다면 3 mL 주사기를 25 G 바늘에서 빼낸 뒤 스테로이드 용 액을 채운 3 mL 주사기를 다시 끼운다.

8. 스테로이드 용액만을 주사한다면 25 G, 1/2 inch 바늘의 3 mL 주사기를 사용하여 메피바카인/스테로이드 혼합액을 사용한다.

9. 스테로이드 용액을 관절 캡슐내로 조금씩 천천히 주사한다. 주사한 용액은 부드럽게 공간으로 흘러야 한다. 만일 저항이 느껴진다면 더 주사하기 전에 약간 빼거나 진행시켜 본다.

10. 주사 용액 주사 후에 바늘을 빼낸다.

11. 소독된 반창고를 붙인다.

12. 환자에게 발가락을 전체 관절범위를 움직여보게 한다. 이 동작은 스테로이드 용액이 관절 캡슐에 잘 퍼지도록 할 것이다.

13. 5분 뒤에 다시 첫번째 중족지 관절을 관찰하여 환자의 통증 완화를 확인한다.

시술 후 관리

• 2주 동안은 엄지발가락 중족지절 관절의 과도한 움직임을 피한다.

- 적응증이 된다면 NSAID, 얼음주머니 또는 물리치료를 시행한다.
- 발목−발 보조기나 나무깔창 신발 사용을 고려한다.
- 2주 후에 추적 관찰한다.

CPT 코드:

- 20600−Arthrocentesis, aspiration and/or injection, small joint or bursa; without ultrasound guidance
- 20604−With ultrasound guidance, with permanent recording and reporting

유의사항

- 엄지발가락을 원위부쪽으로 당기면 관절을 열어주어 주사하는 데 도움이 될 수 있다

참고문헌

1. Sivera F, Aragon R, Pascual E. First metatarsophalangeal joint aspiration using a 29-gauge needle. *Ann Rheum Dis*. 2008;67(2):273–5.
2. Nordberg LB, Lillegraven S, Aga AB, et al. The impact of ultrasound on the use and efficacy of intraarticular glucocorticoid injections in early rheumatoid arthritis: secondary analyses from a randomized trial examining the benefit of ultrasound in a clinical tight control regimen. *Arthritis Rheumatol*. 2018;70(8):1192–9.
3. Solan MC, Calder JD, Bendall SP. Manipulation and injection for hallux rigidus: is it worthwhile? *J Bone Joint Surg Br*. 2001;83:706–8.

지간신경종(모턴씨 신경종)
Intermetatarsal (Morton's) Neuroma

발에서 지간신경(interdigital nerve) 압박은 모턴씨 신경종이라 불리우는 통증성 질환을 일으킨다. 이는 일차진료에서 흔히 볼 수 있다. 염증, 신경 주위 섬유화, 지간신경의 부종을 일으키는 반복적 압박 손상과 관련된다. 체중을 부하할 때(특히 발가락을 조이는 신발을 신고) 신경종을 계속 누르게 되면 칼로 도려내는 듯한 통증이나 이상감각을 나타날 수 있다. 대개 신경종은 2번과 3번 종족골 머리 또는 3번과 4번 종족골 머리 부위 사이에 위치한다. 신발 수정, 주문 제작한 보조기 또는 스테로이드 주사와 같은 보존적 치료를 할 수 있다.

스테로이드 주사는 단기와 중기간 효과가 있다고 밝혀져 있다.[1,2] 스테로이드 주사와 물리치료등의 두가지 중재적 치료법들은 통증 감소에 있어 강한 근거를 가진 방법으로 알려져 있다.[3] 초음파 유도하에 모턴씨 신경종에 스테로이드 주사는 랜드마크 이용 주사법에 비해 단기간 높은 통증 감소효과를 보이고 적은 이상 반응을 보인다고 보고되고 있다.[4] 하지만 치료에 반응하지 않는 경우도 있다. 스테로이드 주사에 반응을 보이지 않는 경우는 초음파상 신경종의 크기가 중요한 지표로 보고 되고 있다.[5] 통계학상 6.3 mm 이상의 큰 신경종에서는 스테로이드 주사 효과가 적은 것으로 보고된다.[6]

초음파 유도하게 알코올 주사와 같은 경화제 치료가 최근 체계적 고찰 연구에서 새로운 방법으로 제시되고 있다.[7] Perini등이 발표한 연구에서는 이러한 치료가 비교적 많은 환자군을 대상으로 한 연구에서 안전하고 신경병성 증상을 호전시키는데 효과적이었다고 보고한다.[8] 보존 치료에 반응하지 않는 환자에서는 신경 감압수술이나 신경절제술 등의 수술적 치료가 필요할 수 있다.

적응증	ICD-10 code
Morton's neuroma	G57.60

관련해부학: (그림 11-56)

환자 자세

- 환자를 진찰대에 눕힌다.
- 환측 다리의 무릎을 90도 굴곡시킨다.
- 발목은 약간 발바닥 굽힘시켜 발바닥이 검사테이블의 받침대용 수건과 완전히 닿도록 한다.

그림 11-56. ● 우측 발의 등쪽면

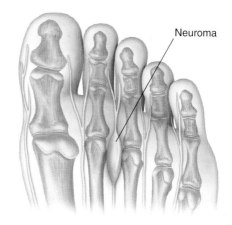

Neuroma

- 환자의 불안과 통증을 최소화하기 위하여 환자의 머리를 주사 반대방향으로 회전시킨다.

해부학적 지표

1. 환자를 진찰대에 눕히고, 시술의는 환측 발의 원위부 쪽에 서거나 앉는다.
2. 가장 압통이 심한 부위를 확인한다. 이는 종족골 머리 사이에서 발견된다. 가장 흔한 부위는 2번과 3번, 4번 중족골 사이이다.
3. 가장 압통이 있는 원위부 발의 등쪽 부위가 주사하는 부위가 된다. 압통이 있는 결절이 만져지기도 한다.
4. 이 부위에서 심을 집어넣은 볼펜으로 세게 눌러서 그 부위를 표시한다. 이 부위는 바늘이 들어가게 될 부위이다.
5. 삽입 지점 표시 후에 환자는 발이나 발목을 움직여서는 안 된다.

마취

- 국소도포용 냉각마취스프레이를 사용하여 피부에 국소마취를 시행한다.

장비

- 국소도포용 냉각마취스프레이
- 3 mL 주사기
- 25 G, 1 inch 바늘
- 에피네프린이 첨가되지 않은 1% 리도카인 0.5 mL
- 스테로이드 용액 0.5 mL (20 mg triamcinolone acetonide)
- 알코올솜 1개
- 베타딘 솜 2개

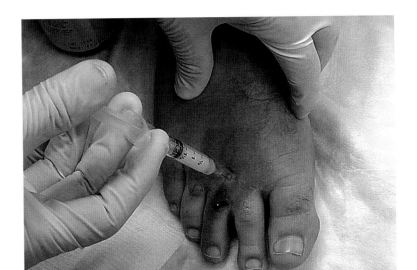

그림 11-57. ● 모튼씨 신경종 주사

- 소독된 거즈
- 소독된 반창고
- 깨끗한 받침대용 수건

기법

1. 알콜과 베타딘으로 주사 부위를 소독한다.
2. 국소 도포용 냉각스프레이로 피부에 국소마취를 한다.
3. 주사기와 바늘을 피부에 직각으로 위치하고 바늘의 끝을 이환된 종족골 머리 사이에서 바로 밑을 향하게 한다.
4. no-touch technique으로 바늘을 삽입한다(그림 11-57).
5. 바늘의 끝이 종족골 머리 사이에 위치할 때까지 진행시킨다.
6. 주사기 실린지를 잡아 빼서 혈액역류가 없음을 확인한다.
7. 리도카인/스테로이드 용액을 신경종이나 주변에 조금씩 나누어 주사한다. 주사한 용액은 부드럽게 공간으로 흘러야 한다. 만일 저항이 느껴진다면 더 주사하기 전에 약간 빼거나 진행시켜 본다.
8. 용액 주사 후에 바늘을 빼낸다.
9. 소독된 반창고를 붙인다.
10. 환자에게 주사 부위를 마사지하도록 한다. 이 동작은 스테로이드 용액이 관절에 잘 퍼지도록 할 것이다.
11. 5분 후에 환자의 통증 완화를 확인한다.

시술 후 관리

- 발가락을 조이는 신발을 신지 않는다.
- 적응증에 따라 NSAID, 얼음주머니 또는 물리치료를 시행한다.
- 종족골 패드나 주문제작한 보조기 사용을 고려한다.
- 2주 후에 추적 관찰한다.

CPT 코드:

- 64455−Injection(s), anesthetic agent, and/or steroid, plantar common digital nerve(s)
- 76942 (optional)−Ultrasonic guidance for needle placement with imaging supervision and interpretation with permanent recording

참고문헌

1. Markovic M, Crichton K, Read JW, et al. Effectiveness of ultrasound-guided corticosteroid injection in the treatment of Morton's neuroma. *Foot Ankle Int*. 2008;29(5):483–487.
2. Hassouna H, Singh D, Taylor H, et al. Ultrasound guided steroid injection in the treatment of interdigital neuralgia. *Acta Orthop Belg*. 2007;73(2):224–229.
3. Matthews BG, Hurn SE, Harding MP, et al. The effectiveness of non-surgical interventions for common plantar digital compressive neuropathy (Morton's neuroma): a systematic review and meta-analysis. *J Foot Ankle Res*. 2019;12:12.
4. Ruiz Santiago F, Prados Olleta N, Tomás Muñoz P, et al. Short term comparison between blind and ultrasound guided injection in Morton neuroma. *Eur Radiol*. 2019;29(2):620–627.
5. Park YH, Kim TJ, Choi GW, et al. Prediction of clinical prognosis according to intermetatarsal distance and neuroma size on ultrasonography in Morton neuroma: a prospective observational study. *J Ultrasound Med*. 2019;38(4):1009–1014.
6. Park YH, Lee JW, Choi GW, et al. Risk factors and the associated cutoff values for failure of corticosteroid injection in treatment of Morton's neuroma. *Int Orthop*. 2018;42(2):323–329.
7. Santos, D Morrison G, Coda A. Sclerosing alcohol injections for the management of intermetatarsal neuromas: a systematic review. *Foot (Edinb)*. 2018;35:36–47.
8. Perini L, Perini C, Tagliapietra M, et al. Percutaneous alcohol injection under sonographic guidance in Morton's neurom a: follow-up in 220 treated lesions. *Radiol Med*. 2016;121(7):597–604

주사치료에 대한 동의서
(흡인 및 주사)

날짜: _____

환자(**환자 이름 기입**)는 치료 의사(**의사 이름 기입**)에게
다음과 같은 시술을 받는 것에 대해 설명을 듣고 동의합니다.

시술명: _____

_____

_____

시술내용: _____

_____

_____

_____

상기 시술과 관련하여 다음과 같은 부작용이 발생할 수 있음을 설명 들었습니다.

출혈, 감염, 주사부위 통증, 실신, 알레르기 반응, 기타
(_____)

코르티코스테로이드를 사용하는 경우에는 다음과 같은 반응이 발생할 수 있음을 설명 들었습니다.

열감	관절 염증의 일시적 악화
인대 파열	피부의 얇아짐
피부색조변화	당뇨환자에서의 혈당악화
면역반응의 약화	호르몬 불균형
불규칙적인 생리주기	

본 시술과 관련된 진단, 치료, 대체 치료법등에 대해서 의사로부터 충분히 들었습니다. 아울러 본 치료에 대한 발생 가능 위험성에 대해서 충분히 이해하였으며 치료 결과가 만족치 못할 상황 발생 가능성에 대해서도 충분한 설명을 들었습니다.

이에 동의하고 서명합니다.

환자이름 및 서명: _____

참관인: _____

환자가 동의서 작성할 수 없는 상태이거나 미성년자인 경우 다음으로 대체:

본 환자는 나이 00 세인 미성년자, 다음과 같은 이유로 동의서 작성할 수 없는 상태
환자 상태나 질병등의 이유를 기입한다.

_____

_____

이에 동의서를 작성할 수 없는 상태이지만 상기 진단, 치료 목적의 시술에 대해 필요한 검사를 포함하여 시행받는 것에 동의합니다.

_____
대표자 서명

주사치료 후 관리에 대한 주의점

환자분은 다음 의사에게 치료 받았습니다. 의사 _____

진단명은 다음과 같습니다. 진단명: _____

치료내용은 주사 바늘을 이용하여

_____ 부위로부터 체액을 흡인하였습니다.

_____ 부위로 스테로이드 약제를 주사하였습니다.

_____ 시술 등을 받았습니다.

다음 주의사항을 자세히 숙지하여 주십시요

통증재발에 대하여:

주사 치료는 대개 국소마취제나 스테로이드를 이용하여 시행합니다. 국소마취제에 의한 마취, 진통 작용은 대개 1시간 정도 지나 사라지게 됩니다. 이 때 다시 통증이 생길 수 잇습니다. 스테로이드에 의한 통증 경감 효과가 나타나기까지는 24-48시간 정도가 걸립니다. 따라서 1-2 정도는 통증이 없어질 때까지 기다려 주세요.

통증부위의 안정:

아픈 부위는 가급적 안정을 취해 주세요. 주사치료 받은 부위는 대개 감각이 무뎌지므로 다른 부위에 비해 다치기 쉽습니다. 필요한 경우가 아니면 주의 깊게 안정을 취해 주십시요.

염증발생에 대한 위험:

가급적 모든 치료과정 중 염증 발생 가능성에 대해 염두하고 시술하지만 다음과 같은 경우가 발생하면 주사로 인한 염증이 의심되니 다음 번호로 즉시 연락주세요:

전화번호 _____

38도 이상의 고열, 주사 부위의 열감이나 빨갛게 부어 오름.

팔이나 다리 부위로 발적이 올라오는 경우나 부어 오름.

다음에 체크된 지시사항을 잘 따라 주세요

☐ 얼음팩이나 냉찜질을 아픈 부위에 4시간마다 20분간 해주세요   – 총 _____ 일간

☐ 따뜻한 찜질이나 수건을 아픈 부위에 4시간마다 20분간 해주세요   – 총 _____ 일간

☐ 탄력 붕대나 밴드를 아픈 부위에 감싸 주세요   – 총 _____ 일간

☐ 스트레칭 운동을 설명 들으신 내용대로 해주세요

☐ 보조 고정기구를 착용해 주세요   – 총 _____ 일간

☐ 물리 치료를 받으세요

☐ 다음 약을 평소 복용하시는 약과 함께 드세요

_____

_____

_____

다음 진료일은 _____ 월 _____ 일 입니다.

시술 기록 예시

다음에 설명하는 문서는 무릎 관절의 흡인과 주사에 대한 진료 기본 예시입니다. 본 문서를 기본으로 다른 시술을 할 경우 내용을 변경, 적용하여 사용하시기를 추천합니다.

환자이름: _____   날짜: _____

초음파 유도하 관절 흡인과 주사: CPT #20611

시술:
환자는 치료 침대에 누운 자세를 취합니다. 근골격계 초음파 기계를 이용합니다. 종단면과 횡단면으로 무릎 관절 부위 구조물을 초음파를 이용하여 확인합니다.

무릎부위 흡인과 주사 치료:
무릎 부위 흡인과 주사치료 전에 본 치료법에 대하여 상세히 설명하였고 시술자체에 대한 설명과 치료 효과들 그리고 사용약제에 대한 위험성, 대체할 수 있는 다른 치료법에 대하여도 설명하였습니다. 발생 가능한 합병증에 대하여 설명하고 관련된 환자의 질문에 대답하였습니다.

외측 슬개골상방 접근법에 의한 주사 치료:
환자 동의서를 작성하고 치료 침대에 환자를 앙와위로 눕혔다. 슬개골 윗쪽 가장자리 2 cm 위에서 수평으로 선을 긋고 슬개골의 뒤쪽 가장자리를 따라 수직으로 선을 그어 두 선이 만나는 지점을 확인하고 볼펜으로 확인하였다. 무릎의 외측면을 알코올과 10% 포비돈-아이오다인 소독액으로 무균소독 하였다. 국소 도포용 냉각스프레이를 사용하여 국소마취를 시행하였다.

무균, 비-접촉 술기를 사용하여:
- 주사만 하는 경우:
  ❏ 2 inch., 25 G 바늘을 이용하여 초음파 유도하에 무릎 관절 캡슐의 내측으로 평면내 접근법을 사용하여 주사한다. 초음파 영상은 저장하고 기술한다.

- 흡인하고 주사하는 경우:

  ☐ 에피네프린을 함유한1% 리도카인 4 mL을 이용하여 피부와 관절 캡슐 부위를 충분히 마취한다.

  ☐ 그 후에, 1½ inch, 18 G 바늘을 초음파 유도하에 무릎 관절 캡슐의 내측으로 주사한다. 초음파 영상은 저장하고 다음과 같이 기술한다.

  체액량: ☐ 없음 ☐ 소량 ☐ 중등도 ☐ 대량

  ☐ 없음 ☐ _____ 형상의 액체가 _____ mL 흡인되었다.

마지막으로 에피네프린을 함유하지 않은 1% 메피바카인 1 mL, 트리암시놀론 40 mg 을 18 G 바늘을 통해 무릎 관절내로 주입하였다.

바늘을 제거하고 출혈이 없음을 확인하였다.
주사 부위에 소독 반창고를 부착했다.
환자는 시술 동안 특별한 문제 없이 치료 받았다.
5분 후 통증이 경감됨을 확인하였다.

의사: _____

서명

Index